W9-CZL-203

杜威教育思想在中国

——纪念杜威来华讲学 100 周年

张斌贤　刘云杉　主　编

王　颖　涂诗万　副主编

李福顺　绘　图

本书分工如下：

北京大学出版社

PEKING UNIVERSITY PRESS

图书在版编目（CIP）数据

杜威教育思想在中国：纪念杜威来华讲学 100 周年/张斌贤，刘云杉主编.—北京：北京大学出版社，2019.4

ISBN 978-7-301-30409-9

Ⅰ.①杜…　Ⅱ.①张…②刘…　Ⅲ.①杜威（Dewey，John 1859—1952）－教育思想－研究　Ⅳ.①G40-097.12

中国版本图书馆 CIP 数据核字 (2019) 第 046159 号

书　　　　名	杜威教育思想在中国——纪念杜威来华讲学 100 周年
著作责任者	张斌贤　刘云杉　主编
责 任 编 辑	于　娜
标 准 书 号	ISBN 978-7-301-30409-9
出 版 发 行	北京大学出版社
地　　　　址	北京市海淀区成府路 205 号　　100871
网　　　　址	http://www.pup.cn　　新浪微博：@北京大学出版社
微信公众号	科学与艺术之声（微信号：sartspku）
电 子 信 箱	zyl@pup.pku.edu.cn
电　　　　话	邮购部 010-62752015　发行部 010-62750672　编辑部 010-62767346
印 刷 者	涿州市星河印刷有限公司
经 销 者	新华书店
	787 毫米 × 1092 毫米　16 开本　25.5 印张　420 千字
	2019 年 4 月第 1 版　　2019 年 4 月第 1 次印刷
定　　　　价	98.00 元

序　言

近一百多年来,难以计数的外国教育家的教育思想先后传入中国,对中国现代教育的发展产生了不同程度的影响。不论对这些教育思想及其影响做何种评价,无可否认的是,在所有这些教育思想中,杜威(John Dewey)教育思想影响的时间之长、范围之广、程度之深,是其他任何教育思想都难以相比的。

同样难以相比的是杜威教育思想在中国的命运之跌宕起伏。大体上,这个曲折的过程可以划分为三个阶段。第一个阶段的特点是"神圣化"。1919 年后,随着杜威为期两年多的讲学以及克伯屈(W. H. Kilpatrick)、帕克赫斯特(Helen Parkhurst)等人的相继访华,由于蔡元培、胡适等中国学术界和教育界领袖的推崇,杜威教育思想在中国盛行一时,杜威成了中国教育界崇拜的偶像。1949—1976 年为第二阶段,"妖魔化"是这个阶段的主要特征。由于政治形势的变化,杜威及其教育思想从"天上"跌入"地狱",成为严厉批判甚至诅咒的对象,尽管参与批判的人未必深入研读过杜威的著作。近四十年来为第三阶段,学术化和"庸俗化"混杂是这个阶段的特征。

从 1982 年全国教育史研究会西安年会后,中国教育学界开始重新将杜威教育思想作为学术研究的对象,四十多年来取得了较为丰富的研究成果,对杜威教育思想的认识无论在广度和深度方面都发生了重要的变化。但在另一方面,杜威教育思想的研究现状仍不尽如人意。研究进展有限,研究成果数量不足、分量不重、质量不高,除少数成果外,研究的视野狭窄、主题单一。其中原因无非是,第一,对杜威著作的完整和系统的阅读不够,这从许多论文所引用的参考文献就能看得非常清楚。指望仅仅阅读(哪怕是非常深度的阅读)几种杜威的著作,就能形成具有新意的研究成果,是极为不现实的。第二,对国内外已有相关研究成果了解不充分,不能在已有研究基础上继续开展新的研究,所以难以在既有研究所形成的平台继续提升,难以出新。其实,虽然杜威教育思想的研究在中国始终不热不冷,但在美国等国,近二十年来先后出版了大量的著作和论文,形成了全新的研究格局。① 所以，并非无前期研究成果可以借鉴，而是研究者没有花费功夫去掌握国内外的相关研究成果。而这两个原因背后的原因则是国内教育学界缺乏杜威教育思想的专业研究人才。迄今为止，大多数曾发表杜威教育思想研究成果的学者基本上都是将杜威教育思想的研究作为临时的学术兴趣，前期缺乏系统积累，后期又无完整计划，在这种情况下，要使杜威教育思想研究在短时期内获得显著的进展确实是一种奢望。事实上，这种情况不仅存在于杜威教育思想的研究中，也广泛地反映在大量对外国教育和外国教育史的研究中。

更令人担忧的是，在学术研究进展缓慢推进的同时，出现了另一种更为有害的将杜威教育思想庸俗化的趋势。所谓"庸俗化"是指，一些论者或是根据道听途说，或是出于望文生义，把杜威教育思想当作一个无所不包的大箩筐，以为从杜威教育思想中能寻找到各种"启示"。于是乎，就出现了这样戏剧性的"场景"：杜威思想"对高职实践教学的启示"，"对大学生理想信念道德教育的启示"，"对专业学位研究生实践教学的启示"，"对教育技术实验研究的启示"，"对中国高校思想政治教育的借鉴"，"对职教工作的启示"，"对新时期大学生德育工作的启示"，"对大学生思想政治理论课教学的启示"，"对'生涯辅导'的启示"，"对环境道德教育的启示"，等等。杜威教育思想似乎成了包治百病的灵丹妙药，教育中的任何工作似乎都能够从杜威思想中获得解决问题的灵感。如果论者真的是通过对杜威教育思想的深入研究，从杜威的"微言大义"中发掘出一些新的认识，从而发现前人所未发现，倒不失为一件好事。但事实是，诸多所谓的"启示"并非来自论者对杜威著作的深入解读，而是以杜威的言论注解作者的"意见"。而诸多"启示"其实与杜威教育思想毫无关系，或与杜威教育思想相去甚远，风马牛不相及。有的"启示"恰恰是杜威所反对的。只要有一些基本常识的人都知道，无论怎样解读杜威的著作，都不可能从中获得那些对高校政治思想教育和大学生思想政治课教学有用的"启示"。这种令人啼笑皆非的现象看似将杜威教育思想"偶像化"，实则导致杜威教育思想研究的娱乐化或庸俗化。要从根本上消除这种状况的基本途径，就是要提高杜威教育思想研究的专门化和专业化水平，使杜威教育思想的研究真正成为一项专业工作而非文化消费。

今年是杜威访华 100 周年，我们特编写《杜威教育思想在中国——纪念杜威来华讲学 100 周年》。

---

① 涂诗万. 美国近二十年杜威教育思想研究新进展[J]. 教育学报，2012(2).

本书的一大特色是作者队伍的构成。其中,既有石中英教授、刘云杉教授等理论功底深厚的教育哲学和教育社会学学者,又有王颖博士、涂诗万博士等受过良好史学训练的中青年学者,还有尹超校长和阿贝尔曼(Abelmann)先生等中美两国富有实践经验的中小学校长。

由于作者构成的特色,也就有了本书的第二个特色。本书从历史、理论和实践三个角度梳理、分析杜威教育思想及其在不同时期的实践,提供了一个新颖的认识视角。

本书的第三个特色是详细梳理了国内外杜威教育思想的研究状况,从而为有志于杜威教育思想研究的读者提供了一个很有价值的指南。

本书的第四个特色是艺术家李福顺先生根据史实资料和重走杜威讲学之路,绘制了20幅杜威讲学图,从而图文并茂地为读者了解杜威思想在中国的传播提供了一个途径。

张斌贤

2019 年 2 月

导 言

辛亥革命后,随着封建专制政体被推翻和民主共和国观念的逐步深入,中国传统教育不可避免地产生了动摇,出现了向现代化方向发展的需求。而各种政治势力轮番登场,政局频繁变更,既客观地决定了中国教育难以自觉实现现代化,需要外力推动,也为这种外力的产生创造了条件。民国初年世界各种思潮特别是宣传自由、民主和科学的思潮纷纷涌入中国,成为中国现代化的外在推动力,冲击了中国政治文化甚至教育领域。"五四"时期这种由西方而来的民主科学思潮成为中国社会主流思想,以民主科学为特征的现代化在中国产生,此时以提倡民主、科学为职志的杜威实用主义教育思想进入中国,因其具有的开放性以及提供的广阔思考力,适应了中国教育求变、实现现代化的需要,在中国引起很大的反响,中国文化、知识、教育界掀起了研究、实践杜威思想的热潮。

就中国思想文化教育界与杜威思想之关系而言,涉及面颇广,持续时间也较长。本书试图将论域稍作限制,注目于这样一个教育现象:"五四"时期,一批留学于美国哥伦比亚大学的杜威的中国学生在杜威来华前后形成了杜威教育学派,他们在中国文化、教育界大力宣传推广杜威实用主义教育思想,并力图建立美国式现代教育体系。最初中国杜威教育学派主要借用与杜威之关系、借用杜威之名来阐述他们对传统教育的不满。后来随着杜威在华讲学的广泛深入,以及美国实用主义教育学派代表人物孟禄(Paul Monroe)、柏克赫斯特、克伯屈等来华讲学的影响,他们不断深入研究杜威实用主义教育学说,并进行一定的现代教育实践,推动了中国现代教育发展。虽然以后因为政局不稳,也因为各自思想发展历程不同,出现了分野,但他们依然在不同方面对杜威实用主义教育思想进行实践。有鉴于这批人一直在理论上研究杜威实用主义教育思想、在实践中践行杜威的思想,我们将其称为中国杜威教育学派,他们与其老师杜威的实用主义教育思想的关系则成为本书研究的主题。

研究中国杜威教育学派与杜威关系这一主题,我们将探讨以下几方面的问题:首先,对这一新注目到的论题进行界定,讨论中国杜威教育学派形成的条件;其次,要以问题为中心阐述中国杜威教育学派的学术思想、主要代表人物思想及

1

与杜威实用主义教育思想的关系;最后,分析杜威实用主义教育思想在现代教育中的普遍性。具体而言,我们在论述中国杜威教育学派时,抓住几个主要代表人物的思想,辨析和澄清他们的主要思想观点及其与杜威实用主义教育思想的关系,指出他们是在哪些方面以及在何种程度上赞同、继承了杜威的观点,又是在哪些方面以及何种程度上与杜威相异、发展杜威的思想,并推动中国现代教育发展的。

在研究中国杜威教育学派与杜威思想之关系时,我们可以有不同的切入层面。从思想来源看,中国杜威教育学派曾在哥伦比亚大学留学,除受中国传统教育影响外,他们深受杜威实用主义影响,郭秉文、胡适、蒋梦麟、陶行知、陈鹤琴等中国杜威教育学派的留学经历可以反映出他们与杜威的关系。从文化教育的传播方面看,杜威在美国以及在华对中国杜威教育学派的影响以及中国杜威教育学派对杜威思想的传播,这之间有一定的社会发展需求以及文化相容性,探讨文化传播机制及成因,将阐述出两者的关系。从杜威实用主义思想发展方面看,中国杜威教育学派作为实用主义思想的分支,在中国形成了一定的实用主义教育思想并开展了各种实用主义教育活动,对中国实用主义教育思潮的产生、发展及实践活动的研究,也将明确中国杜威教育学派与杜威之关系。从现代教育角度看,郭秉文、胡适、蒋梦麟、陶行知、陈鹤琴等中国杜威教育学派掌握并运用了杜威思想中与中国教育现代化发展相适应的思想,促进了中国教育现代化的发展,并且杜威在本国以及其他国家的影响也主要体现在现代教育思想方面。鉴于教育现代化发展的需求以及中国杜威教育学派与杜威对中国教育现代化的推动,本书主要从现代教育思想这一角度来探讨中国杜威教育学派与杜威现代教育思想的关系以及他们对中国现代教育发展的作用。

在教育现代化过程中,教育史学界普遍认为中国教育经历了一个从物质到制度再到精神层面的现代化发展的过程。"五四"运动后民主科学精神被认为是现代化也是教育现代化的一个标志,但在民主科学之下,现代教育的具体内涵指哪些却有诸多疑义。作为现代教育的开创者,杜威曾在《经验与教育》中对与传统教育相对立的进步教育做了简要的说明:"以表现个性、培养个性,反对从上面的灌输;以自由活动,反对外部纪律;以从经验中学习,反对从教科书和教师学习;以获得为达到直接需要和目的的各种技能和技巧,反对以训练的方法获得那种孤立的技能和技巧;以尽量利用现实生活中的各种机会,反对为或多或少遥远的未来做准备;以熟悉变动中的世界,反对固定不变的目标和教材。"①

尽管杜威现代教育思想不等同于其进步教育思想,他的这段论述也不能代表其全部的教育现代化思想,但他思想中的进步教育与现代教育有着基本的一致性与重合性,杜威这种有关进步主义教育的思想,长期以来也被教育史界看作是现代主义教育思想,本书论述中国杜威教育学派与杜威思想关系时所指的现代教育就是杜威的现代教育思想,这一思想也是我们辨析中国杜威教育学派代表人物思想的出发点,中国杜威教育学派不约而同围绕着杜威现代教育理论开展现代教育实践,并提出重视个性教育、鼓励自治、提倡教育与生活相联系等思想。

将郭秉文、胡适、蒋梦麟、陶行知等看作中国杜威教育学派,解析他们与杜威思想的关系,对我们研究现代教育发展具有多方面的意义。从文化传播角度看,中国杜威教育学派是推动杜威现代教育思想在中国产生、发展的文化载体。中国现代教育发展的初始阶段特别是中华人民共和国成立前,基本走的是美式道路,美国杜威教育思想对中国教育具有深刻的影响,中国近现代新学制改革,学校课程、教材、教学方法等都受到杜威的影响。杜威在现代中国教育的位置如此重要,影响如此之大,与中国杜威教育学派的推动有直接关系。正是凭借中国杜威教育学派这一载体,杜威教育思想影响才变得更深远、更广阔。也正因为这一载体,学术界仍有许多一脉相承的思想,使得杜威思想至今仍在中国产生重要影响,不仅现在,将来中国也还会有欣赏、传播杜威思想的人,他们对杜威思想的传承、发扬,将指导中国的教育思想实践。因此,研究中国杜威教育学派将有助于探讨杜威现代教育思想在中国现代教育中的重要作用。

从历史作用来看,中国杜威教育学派影响了中国现代教育的发展。中国杜威教育学派领导制定的 1922 年学制,奠定了中国现代学制的基础;他们推行的白话文教学,开展的平民教育、乡村教育,推动了中国大众教育、普及教育的发展;他们的教育教学改革实验,开创了中国现代教育实验先河。中国杜威教育学派对现代教育有如此重要的贡献,已成为中国教育现代化研究不可忽视的方面。

从当今教育教学改革需要来看,中国杜威教育学派强调的生活教育内容、注重行动的教学做合一方法、培养良好的师生关系等,是现代中国教育教学的楷模,他们的教育教学活动一再被实验推广,他们的思想实践也一直广为研究传诵并被制度化,并成为历次中国教育改革与发展不可忽视的一个课题。

---

① 〔美〕杜威.杜威教育论著选[M].赵祥麟,王承绪,编译.上海:华东师范大学出版社,1981:347.

　　研究中国杜威教育学派,将为我们国家正在进行的教育观念的更新和教育制度的改革提供借鉴。目前我们的教育虽然有很大发展,但形势依然严峻,旧的思想、旧的制度常常阻碍我们教育的发展,研究中国杜威教育学派,将为借鉴西方发达国家教育思想、继承中国近现代教育精华提供方法论意义,使我们以智慧的眼光看待历史与现实的教育。

　　毋庸讳言,本书只是对中国近现代教育进行历史研究的一种尝试。在浩瀚的史海中努力拓宽相关史料的覆盖面,全面把握现代教育家的思想实践,正确看待他们的改革实践、改革影响、改革效果,都是极不容易做到的,本书作为研究中的沧海一粟,希望能为中国现代教育的研究与发展尽微薄之力。

目　　录

| 第一章 |

20 世纪前半期中国杜威教育学派的概况

王 颖

20 世纪前半期是中国文化、教育异彩纷呈的时期,这一时期"绝大多数知识分子走的是这样两条路:或者是在中国共产党领导下走与工农相结合的道路,参加革命斗争,或者是在反动政权下从事他们自称是'工业救国''科学救国''教育救国''卫生救国'的一类工作。……这样一类知识分子的大量出现,是'五四'运动以后的现象。这些知识分子一般都在当时感受过科学和民主的精神的影响,抱有资产阶级民主思想。他们所谓的'工业救国''科学救国'等等实际上也是对封建传统思想的一种否定"①。

也就是说,在"五四"运动之后,除一批马克思主义者的爱国救亡运动要得到肯定外,另一群从事文化、科学教育的工作者,也应该得到积极的评价,他们对中国现代教育的发展做出了不朽的贡献。而在这一时期,有一群可以说是在中国近现代教育建立中声名显赫、建功立业的知识分子,他们早年留学美国,深受欧美教育思潮、教育实验影响,回国后致力于用他国先进思想改造中国教育落后之面貌。这群人在哥伦比亚大学留学,受业于杜威,回国后宣传改造杜威的实用主义教育思想,使之适用于中国。他们每个人在中国历史、教育史上都占有一席之地,同时作为一个群体,他们对中国教育发挥了超越每个人限制的作用。可以说,这一群体因每个人的影响而增加了群体的影响力,而每个人又因这一著名的群体发挥了更大作用,产生了更大的影响。这一群体是如此独特,影响如此广大,可以说是形成了独具特色的学派。

鉴于他们直接或间接师承于杜威,在学术上推崇杜威的实用主义教育思想,在理论实践中践行杜威的教育学说,我们将这群人组成的团体称之为中国杜威教

---

① 中国社会科学院近代史研究所.纪念五四运动六十周年学术讨论会论文选[M].北京:中国社会科学出版社,1980:282.

1

育学派,他们包括郭秉文、胡适、蒋梦麟、陶行知、陈鹤琴、郑晓沧、李建勋、张伯苓等中国近现代著名的教育家。

对于这一称呼,目前国内尚无此说法,不仅如此,国内对这一群体进行的研究也不多,已有的研究大多集中在对胡适、陶行知与杜威关系的研究上。实际上,胡适、陶行知是杜威的中国弟子中最具影响力的人物,是我们研究最广泛的人。其他如陈鹤琴、李建勋、张伯苓等,学术界多放在他们的教育思想以及具体的办学经验上,很少考虑他们与杜威思想的渊源。陈鹤琴、李建勋、张伯苓等在哥伦比亚大学进行了很长时间的访学研究,哥伦比亚大学以及杜威对他们的教育思想实践活动产生了深刻影响。他们先进的教育思想,如陈鹤琴的"活教育",李建勋的教育行政、教育调查,张伯苓的允公允能、学行合一、手脑并用思想等都受到杜威影响。只是因为杜威、胡适等曾在中国处于尴尬的位置,我们忽略了研究他们思想的一脉相承性,但实际上这种影响不仅存在,而且相当广泛。对中国杜威教育学派的其他人物如郭秉文、蒋梦麟等,因历史问题我们研究得更少。郭秉文、蒋梦麟直接受业于杜威,在民国教育领域内甚具影响力,郭秉文曾任国立东南大学校长,在位期间,引进了大量留美学生,并进行学术改革。蒋梦麟也曾任北京大学校长,在蔡元培离任北大校长后,几次接任北大校长职务,进行办学改革。郭秉文、蒋梦麟是教育界,特别是高等教育领域颇有建树的人物,但由于社会的影响,也由于他们很早离开大陆去台湾,对这二人教育思想以及作为中国杜威教育学派的重要人物,我们研究得并不多。此次我们从学术史角度,对20世纪前半期出现的中国杜威教育学派与杜威的教育思想进行考察,在一定程度上也对这些我们以往研究不够的教育家及他们的思想实践进行深入探讨。

一、 学派形成的基本条件

对于中国杜威教育学派这一称呼,由于前此未有,我们不得不论证其成为学派的理由。

"学派"在《辞海》的界定是:一门学问中由于学说师承不同而形成的派别。

《现代汉语词典》的界定是:同一学科中由于学术、观点不同而形成的派别。

陈文林、邹甲申主编的《自然辩证法词典》对学派的界定是:一门学问中由于学术师承不同,由学术观点相同或基本相同的一批科学家所形成的派别。科学上不同学派的争论,可以促进科学的发展。

《剑桥国际英语词典》界定学派为：同一学科中与学术领导者具有相同或基本相同观点的人形成的学术群体（School：a group of painters，writers，thinkers，etc. whose work is similar，esp. similar to that of a particular leader）。

《牛津高阶英汉双解辞典》界定学派为：一批人按照同一种理论和方法对本学科内容所作的相关性的系统研究（School：group of writers，thinkers，etc. sharing the same principles or methods，or of artists having a similar style）。

上述对于学派的解释虽然各不相同，但有几点共识：第一，每一学派都有自己的学术宗师；第二，具有共同的学术信念以及研究方法；第三，学派内存在着师承关系；第四，有一批高水平的研究成果。这四点是学派成立的标准，其中尤以师承关系以及共同的学术观点为学派成立的基本条件。

从史学史上看，"学派"一词的产生基本上是近代西方的事情，现代意义的史学学派的形成也是较近的事，但是学派的研究却并不是最近发生，也并不仅存在于西方。学派的研究与学派的产生并不同步，在学派一词出现前，史学界已有学派研究之实，只不过当时不称为学派研究，而用学案一类的词。鉴于资料的有限性，我们对西方学派的研究情况不甚清楚，因此也不能从西方学派研究中得到更多借鉴，但这种缺失并不影响我们的考察，从中国古代有关学案的研究，我们将得到借鉴的楷模。本书在考察中国杜威教育学派能否成立，成立的理由是什么时，即从中国学派形成条件出发，考察中国杜威教育学派与杜威的师承关系以及这一学派的核心思想，而在思考这些问题时，我们将眼光转向中国学案体裁的巨著《明儒学案》。

《明儒学案》是中国古代第一部完整的学术史著作，开创了史学上的学案体史书体裁。《明儒学案》学案体裁中的"学"指学术、学派，而"案"则谓考察、按据，是叙述学派源流及其学说内容、考按学术事件而加以论断的专门史学著述形式。在黄宗羲之前，宋代朱熹作《伊洛渊源录》，明代刘元卿作《诸儒学案》、冯从吾作《元儒考略》、周汝登作《圣学宗传》，明末清初孙奇逢作《理学宗传》，虽有学术史的萌芽，但只反映学派源流，撰写学者人物传记，不能反映各家各派的学术宗旨，也不能反映学案各代表人物的主要思想，这些作品仍然属于纪传体史书的范畴。《明儒学案》则把明代各派的学术渊源、学者传记和学术宗旨有机结合起来，构成一部系统完整的学术思想史巨著，也正是从《明儒学案》开始，中国开始有了真正意义上的学派研究。以后许多学科特别是历史、哲学学科都依据黄宗羲对学案的研究，来阐述论者自己要研究的学派。我们对中国杜威教育学派加以研究，也基本秉承《明儒学案》的研究思路加以论证。

这里我们研究学案,并不是对其中的某一具体学派具体思想进行研究,而是思考黄宗羲对《明儒学案》的思考、研究思路。他如何认为某些思想家的思想是一派,论述是一派后,他又论述了什么。黄宗羲在《明儒学案》中没有直接阐明研究学案应如何进行,但在论述每个学案的背后,反映了其研究理论、构想、框架。有鉴于此,我们需要透过《明儒学案》每个学案的内容研究,来挖掘其背后的论证、写作思路,以此为我们中国杜威教育学派写作提供一个有据可依的论证模式。

黄宗羲的《明儒学案》采取"一本而万殊"的学术史观,对明代理学思想的发展历史做了总结。全书首列《师说》,采选其师刘宗周对明代学术的评论,以示学术渊源。在《师说》中,黄宗羲列出每个学案的宗主人物。在阐述每个学案时,基本依照这样的体系进行。先在每个学案前面提出案序,略述该学派师承渊源、主要代表人物、学术宗旨等内容;其次列学者小传,首列学派创始人作为案主,然后按照师承或地域罗列本派学者个案;小传之后摘录传主的主要学术著作或言论之精华,编成《语录》,间或撰有案语加以评论,力求全面客观地反映出每个学案的学术风貌。如以《崇仁学案》为例,完整的学案包括:(1)在初始的《师说》中列出案主吴与弼,指出吴与弼为明代朱学之大宗,其"至于学之之道,大要在涵养性情,而以克己安贫为实地"[①];(2)在之后的《崇仁学案》案一复列吴与弼思想及有关著述;接着在《崇仁学案》案二、案三、案四分析中,分列各代表人物胡居仁、娄谅、谢复、郑伉、魏校等的思想。在论述每位代表人物的思想时,体例为:列出他们与吴与弼的师承关系;各代表人物的学术宗旨及与吴与弼思想的关系;选列代表人物的主要学术著作或言论精华。

在这些论述中,黄宗羲最看重、每次都阐明的基本内容包括三方面:(1)师承关系;(2)学术宗旨;(3)代表人物思想个案。具有一定的师承关系是形成学派的起点;具有共同的学术要旨是学派成立的基础;各代表人物的论说及与案主的思想关系是检验学派学术要旨成立的关键和根本之点。

黄宗羲在介绍每一学派的代表人物及其思想学术时,总是先指明他们与其师的师承关系,然后将其学术宗旨言简意赅地点出来,如《崇仁学案》说案主吴与弼"大要在涵养性情"[②];胡居仁则是"主言静中之涵养"[③];娄谅为"以收放心为居敬

---

① 黄宗羲.黄宗羲全集(第七册)[M].杭州:浙江古籍出版社,1986:10.
② 黄宗羲.黄宗羲全集(第七册)[M].杭州:浙江古籍出版社,1986:10.
③ 黄宗羲.黄宗羲全集(第七册)[M].杭州:浙江古籍出版社,1986:23.

之门，以何思何虑，勿助勿忘为居敬要指"①，魏校为"天根之学"，"天根，即是主宰，贯动静而一之者也"②。其他《崇仁学案》人物的思想虽与吴与弼思想不尽一致，但主旨都与其思想相符合。

《明儒学案》这种著述学派的体例为我们论证中国杜威教育学派成立提供了明确的写作范例。据《明儒学案》，我们在论证完整的中国杜威教育学派时，要阐明的问题有三：一要论述中国杜威教育学派的学术渊源；二要论述中国杜威教育学派的学术宗旨、核心思想；三要论述主要代表人物的思想。

以下我们即本着这一思路论述中国杜威教育学派的成立以及学派的主要思想。

二、 中国杜威教育学派的形成

（一）中国杜威教育学派学术渊源及师承关系

论述中国杜威教育学派的学术渊源及师承关系，我们仍以《明儒学案》做参考对象。在《明儒学案》中，黄宗羲论述各派的师承时并没有固定的标准和固定的形式。这里的师承关系既包括直接的受业，也包括由受业弟子再传弟子的间接受业情况。在以师承关系罗列学案代表人物时，黄宗羲将具有同一师承关系的归为一类进行论述。《明儒学案》有按不同时代人物的思想继承来说明师承，罗列个案的方式，如《明儒学案》的开卷《崇仁学案》。《崇仁学案》论述思想的师承关系以一代人接一代人这种方式进行，案一为吴与弼，案二为胡居仁、娄谅、谢复、郑伉、胡九韶，他们都师从于吴与弼，如胡居仁，他是"往游康斋吴先生之门"③，娄谅，在求学多次未果的情况下，"闻康斋在临川，乃往从之"④，而到案三魏校、余祐，则写他们是由吴与弼弟子胡居仁领入门下，魏校即是"私淑于胡敬斋"⑤，以后的余祐也"往师胡敬斋"⑥。案四的夏尚朴则"从学于娄一斋谅"⑦，潘润也师事娄一斋。通过分析《崇仁学案》，可知黄宗羲的学案师承源流并没有严格的要求，无论直接受业还是通过弟子的间接受业，都可算作具有一定的师承关系。

---

① 黄宗羲.黄宗羲全集(第七册)[M].杭州：浙江古籍出版社，1986：38.
② 黄宗羲.黄宗羲全集(第七册)[M].杭州：浙江古籍出版社，1986：41.
③ 黄宗羲.黄宗羲全集(第七册)[M].杭州：浙江古籍出版社，1986：21.
④ 黄宗羲.黄宗羲全集(第七册)[M].杭州：浙江古籍出版社，1986：37.
⑤ 黄宗羲.黄宗羲全集(第七册)[M].杭州：浙江古籍出版社，1986：41.
⑥ 黄宗羲.黄宗羲全集(第七册)[M].杭州：浙江古籍出版社，1986：61.
⑦ 黄宗羲.黄宗羲全集(第七册)[M].杭州：浙江古籍出版社，1986：63.

我们在论述中国杜威教育学派的渊源以及发展脉络时,也以《明儒学案》这种方式来考察师承关系。

这里先要说明的是,在《明儒学案》中,学派多以案主讲学研习的地名命名,如《崇仁学案》《白沙学案》,但也有以人名命名的学案,如《王门学案》。《姚江学案》《浙中王门学案》《江右王门学案》《南中王门学案》《楚中王门学案》《北方王门学案》《粤闽王门学案》《止修学案》《泰州学案》等大篇幅都以王阳明为中心来论述。黄宗羲在《明儒学案》中,以《姚江学案》为起始,从总的方面论述阳明之学思想观点,同时又因王学各有自己的思想观点,按地域又划分了另八个王学派别,并进行分别论述。

按照这样的学派界定思路,我们在论述中国杜威教育学派时,也以杜威教育思想为源头进行阐发。20世纪前半期杜威教育思想在世界各地流行,他的中国弟子传承了杜威学派的一个分支,即我们这里称呼的中国杜威教育学派。我们在论述中国杜威教育学派时,必以杜威的思想为起点进行论述。这里容易引起歧义的是,杜威乃美国的教育学者,中国杜威教育学派皆属中国人,将他们归为杜威学派似有不妥,但实际上,学派的划分是以地域、人名为主,并不以国别为主。这正如当时各地的各个研究阳明之学的学者形成自己本地的王门学派一样。我们也可将杜威、中国这两个术语冠到我们研究的对象上。

在中国杜威教育学派中,胡适在哥伦比亚大学跟随杜威学习了很长时间,1910年,胡适在已获得康奈尔大学奖学金的情况下,毅然转入哥伦比亚大学杜威门下,受杜威直接指导,跟随杜威学习实验主义。胡适在以后的研究中,也多次自称是杜威的弟子。杜威来华时,他又翻译、阐述了许多杜威在中国的演讲,后人研究杜威在中国的情况,离不开胡适的翻译、理解。换个角度说,我们了解的杜威在中国的情况,大部分是胡适所表现出来的杜威。杜威走后,胡适仍不遗余力地宣传杜威的思想,秉承杜威的思想不逾矩。蔡元培曾说胡适之于杜威,"不但临时的介绍如此尽力,而且他平日关于哲学的著作,差不多全用杜威的方法,所以胡氏可算是介绍杜威学说上最有力的人"①。胡适自己也一向乐于承认自己是杜威的学生,是实验主义的忠实信徒。他曾在《胡适文选》中介绍自己的思想,认为:"我的思想受两个人的影响最大:一个是赫胥黎,一个是杜威。……杜威先生教我怎样思想。"②1936年他为《胡适留学日记》写序言提到:"我在1915年的暑假中,发愤

---

① 高平叔.蔡元培哲学论著[M].石家庄:河北人民出版社,1985:286.
② 胡适.胡适全集(第4卷)[M].季羡林,主编.合肥:安徽教育出版社,2003:658.

尽读杜威先生的著作,作有详细的英文摘要,……从此以后,实验主义成了我的生活和思想的一个向导,成了我自己的哲学基础。"①美国学者格里德(J. B. Grider)曾在《胡适与中国的文艺复兴》中指出,胡适"他公开宣称自己是杜威的信徒。在这个时期,他是一群最早受到杜威影响的年轻中国学生中的一员,他们在教育上和哲学上都受到了杜威的影响,但是回到中国之后,他却成了中国最著名的杜威思想的宣传推广者"②。以上的分析不言而喻地说明了胡适与杜威之间的紧密师承关系,以及胡适作为杜威思想中国诠释者的位置。

杜威的弟子中,陶行知也被看作是最具影响力的一位,在哥伦比亚大学他虽直接受斯特雷耶指导,但却以教育行政学为基础,研习了杜威及克伯屈的教育哲学、孟禄的教育史、斯列丁及康德尔的教育社会学等,接受了当时进步主义教育学诸位代表人物的直接指导,而且对教育哲学和教育社会学下了很大功夫。③ 陶行知对杜威思想的继承和发展,费正清曾评价说:"杜威博士的最有创造力的学生却是陶行知","陶行知是杜威的学生,但他正视中国的问题,则超越了杜威。"④陶行知在20世纪40年代初给杜威的信中也自称"受业弟子"⑤。从这些教育家的评述中,我们可知陶行知与杜威之间的学术渊源。

除胡适、陶行知外,郭秉文、蒋梦麟、陈鹤琴、郑晓沧等也是哥伦比亚大学注册的正式学生。郭秉文是最早接触、接受杜威实用主义教育思想的中国学者,他是哥伦比亚大学师范学院第一位获得博士学位的中国人。他的学生吴俊升曾提出:"公为杜氏及门弟子,杜氏赴华讲学,公实促成,而杜氏教育学说之影响于中国教育至钜,公有倡导传播之功。"⑥郭秉文回南京高等师范学校后,十分注意聘请从哥伦比亚大学毕业的中国留学生来校任教。1917年,他到美国访问,聘请了刚从哥伦比亚大学师范学院毕业的陶行知;1918年,聘请刚刚获得哥伦比亚大学师范学院教育硕士学位的郑晓沧;1919年,又聘请了哥伦比亚大学的教育硕士陈鹤琴。此外,他还聘请刘伯明、陆志韦等人来校任教。另外郭秉文坚持学校独立于政治之外,作为东南大学校长,他力排众议,在校内全面实施杜威的思想,成为杜威教育思想在中国教育领域的最早实践者。

---

① 胡适.胡适留学日记[M].海口:海南出版社,1994:自序3.
② 〔美〕格里德.胡适与中国的文艺复兴[M].鲁奇,译.南京:江苏人民出版社,1996:48-49.
③ 周洪宇.陶行知研究在海外[M].北京:人民教育出版社,1991:154.
④ 周洪宇.陶行知研究在海外[M].北京:人民教育出版社,1991:397.
⑤ 华中师范学院教育科学研究所.陶行知全集(第五卷)[M].长沙:湖南教育出版社,1985:934.
⑥ 吴俊升.教育与文化论文选集[M].台北:台湾商务印书馆,1972:202.

蒋梦麟也曾在哥伦比亚大学师范学院跟随杜威学习,并学到了杜威的科学方法,蒋梦麟曾自述:"我在哥大学到如何以科学方法应用于社会现象,而且体会到科学研究的精神。我在哥大遇到许多诲人不倦的教授,我从他们得到许多启示,他们的教导更使我终生铭感。我想在这里特别提一笔其中一位后来与北京大学发生密切关系的教授,他就是约翰·杜威博士。他是胡适博士和我在哥伦比亚大学的业师,后来又曾在北京大学担任过两年的客座教授。他的著作、演讲以及在华期间与我国思想界的交往,曾经对我国教育理论与实践发生重大的影响。"①蒋梦麟在哥伦比亚大学与胡适一道师从杜威修得了哲学博士学位,回国后又以杜威思想为指导,主编《新教育》杂志,同时与胡适、郭秉文、陶行知一道邀请杜威来华讲学。之后任北大校长及教育部长,在高等教育领域内推广杜威思想。

陈鹤琴也于 1917 年 9 月至 1919 年 6 月在哥伦比亚大学学习,陈鹤琴与杜威的关系与上述几人有所不同,他不是杜威直接收受的学生,但他旁听杜威的课程,并由杜威的学生及同事克伯屈引入杜威实验主义门下,在实际中存在着与杜威的师承关系。当时杜威在哥伦比亚大学除开设"逻辑学与教育问题""伦理学与教育问题""社会生活和学校课程""哲学与教育的历史关系"课外,同时还参与克伯屈开设的关于"教育哲学"的研究班工作。许多学生曾注册听杜威讲授的哲学等课程,陈鹤琴即是注册听课并逐渐信任杜威实验主义的学生之一。

张伯苓也是中国杜威教育学派的成员之一。他在创办南开学校时,接触欧美教育,为了系统学习美国教育理论,1917 年 8 月,张伯苓赴美国哥伦比亚大学师范学院研究部研修教育。在哥伦比亚大学,张伯苓与陈鹤琴以及李建勋同在教育哲学班学习,杜威、克伯屈等都曾为他们讲过课,指导过他们的研究,在克伯屈、杜威等亲自授课影响下,他们渐渐接受杜威的实验主义教育思想。杜威来天津演说时,张伯苓亲自翻译、陪同。以后他也努力把这种影响贯彻到自己的教育实践中,提倡学校与社会联合、书本知识联系实际、发展个性及崇尚自然等思想。

不过即使同列中国杜威教育学派之中,他们之间仍有不同。众所周知,胡适多从理论上对杜威思想进行阐发,在高等教育上用力,他对杜威的思想进行的是解释、论说的工作,是杜威思想的忠实拥趸者。而陶行知则将杜威思想放之于实践,在大众教育、初等教育上践行并发展杜威的教育思想。后来学者研究这二人推行杜威思想,皆认为胡适从杜威处学习哲学、教育思想,最能遵从杜威思想本

---

① 蒋梦麟.西潮·新潮[M].长沙:岳麓书社,2000:92.

意,陶行知研习杜威思想,传播杜威思想于中国教育界最有实际力量。

通过以上的分析,我们可看出郭秉文、胡适、蒋梦麟、陶行知、陈鹤琴等与杜威存在着一定的师生渊源,从师承关系看,他们具备了成为一个学派的起始条件。但仅有这些还不能说明我们将其指为一派的意义。我们提出并研究中国杜威教育学派,重要之点在于理清这一学派的思想宗旨,考察出他们的思想与杜威思想的基本相关性。只有将他们的学术宗旨研究清楚,才能明白这一学派的基本观点以及他们在中国近现代教育发展中的重要地位。以下我们即对中国杜威教育学派的核心思想进行分析,通过分析,我们将明确中国杜威教育学派的学术宗旨,并确定中国杜威教育学派的含义。

(二)中国杜威教育学派的学术宗旨

按照学派的论述模式,我们在谈论中国杜威教育学派成为一个学派的基本条件时,首先要理清其师的基本思想,然后检视我们所说的中国杜威教育学派是否在基本观点上与其师有着一致性,如有一致性,具体体现在哪儿? 在此基础上,我们再详细论证这一学派不同代表人物的不同思想以及与其师思想的关系,并对这一学派进行完整的考察。

1.杜威教育思想主旨

杜威是思想家、哲学家,他对社会、政治、文化、伦理等作过诸多阐述。每人在谈论他的思想时,都可提出一些内容,但人们往往将他的哲学与教育思想谈在一起,实际上杜威说过的一些话,做过的论断,有的是从哲学层面上论述的,有的是从社会层面上论述的,有的则是从教育层面上论述的。

杜威在华时从哲学层面上论述的思想有"经验论""知行关系""科学方法论""个人与社会之辩""民主论""平民主义论"等方面。我们可从胡适、郑晓沧等人的翻译论述中找到我们提出的这些观点的依据,同时详细了解杜威对这些观点的诸多论述。但对杜威而言,教育是他的最着力处,无论他对这些哲学问题怎样论述,最后落脚点都在教育层面上。他认为:"教育乃是使哲学上的分歧具体化并受到检验的实验室"①,"哲学就是教育的最一般方面的理论"②。杜威在其重要著作《民主主义与教育》一书的序言中也明确指出:"本书所阐明的哲学,把民主主义

---

① 〔美〕杜威.民主主义与教育[M].王承绪,译.北京:人民教育出版社,2003:348.
② 〔美〕杜威.民主主义与教育[M].王承绪,译.北京:人民教育出版社,2003:350.

的发展和科学上的实验方法、生物科学上的进化论思想以及工业的改造联系起来,旨在指出这些发展所表明的教材和教育方法方面的变革。"①从杜威在序言中的论述我们可以看出,民主主义、科学方法等在杜威看来是一种要与教育相结合的哲学,这既是杜威对社会变化及其对教育的影响的高度敏感与深刻洞见的结果,也是以后其哲学发展的基础。由于这层关系,杜威的哲学最后都归拢于教育。

教育与哲学的联姻,使我们在杜威的教育理论里可以找到杜威实用主义哲学的印记,同样我们也可以在杜威的哲学思想中找到其教育理论的哲学渊源,在杜威思想中,教育与哲学是紧紧联系在一起的,杜威的实用主义教育思想实际反映的就是他的实用主义哲学。"在杜威的教育哲学,乃至一般哲学中,经验是个最最重要的名词,杜威说明他的哲学立场是'经验的自然主义'或'自然主义的经验论'"②,由此可见,"经验"在杜威哲学以及教育哲学中的地位。在杜威思想中,他有关于经验的论述,但没有专门的定义,他的经验包含这几方面的意思:(1)强调主体和客体、精神和物质的统一;(2)强调有机体和环境的相互作用;(3)强调经验兼具主动与被动的两重性;(4)强调经验与理性的统一;(5)强调经验不单纯是"一种关于事务的知识",而且与人们的行动、活动直接相关,经验是"行动"。

杜威的"经验"与"实验"(有时也作"试验")在语义来源与实践中是同一的,所以他的经验主义也可称为实验主义。"经验""实验""工具",还有一个意义相同的词——"实用",它们是针对不同对象的不同说法而已,其本质是一样的。③ 经验是他的哲学基础,他对知行关系、个人与社会关系等哲学问题的看法都与对经验的看法有着密切的联系。他的哲学思想特别是"经验"也成为他看待教育问题、进行教育改革的理论基础。杜威认为一切真正的教育都是从经验中产生的。那些有助于儿童成长的具有连续性和交互性的经验,都具有教育价值。他还认为,教育就是生活;不断地发展,就是生活,而为了能够保障发展,就要不断地改造经验,由此杜威引申出新的教育概念"教育是经验的持续不断的改组改造"④,"教育是在经验中、由于经验、为着经验的一种发展过程"⑤。经验在杜威思想中的作用如此重要,曹孚曾认为"'经验'在全部实用主义哲学中是一个最重要的名词,也是实

① 〔美〕杜威.民主主义与教育[M].王承绪,译.北京:人民教育出版社,2003:5.
② 瞿葆奎.曹孚教育论稿[M].上海:华东师范大学出版社,1989:56.
③ 胡适.胡适学术文集·哲学与文化[M].姜义华,主编.北京:中华书局,2001:1.
④ 〔美〕杜威.民主主义与教育[M].王承绪,译.北京:人民教育出版社,2003:86.
⑤ 〔美〕杜威.杜威教育论著选[M].赵祥麟,王承绪,编译.上海:华东师范大学出版社,1981:351.

验主义教育学中一个最重要的名词"①，从经验教育中，杜威发展了实验主义教育思想。对于实验主义教育思想，杜威本人并没有概括，后来研究者因为实验主义教育思想的丰富性、多样性，也无法对其作出统一回答，不同研究者在研究时，根据自己的研究理解作出概括。国内杜威研究专家邹铁军在《实用主义大师杜威》中，将杜威教育学研究划分为三个阶段，并指出每个阶段的主要教育思想。

第一阶段的教育思想：学校是社会生活的一种形式，是"雏形的社会"，教育是生活的过程，不是将来生活的准备；学校科目联系的真正中心，是儿童自身的社会活动；教育是经验改造的继续，是社会改造的唯一方法；只有把学校变成"雏形的社会"，使儿童受到社会的熏陶和感染，那么大社会才有了最可靠的保证；他既反对教育要以课程教材为中心，也反对以儿童为中心，认为教材与儿童是一个过程的两极，他试图把"进步主义"与传统主义调和起来，但归根结底他认为最重要的是儿童，而不是教材。

第二阶段的教育论述：教育发展的趋势是使学生有较多的自由活动；在学校里求知的目的不在于知识本身，而在于使学生掌握求知的方法；民主主义与教育的关系；教育的目的即生长的原则；经验与思维、思维与教学的关系；学校教育与社会环境的联系；尊重个人的能力、兴趣和经验；按照儿童的真正面貌来熟悉儿童；尊重自我首创于自我指导的学习；尊重作为学习刺激和中心的活动等。

第三阶段的教育论述：如何把思维过程的方法应用到教学的方法上去；实验学校的理论在于把学校变成社会生活的一种形式，使个人因素与社会因素协调；学校要拟订一套以社会性的作业为中心的课程和教材；教育是一个确保"民主主义"得到实施的更可靠的工具等。②

邹铁军对杜威教育思想进行了多方介绍，内容不失翔实，但却缺乏提纲挈领式的概括。此次本书从体现杜威主要教育思想的《民主主义与教育》以及《学校与社会》等著作中，再次对杜威实验主义教育体系及主要教育思想归纳如下。

（1）"教育即生活"

在《民主主义与教育》中，杜威开篇即提"教育是生活的需要"。由"教育即生活"，杜威引申出"教育即生长""教育即经验的改造"。这三个论断从本质上说是一回事，是对不同对象的不同说法，在教育中常说的是"教育即生活"，在心理、哲学领域，最常用的是"教育即生长""教育即经验的改造"。杜威在中国的"教育哲

---

① 瞿葆奎.曹孚教育论稿[M].上海：华东师范大学出版社,1989：145.
② 邹铁军.实用主义大师杜威[M].长春：吉林教育出版社,1990：91-92.

学"演讲中提出:"倘若从广义方面看教育,那么教育就是生活,生活就是教育了。这种教育,除掉下愚以外,个个人是不能离去的。"①"教育是社会的生活,社会的生活日新不已,人住在这个中间,他的能力和知识多是从社会中的生活得来的。"②杜威强调在教育精神方面最需要的改革,就是从现在生活中表现教育的意义。他在"什么是学校"教育信条中指出,"教育是生活的过程,而不是将来生活的准备"③,只有将教育看作现在的生活,才能产生真正的教育作用。他希望通过学校这一雏形社会,培养美国青年一代具有符合民主社会要求的素质。当杜威来华时,他的关于"教育即生活"的见解成为构建符合中国实际需要的各种生活教育理论实践的思想武器。陶行知从中国实际情况出发,将杜威的提法颠倒了一下,主张"生活即教育",并以此为基础,建立了乡村教育的生活教育理论。胡适、郭秉文、蒋梦麟等也在城市,在高等教育领域里提出了教育与生活相联系的思想。

(2)"学校即社会"

与"教育即生活"紧密相连的是杜威的学校社会论。杜威围绕着教育与社会的关系,阐发了教育的社会作用。他认为,教育就其最广泛的意义来说,使人类社会的生活得以延续。而学校是"雏形的社会,并且是模范的社会,后来社会改良都要完全靠着它"④。"只有当学校本身是一个小规模的合作化社会的时候,教育才能使儿童为将来的社会生活做准备",并且"学校自身的生活就是社会生活的一部分,要使学生将来能过社会的生活,必须先将学校变成社会"⑤。他希望通过这种"小社会"的活动保证大社会的和谐,使教育与社会生活联系起来。杜威自认为是民主主义的提倡者,他反对学校教育中的独断主义以及强制的做法,他认为在学校之中应该能够自由地检验社会各种思想与价值观念。各种文化遗产、传统与制度,全部都可以成为被批评、研究、改造的对象。

杜威关于教育的社会功能的见解也成为中国学者批判旧教育的思想武器。胡适1917年回国后对教育进行了考察,痛感教育脱离实际,叹之为"亡国的教育",强调要注意课程的实用性,不要去教学生做圣贤。

---

① 袁刚,等.民治主义与现代社会:杜威在华讲演集[M].北京:北京大学出版社,2004:484.
② 袁刚,等.民治主义与现代社会:杜威在华讲演集[M].北京:北京大学出版社,2004:485.
③ 〔美〕约翰·杜威.学校与社会·明日之学校[M].赵祥麟,等译.北京:人民教育出版社,1994:6.
④ 〔美〕约翰·杜威.学校与社会·明日之学校[M].赵祥麟,等译.北京:人民教育出版社,1994:34.
⑤ 〔美〕杜威.杜威教育论著选[M].赵祥麟,王承绪,编译.上海:华东师范大学出版社,1981:328.

（3）试验方法——学习和运用科学的方法

杜威认为,要改革教育,要使教育与生活相联系,首先应当改革学校,使学校成为社会的雏形,而要改造学校,又应从革新学校的课程、教材和教学方法入手。这是杜威在《我的教育信条》《学校与社会》《明日之学校》中所阐述的观点。在进行这些课程、教法改革中,杜威强调试验或实验,主张用"做中学"解决这些问题。杜威认为教学试验应该从学生的经验活动之中出发,使得学生在游戏与工作之中,采用与学生和青少年在校外从事的活动相类似的活动形式,这种方法是一种"科学的方法",按照这种科学方法来处理问题,便可以获得某种经验。在教学中,"做中学"反映了尊重儿童个性、强调个人的直接主观经验的特点,反映了教材的社会性特点,同时也体现了经验的逻辑方面和心理方面的有机统一,它是科学的实验方法,具有普遍意义。①

杜威的这些思想深深影响了中国杜威教育学派的办学、治学思想。在这一思想指导下,陶行知创办了晓庄师范学校、山海工学团、生活教育社、育才学校、社会大学等,同时他还以教育试验作为发展新教育的有效途径和方法,创造性地发展了杜威的思想,提出了"生活即教育""社会即学校""教学做合一"等思想。郭秉文在国立东南大学,胡适、蒋梦麟在北京大学,张伯苓在南开大学等也进行了教育实验。郭秉文提出学生、教授自治,选科制等思想,蒋梦麟提出"教授治校"思想,张伯苓也在南开推行"学行合一"思想,实行分科制、选科制等。另外杜威提出的以疑问为起点的思维五步法也深深影响了胡适等中国学者的治学方法。胡适对科学方法与传统治学方法进行了卓有成效的沟通,在一定意义上开启了学术研究的新范式。胡适提出:治学首先要存疑,然后有辨伪考证的实验方法,以及"勤、谨、和、缓"的良好治学态度和习惯。进一步概括就是"十字箴言"——"大胆的假设,小心的求证",这既是胡适治学方法的集中体现,也是其对杜威思想的进一步发展。

从以上有关杜威以及中国杜威教育学派对杜威思想继承的分析中,我们可看出杜威教育思想实为经验主义教育的本意。围绕这一思想,杜威提出了"教育即生活""学校即社会",以及"做中学"三个基本论断,这三个论断本身就是一种具体的观念,而由这些论断我们还可以演绎出其他教育思想。简单地看,从"教育即生活"中可派生出对传统教育的批判,对民主教育的提倡,以及对各种思想的批判继

---

① 〔美〕杜威.民主主义与教育[M].王承绪,译.北京:人民教育出版社,2003:202-205.

承;从"学校即社会"也可派生出民主教育,平民教育思想,以及重视科学、重视自治思想;从"教育即生活""做中学"实验主义教育方法,可派生出尊重儿童个性、强调儿童活动的思想;从他对教育最为用力,将教育与生活、学校与社会、学习过程与人类思维过程等看作一致情况来看,可知杜威是教育万能论代表。

杜威的教育哲学观念对中国产生了深刻的影响。当时知识界多以谈论杜威的教育哲学为荣,他们在研究杜威的思想实践基础上,又从自己理解的角度阐述了杜威的教育哲学。这样,在当时中国出现了两种杜威的教育哲学:一种是杜威本人所阐明的教育哲学,另一种则是杜威的学生和信徒所理解的教育哲学。杜威的学生和信徒在理解杜威的哲学、教育思想,以及进行实践的过程中,形成了中国杜威教育学派,他们以杜威的经验主义教育哲学为基础,并围绕杜威阐述的一些教育问题,根据自己所受教育背景以及国情,进行了研究实践,并在研究与实验中体现出了一些共同点。对这些共同学术观点的基本阐述以及论证过程,将充分证明我们所指的这一群体构成了学派。这里我们将首先分析他们在研究、实践杜威教育思想中存在的共同学术观点,说明中国杜威教育学派成立的基础,然后在以下章节论证他们每一个体作为中国杜威教育学派的基本思想以及与杜威的关系,充分说明中国杜威教育学派实实在在地存在着。

2.中国杜威教育学派的学术宗旨

在阐述中国杜威教育学派共同学术观点以前,我们首先阐明为何这一学派成为中国杜威"教育学派",而不是中国杜威"学派"的问题。这可从杜威的中国弟子对杜威思想进行研究的领域来分析。当时中国学界对杜威的思想进行研究,并不是从学理上进行分析,明显的是胡适服膺杜威的实验主义,但他的本意也仅在其方法论方面,而不在其是一种"学说"或"哲理"。从中国的国情出发,杜威思想中博大精深的哲学原理并没有在中国得到发展,而其与中国现实有密切联系的思想则得到了很大发展。在与中国现实密切联系的思想中,那些最具操作性,最易为中国人使用的思想、方法得到了前所未有的放大。因此,虽然杜威对哲学有许多精辟论述,但他的哲学思想并没有在中国得到很好的研究。而由于教育的现实性、显见性,杜威的教育思想得到了发展。郑晓沧曾评论道:"近年到中国访问的外国学者中留下影响最广大的,许多人说要算杜威博士。他的学说有关哲学、教育、政治等——最近数年所发表的政论,常引起世人的注目——但是他最大实际

的贡献,是在他的教育学说。"①杜威在中国各地演讲时,也大力宣传他的教育思想。教育史专家陈青之先生曾提到:

> 本期的教育思潮则以平民主义为代表,而美人杜威博士更被中国人尊重。杜威自民国八年五月抵上海,在中国过了二年零三个月的生活,走过十一行省,讲演稿多至十几种,对于教育革新的言论,给中国人士以强烈的兴奋。在本期的七八年中,"教育即生活""学校即社会"两句口号,简直成了全国教育界的家常便饭。②

从当时的期刊、书籍、薄册中我们也可以看到杜威有关教育的警句已成为教育界的风尚。台湾学者吴俊升指出,杜威的"'教育即生活''学校即社会''从做中学''教育为了生活的需要'等等,乃是全中国各教育阶层人士所耳熟能详的,甚至有时成为口头禅"③。这些通俗易懂的思想使我们看到了杜威在中国教育领域内的巨大影响,也使我们看到中国学界在教育领域内对杜威思想的研究实践,由此,我们将研究对象界定为中国"杜威教育学派",而不是"杜威学派"。

下文我们即分析中国杜威教育学派围绕研究杜威思想所产生的共同的学术观点,进一步说明他们成为中国杜威教育学派的缘由。当然在这些思想中,并不是每位教育家对每一主题都做过专门阐说,而且即使他们对同一主题都有论述,论述的角度、论述的深浅也是不一致的。总体而言,胡适是中国集杜威思想之大成者,主观上他完全遵从杜威实用主义教育思想,努力使中国教育走杜威式西化之路。郭秉文、蒋梦麟也完全赞同杜威基本思想,并致力于将杜威教育思想应用到中国高等教育领域中,对杜威教育理论进行的是中国化工作。陶行知则在对杜威教育思想进行实践时,冲出了杜威理论的藩篱,对杜威的思想作了极端的修正。无论怎样,这些中国教育家的基本思想都与杜威有着紧密的相关性。

(1) 认同实用主义、经验教育

依照现在史学界的理解,胡适对中国传统文化的态度与杜威一样,他们都以实用主义做思想基础,一切理想和学说都要经过"经验""实验"这块唯一的试金石进行检验。杜威在实用主义教育哲学理论的基础上,对当时所谓的传统教育理论的概念、范畴和理论体系进行了全面改造,提出了实用主义教育学说,认为"教育即是持续不断地重新组织经验,要使经验的意义格外增强,要使个人主持后来经验的能力格外增加"。对杜威的这一理论,胡适解释道:

---

① 王承绪,等.郑晓沧教育论著选[M].北京:人民教育出版社,1993:134.
② 陈青之.中国教育史[M].北京:商务印书馆,1936:740.
③ 吴俊升.教育与文化论文选集[M].台北:台湾商务印书馆,1972:356.

"教育即是持续不断地重新组织经验"。怎么讲呢？经验即是生活。生活即是应付人生四围的境地；即是改变所接触的事物，使有害的变为无害的，使无害的变为有益的。……怎么说"使个人主持后来经验的能力格外增加"呢？懂得经验的意义，能安排某种原因发生某种效果，这便是说我们可以推知未来，可以预先筹备怎样得到良好的结果，怎样免去不良好的结果。这就是加添我们主持后来经验的能力了。①

很显然，杜威"经验论"经过胡适的通俗化解释之后，变得易于理解与传播。胡适很看重杜威的经验论，将"经验就是生活"看作杜威哲学的根本观念之一，并且如其师一样，胡适也避开唯物主义与唯心主义的对立，只强调经验。他指出："杜威说近代哲学的大错误就是不曾懂得'经验'究竟是个什么东西，一切理性派和经验派的争论，唯心唯实的争论，都只是不曾懂得什么叫作经验。"②而杜威给"经验"赋予了全新的内容，了断了哲学上的许许多多的麻烦问题。胡适称赞杜威为哲学史上的大革命家。

陶行知也认同杜威的"教育是经验的持续不断的改组改造"的定义，他解释，"'教育'是什么东西？照杜威先生说，教育是经验的持续不断的改造（Continuous reconstruction of experience）。我们个人受了周围的影响，常常有变化，或是变好，或是变坏。教育的作用，是使人天天改造，天天进步，天天往好的路上走；就是要用新的学理，新的方法，来改造学生的经验"③，陶行知在教育教学中列举了若干有意义的经验起到的作用。虽然陶行知没有如胡适对杜威的经验、教育定义进行阐述，他只是将这一新的定义拿来为己所用，但他抓住了杜威经验的本质特点，即"具有交互性、连续性"的经验才是好的经验，也才能成为教育的内容，并在实际教育教学中重视改造学生的经验。在对杜威经验的理解上，陶行知可说是研究不多，但仅有的研究却体现了其对杜威经验精髓的把握。

蒋梦麟没有直接谈"教育是经验的持续不断的改组改造"，但他在讨论实际教育教学问题时，却处处体现了这一思想。他论述杜威的人生哲学、道德教育，指出杜威道德教育观是对于一些有联系性的、交互性的道德经验进行发展，对一些虽开始有善念，但没有善的结果的行为，不认为是完全的善，这也不是道德教育的内容。有教育作用的就是那些既有连续性，又可以起到相互促进的道德。

---

①　胡适.胡适学术文集·哲学与文化［M］.姜义华,主编.北京：中华书局,2001：36-37.

②　胡适.胡适学术文集·哲学与文化［M］.姜义华,主编.北京：中华书局,2001：23.

③　华中师范学院教育科学研究所.陶行知全集(第一卷)［M］.长沙：湖南教育出版社,1984：123.

陈鹤琴等教育家也接受了杜威实用主义教育学说。陈鹤琴虽也没有专门论述杜威经验论的意义,但他非常重视经验在教育中的作用,他曾做《杜威为什么办实验学校》一文,解释实验的重要性,也解释经验在教育中的重要作用。他指出:"儿童应当藉经验而学习(He must learn by experience),这是一句旧的格言,也正是杜威课程论的基础。但这种学习的方法,在近代学校中遭到严重的阻挠。在现代许多学校中,他们只命令儿童去记些对他们毫无用处的知识,或者命令他们去学习一些在他们长远的将来才偶然有些用处的技能。他们完全忽视了真知的获得,乃为实践的结果,经验的赐予。经验是知识的源泉,必须让儿童在实际活动中来发现其创造与发明之路。"虽然陈鹤琴对杜威"教育是经验的持续不断的改组改造"概念没有进行学理探究,但如陶行知一样,他重视普通教育的实验,重视经验在实践中的作用。

郭秉文等也接受了杜威实用主义教育学说。他们以此为指导批判中国的传统教育,主张实验研究法,强调儿童为中心、个人经验为中心,提倡教育与生活相联系,并将杜威学说看作改造教育实践、改变中国社会的法宝。可以说重视杜威实验主义教育学说并进行实践是 20 世纪早期中国杜威教育学派最大的学术共同点。

(2) 倡导民主科学教育

杜威的教育著作中,处处充满了对美国民主的颂扬,对西方科学的赞赏。他认为将美国和欧洲相比较的话,"新旧世界在道德方面的冲突实质上就是争取民主的斗争"[1]。东西方文明的一个最大差异即在东方重视人生观教育,而西方重视民主、科学教育。杜威这种关注民主政治和科学生活的思想在一定程度上适应了近现代中国社会发展的要求。中国自民国以来,一次次对旧制度、旧文化的口诛笔伐,既为民主观念广泛传播准备了条件,也需要民主观念。同时"一战"期间,民族经济的迅速发展,也向教育提出了培养适应民族工业发展需要的人才的要求。在美国强盛的背景下,中国的民主科学找到了出路,找到了希望,当杜威民主科学思想进入中国后,它与"五四"高扬的"民主""科学"精神一道,促成了中国杜威教育学派"民主""科学"思想的形成。

杜威谈论民主、科学是多维度的,就民主而言,有时谈民主作为一种生活方式,有时谈民主的实施,有时谈民主的教育、教育的民主化。就科学而言,有时谈

---

[1] 〔美〕杜威.我们怎样思维·经验与教育[M].姜文闵,译.北京:人民教育出版社,1991:391.

自然科学,有时谈科学的人生观,也有时谈科学的教育。杜威的这些思想给他的中国弟子思考民主科学提供了多方面参考。他的中国弟子根据自己的教育实践经历,从不同角度解读、实践了杜威的民主科学思想。

郭秉文作为杜威的学生,对杜威思想中的民主自治、科学教育思想做了极好的实践与发挥。杜威在南京的演讲"教育哲学"与"科学与德谟克拉西"详细阐述了科学、科学教育以及民主、平民教育思想。郭秉文在理解这些哲理的同时,将杜威民主科学思想应用到实际的教育中。他在学校倡导自治,实行民主治学,通过"三会制",将教授治校放到重要位置。通过实施学生"自动主义",促使学生间形成了自觉、自重、互助、合作的民主环境。同时他重视科学研究、科学教育,在其领导下,东南大学聚集了大批科学人才,其科学教育居全国首位。理工科进行科学教育,甚至人文学科,如教育科也开设"科学常识"课。

民主科学也是支持胡适研究问题、解决问题的一个基点。他认定民主的真意义只是一种生活的方式,这种生活方式归为一句话,就是承认人人各有其价值,人人可以自由发展,一切保障人权、保障自由的制度,根本上都承认人的价值。胡适对民主的理解可说是有相当深度的,但实际中他却忽略或不肯正视实现这一民主目标的困难性。在面对军阀专制、社会传统积习很深的情况下,他将实现民主的目标转到了教育中,提出平民教育主张,希望通过教育的民主化,达到社会民主的理想。20世纪20年代初他曾与陶行知一道大力提倡平民教育,虽未达到预期目的,却使胡适坚定了民主教育的思想和信念,以后他改革国语教学,领导北大一直体现这一思想。胡适在解释"五四"新文化运动中与"民主"相并列的另一个口号"科学"时,提出了自己的科学观,强调"科学本身只是一个方法,一个态度,一种精神",他通过对比中西文明的不同,指出西洋正是由于物质、理智以及社会政治制度等的不足产生了近代科学社会,而东方正由于安于现状,精神上贫乏,形成了科学落后的社会。解决这样的问题,关键要有科学的方法,进行科学的教育。胡适自认科学方法是杜威对他影响最大的,他也一直秉持这一思想进行科学研究以及教育工作。

蒋梦麟认为民主是一种制度,也是一种素养。他多次提出要"注重公民训练以养成平民政治之精神"①,为此他提倡注重自动、自治与训育,形成良好的民主素养,使个人健全活泼②。在科学方面,蒋梦麟与杜威教育学派其他人一样,不仅重视科学的应用成效,也主张培养实事求是的科学精神。他既主张应用科学将为

---

① 蒋梦麟.蒋梦麟教育论著选[M].曲士培,主编.北京:人民教育出版社,1995:63.
② 蒋梦麟.蒋梦麟教育论著选[M].曲士培,主编.北京:人民教育出版社,1995:52.

学校中之重要功课,同时也提出在学校中还要兼及精神科学。他认为"至今日则为科学精神之时代(the age of scientific spirit),一切政治学术思想,无不贯之以科学"①。即使教育也要有科学精神、科学方法。"今日一切学问,不能与科学脱离关系;教育学亦然。"②他提倡用科学方法研究教育,使学生具有科学知识,培养学生的科学精神。

　　对于民主,陶行知以一种辩证的方式分析民主以及民主教育的含义。他反对庸俗的民主,提倡创造的民主,认为"庸俗的民主是形式主义、平均主义,只是在形式上做到,如投票等等",只有创造的民主才是真民主,"创造的民主是动员全体的创造力,使每个人的创造力得到均等的机会,充分的发挥,并且发挥到最高峰"③。他通过平民教育以及民主教育活动,总结出民主教育一方面是教人争取民主,一方面是教人发展民主。同时民主也不是绝对自由。民主有民主的纪律,民主的纪律是自觉的集体的。陶行知的民主思想充满了辩证法思想,它与杜威的"民主是一种共同的生活方式"的思想一致。陶行知也一直重视科学教育,特别是当晓庄师范被封,流亡日本,看到日本科学发达带给国家的变化后,他更是深感科学发展、科学教育的重要性。他希望进行科学教育,实现中国的基本兴旺。为了实现此目标,陶行知编写了一系列进行科学教育的教科书,虽然内容涵盖各学科,基本主旨却是与中国实际情况相结合,力图解决以往教科书非科学问题。

　　陈鹤琴十分推崇杜威以及"五四"知识界提倡的民主精神,回国伊始,他即决心"把带回来的生气活力全部搬出来,让中国的教育迎头赶上"④。初期他没有对民主教育的基本思想进行阐述,只是在实际教育教学中实施民主教育,提倡发展学生的课外活动,培养学生合作、活泼的精神。当杜威来华阐述各种民主教育思想时,陈鹤琴也加入到教育民主化的理论探讨中,他提出《学生自治之结果种种》理论,为探讨民主与专制、个体与社会等民主教育关系提供了有益借鉴,体现了杜威以及中国杜威教育学派提出的"收德谟克拉西之真效果,非将德谟克拉西之真原理,先施之于学校不足以养成民主国之国民"⑤之思想。陈鹤琴在探讨教育民主化过程中,将教育科学化与教育民主化联系起来,他认为民主教育是使人人得

---

　　① 蒋梦麟.蒋梦麟教育论著选[M].曲士培,主编.北京:人民教育出版社,1995:27.
　　② 蒋梦麟.蒋梦麟教育论著选[M].曲士培,主编.北京:人民教育出版社,1995:19.
　　③ 华中师范学院教育科学研究所.陶行知全集(第三卷)[M].长沙:湖南教育出版社,1985:539.
　　④ 陈鹤琴.陈鹤琴全集(第六卷)[M].北京市教育科学研究所,编.南京:江苏教育出版社,1991:622.
　　⑤ 陈鹤琴.陈鹤琴全集(第六卷)[M].北京市教育科学研究所,编.南京:江苏教育出版社,1991:2-3.

着受教育的机会,而心理测验可以帮助德谟克拉西教育的实现,心理测验是教育科学化的突破口,为此他曾与廖世承合著《智力测验法》,将民主科学体现在中国教育心理科学化运动中。

张伯苓将民主思想应用到学校治学中,他重视在学校实行民主治校,培养民主风气,他为南开提出了"允公允能"的校训,培养学生的"爱国爱群之公德,与夫服务社会之能力",他制定了许多措施,培养学生具有良好的习惯,良好的生活方式,形成良好的风尚,这些都是杜威所说的"民主是一种生活方式"的基本体现。另外南开学校很重视科学教育,理科实验室教具、挂图、标本、实验仪器、药品等都很充实。中学的生物、化学、物理课规定每周各两小时实验,学生从中学就受到严格的科学训练。文学院、商学院也有课程由著名教授介绍著名思想家、科学家的思想,激发学生研究科学、研究学术的兴趣。

(3)重视中西文化教育沟通

中国是杜威所深切关心的国家,当杜威来中国时,中国作为世界上最古老的文明国家,正在为使它自己适应新的形势而斗争。杜威在中国的时间里,对中国社会、教育进行了很好的观察,他认为:"中国的哲学,是单调的,少变化的;西方的哲学,有的利用科学,有的利用宗教","中国的哲学,偏于人事","西方的哲学,偏于自然"[①],这两种哲学各有利弊,应该互相结合,兼而有之。

郭秉文在办学中,一直致力于沟通中西,走向世界。他聘请了诸多学成回国的留学生,还广泛延揽国内外名师来国立东南大学讲学。1920年4月,杜威来南京高等师范学校讲"教育哲学""科学与德谟克拉西"等,以后罗素(Bertrand Arthur William Russell)、孟禄等又先后来到国立东南大学做报告。1922年1月4日,郭秉文邀请孟禄来参加国立东南大学图书馆、体育馆落成大会,孟禄指出:"中国近年来,做了一件最令人满意之事,即设立了几所大学。大学的功效甚多,而最要者在文化。中世纪的欧洲,文化还有希腊、罗马的区别,界限分明,互不相容。自大学兴,文化始沟通,现在论国界,尚有德英法美之分,文化,不复分矣!文化共产是可能的。"[②]他的言语显露出对郭秉文等进行的沟通中西教育建设的赞赏。

胡适在中西文化教育方面的态度与中国杜威教育学派其他人明显不同,他走的是一种极端的路线,他认为中国传统文化教育阻碍了人的身心发展,妨碍了社

---

① 袁刚,等.民治主义与现代社会:杜威在华讲演集[M].北京:北京大学出版社,2004:278.

② 朱一雄.东南大学校史研究[M].南京:东南大学出版社,1989:62.

会进步。在新的形势下,无论从政治、文化,还是教育方面,中国必须全面学习西方,走"全盘西化""充分世界化"道路,不要考虑传统文化教育,只有这样才能根本改变中国文化教育的落后局面,而他的所谓"西化"就是走美国、杜威实用主义思想之路。

蒋梦麟在看待中西文化教育方面持有亦中亦西的观点,他反对绝对地接受或批判中西文化。因为对中西文化均有深厚修养,研究问题时,他经常用比较的方法,从西洋文化的观点认识中国文化,更从中国文化的观点认识西洋文化,观其会通,就一些观点还其本来面目,指出异同。他用这样的方法,显示了中西文化在许多方面如宇宙观、人生观、法律、教育方面的相似性,指出中西应该互相学习,而在现阶段西方更文明发达情况下,中国应首先学习西方。蒋梦麟用这种亦中亦西的观点显示出了他主张学习西方文化教育的根本。

陶行知以辩证的态度对待传统文化教育和外来文化教育。他对中西文化教育的基本态度可用两句话概括:"反传统教育不是反对固有的优点","反洋化教育的用意并不是反对外来的知识。"①陶行知反对传统教育的弊端是最坚决的,但对传统教育中的精华,一贯认真吸收、改造、发展。他反对洋化教育、反对仪型他国是最坚决的,但对世界新教育运动中先进的教育观念、教学方法,从传播到吸收、改造,也始终是不遗余力的。

陈鹤琴也如陶行知一样,辩证地看待中西文化教育问题,他提倡"洋为中用",反对盲目抄袭外国,他在 1927 年写的《我们的主张》一文中,开宗明义指出:"今日抄袭日本,明日抄袭美国,抄来抄去,到底弄不出什么好的教育来。"他提出的创办幼稚园的十五条主张中的第一条就是:"幼稚园是要适应国情的。"②在他看来,只有根据中国情况,借鉴国外经验才能办好的教育。

对于中外文化关系,张伯苓指出,一方面我们要学习先进国思想,要"注重科学,培养丰富之现代知识",一方面也要"整理中国固有之文化摘其适合于现代潮流者,阐扬而光大之,奉为国魂,并推而广之,以求贡献于全世界"。③ 在发展南开教育时,他明确提出"教授方法不主仅读死书,学科内容不主仅重外国事实,学校

---

①　华中师范学院教育科学研究所.陶行知全集(第三卷)[M].长沙:湖南教育出版社,1985:338.

②　陈鹤琴.陈鹤琴全集(第四卷)[M].北京市教育科学研究所,编.南京:江苏教育出版社,1991:110.

③　梁吉生,杨珣.爱国的教育家张伯苓[J].南开学报,1981(1):38.

制度不主仅仿外国成规"①。这些反映了张伯苓重视中西之学的特点。

(4) 秉持教育救国论

杜威认为教育是人类社会进化最有效的一种工具,"社会的改良,全赖学校"②。其他"例如警察、法律、政治等等,也未始不是改良社会的工具,但它们有它们根本的大阻力,这个阻力,唯有学校能征服它"③。在杜威看来,中国社会要发展,要解决贫、弱、愚问题,教育是唯一良策,这是一种典型的教育万能论。

杜威实验主义教育学说中的教育万能论,到了中国,成为教育救国论的基础。胡适视教育为救国的"根本之计",他认为要使我们这个"满身是病"的国家立足于现代世界,归根到底还是要通过现代科学教育去进行点滴改革。他甚至偏激地认为,国家没有军队,没有经济发展不可耻,而没有教育却是可耻的。④ 从教育救国出发,胡适反对学生运动,他认为:"排队游街,高喊着'打倒英、日强盗',算不得救国事业;甚至砍下手指写血书,甚至于蹈海投江,杀身殉国,都算不得救国的事业。救国的事业需要有各色各样的人才;真正的救国的预备在于把自己造成一个有用的人才。"⑤在胡适看来,除了教育,其他救国方式都是不可行的。

郭秉文虽然没有明确提出教育救国论思想,但其教育独立论显示了其教育救国的思想,他认为教育应独立,只有不受政治干扰的教育才能得到提高,才能促进国家的发展。在历史上,教育独立论往往是因过分重视教育作用、反对其他因素干扰而提出,郭秉文提教育独立即希望教育不受社会其他因素干扰,能够一心一意走自己的路,从而达到救国的目的。

蒋梦麟与胡适一样也认为"救国之要道,在从事增进文化之基础工作"⑥。他举例法国围困德国,德国学者费须德在围城中之大学讲演,而作致国民书曰:"增进德国之文化,以救德国",认为"吾人若真要救国,先要谋文化之增进"⑦。蒋梦麟与胡适一样也反对学生救国运动,认为这是日日补破旧衣服,东补西烂,没有益处。

陈鹤琴也具有教育救国思想,他在赴美留学时,原选择学医,经反复思考,他

---

① 梁吉生,杨珂.爱国的教育家张伯苓[J].南开学报,1981(1):38.
② 〔美〕杜威.杜威五大讲演[M].胡适,译.合肥:安徽教育出版社,1999:111.
③ 〔美〕杜威.杜威五大讲演[M].胡适,译.合肥:安徽教育出版社,1999:111-112.
④ 胡适.胡适全集(第5卷)[M].季羡林,主编.合肥:安徽教育出版社,2003:503-504.
⑤ 胡适.胡适全集(第3卷)[M].季羡林,主编.合肥:安徽教育出版社,2003:820-821.
⑥ 蒋梦麟.蒋梦麟教育论著选[M].曲士培,主编.北京:人民教育出版社,1995:119.
⑦ 蒋梦麟.蒋梦麟教育论著选[M].曲士培,主编.北京:人民教育出版社,1995:119.

确定志向为学习教育,因为"我的志向是要为人类服务,为国家尽瘁"①,而教育恰可提供这一切,而且他自认为"我是喜欢儿童,儿童也是喜欢我的。我还是学教育,回去教他们好"②。此后他一生献身儿童事业,以实现其"教育救国"的愿望。

郑晓沧认为"教育为一切乐利之源,并为人权之根本保障"③,"人民之最重要权利在有教育,非此则社会之安宁与进化,未由而致"④,一地方的荣枯,与对教育事业是否真正关切息息相关。

张伯苓更明确地说:"办学目的,旨以痛矫时弊,育才救国。"又说:"在以教育之力量,使我中国现代化,俾我中华民族能在世界上得到适当的地位,不致为淘汰。"⑤

中国杜威教育学派都认同通过教育谋求国家的独立、民主和富强,并认为这是最终解决国家危亡的最重要途径。近代中国一直要解决富强民主的问题,而对于这一问题,除军事上强大外,还要靠教育来培养大批从事科学、实业的人才,人才才是解决国家问题的根本。中国许多教育家从两次世界大战中,从美国的胜利,感觉出武力的强大并不能代表国家的强大,而只有教育发达,才可以使国家最终战胜法西斯军阀统治,走向文明富强。一些教育家从美国欧洲等国的发达看到了教育救国的希望,当杜威思想进入中国,教育救国有了理论基础,他们更坚定了"教育救国"的信念。

（5）强调个性发展教育

杜威在其论著中,多次批评"静听"的旧教育,他认为旧教育"学校的重心是在儿童之外,在教师、教科书以及在其他你所高兴的任何地方,唯独不在儿童自己即时的本能和活动之中"⑥。他强调学校要重视儿童个体的发展,培养学生的个性兴趣,在此基础上,形成一个有活力的社会。

杜威重视个性教育影响了中国杜威教育学派。郭秉文强调要针对学生特点培养学生的特殊能力。当时国立东南大学汇集了大批学有专长的科学研究人员,

---

①　陈鹤琴.陈鹤琴全集(第六卷)[M].北京市教育科学研究所,编.南京:江苏教育出版社,1991:583.

②　陈鹤琴.陈鹤琴全集(第六卷)[M].北京市教育科学研究所,编.南京:江苏教育出版社,1991:583.

③　郑晓沧.郑晓沧教育论著选[M].王承绪,赵端瑛,编.北京:人民教育出版社,1993:20.

④　郑晓沧.郑晓沧教育论著选[M].王承绪,赵端瑛,编.北京:人民教育出版社,1993:21.

⑤　张伯苓.张伯苓教育言论选集[M].王文俊,等编.天津:南开大学出版社,1984:243,247.

⑥　〔美〕杜威.学校与社会·明日之学校[M].赵祥麟,等译.北京:人民教育出版社,1994:44.

这些学有专长的学者在从事不同科学研究工作时,也担负起培养各类人才的任务。

胡适也重视个性教育,虽然他提倡个性教育的出发点与杜威不一致。杜威从批判传统教育、批判工业化社会角度提倡个性教育,胡适从封建思想对人个性的压抑角度提出个性教育,但他重视个性发展、个性教育,认为人具知情意特点,这与杜威是一致的。他在《不朽》《易卜生主义》里强烈地表达了这一思想。

蒋梦麟从批判旧社会入手,高扬个性主义。他认为中国传统社会是由家族结合之社会,"其基础在明君、贤臣、慈父、孝子"①,而现代社会是由个人结合之社会,"其基础在强健个人",这样的个人是奋勇的猛将,活泼的个人。他曾自勉道:"我当如猛将之临阵,奋勇直前,以达此至大至刚之天性,而养成有价值之个人。做人之道,此其根本。"②

陶行知重视对学生进行个性教育,他的生活教育理论的一个要求就是要针对儿童进行教育,他认为改造了每个儿童,便改造了社会。在实际教学中他重视儿童个性教育,提出对儿童实施"五个解放",即解放小孩子的头脑、双手、嘴、空间、时间,实施这种教育时,他认为要因材施教,"要同园丁一样,首先要认识他们,发现他们的特点,而予以适宜之肥料、水分、太阳光,必须除害虫。这样,他们才欣欣向荣,否则不能免于枯萎"③。

陈鹤琴幼儿教育基点就是尊重儿童的个性。他认为儿童有不同的个性,教育工作者一定注意对不同的儿童施以不同的教育。他甚至认为在学生违反学校规则、对学生进行教育时,也要考虑到儿童的个性特点,"不得妨害儿童身体""不得侮辱儿童人格""在可能范围内须尽力顾全名誉",还"须鼓励儿童勇于改过引起他们的自爱"。④

(6)提倡教育实验

重视实验是赫尔巴特时代就存在的,检视杜威在中国的大小讲演,谈及实验方法、实验精神和行动研究的仍不在少数,与以往不同的是,杜威强调实验是行动的,他曾对实验的探究特征作出总结:"第一个特征是一个明显的特征,即一切实

---

① 蒋梦麟.教育论著选[M].曲士培,主编.北京:人民教育出版社,1995:37-38.
② 蒋梦麟.教育论著选[M].曲士培,主编.北京:人民教育出版社,1995:37-38.
③ 华中师范学院教育科学研究所.陶行知全集(第三卷)[M].长沙:湖南教育出版社,1985:523.
④ 陈鹤琴.陈鹤琴全集(第四卷)[M].北京市教育科学研究所,编.南京:江苏教育出版社,1991:156-157.

验都包括有外表的行动,明确地改变环境或改变我们与环境的关系。""第二,实验并不是一种杂乱无章的活动,而是在观念指导之下的活动。"第三个特征"它使得前两个特点具有完全的意义。这个特点就是在指导下的活动所得到的结果构成了一个新的经验情境,而这些情境中对象之间彼此产生了不同的关系,并且在指导下从事活动的后果形成了具有被认知的特性的对象"。① 杜威关于实验的特点,指出了实验的重要含义:实验是行动,有观念的指导,产生新的情境和结果。这样的重行动、重实际的实验才可以成真理。

郭秉文也重视实验研究,他将杜威的实验思想运用到国立东南大学的科系建设方面。他在建设国立东南大学时,既注重运用新的科学思想,也重视发挥传统教育中科学合理的一面。经过教育改革实验,他为国立东南大学建立了当时国内最完备的学科体系。理科具有优良的实验设备,能够开展比较高水平的研究。教育科引用美国的教育理论,实验新的"教学法",所有学科教学都是不独贵具书本知识,尤贵具实际之常识,这是杜威实验教育思想在高等教育领域内的体现。

杜威的实验方法也直接影响了胡适。胡适曾把 Pragmatism(实用主义)翻译成"实验主义",并做过两篇文章阐述杜威的实验主义思想。他认为实验主义的目的是要提倡一种新的思想方法,要提倡一种注重事实,服从验证的思想方法,这一思想应用到教育中就是"教育事业当养成实事求是的人才,勿可专读死书,却去教实在的事物,勿可专被书中的意思所束缚,却当估量这种意思是否有实际的效果,勿可专信仰前人的说话,却当去推求这些信条是否合于实情"②,胡适鼓励人们养成科学实验习惯。

蒋梦麟也是杜威教育思想的实验者、实践者,他任北大校长时,开展了教授治校、学生自治等各项实验教育教学活动,他主张讲教育必以科学实验态度研究自然科学、心理学、生理学等,这样的实验研究"一方面可以得真实的根据,一方面可以免凿空的弊病",有根据、又有结果是实验的目的,这既是杜威实验思想提倡的,也是蒋梦麟强调的。

陶行知将杜威的实验方法引入教育领域,进行教育实验研究,这使得杜威的实验方法在中国有了施展的园地。他以科学的实验方法,在中国开展了晓庄师范、山海工学团、生活教育社、育才学校、社会大学等教育活动,这既是一种实验,也将实验方法融入其中。在这些教育实验中,他发现了中国传统教育的一些弊

---

① 〔美〕杜威.确定性的寻求[M].傅统先,译.上海:上海人民出版社,1966:62.
② 胡适.胡适学术文集·哲学与文化[M].姜义华,主编.北京:中华书局,2001:48.

端,提出了教学做合一、劳力上劳心等主张,对杜威教育实验思想进行了实践,作出了最好的注解。

陈鹤琴与陶行知一样,既注重研究有关教育实验的问题,又注重进行实际的实验、行动。他以智力测验研究为突破口,为中国教育实验寻找一定的理论依据,同时他还在幼稚教育领域开展了一系列教育实验,提出了"活"教育理论,促进了中国初等教育的发展。

张伯苓在南开开展了教育实验,他将欧美一些新的教育思想运用到南开学校的实际教学管理中,开展了"培养学生民主生活""发展自治""开展丰富的课外活动"等实验,促进了学生德智体诸方面生动活泼的发展。

(7)注重教育与生活之联系

"教育即生活"是杜威实用主义教育思想的一个重要的口号。由于生长是生活的特征,因此,杜威又提出了"教育即生长"的观点。实际上,"教育即生活"和"教育即生长"两者是同一个意思。1916年杜威发表《民主主义与教育》一书,系统地阐明自己的这一观点。这本著作第一章的标题就是"教育是生活的需要",除提到教育即生活外,杜威在这本书中还提到要实现"教育即生活",唯有使学校成为雏形的社会,并在这样的学校,通过"做中学",才可解决教育与生活相脱节的弊病。《民主主义与教育》阐述了杜威的生活教育理论的基本论断——"教育即生活""学校即社会""做中学"。杜威在中国讲演时,也多次提到这一主张。中国杜威教育学派继承这一思想,提出了各种生活教育理论。

胡适被公认为是接受和实践杜威社会和政治学说的第一人。他在哲学上认同杜威的实验主义观点,在教育上提倡教育与生活相联系。他曾尖锐地批评学校教育与社会需要严重脱节的现象,认为这种教育是亡国的教育。他认为教育必须与社会实际生活相联系,适应社会的需要。胡适在介绍杜威的教育哲学时,并没有发挥"教育即生活"的命题,他只是强调注重生活教育,认为教育应当使学生养成处理社会生活环境的能力,他的这种观点某种程度上是将教育看成了"将来生活的预备",是杜威所不赞成的,但这也是胡适对"教育即生活"观点的一种阐释。

蒋梦麟在继承杜威教育思想方面并不仅仅停留在对实用主义教育思想的学理阐述上,他十分注意用杜威"生活教育"理论去观察和分析中国教育的现实问题。以历史教学为例,蒋梦麟认为教授历史就应当以学生生活需要为主体,以平民生活为中心,注重历史与生活的有机结合,并以解决当前问题为要旨。如若不然则历史与生活离,失其本意矣。又如"学生自治",这是"五四"时期学生养成独立精神和团体生活的一种自动行为,此自动行为在蒋梦麟看来便是杜威"教育即生活"的体现,办学者应给予热情鼓励与提倡。

陶行知是中国杜威教育学派中对杜威生活教育理论实践阐述最多、最具创造性的一位。对于杜威上述的三个论断,他都有实践,并创造性地提出了自己的观点。

① "教育即生活"与"生活即教育"

陶行知在办教育的过程中,对这一问题进行了明确的阐述,他开始是接受杜威的"教育即生活"观点,后来虽然翻了半个筋斗,提出"生活即教育"的主张,并提出杜威主张的不足,但基本还是从杜威的思想主张得出自己的修正之处。如杜威提出"教育即生活",把社会生活搬进学校,并在芝加哥实验学校里,安排儿童做些纺纱、织布、烹饪、木工、缝纫等作业活动,陶行知也主张教育为人民生活服务,要求教育与劳苦大众的生活相结合。

他曾对他的同乡胡适说:"我想用一个有活力的、公开传播的教育去创造一个有活力的、公开交流的社会。"①这与杜威的"与生活联系",即将教育作为改革社会的始发点观点相像。陶行知后来进行了教学方法的革新,实践了平民大众教育和普及教育,他希望通过这些教育改革改变社会,这一思想得到了杜威的赞同,杜威在华的演讲反映了他们在这方面的一致。

1924 年,陶行知提出"生活即教育",虽与杜威有所不同,然而整体来看,陶行知对中国教育与生活、与社会相脱离的看法,与杜威的教育和生活紧密联系相关联。他对杜威的"教育即生活"的批评和试验是有创造性的,他的理论更能适用于中国教育,然而这也是陶行知在杜威传统中的批判而不是反叛。

② "学校即社会"与"社会即学校"

杜威提出"学校即社会",主张"学校社会化",学校是"雏形的社会",同时他认为这并不意味着学校是社会生活的简单重复或再现。学校首要职责在于"提供一个简化的环境",选择社会生活中基本的和能为青少年反应的各种特征,并建立一个循序渐进的秩序;同时排除社会环境中的丑陋现象,"平衡社会环境中的各种成分,保证使每个人有机会避免他所在的社会群体的限制,并和更广阔的环境建立充满生气的联系"②。

陶行知也重视学校与社会的联系,早在 1919 年,他在论述新学校时,就提出:"学校是小的社会,社会是大的学校。所以要使学校成为一个小共和国,须把社会

---

① 华中师范学院教育科学研究所.陶行知全集(第五卷)[M].长沙:湖南教育出版社,1985:487.

② 〔美〕杜威.民主主义与教育[M].王承绪,译.北京:人民教育出版社,2003:27.

上一切的事,拣选他主要的,一件一件的举行起来。"①他指出,我国学校的弊病就是不但在与社会隔绝,而且学校里面,全以教员做主,并不使学生参与。这是杜威来中国那年陶行知持有的观点,从中我们可以看出,这时的陶行知对杜威思想持完全赞同态度。

后来在晓庄师范三周年时,陶行知将杜威的"学校即社会"变为"社会即学校",他认为"学校即社会"是把社会里的东西拣选几样,缩小一下搬进学校里去,是不合实际需要的。尽管有变化,但陶行知论述的目的与实际做法与杜威是一致的,目的就是要消除学校与社会中间的高墙。

③"做中学"与"教学做合一"

"做中学"是杜威根据当时社会不尊重儿童,学校教育无视儿童自主性提出的观点。杜威认为传统教育中一切是为"静听"准备的,儿童没有什么活动,他主张学校要广泛地开展游戏和主动的作业。他在《明日之学校》中,几乎每章都提出了做中学的例子,提到这种课程符合儿童的天性,给儿童带来的快乐,对儿童发展的巨大益处。

在杜威学校中,"做中学"采用的是对儿童的活动能力,对他在建造、制作、创造方面的能力有发展的方法。这种新型的学校,帮助儿童用行动和语言表达他的思想,发展他的个性,成为自由成熟的人。

陶行知最初是通过对学校教师提出要求来阐明他强调"做"的观点。他要求教师改变教学方法,对于一个问题,不是要先生拿现成的解决方法来传授学生,乃是要把这个解决方法如何找来的手续程序,安排停当,指导他,使他以最短的时间,经过相类的经验,发生相类的理想,自己将这个方法找出来,并且能够利用这种经验理想来找别的方法,解决别的问题。这是杜威思想对早期的陶行知教育思想影响的痕迹,陶行知在从事教育的早期就抱有重视"儿童",重视"实践""做"的思想。之后,陶行知提出教学做合一,强调要在做中学,虽然与杜威的"做中学"有着不同的内涵,然而无论怎样,"教学做合一"理论起源于"做中学"是事实,实际它是对"做中学"加以实践检验后,产生的独特理论。

当然陶行知对杜威的生活教育理论并不是盲目照搬,而是根据自己的教育实践和中国的国情有所发展,这种发展深得杜威精髓。他把杜威的"教育即生活""学校即社会"理论改为"生活即教育""社会即学校",克服了杜威理论不适应中国

---

① 华中师范学院教育科学研究所.陶行知全集(第一卷)[M].长沙:湖南教育出版社,1984:126.

的情况。

陈鹤琴在美国受杜威影响很深,他本人也承认这一事实。回国后,陈鹤琴发展了"活教育"理论,提出课程要以社会生活为中心,以儿童活动为中心,学校要将大自然、大社会作为活教材,对儿童进行综合教育,并强调要进行"做中教""做中学""做中求进步"。他自己在提倡"活教育"初期曾说过,"活教育"的观点和方法是和杜威教育学说相配合的。以后随着"活教育"实践的丰富发展,"活教育"如同陶行知的"生活教育"理论一样开始走向中国特色,陈鹤琴把"生活""社会""自然""经验"等与中国的社会生活联系在一起,实现了"洋为中用"。当然无论怎样的吸收、扬弃,"活教育"在本质上还是属于杜威"教育即生活"的继承与发展。

张伯苓也认同杜威的生活教育理论观点,力主学生接触社会实际。他曾指出:"吾国学生之最大缺点,即平日除获得书本上知识外,鲜谙社会真正情状。"[①]他鼓励学生参加各种社会生活,将所学与所用结合起来。他接受杜威思想,也主张学校为雏形社会,指出:"学校正如一小实验场,场内之人皆有信心具改造社会之能力,将来入社会改造国家,必有成效。"[②]

张伯苓在"做中学"上也有自己独到的观点,陶行知的"教学做合一"即是从张伯苓处受启发而来。张伯苓自己的观点为"学行合一",他认为:"现在的教育者,不但是不能以'教书''教学生'为满足,即使他能'教学生学',还没有尽他的教之能事。他应该更进一步,'教学生行'。'行'些什么?简言之,就是行做人之道。这样,才能算是好的教育。"[③]

通过上述论证中国杜威教育学派成立的基本条件,我们可推知中国杜威教育学派就是指20世纪20年代至40年代在中国出现的一批以杜威实验主义教育思想体系为指导,对杜威教育思想或进行理论研究,或进行实践研究,或二者兼而有之的一批学者、教育家。这一派人包括郭秉文、胡适、蒋梦麟、陶行知、陈鹤琴、张伯苓、李建勋、郑晓沧等。本书的后面章节,我们将进一步分析中国杜威教育学派主要代表人物的思想及与其师的关系,完成该学派的思想分析。

---

① 梁吉生,杨珣.爱国的教育家张伯苓[J].南开学报,1981(1):39.
② 张伯苓.张伯苓教育论著选[M].崔国良,编.北京:人民教育出版社,1997:133.
③ 张伯苓.张伯苓教育论著选[M].崔国良,编.北京:人民教育出版社,1997:159.

第二章

20 世纪前半期中国杜威教育学派形成的基础

王 颖

19 世纪末 20 世纪初，随着以实用主义思想为指导的美国社会的发达，以改造传统教育，建立现代教育为主旨的杜威现代教育思想很快风靡各地，世界各地掀起了研究实践杜威教育思想的热潮。中国自甲午战争以来一直受日本、西方各国压迫，一些教育上的精英分子思索后认识到，西方现代教育充满着改造世界的威力，它不仅可以使国家彻底摆脱受欺压的地位，而且可以增强国家和国民的物质和精神力量。从美国留学归来的中国杜威教育学派在美国富强的影响下，认定中国社会问题主要出在教育上，而补救办法就是移植美国的教育思想，采用美国的教育制度、学校管理、教育教学方法进行现代化建设。他们相信，现代新教育可以一下子实现长期以来梦寐以求的目标——选择有才干的人充任官职，使民众接受教育，并马上能实现新式教育蕴含的深层次目标——迅速过渡到现代化民族国家的强大和富裕状态，赶上美、日等国。而经过洋务运动、戊戌维新变法等后，中国在引进西方思想和学术进入上已有了条件；"五四"新文化运动进一步削弱了封建文化的影响，为西方文化进入中国扫清了道路；随着 20 世纪 20 年代中西文化论战，进一步拓展了西方文化进入中国、产生影响的空间。杜威在此时来中国讲学，由他当时身居中国文化、教育界高位的学生陪同、翻译，也由各界著名人士推崇，使杜威思想进入中国后迅速被传播到各地，并在中国高等教育以及普通教育领域实施，促进了中国现代教育的发展。

一、 20 世纪前半期中国杜威教育学派形成的社会背景

（一）实用主义在世界的广泛传播与研究

实用主义是美国本土产生的最有影响的哲学思潮，它由皮尔斯（Charles

Sanders Peirce)和詹姆斯(William James)等人于19世纪70年代创建,20世纪前30年达到鼎盛,成为世界哲学的主流。相比欧洲思辨哲学的研究,美国实用主义哲学主张研究现实,注重实用,注重解决实际问题。实用主义哲学的一个基本要义就是重视功利、重视实用,当它在美国遇到合适的土壤得到印证时,世界各国纷纷仿效美国,将实用主义奉为解决国家发展问题的最有用的哲学思想,不仅美国,当时其他一些国家如德国、苏联、日本、土耳其等也掀起了研究实用主义的热潮,杜威的实用主义是其中一个分支。杜威是实用主义集大成者,他以美国的社会需要为基础,形成了自己的实用主义理论,他在论述实用主义哲学思想的同时,把实用主义的基本思想运用到其他学科,特别是教育学中去,扩大了实用主义的社会影响,在一定意义上实现了哲学走入生活的目标。由于杜威将实用主义应用到具体学科中并卓有成效,引起了世界各国人们的关注,再加上杜威曾经不遗余力地赴海外传播实用主义思想,因此推动了美国这一土生土长的哲学思想成为具有世界性影响的思想。因为杜威实用主义教育思想在美国这块土壤上得到了实际验证,它的理论与实际结合的相符性,使得它更具说服力。美国教育史学家布里克曼(William W. Brickman)曾指出:"杜威被公认为当代努力争取更好的教育的主要代表人物。人们可以根本不接受杜威的意见,甚至可以在一些重要的观点上与他根本对立,但是,他们都会异口同声地说:杜威的见解是值得注意和有意义的。这就是杜威在与国外学者们的关系中的地位,这就使他作为一位教育家享有在世界上的声望——世界上几乎很少有教育家能享有如此高的声望。"①因为实用主义成为显学,也因为杜威在教育中具有重要的影响,各国都把研究实践实用主义特别是杜威思想作为一个重要议题。当时各国学生或跟随杜威本人,或跟随杜威在哥伦比亚大学师范学院的学生信徒学习研究杜威思想,他们回国后,也将杜威实验主义教育思想带回所在国并进行实验,推动了各国的教育发展。

　　杜威的中国学生也正是在看到实用主义在美国应用的实际成效,看到杜威教育思想对于世界各国的意义,才兴起研究杜威教育学说、改造中国的念头。他们认为,实用主义在世界各地的盛行表明了这一理论具有普遍的意义,杜威实验主义重视实际效用,符合其他国家也符合中国图变求进步的需求。实用主义关心社会的需要,有助于实际的改革,能够促进文化教育乃至全社会的发展。实用主义的实效性以及广泛传播,使中国知识界开始将目光越来越多地集中在它的研究实验上。

---

① 单中惠.现代教育的探索:杜威与实用主义教育思想[M].北京:人民教育出版社,2002:403.

"五四"前后进入中国的西方理论很多,如尼采(Friedrich Wilhelm Nietzsche)重视人作用的"超人"说,柏格森(Henri Bergson)的生命哲学等,但因为尼采的欧洲哲学偏重思辨,不适合中国人的研究与实际运用;柏格森重视生命、重视个体的生命哲学,虽在某种程度上与"五四"重视人的个性发展有一定的相合之处,但这种相合与中国整个社会需要还是有距离的。当时中国人并没有深切认识到个体的重要性,即便一些人认识到个体重要性,但这种理论不能有助于解决整个国家、整个社会的大问题,也不能在中国有大的发展。本质上,当时的中国还是以社会发展为重的国家,这是民族、国家危机使然,也是彻底改变传统文化教育需要的。整个欧洲哲学本意不在解决实际效用,满足不了当时求变的各国如中国的需求,不能成为哲学的主流是自然的。中国广大的知识分子也正看到了这点,没有对其他哲学进行广泛深入的研究,而将目光转向注重解决实际问题的实用主义哲学方面。而美国社会的发达,实用主义在世界各国成为显学,使中国知识界看到了改变中国传统,改变贫穷落后的希望。这种世界教育哲学发展的趋势,为中国学者研究杜威实用主义教育思想改变中国,为中国杜威教育学派的形成,打下了坚实的哲学基础。

(二)杜威中国弟子在哥伦比亚大学的学习与研究

20 世纪哥伦比亚大学在美国教育界具有重要的地位,在哥伦比亚大学的一批知名教授,带动了当时世界教育发展的新潮流,哥伦比亚大学全盛阶段,拥有当时一批世界著名的大学者,如哲学家和教育家杜威、教育家罗素、教育史和比较教育学家孟禄、教育心理学家桑代克(Edward Lee Thorndike)和教育哲学家克伯屈等人。他们在教育领域的探索和创新,尤其是他们对美国进步主义教育运动的指导和推动,使哥伦比亚大学特别是杜威等所在的师范学院俨然执 20 世纪二三十年代美国教坛之牛耳。

当时慕哥伦比亚大学师范学院之盛名,中国学生纷纷进入该校就读。郭秉文、蒋梦麟、陶行知等一大批后来在中国教育界叱咤风云的人物,即是 20 世纪最初十年入哥大师院就读的。他们在哥大师院名师的指导下,刻苦学习,热心时政,关心社会,开阔了视野,培养了能力,形成了自己的人生观和世界观,形成了早期教育救国思想和政治主张,为后来回国开展教育改革,奠定了坚实基础。在去美国前,他们怀有改造中国贫穷落后局面的想法,但用什么来改造中国社会却是悬而未决的问题。中国自近代以来,一直向西方学习,但学什么,怎样学却经历了一个漫长的发展过程。最初中国从物质层面、从器上学西方,派留学生到国外学习洋枪、洋炮的制造。后来随着理解的深入,又从精神层面学西方,派出的留学生不仅学习武器、军械制造,也学习各类科学知识,国内也成立了应用洋学堂。随着西学的发展,这种学习进展到制度层面,许多人开始研究西方制度,主张中国仿效西方建立民主政体,这一思想的进展对中国产生了很大影响,为"五四"新文化运动以民主科学为主旨奠定了基础。而在学西方制度的过程中,知识界以及教育界人士又感到仅重视制度是不够的,制度是由人制定的,人的素质决定了制度先进与否。有了这种认识,他们开始将目光转向与制度相联系的人的研究,而教育作为改变人的最有效的工具,首先引起了他们的重视。

当胡适、郭秉文、蒋梦麟、陶行知等一批留学生看到美国发达的教育,看到实用主义教育下人们良好的精神面貌,以及实用主义教育给美国社会带来的巨大发展作用时,他们产生了用杜威实用主义教育思想改造中国教育的想法,纷纷投入杜威门下,学习实用主义教育思想。胡适在美留学最初是在康奈尔大学研习黑格尔哲学思想,但他深感黑格尔哲学与中国社会现实相脱节,与他求学的目的不符合,因此经过思考他将自己的研究方向转向杜威的实用主义,回到中国后他常常喜欢说他的政治方法是一种"实验主义"方法。后来胡适由康奈尔大学转入哥伦比亚大学哲学系师从杜威,选修了杜威主讲的两门课程"伦理学之流派"和"社会政治学",并以杜威为导师完成了哲学博士学位。在哥伦比亚大学跟随杜威学习的过程中,胡适系统学习了杜威实用主义思想,认为实用主义注重实际的效果,注重思想文化教育的改革是一种能应对"吾国之急需"的良药。杜威的实用主义思想能使他应对"对于社会之责任"。在哥伦比亚大学亲自聆听杜威教诲的经历,使得胡适找到了爱国求学的目标,也使胡适开始潜心研究杜威实用主义教育思想,这为他后来回国继续研究杜威思想,成为杜威教育学派一员打下了基础。

陶行知在哥伦比亚大学的学习,也为其日后对杜威教育思想的实验、发展做了准备。陶行知在哥伦比亚大学主攻教育行政学,但他在教育哲学上下的功夫更多。在哥伦比亚大学求学初始,他就对杜威实用主义教育思想怀有浓厚兴趣,并尽心加以研究。当时中国教育的现实,以及美国社会的发达,使陶行知认识到要想改变中国教育,不能仅从器上,从学习西方教育行政、管理去做,这样做只能研究教育的表面现象。而人的研究、学校的研究才是教育研究的根本,要想改变中国教育的状况,就要从教育的起点,从人、从学生、从教师方面入手,由此深入到教育领域各方面的改革。鉴于此种认识,陶行知将研究方向转到了对人、对教育最根本思考的教育哲学方面,他选修了杜威的实用主义教育哲学,对杜威思想中主要观念如经验主义哲学、知和行、个人与社会、科学方法以及生活教育、儿童中心、从操作中学等思想非常认同。他认为杜威实用主义教育思想就是他要解决传统教育忽视科学、忽视儿童、忽视社会生活、教育不发展、社会不发达等问题的方法,杜威实用主义教育思想是实现其教育救国的方法及理论,为此他自觉研习实践杜威的教育思想。

不仅胡适、陶行知在哥大求学,对研究杜威教育思想发生了兴趣,中国杜威教育学派其他人聆听杜威的实用主义教育哲学思想,也感受到杜威思想的真实性、实用性,认为杜威思想与中国社会文化教育相切合,对杜威实用主义教育思想产生了浓厚兴趣,并立下了回国改造中国文化教育的志向。

这些杜威的中国学生在哥大除单独研习杜威教育思想外,还建立了中国教育研究会,一起探讨教育问题,包括研讨杜威的教育思想。陶行知、张伯苓等曾任会长,他们通过这个协会,探讨了中国社会教育问题,提出了如何解决中国积病问题,研究思考杜威实用主义教育思想是否适合中国改革问题等。这些成员回国后,成为杜威教育思想研究的发起者以及实践者。他们坚信杜威的实用主义思想能给美国带来繁荣,也能使古老的中国焕发青春。可以说胡适、陶行知等在哥大的学习以及思想的转变,对他们以后专门研习、实验杜威思想起到了启蒙作用,促使中国杜威教育学派萌芽。

(三)"五四"新文化运动的发展需要

学派思潮往往是社会文化发展内在要求在思想文化领域中的反映,因此,任何学派的产生都离不开特定的时代背景。"五四"新文化运动的民主科学要求使20世纪20—40年代中国杜威教育学派具备了适宜其产生的社会文化土壤。

"五四"新文化运动是一场思想启蒙和解放运动,运动起因在某种程度上可说是西方先进的思想对中国落后的传统文化冲击造成的,而"五四"新文化运动,反过来又加强了西方思想进入中国。在"五四"运动中,传统的思想和体制开始动摇,人们批判封建专制,反对传统文化教育制度,反对迷信,提倡民主科学,要求个性解放,重新估定一切价值,使古老的中国实现现代化。在这种强烈要求下,各种西方思想诸如民主、科学、自由主义、实用主义、人文主义、无政府主义等等,纷纷涌入这个思想的自由市场。而美国杜威实用主义教育思想因其响应了"五四"的要求,成为显学。

杜威在中国演讲的美国及西方资产阶级科学民主教育思想,契合了"五四"知识界渴望的"民主""平等""科学""博爱"的精神。杜威来华后第四天,"五四"运动爆发,杜威立即投以关注的目光,他充分肯定学生运动,在《教育哲学》中明确指出:"学生运动可以表示一种新觉悟:就是学校教育是社会的,他的贡献不但对于本地、对于小群,还能对于大群、对于国家。……这好像是学生运动的意义。"①他对"五四"运动的意义表示了赞赏,赢得了广大学生以及知识分子的认可;在以后的演讲中他又对中国社会做了精确分析,并提出了一些解决方案,他的这些思想迎合了"五四"时期一批知识分子希望通过改良求变图强的心理,也为中国知识界寻找改革中国方案提供了参考。

"五四"新文化运动为杜威思想在中国的实施、研究提供了一个契机,社会发生重大转变,需要一种理论指导改革,解决社会问题,而杜威的思想正具有这样的条件,提供了改革的方向、动力,因此引起了中国学者对其思想热情研究,不仅他的中国弟子进行研究,其他人如梁启超、蔡元培也研究杜威思想,热情赞扬杜威。蔡元培在杜威六十岁生日晚宴中致辞,杜威"用19世纪的科学作根据,用孔德的实证哲学、达尔文的进化论、詹美士的实用主义递演而成的,我们敢认为西洋新文明的代表"②。他还说:"我觉得孔子的理想与杜威博士的学说,很有相同的点。这就是东西文明要媒合的证据了。但媒合的方法,必先要领得西洋科学的精神,然后用它来整理中国的旧学说,才能发生一种新义。"③这番论述显见蔡元培对杜威思想研究的深厚。

身为杜威弟子的胡适、陶行知等在此时更是不遗余力地介绍杜威思想,他们从不同角度阐述杜威思想,其研究、解决问题的出发点及过程反映了依据杜威思想,探索"五四"新文化运动在文化教育领域对民主科学要求的特点。他们不仅提倡教育民主科学化,还开展了教育民主科学化、教育现代化的理论实践研究,并在全国产生了广泛影响,如胡适提出的实验科学方法论思想,陶行知的生活教育论,郭秉文在东大进行的科学教育、民主自治的实验,蒋梦麟在北大开展的教授治校、试行选修课的改革,陶行知、陈鹤琴以及张伯苓在普通教育领域提倡科学教育教学法、尊重儿童个性、重视培养儿童"做""实践的能力"以及培养儿童具有民主、爱国的思想等,这些思想活动响应了"五四"时代主旋律的要求,体现了对杜威思想

---

①　袁刚,等.民治主义与现代社会:杜威在华讲演集[M].北京:北京大学出版社,2004:481.
②　高平叔.蔡元培哲学论著[M].石家庄:河北人民出版社,1985:207.
③　高平叔.蔡元培哲学论著[M].石家庄:河北人民出版社,1985:208.

的实验与研究。

艾思奇曾指出,"新的思想方法之出现,是在'五四'的炮声发出以后",他举例胡适实验主义说,"实验主义的治学方法在某种意义上可以说是与传统迷信针锋相对,因此也就成为'五四'文化中的天之骄子"①。马克思主义者瞿秋白也曾有精彩的分析:

中国"五四"运动前后,有胡适之的实验主义出现,实在不是偶然的。中国宗法社会因受国际资本主义的侵蚀而动摇,要求一种新的宇宙观、新的人生观,才能适应中国所处的新环境;实验主义的哲学刚刚能用它的积极方面来满足这种需要。②

瞿秋白用科学的唯物史观阐明了杜威教育学派在中国的产生是回应"五四"新文化运动科学民主思想而出现的,分析可谓透彻准确。

以上这些分析显示了"五四"新文化运动为中国杜威教育学派的产生提供的契机,当杜威思想遇到"五四"新文化运动时,它很快成为一种解决社会弊病的显学,这促使了中国杜威教育学派的产生。

(四)杜威来华讲学

在"五四"运动爆发前的 1919 年 4 月 30 日,杜威来到中国,并进行了长达两年两个月的讲学和旅游。杜威以世界一流教育家的身份在身居要职的中国弟子们的簇拥下,到过上海、北京、河北、山西等地,足迹遍布大半个中国,举行了数百场学术演讲,竭力宣传其实用主义教育思想(参见附录一)。这对在"五四"运动的风云激荡下正向中国传统思想发起猛烈冲击而热衷于引进西方新思想新观念的中国社会产生了巨大影响。

在杜威来华以前,在中国教育占统治地位的是从日本传来的德国教育理念和计划,在此模式下中国教育事业已经取得了一些成就。"五四"前几年,虽有一些留美学生回国宣传介绍实用主义教育思潮,但因为无人能根据中国情况,将实用主义精髓引入中国,并对中国社会起到改造作用,实用主义思想的影响力还是有限的。杜威来华根据中国情况,亲自讲解了实用主义经济、政治、文化教育精义,给中国思想文化界开启了研习实用主义之门。讲学中杜威特别偏爱文化教育,文化教育的比重相当于政治与经济两个方面,这些观点以及相关的方面大都出自他的三本著作,即《学校与社会》(1899)、《民主主义与教育》(1916)及《哲学的改造》

---

① 艾思奇.艾思奇文集(第 1 卷)[M].北京:人民出版社,1981:59-60.
② 瞿秋白.瞿秋白文集(政治理论编):第 2 卷[M].北京:人民出版社,1988:619.

(1920)。他在文化教育方面强调：(1)教育必须改革与普及。(2)学校必须是儿童与社会的桥梁,教育横跨两者。(3)教育对于个体的发展和社会的改革是有意义的。(4)重视科学学习的作用。杜威所讲的这些内容对于研究他思想的学生来说是十分熟悉的,而对中国人来说他的东西便是新奇的。当时无论西化派、东方文化派皆对杜威实用主义学说表示了好感,甚至地方文武官员也趋奉杜威及其学说。他到湖南讲学时,省长谭延闿几次亲临会场并主持演讲,军政界许多高级官员也聆听杜威的讲演。到福州,杜威参见了李督军,并参加了各界为他举行的欢迎会。在广州,他偕美国领事参见陈炯明,这些督军省长聆听杜威讲话后,都对杜威思想感兴趣。^① 中国教育家正借杜威来华之机,将他们已有的对中国传统教育改革的迫切心情通过高扬杜威实用主义思想体现出来。在杜威来华前后,文化教育界热忱翻译介绍了杜威实用主义思想(参见附录二),他的中国学生更借独特条件,大力宣讲实践其师思想,改革中国传统教育,一时间杜威实用主义教育思想成为中国的显学。可以说杜威来华对中国杜威教育学派的形成起了直接促进作用。

围绕杜威访华,中国杜威教育学派逐渐走上历史舞台,这体现在以下几个方面。

1. 邀请杜威来华,结成学派团体

1919年2月,杜威偕夫人及女儿在日本游历讲学,这一消息很快被他的中国弟子得知,他们立即酝酿其师来华讲学,陶行知在给胡适的信中称三个星期前已获悉杜威到日本游历讲学,如能借便"请先生到中国来玩玩"并帮助中国"建设新教育"^②,就再好不过了。胡适接到陶行知的信后,立即与其他杜威中国学生联系,并邀请杜威来华。

当时杜威的中国学生商请了北京大学、南京高等师范学校、江苏省教育会和北京尚志学会筹集基金,邀请杜威来华讲学。这些团体的负责人,除蔡元培、梁启超外,其余都是杜威的中国弟子,他们协商由北京大学教授陶孟和,南京高等师范学校代理校长郭秉文代表他们亲赴东京邀请杜威来华。1919年4月30日杜威偕同夫人到达上海,胡适代表北京大学、陶行知代表南京高等师范学校、蒋梦麟代表江苏省教育会前往码头迎接。

---

① 参见：黎洁华.杜威在华活动年表[J].华东师范大学学报：教育科学版,1985(2).
② 华中师范学院教育科学研究所.陶行知全集(第五卷)[M].长沙：湖南教育出版社,1985：2.

可以说,杜威赴华讲学是由胡适、陶行知、郭秉文、蒋梦麟等一批杜威中国弟子直接促成的。从邀请杜威来华的过程我们可以看出,中国杜威教育学派作为一派已崭露头角。在为杜威来华作思想准备以及杜威来华作介绍翻译工作的过程中,胡适、陶行知、郭秉文、蒋梦麟等又引领传播了中国实用主义教育研究热潮,这标志着以研究实践杜威思想、解决中国问题为特征的中国杜威教育学派正式走上历史舞台。

2.引入杜威思想,扩大学派影响

杜威来华讲学前,国内已有了对杜威实用主义教育思想的宣传与介绍,1912年2月,蔡元培在《对于教育方针之意见》中首次向人们推荐了杜威及其实用主义教育。蔡元培在论述实用主义教育时介绍说:"此其说创于美洲,而近亦盛行于欧陆","今日美洲之杜威派,则纯持实用主义者也。"[①]影响颇大的《教育杂志》于1916年至1918年相继发表了署名"天民"的文章,介绍实用主义教育思想,包括:《学校之社会的训练》《台威氏之教育哲学》《台威氏之明日学校》《今后之学校》等。

1919年《新教育》的诞生,给胡适、陶行知等杜威中国弟子提供了研究阐述其师思想的阵地。他们得知杜威将来华,刊出"杜威专号",蒋梦麟、胡适、陶行知、郑晓沧等人在杂志上全面地介绍了杜威的哲学及教育观,其他如浙江的《教育潮》、北京的《晨报》副刊、上海的《时事新报》副刊《学灯》,以及《民国日报》副刊《觉悟》等,也都成了杜威教育学派介绍和鼓吹其师实用主义教育思想的重要阵地。1919年3月31日陶行知在《时报》的《教育周刊》上发表《介绍杜威先生的教育学说》,接着,胡适在《新教育》"杜威专号"上发表《杜威哲学的根本观念》和《杜威的教育哲学》,蒋梦麟发表《杜威之人生哲学》和《杜威之道德教育》,郑晓沧也在《新教育》1卷2期上发表译文《杜威氏之教育主义》。胡适还在北京大学和南京高等师范学校先后做了四场演讲,介绍杜威的实用主义思想,并于1919年3月在教育部会议上专门介绍杜威的实用主义教育思想。在杜威来华前中国杜威教育学派已开展了研究介绍杜威思想的活动。当杜威来华时,他们更是不遗余力地宣传其师思想,扩大了杜威在华影响,同时也使他们成为发展中国教育引人注目的力量。

3.翻译出版杜威著作,奠定学派发展基础

郭秉文、胡适、蒋梦麟、陶行知、陈鹤琴、郑晓沧、刘伯明等人在杜威来华时先后充当杜威演讲的翻译解释工作,其中除刘伯明外,其余均是哥伦比亚大学的毕

---

① 蔡元培.蔡元培教育论著选[M].高平叔,编.北京:人民教育出版社,1991:2.

业生,而刘伯明虽不是哥伦比亚大学毕业生,却亦是实用主义教育思想的信徒,他充任了杜威在南京及江苏等地演讲的主要翻译者,他的妻子是哥伦比亚大学教育学硕士。胡适、陶行知、郑晓沧等一些学者,以他们自己的理解,在为杜威担任翻译时,形成了以传播研究实用主义教育思想,改革中国教育为职志的中国杜威教育学派。

杜威在北方各地的演说全部由胡适翻译,杜威反映其思想的演讲如五大演讲几乎都是在北京进行的,胡适为这些演讲做了翻译工作。在杜威访华期间,胡适还曾做专门演讲"谈谈实验主义",对杜威思想做精辟研究阐述。在翻译介绍杜威思想的过程中,胡适实际充当了杜威思想的主要研究者与传达者之职。为翻译好杜威演讲,胡适投入了很大精力,甚至有段时间准备离开北大专心为杜威演讲做翻译,为此蔡元培曾致信胡适表示了挽留,希望胡适能一面同杜威作"教育运动",一面仍在大学实施教育。杜威在华演讲所收到的轰动效应是与胡适的研究传播分不开的。杜威在南京、上海等南方各地的演讲则主要由刘伯明及郑晓沧等人翻译。刘伯明翻译了杜威在南京的《教育哲学》《哲学史》以及《试验伦理学》等。郑晓沧翻译《德谟克拉西的真义》《科学与人生之关系》《教育与实业》等多篇演讲。此后郑晓沧又撰著《杜威博士治学的精神及其教育学说》《杜威博士教育学说的应用》等文章,专门研究传播杜威教育思想。他们的这些活动,奠定了中国杜威教育学派发展的基础,使杜威研究成为显学。

与此同时,中国杜威教育学派还通过自己所占领的文化教育阵地,实践实用主义。如郭秉文在杜威来华之际,将杜威教育思想搬到南京高等师范学校,根据杜威的教育学说训练学生,使学生掌握实用主义教育思想,成为能够实施进步教育的未来教师。这些学生毕业后,又在他们未来从事教育的学校或机构推广杜威的思想。可以说,杜威思想在中国的深广影响与郭秉文的工作是分不开的,而郭秉文这一实践也保证了刚刚形成的中国杜威教育学派的初步发展。杜威另一学生蒋梦麟也在北大实践杜威的教育思想,他协助蔡元培在北大推行教授治校,学生自治改革,体现渗透了杜威教育思想的影响。

杜威来华讲学使实用主义教育思想变得通俗易懂,同时杜威针对中国情况提供了许多参考,为中国的改革提供了方向,使中国知识界多数人兴起了研究其思想的念头。而杜威的中国弟子因具独特优势,担当了解释、实验杜威实用主义教育思想的任务,他们在阐释、实施杜威实验主义教育思想的过程中,形成了本门学派。可以说,正是在杜威来华前后,这些杜威中国弟子对杜威思想的大力研究实践促成了中国杜威教育学派形成,而中国杜威教育学派的形成又促使了杜威教育思想在中国的研究与实验,从而促使中国杜威教育学派自身向更高目标发展。

综上所述,中国杜威教育学派的产生是有多种原因的,包括这一时期中美关系相对友好,中国杜威教育学派成员在教育界身居高位,容易推行教育改革等。所有这些概括起来基本为两点:一是中国实现国家富强、变革的需要;二是杜威实用主义教育思想与中国时代发展相契合,以杜威思想为指导,研究实践中国教育符合社会发展需要。杜威思想与中国社会需要相契合我们可从杜威的演讲中发现,美籍华裔学者余英时曾提出杜威在中国关于知识论的演讲很符合当时中国人的理解,他指出:

第一,当时一般中国人的思想中并没有柏拉图式的永恒不变的"实在"这种抽象的概念。由此而衍生出的许多西方知识论和形而上学的问题对于一般中国人更是非常陌生的。现在杜威把它们一笔勾销了,这恰好扫除了中国人(至少暂时)了解西方思想的障碍。第二,主、客在人生活动中统一,理论与实践统一,这是很接近一般中国人的世界观的。第三,中国思想中一向注重普通人的问题,所谓"哲学的问题"根本就是西方思辨传统的产物。第四,杜威强调控制环境和应付变迁以求有利于人生,这更是当时接受了进化论的中国人所欣然首肯的了。第五,试验主义的应用一向以在社会、政治哲学方面的效果为最显著。杜威在中国的演讲也偏重在这一方面。这又是它比较容易接得上中国传统思想的一个重要原因。第六,我们必须记住,杜威同时又是一位教育哲学家,他的实验主义教育学说在美国曾发生过重大的影响。他在哲学上反对形式主义,在教育上更是如此。这对于中国的旧式教育尤其有对症下药之巧。①

余英时的论述道出了杜威在中国受欢迎的原因,杜威的思想,既给国人指出了国家发展的趋势,也符合当时国人的接受心理,而中国杜威教育学派也抓住了这一精髓思考中国的问题,蒋梦麟曾以杜威的这种思考方式,采用中西对比观点提出他对宇宙观、人生观、教育观的看法。胡适也用此种方式研究传统文化。胡适是典型的西学代表,在反对传统,全盘西化方面,似乎背离杜威思想,但实际上胡适西化的主要目的是运用杜威实用主义教育思想,达到改造中国文化传统之目的。他主张用西方的科学方法整理国故,显示了力图将中西文化汇合在一起,使

---

① 余英时.重寻胡适历程[M].桂林:广西师范大学出版社,2004:206.

西方思想符合中国发展需要的愿望。也正因为杜威实用主义教育思想与中国发展需求相互应答,当时很多人对实验研究杜威思想,改造中国文化教育抱有浓厚兴趣,而在研究、实践的过程中,中国杜威教育学派因为其与杜威的师承关系,形成了中国杜威教育学派,成为研究杜威思想,推动教育改革的佼佼者。

二、 中国杜威教育学派与早期实用主义教育思想关系

实用主义是一个大的学派,其代表人物主要有皮尔斯、詹姆斯以及杜威。杜威是实用主义集大成者,他将实用主义哲学与生活和教育结合起来。在中国,对于实用主义思想介绍最多的是杜威的思想。

在杜威来华前,中国知识界曾开展过有关实用主义的讨论,但该次讨论既没有对实用主义做过多研究,也没有掀起研究实用主义的热潮,它对后来的实用主义在中国的传播与发展意义并不是很明显,也与后来中国杜威教育学派的形成没有直接关系。

在早期研究实用主义的人中,张东荪可能是中国最早的一位。据其自述,他曾于清宣统年间写过一篇名为《真理篇》的文章,发表在冯世德和蓝公武合办的《教育杂志》上,当时文中已经提到实用主义。自那以后,他即"自命为一个唯用论者","十余年来时时咀嚼,觉其滋味正是如橄榄一样,愈嚼愈有味了"。① 张东荪从整体上论证了杜威、詹姆斯等人实用主义观点,特别对实用主义真理论有独到见解。但张东荪介绍的实用主义哲学思想并没有在中国引起很大反响,而胡适介绍的实验主义教育方法却在中国引起很大反响,促成了以研究杜威实用主义教育思想为标志的中国杜威教育学派产生。这主要是因为,"五四"时期是一个注重思想方法的时代,胡适的实验主义偏重于方法论,他是以方法论带出真理论。相反,张东荪的实用主义由于侧重真理论,侧重理论内容的梳解与辩正,多少游离于启蒙时代之迫切需求,而且张东荪走的路子是纯学理性的,他的研究更多在学术界、知识界流传。而胡适的方式,既有学理的成分,又有功利的因素,能救社会之弊病,符合了时代发展需要,因此能够在当时社会广为流传。

张东荪从哲学方面最早对中国实用主义进行了探讨,庄俞、黄炎培等人则从教育角度最早谈到实用主义。1913 年 10 月,《教育杂志》第 5 卷第 7 期刊登

---

① 张东荪.理性与良知:张东荪文选[M].张汝伦,选编.上海:上海远东出版社,1995:160.

了两篇关于实用主义的文章。一篇是庄俞的《采用实用主义》，一篇是黄炎培的《学校采用实用主义之商榷》。庄俞从分析民国初期的教育现状提出实用主义，指出"欲救今日教育之弊，非励行实用主义不可"，而实现实用主义思想，要从各级各类教育机构做起，而"为教员计，则讲授一事，必求其事于社会生活的适宜之应用"。①

黄炎培对清末《奏定学堂章程》颁布以来中国教育发展的历史和现状进行了回顾反思，提出教育与社会生活是相联的。"人不能舍此家庭绝此社会也，则亦教之育之，俾处家庭间社会间，于己具有自立之能力，于人能为适宜之应付而已。"他提倡"渐改文字的教育而为实物的教育"。②

庄俞的实用主义是一种应用于教育中的实用主义，他既没有对实用主义教育思想进行学理分析，也没有一定的实践，结果只被当作一家之言，当作呼吁看待，没有引起很大反响。黄炎培提倡的实用主义教育重视教育与生活、学校与社会相联系，他的实用主义教育也在全国一定范围内得到了实验，获得了一些成果，黄炎培也曾就此写过《实用主义产出之第一年》等文章，但黄炎培对实用主义并没有进行深入研究，也没有对杜威实用主义教育思想进行实验，他只是借实用主义之名实行自己改造中国教育的理想，他的实用主义教育与以后中国形成的实用主义教育思潮联系并不很紧密，对杜威研究也没有起到过很大作用。

可以说无论从哲学还是从教育角度谈，早期中国实用主义思想都没有与杜威实用主义在中国的传播以及中国杜威教育学派的发展产生很大的直接的关系。只有当杜威来华前后，胡适等杜威中国弟子掀起的研究杜威实用主义的风潮，才是在中国历史上有影响力的实用主义教育思潮，也才是中国杜威教育学派研究的实用主义。因为杜威与实用主义的紧密关系，如果说早期实用主义思潮与中国杜威教育学派研究实践的杜威实用主义教育思潮有一定联系，我们也只能说早期的实用主义为杜威思想进入中国做了铺垫，从而间接为中国杜威教育学派形成打下了基础。

三、 中国杜威教育学派与蔡元培研究杜威之关系

蔡元培也提到过杜威实用主义教育思想，他称杜威是"西方的孔子"，但蔡元

---

① 庄俞.采用实用主义[J].教育杂志,1916,(5)7.
② 黄炎培.学校教育采用实用主义之商榷[J].教育杂志,1916,(5)7.

培与中国杜威教育学派研究实践杜威教育思想是不一致的。在蔡元培的教育教学中,他更重视的是实利教育。蔡元培等在民国初年,提出过实利主义教育,并将这一思想列为民国元年教育方针五项内容之一,"我国地宝不发,实业界之组织尚幼稚,人民失业者至多,而国甚贫,实利主义之教育,固亦当务之急者"①。他认为要促进国家的发展,教育首先应当重实用、重社会生活,实利主义教育为当务之急,算学、物理、化学等自然科学,乃至木艺、烹饪、裁缝、金、木、土工等实利主义教育内容都是迫切需要的,他希望通过这些学科教育培养服务于国家社会需要的人。这一思想与杜威实用主义教育思想有相同处,他们都注重教育的实用性,提倡教育与生活相联系,主张运用教育改变社会,但实际实利教育与实用教育存在着很大的不同。实利主义教育与中国传统的经世致用之学有很大的相关性,它们都反对传统教育虚空、不切实际性,主张通过自然科学技术教育,获得立刻的效用,以解决中国最急迫的物质落后问题。当蔡元培这种传统文化背景遇到他留学德国的经历时,立刻发挥了作用。蔡元培重视实业的实利教育与中国的经世致用哲学的相近之处,使他看到解决中国落后的出路。留学归来后,他将德国实利主义教育的思想、方法带回国内,用以改革中国的教育,希望通过实利主义教育很快实现振兴中国的梦想。而实用主义虽也重视实效,但实用主义更关注人与社会的长期的和谐关系,不似实利主义注重短效。

　　另外实利主义重视眼前的实效,它需要实施后很快取得效果,对于成为具有长期指导意义的有体系的理论它并不热衷,而实用主义用来指导生活教育实际,它重视的是长远的效果,它使个人与社会发生持久的深刻的转变,因此注重理论的指导性,而它也被看作是一种理论,一种方法。因为关注点不同,他们对同一问题虽在某些方面比较一致,如都关注职业教育,但蔡元培的职业教育更重视通过教育培养从事各种职业技能的人才,达到很快改变社会的效果,相比之下杜威职业教育更注重个人、国家的长远建设,它需要从观念到行动的改变,见效并不很快。

　　因为杜威实用主义教育与蔡元培的实利主义教育具有一致性,且杜威实用主义思想与中国传统教育有相合处,所以蔡元培重视杜威实用主义教育思想,并对杜威实用主义教育思想有一定研究。但因为师承渊源以及实用主义与实利主义对于效用、实用理解的不同,蔡元培并没有如胡适等杜威中国学生那样信奉杜威

---

① 蔡元培. 蔡元培教育论著选[M]. 高平叔,编. 北京:人民教育出版社,1991:2-5.

实用主义教育思想,也没有以杜威思想为指导进行教育教学改革。正如他办学指导思想"思想自由,兼容并包"一样,他不以某一派为指导思想进行改革,而是集众家之所长,改革教育。可以说,对杜威的研究实践只是他的一个兴趣点,而中国杜威教育学派则将全副精力投入到宣传其师思想中,这也是蔡元培重视研究杜威与中国杜威教育学派的不同。

在阐述中国杜威教育学派成立的缘由以及产生的背景之后,按照《明儒学案》对学案论述的体例,我们将进一步阐述中国杜威教育学派各代表人物的思想,论述他们与杜威思想之关系,进而充分证明中国杜威教育学派的成立以及胡适、陶行知等作为中国杜威教育学派成员的主要思想。因书之篇幅及他们在教育上的影响不同,本书将选取郭秉文、胡适、蒋梦麟、陶行知、陈鹤琴为主要研究对象。

中国杜威教育学派在美国接受杜威思想,回国后由于杜威的来华,他们更是热衷宣传杜威思想,并将杜威思想应用到中国的教育改革实践中,但是因为当时中国社会的落后、腐败使得他们将眼光更多地集中在运用杜威思想解决、改变中国现实问题上,而对杜威的学理研究得并不多,他们急于用杜威的思想为改变中国社会服务,至于杜威思想究竟怎样,本意如何,他们并没有进行深入研究。对于这点,作为老师的杜威也很明确,他在中国的演讲也没有进行过多的理论阐述,而是致力于将实用主义理论更通俗化,更符合中国国情。对于许多人、甚至包括中国杜威教育学派内的人对他思想的误解,他没有追究,我们几乎看不到杜威对当时中国学者对他思想阐述的批评意见,更多的是杜威阐述自己的观点,而让学生根据各人的理解去实际阐述、实践。言论自由、大胆行动使中国杜威教育学派产生了丰富的理论实践经验。

中国杜威教育学派看杜威思想也更多是从中国实际需要出发,他们将杜威学说看作是解决中国问题的良方,而非一种学理,一种研究兴趣。正如胡适在日记中所说,今日中国之急需,不在新奇之学说,高深之哲理,而在所以求学论事观物经国之术。他们对杜威哲学、教育学说的介绍和宣传具有明显的功利倾向。中国杜威教育学派虽然主张学习美国先进思想,但对输入学理并不十分热心,而是热衷于结合实际问题的研究与解决而输入学理,因此他们的思想具有的共同特征就是致力于从中国实际出发学习西方,他们并不是如有批评者所指出的那样,没有辨别力,盲目学习西方,对西方文化的毛病视而不见,一味赞美。只是他们真正关心的不是西方文化有没有缺点,而是强调它的优点,主张大力学习。① 前面的那种批评实质没有抓到中国杜威教育学派教育实践的意义之所在,也解释不清为什么诸多人士批评中国杜威教育学派,但他们依然在中国产生很大实效,具有很大影响,也说不清为什么批评者看似客观的评论在中国却行不通。

---

① 胡适.胡适全集(第4卷)[M].季羡林,主编.合肥:安徽教育出版社,2003:578-583.

第三章

中国杜威教育学派与杜威实验主义教育思想

王 颖

　　从学术史角度看,20世纪前半期,郭秉文、胡适、蒋梦麟、陶行知、陈鹤琴等在研究、践行杜威教育思想过程中形成了中国杜威教育学派。以此为基点,本章着重陈述中国杜威教育学派这几位代表人物的现代教育思想,探讨中国杜威教育学派对杜威教育思想的继承与创新,揭示杜威以及中国杜威教育学派在中国现代教育发展中的意义。

　　20世纪前半期中国杜威教育学派进行的研究、实践活动始终从国家建设、社会发达出发,围绕如何提高国民素质、促进中国现代教育发展而展开;同时因为社会的发展以及各人的研究实践不同,他们对杜威现代教育思想的阐述、继承与创新又呈现出不同特点。郭秉文在国立东南大学展开科学教育,实施学生自治等教学管理措施,使杜威思想在高等教育中得到了运用。胡适在杜威教育哲学领域对杜威思想作了很好的阐释,他用实验主义教育思想看待解决中国教育的发展问题,给中国现代教育发展提供了方法论。蒋梦麟在北京大学实行个性教育、教授治校,推行杜威思想,并在这一过程中,将杜威思想与中国传统结合起来,使杜威教育思想具有了儒家色彩。陶行知是将杜威教育思想从高等教育领域推广到基础教育、乡村学校的第一人,他的生活教育理论被认为是对杜威的"教育即生活""学校即社会"的创造性发展。他在南京近郊创办的晓庄师范学校,是杜威的教育理论和他本人实践的具体示范,其影响推及许多乡村学校,推动了中国大众教育、普及教育的发展。陈鹤琴的活教育理论、"中国化"幼儿教育深受杜威学说影响。

　　中国杜威教育学派对杜威教育思想的研究实践,扩大了中国教育现代化的范围,从20世纪前半期开始,中国教育——从高等教育到基础教育到幼儿教育,从学校教育到社会教育,从普通教育到精英教育等,都开始碰触到现代化问题。在世界教育进入现代化全面改革之际,中国杜威教育学派身体力行使中国教育进入世界教育发展潮流中,推动了中国教育现代化发展,并且他们所开展的教育实践活动与各国杜威教育学派实践一道成为世界现代教育改革的一部分。

一、 郭秉文对杜威教育思想的秉持及践行（1915—1925 年）

1911 年郭秉文进入哥伦比亚大学师范学院攻读学位,分别于 1912 年和 1914 年从哥伦比亚大学师范学院获得硕士学位和博士学位,是该校教育学第一个中国博士。1915 年学成回国后参加南京高等师范学校的建校及组织管理工作,先后任南京高等师范学校教务主任、校长和国立东南大学校长。他的"三育并举"方针强调要"养成应用能力","必使所学者皆有所用,所用者皆本所学",[1]彰显着实用主义思想。他坚持"寓师范于大学"的办学思想,使一所师范学校在短短几年中发展成为拥有文、理、工、商、农、教育等学科的国内学科最齐全的综合大学。1919 年 2 月,杜威偕同夫人抵达日本,一边旅行,一边讲学,在北京的胡适得知杜威在日本旅游和讲学的信息,立即给杜威写信欢迎其来中国,郭秉文、陶行知则商量当面请杜威来中国,3 月 13 日,郭秉文到达日本东京拜访杜威,杜威一口答应。1920 年 4 月至 5 月,郭秉文邀请杜威来南京高等师范学校讲授"教育哲学""哲学史""试验伦理学"。1921 年郭秉文加入中华教育改进社,与胡适、陶行知等杜威弟子从事教育改进。1925 年年初,因为国内政局变故,郭秉文离开了国内高等教育界。郭秉文在南京高等师范学校、国立东南大学(1920 年国立东南大学建立,校长为郭秉文,1923 年南京高等师范学校并入国立东南大学)的十年(1915—1925 年)是对杜威的实用主义教育思想实践最彻底时期。

（一）主张教育独立

当郭秉文赴美留学之时,便坚定了"非振兴科学,无以救亡图存;而培养人才,则有赖于教育"的信念。郭秉文在政治上保持中立,坚持学校要独立于政治之外,他认为大学是教授高深学术,养成硕学闳材,以应国家需要的机关,在他主持国立东南大学时,坚持学校内部不分学派和政党,只要在学术上有所成的,都可以在学校里有一己之地。同时,他强调教育不应该陷入政治斗争,政治更不应干预教育,

---

① 《南大百年实录》编辑组.南大百年实录(上卷)[M].南京:南京大学出版社,2002:56.

学校应由教育家独自办理,否则不能保持学府的纯洁性。

当时正处在军阀统治下的中国,政治上没有所谓的民主,军阀也经常干预教育,因此深受杜威民主观念影响的郭秉文坚持学校要独立于政治之外。他强调学者就是学者,应该专心于学术研究,不应该过多亲近政治势力。就拿郭秉文本人来说,他一生中从未加入任何党派和政治势力,郭秉文坚持"学者治校学者不参与政党、政治"的治学思想,在这一思想指导下,国立东南大学在郭秉文任职内一直处于传统与现代、新潮与保守的平衡发展状态中。

郭秉文回国后感受到的教育与政治的关系与杜威阐述的截然不同。杜威认为民主政治是社会发展的趋势,西方各国已在这一方向努力,中国应加快民主政治进程,他认为实现民主政治的一个最有效办法就是在今日中国利用普及教育、使人人有平等的机会。他强调通过普及教育、通过渐进教育改良来改变中国社会。郭秉文虽然十分支持杜威所说的民主政治,但他同样意识到当时的中国处于军阀统治之下,民主政治谈何容易,就连教育都要被军阀势力干预,在这种情况下,郭秉文唯有坚持教育独立而免于政治纠纷,这样与杜威的实用主义教育提倡的重视教育与社会现实相联系和在民主政治中的作用产生了分歧。但尽管有分歧,其初衷还是认为学校应思及社会之需求,要培养适合现在社会之人才,必须先实地调查社会各方面情形。

郭秉文把教育视为社会事业,认为政府应该给予经费和政策上的支持,但却不可干预大学具体的办学措施与实践,大学的职能受美国现代大学观影响,应该是集科研、教学、社会服务于一体的,不要参加政治斗争与党派活动。实际上,在郭秉文担任校长期间,南京高等师范学校、国立东南大学师生从未发生过学潮。尽管郭秉文一直竭力使教育保持独立,但他所处的位置却很难使教育不受政治波及,1925年年初,因为国内政局的变动,郭秉文离开了国内高等教育界。20世纪三四十年代,郭秉文主要从事于国际事务活动。但作为中国杜威教育学派的一员,他在南京高等师范学校和国立东南大学办学的辉煌业绩和为中国高等教育事业做出的贡献却是铭记于历史的。

(二)重视中西文化教育交流

一方面,郭秉文留美的经历使他意识到了中西方文化交流的重要性,另一方面,他受到杜威的影响。杜威对中西方文化教育问题十分关注,他在各种演说和文章中,对中西文化问题屡有涉及,比较中西差异,展望中国文化出路。在杜威看来,西方文化之长正是中国文化所短,如西方崇尚自由,讲究平等,科学先进,教育发达,物质文明进步,特别是能"把天然界的东西一个个拿来供我们使用,这是西方文明的特别精神"。而"中国科学程度较浅,还够不上与政治、宗教、社会、人生发生连贯的关系"①。杜威认为中国应该学习西方的科学民主知识,具有开拓、主动的精神。但同时他指出:"西方文明也有缺点。有人过于崇拜物质上的文明,把人事和科学分开,所以也有人利用物质的文明造下种种罪恶。道德是道德,科学是科学,这是西方文明最大的危险。"②作为杜威的学生,郭秉文在国立东南大学的办学方针中就有国内与国际的平衡方针,这一方针,指的是大学既要成为国内学术交流的中心,也要成为国际交流的窗口,反映在高等教育上,就是中西兼收,也就是中西方文化教育交流。

　　郭秉文受杜威影响,认为科学知识无国界,一个民族要在世界中站立住,就必须学习引进其他国家民族的先进文化和科学。一方面,他在哥伦比亚大学师范学院的留美生涯,让他视野更加开阔,意识到办大学不仅要办知名大学,更要将国立东南大学发展成享有国际声誉的大学。因此,他引进了众多留美的科学技术、教育、心理等专家和外籍人才,如陶行知、程其保、陈鹤琴、郑晓沧、朱彬魁,外籍教师中,有来自美国的麦克乐(Charles Harold McCloy)、麦荷尔、白德莱(麻省农业大学校长)和后来获得诺贝尔文学奖的赛珍珠(Pearl S. Buck)等,使当时的南京高等师范学校以及国立东南大学成为科学社的大本营,也成为中西科学教育交流地。燕京大学校长司徒雷登(Stuart)赞赏郭秉文道:"他搜集了五十来名归国留学生,每个人都有突出的专长。他是按美国的模式来推进教育事业的。"③郭秉文在担任校长后,忙于学校事务,也仍不断了解世界教育形势,1915年他和陈容赴欧美考察高等教育,1919年率团去欧美考察战后教育状况,这些都是他不断加强中西方文化交流的实践。

　　郭秉文在不断引进西方科学教育的同时,也注重延请国外知名学者到国立东南大学演讲、做报告。在其盛邀下,1920年4月9日至5月16日,杜威来南京高等师范学校讲授"教育哲学""哲学史""试验伦理学"。是年夏天,杜威又由蔡元

　　①　袁刚,孙家祥,任丙强.民治主义与现代社会:杜威在华讲演集[M].北京:北京大学出版社,2004:442.

　　②　袁刚,孙家祥,任丙强.民治主义与现代社会:杜威在华讲演集[M].北京:北京大学出版社,2004:675.

　　③　〔美〕约翰·司徒雷登.在华五十年:司徒雷登回忆录[M].程宗家,译.北京:北京出版社,1982:96.

培、黄炎培等陪同,多次来南京高等师范学校暑期学校讲演,课外杜威还与教育科师生座谈,宣传其试验主义思想,同年10月,英国哲学家罗素来南京高等师范学校讲学,倡导以逻辑推理等科学方法探究知识。

杜威走后,郭秉文等又邀请杜威同事孟禄来国立东南大学讲学。兼任国际教育学会东方部主任的孟禄对郭秉文领导的国立东南大学赞不绝口,协助国立东南大学获得了洛克菲勒基金会资助,他认为国立东南大学是东方教育之中心点,是沟通中西的桥梁,他力挺郭秉文在平衡中西文化方面的努力,指出"本人对中国固有文化诚堪佩服,但当今之世,必须取欧西之长,融会而贯通之"①。他的这种中西兼顾思想正是郭秉文在国立东南大学改革中一直坚持的。正是因为孟禄建议国际教育学会每年派专家来国立东南大学讲课,由于国际教育学会的支持,国立东南大学才在国际舞台上十分活跃。这正是郭秉文重视中西方文化交流对办学的影响。

郭秉文在引进西方思想文化、开展新教育改革时,一直牢记杜威对中西文化的重视。杜威一直认为中国是东西方文化的交点。作为杜威的学生,郭秉文也同杜威一样支持中西文化的融合。同时,他研究西方也反对盲目崇洋,主张保留中国固有文化,他将国文课列为国立东南大学的必修课,同时还将许多国学大师罗致到国立东南大学,一些国学大师如吴宓、梅光迪、刘伯明、胡先骕、柳诒徵、汤用彤等先后奔赴国立东南大学,他们在国立东南大学除讲学外,还创办了以"阐明真理,昌明国粹,融化新知"为宗旨的《学衡》杂志。该杂志以反对西化、反对新文化运动、保存传统文化而闻名。这两种看似不相容的事在国立东南大学同时出现,说明了国立东南大学是包容中西文化学术的地方,而这种风气的形成与郭秉文及杜威等倡导的中西兼学、折中新旧的思想不无关系。

(三)实施科学教育与科学化教育

郭秉文十分强调教育与科学服务社会、服务全人类的理念。他在国立东南大学主持校务时,设农科、文理科、教育科、工科、商科,既有人文科学,又有自然科学,体现了他的人文与科学平衡的教育方针,他一直力图将国立东南大学发展为中国科学发展的基地、人文科学发展的基地。在这方面,他特别做了两件事:一是在国立东南大学开展科学教育,二是促使教育学科科学化。

---

① 朱一雄.国立东南大学校史研究[M].南京:东南大学出版社,1989:62.

1. 开展科学教育

郭秉文在管理中,重视学校科学技术教育。1919 年,在郭秉文的努力促成下,由数百名留美学生组成的"中国科学社"总部迁入南京高等师范学校。其主要发起人为一批留美学生,任鸿隽任社长,"中国科学社"创办了第一个研究所即中国最早的科学研究机构之一生物研究所,为中国生物学界输送了很多优秀人才,该社自成立以来,以联络同志共图中国科学之发达为宗旨,以推进科学的传播和研究等多项事业为任务,成为南京高等师范学校发展科学教育的主力,这与校长郭秉文的大力支持是分不开的。

郭秉文在南京高等师范学校、国立东南大学实施这些改革时值杜威来华讲学,杜威的理论以及他在中国的影响给了郭秉文以及南京高等师范学校、国立东南大学改革理论、舆论的支持。杜威在南京演讲,多次提到民主与科学,在《科学与德谟克拉西》一文中,杜威对南京高等师范学校、国立东南大学重视教育试验、重视科学研究之风表示欣喜。特别是当时国立东南大学的教职员、学生闻听杜威的讲演,深受感染,一时科学试验之风在国立东南大学颇为盛行。而郭秉文作为中国杜威教育学派在高等教育领域中的代言人,也自然视杜威思想为改革的指导思想,他认为他的改革在杜威这里找到了依据,找到了支持与力量。此后他一直致力于提高国立东南大学的科研水平,使国立东南大学成为"中国科学社的大本营"。

2. 促进教育科学化

郭秉文力主教育学要"科学化",这是他主张通才与专才平衡的体现,是他对高等教育培养的人才的要求。该思想深受他在哥伦比亚大学师范学院教育的影响,哥伦比亚大学师范学院是全美闻名的学院,不仅师资优秀,而且教授的学问高深,郭秉文意识到中国的高等教育想要办好,就要克服师资这一巨大障碍,教师的来源不必局限于师范学院,他致力于通过"寓师范于教育"培养出真正的师资。他指出"教育已是一门专门科学,非造就专门人才,不足以促教育之进步",为了促进教育科学化,他添设教育专修科,以便培养教育学教员及学校行政人才。[①] 郭秉文以及后来的陶行知等中国杜威教育学派提倡的"教育科学化",提高了中国教育学水平,促进了教育科系的发展,也为中国现代教育学的学科设置、发展方向奠定了基础。

---

① 《南大百年实录》编辑组.南大百年实录(上卷)[M].南京:南京大学出版社,2002:56.

郭秉文重视教育学科科学化,还体现在力图提高师范学校的学术水平。当郭秉文留学美国看到哥伦比亚大学作为一所"寓师范于大学"的学校产生的成就后,受到很大震动,他有意将他主持的南京高等师范学校改造为综合性大学,使学生获得宽厚的基础知识,培养学生的科学研究精神,提高师范教育的学术水平。1919 年 9 月郭秉文任南京高等师范学校校长后,开始努力实现他的"寓师范于大学"的理想,他改变清末以来沿袭的师范与大学分途的旧式体制,融师范于大学发展之中,文理并重,学术并举,集文、理、工、农、商、教育于一体,为创办综合性大学跨出关键一步。至 1920 年国立东南大学成立,学科日趋完备,规模近于各国之大学。在南京高等师范学校师范专业的基础上成立的教育科,使当时国立东南大学为所有国立大学中唯一设立师范专业与教育科的学校。[①] 在他的努力下,国立东南大学既保留南京高等师范学校的师范专业,又加强了师范教育的科学研究力量。这种从原有的国内师范模式发展到美国师范教育模式,适应了当时社会和时代的需要,为中国教育专业化的发展起了推动作用,也掀起了国内高师改办为大学的潮流。同时,国立东南大学教育学专业的学生毕业后在各自从事的教育行业和机构,推广杜威的试验主义教育思想,也使教育学逐渐成为一门科学。

将"师范教育寓于大学""通才与专才的平衡"是郭秉文留学经历的反映,也是他受导师杜威影响形成的。郭秉文认为,欲振兴教育,需先办好高师;欲办好高师,宜将高师办在大学之中。杜威不主张办理知识面狭窄的师范学校,郭秉文秉持着"寓教育于师范""通才与专才的平衡"的主张。将南京高等师范学校改建为国立东南大学,并非是他一时的突发奇想或好高骛远,而是他有着一套完整的办学思想和独特的理念,是他各方面不断努力的结果,也是他对杜威主义教育思想最彻底、最根本的实践。

(四)开展民主自治教育

郭秉文认为学校民主自治是大学学术繁荣的重要条件,他的思想在办学上主要体现为两个方面:一是学生自主,二是民主治校。杜威论述的民主,多数是在教育领域内谈民主,他在《民主主义与教育》中提出,民主主义不仅是一种政府的形式;它首先是一种联合生活的方式,是一种共同交流经验的方式。杜威指出民

---

① 刘骥,李瑞恩.郭秉文:教育家、政治家、改革先驱[M].上海:上海远东出版社,2015:101.

主、平民主义教育目的就在于"养成一般人民有知识、有能力及有自动自思自立之精神也"。民主教育要注意这种个体自主精神,同时注意自治不是任意行事,要合于社会,他在考察中国学校实际情况后明确提出:

> 今人所谓自治,往往注意"自"字而忘却"治"字,所以日言自治,乃至被治于人。被治于人,固非假自治之名而欲以治人,亦非学生在校提倡自治,每以为藉自治之名,可以避教员之督责,或取得教员之职权而反以治教职员;又以为自治乃使教职员不必留意学生而任其所为;又以为自治乃使学生做校内之巡警侦探以纠正他人不规则之举动。不知学校之办理自治,与夫学生之提倡自治,乃以自己治自己,亦充其量以协助将来社会,使合于共和的。窃愿中国学校之教职员学生,于自治之精神上加之意焉。[①]

1915—1925年是郭秉文执掌南京高等师范学校—国立东南大学实施教育改革的"黄金十年",也是中国大学自主发展的黄金时代。尽管军阀割据、内乱不已导致教育经费捉襟见肘,甚至常被挪用,教育受制于资源的限制,但当时政府对于教育无暇顾及,政治干预教育、介入大学内部事务相对较小,大学发展因此具备相对自治的空间。郭秉文在主持国立东南大学初始,实行学者治校、学术自由、学生自治。郭秉文认为大学是培养人才的地方,人才的培养,一方面靠教师自动地教,一方面靠学生自动地学。他提倡发挥师生的主动能力,认为现在的学校领导体制,师生都受压抑,没有自动精神。

郭秉文改革学校内部组织和机构。首先推行责任制与评议制兼重的体制,将教授治校放到学校管理体系中,一方面设校务委员会,规定凡学校重大问题必交校务委员会决议,校务委员会主任都由教授担任,由教授来管理学校的教育教学以及行政管理工作,目的是形成教授治校之风,发挥教授作用。另一方面,1921年,实行校董会、校长领导下的"三会一体制",三会即评议会、教授会、行政委员会。三会有明确的分工:评议会决策学校重大事宜;教授会主管学校学科设置和校务;行政委员会统管学校行政事宜。三会既有利于发挥教授作用,也有利于提高工作效率。此外,他主张以杜威实用主义理论为主导,实行自动主义,由刘伯明、陶行知组成学生自治委员会,给予学生自治必要的指导,锻炼学生的自治能力。

---

① 袁刚,孙家祥,任丙强.民治主义与现代社会:杜威在华讲演集[M].北京:北京大学出版社,2004:128.

（五）强调全面发展与个性发展并重

郭秉文作为留美归来学生，十分认同西方的个性发展与全面发展的培养理念，他认为教育应强调人的个性全面发展，不应只强调考试、强调仕途发展。他的"寓师范于大学"发展理念就是因为他认识到，师范学校如果只培养单科，培养出来的师资质量很难得到提高，所以需要发展为综合性大学，依靠交叉学科的互补培养出真正的师资，因此他一直力图将南京高等师范学校发展为综合性大学。郭秉文坚持大学应该是培养多种人才的基地，应设置多科，既注重本科的通才教育，又要注重专科的专才教育，只有二者相辅相成，才能培养出平正通达、学有专长的高级人才。[①] 后在执掌国立东南大学时，他提出了训育、智育、体育三育并举方针，力图培养具有精神、才能、体魄、道德的学生。

在强调培养全面发展的人的同时，郭秉文也重视个性培养，他认为每个人都有特长，每个人在学习中，都应根据自己的特点发展自己的专长。为了发展学生特性，郭秉文倡导选科制，这是一项具体的教育措施，不仅是对课程的选择，还有对专业的选择，这里的科不光指学科，还指科系。既激发了学生的积极性与主动性，也尊重了学生的全面发展与个性发展。这一思想也是体现了他追求通才与专才平衡的办学方针，由于切合学生个体的发展特点，在南京高等师范学校受到了广泛的欢迎。由于其自身的优越性，选科制到国立东南大学时一直被沿用，学生可以选取一个科系为主系，再选取一科为辅系。

杜威也曾提出个人发展的四个标准，即体育、经济、交际、品性，无论是学校教育还是社会个人教育，他认为都应增进人类的智识、品德、身体的发展。[②] 另外杜威要求教育者要对学生个性进行详密观察，特别要根据学生之个性，讨论对不同学生进行教育。他认为教育之目的，在使个人完全发达。完全发达一是教育要培养全面发展的人，二是全面发展教育要注重人的个性特点。要培养这样的人，学校课程、科目的设置一定要灵活。他认为教育之良否，不因学生学习科目之多寡、授课时间久暂、教材分量之重轻以判；而视其能借学科以养成学生之判断力、自觉力、应用力，使于未来能适应社会状况、而善营其生活与否为判。考试也不能视教授之当否而定，也要以以上为标准。据此观点，他提倡在学校实行选科制、学分

---

① 周川，黄正.百年之功：中国近代大学校长的教育家精神[M].福州：福建出版社，1994：124.

② 袁刚，孙家祥，任丙强.民治主义与现代社会：杜威在华讲演集[M].北京：北京大学出版社，2004：111-112.

制,允许学生在学习必要科目时,根据自己的特点,选择自己感兴趣的内容,进行做中学。[1]

杜威重视人的全面发展,重视人的个性发展,对中国杜威教育学派产生了很大影响,胡适、陶行知、蒋梦麟等都对个性教育提出过自己的见解,这些思想形成教育合力,打破了旧的、僵化的教育,建立了新的、灵活的教育。

二、 胡适对杜威思想的诠释及发展（1917—1948 年）

胡适与杜威有着渊源的师承关系。1917 年 1 月,胡适在《新青年》上发表《文学改良刍议》一文,写道:"吾以为今日而言文学改良,须从八事入手。一曰,须言之有物。二曰,不摹仿古人。三曰,须讲求文法。四曰,不作无病之呻吟。"[2]这是胡适的试验主义治学方法,当时胡适师从杜威,思想源自杜威试验主义教育思想。1917 年 7 月 20 日胡适又于《每周评论》上发表《问题与主义》一文,在这篇文章中胡适批评了中国人的"目的热"和"方法盲"两个毛病,并以杜威在教育部讲演的各国民治都是针对当日本国的实施需要提出的,阐述了自己"多研究些具体的问题,少谈些抽象的主义。一切主义,一切学理,都该研究,但是只可认作参考印证的材料,不可奉为金科玉律的宗教,只可用作启发心思的工具,切不可用作蒙蔽聪明,停止思想的绝对真理"[3]。可以看出胡适的试验主义治学方法颇受杜威思想的影响。

胡适还受美国和杜威思想影响,推动选科制。1917 年 9 月,胡适到北京大学当文科教授,在北京大学开学典礼的第一天便作了"大学与中国高等学问之关系"的演讲,希望北京大学成为中国储备、训练高等学术人才的研究中心。当年 10 月教育部召集专门会议讨论修改大学章程,胡适极力建议改分级制为选科制,此议通过,胡适便以创议人身份拟定具体章程规则。北京大学于 1919 年正式改用选科制和分系法,胡适还创议仿效美国大学建制实行各科教授会制度,提议设立各科各门研究所,于当年 11 月至 12 月他便着手创办了北京大学文科第一个研究所——哲学研究所。胡适一直重视科学研究,鼓励青年学生做学问钻研学术,这

---

① 袁刚,孙家祥,任丙强.民治主义与现代社会:杜威在华讲演集[M].北京:北京大学出版社,2004:363.

② 胡适.胡适全集(第 1 卷)[M].季羡林,主编.合肥:安徽教育出版社,2003:4.

③ 胡适.胡适全集(第 1 卷)[M].季羡林,主编.合肥:安徽教育出版社,2003:353-354.

样才能接触新的东西,改良社会,促进社会之进化。

胡适提倡个性教育。1918年5月16日,胡适撰写的《易卜生主义》指出:"社会最大的罪恶莫过于摧折个人的个性,不使他自由发展。"①1919年,胡适担任《新潮》顾问,2月在第6卷2号《新青年》发表的《不朽》中提出了"社会的不朽论",强调重视个性主义才能促使社会不朽。②

胡适是杜威来华讲演的主要陪同者和翻译者,杜威在中国有如此名望,部分是因为胡适在文化界、教育界的影响。1919年4月30日,胡适与其他中国杜威教育学派人物在上海迎接来华讲学的杜威,陪同杜威夫妇在北京、天津、济南、太原各地讲演,担当翻译。"五四"运动前后,胡适又积极宣传杜威哲学,5月2日在江苏省教育会作"试验主义"讲稿,杜威于5月3、4两日作"平民主义的教育"讲演,也由胡适做翻译。5月3日,胡适给蔡元培致信,建议教育部具名再给哥大发一函,给杜威一年假。"五四"运动爆发后,胡适离开南京北上,从事北京大学校务维持委员会的工作,由于校务繁忙,至6月4日清晨,胡适才到杜威夫妇住所看望他们。9月20日,蔡元培复职,胡适并没有离开北京大学,仍然坚持上课,并担任杜威在北京演讲的主要翻译者,陪同杜威到山东、山西各地演讲。从1919年11月开始,连续两年多,关于"杜威演讲"之类的在胡适日记中比比皆是。从中可以看出,胡适与杜威来往很多。在这段时间内,胡适不仅要看杜威讲稿,口头为杜威翻译,还要书面翻译、校对,为配合杜威的演讲,胡适也要演讲。1921年5月5日,胡适到天津高等师范演说,题为"哲学与人生的关系,及研究的方法",其中"略采杜威先生《哲学的改造》第一篇大意"。

1920年8月,胡适所译《杜威五大讲演》一书由北京晨报社出版。1921年6月30日,北京大学等为杜威召开欢送会并为之饯行,胡适与好友丁文江专门为杜威一家饯行,他与杜威专门到容光照相馆照相留念。1921年7月11日,作《杜威先生与中国》一文,送杜威夫妇离北京回美国。杜威走了,胡适在当天日记中写道:"我心里有惜别的情感。杜威这个人的人格真可以做我们的模范。他生平不说一句不由衷的话,不说一句没有思索的话。只此一端,我生平未见第二人可比也。"同年8月3日早上,胡适在安庆市第一中学连续作了两次演讲,八点题为"试验主义",九点半题为"科学的人生观",也就是他的治学方法和实用主义思想。同年10月,胡适专门在北京大学新设一门"杜威著作选读"课目,包括讲授杜威的

---

① 胡适.胡适全集(第1卷)[M].季羡林,主编.合肥:安徽教育出版社,2003:614.
② 胡适.胡适全集(第1卷)[M].季羡林,主编.合肥:安徽教育出版社,2003:664.

"思维术""哲学的改造"等课程。11月3日,续作《清代学者的治学方法》,总结提出"大胆的假设,小心的求证"。1922年5月,作《跋〈红楼梦考证〉》,12月在国立东南大学讲"书院制史略",提出书院的自修与研究精神与杜威来华后的设计教学法、道尔顿制精神相同。直至1923年年底,胡适还在补译杜威《哲学的改造》第一章。

　　1924年2月,作《古史讨论的读后感》,提倡怀疑的精神和历史演进的考证方法。1925年8月,作《爱国运动与求学》,诱劝青年学生不要做爱国运动,安心坐在图书馆里读书,可以看出胡适的教育救国思想与杜威在《我的教育信条》中"教育不是个人的事业,是社会的、公家的、政府的责任"的教育救国思想不谋而合。1926年9月,胡适到伦敦参加中英庚款委员会议,写信给杜威说事毕后即赴美国拜访他,杜威在9月30日给胡适回信。胡适在伦敦开完会后于1927年1月11日抵达纽约港,第二天到了哥伦比亚大学见到杜威,第三天,胡适到杜威家中,看望杜威夫人。半个月后他再去看望杜威,在日记中写道"他的夫人的病见好多了"(1月28日)。第二天,杜威请他吃饭,哥大聘请胡适演讲,胡适将讲稿草稿拿给杜威过目。2月2日,杜威将草稿还给他,"很称赞此篇"。2月4日,胡适在哥大正式演讲"中国哲学六讲"。1927年4月,胡适告别杜威,回到上海。抗日战争爆发后,胡适为了国家与民族利益,奉命出使美国,公务之余,与杜威有较多的来往。胡适于1937年10月抵达华盛顿,拜见王儒堂大使后,开始了民间外交活动,10月18日晚,胡适邀请国外十位朋友吃饭,有杜威、张伯伦等社会名流。1938年5月6日,胡适到杜威家中看望他,6月初杜威约胡适到家中聊天,谈论杜威近来计划写的书。这段时间,因为胡适一个人在纽约,杜威经常邀请他到家中吃饭。1939年10月20日,是杜威80寿辰,此前胡适读了杜威的著作《自由主义与社会运动》,认为这"这真是一部最好的政治思想书"。晚上胡适专程到纽约的宾西法吉亚饭店参加杜威的80岁生日纪念聚餐会。1942年9月,胡适卸任大使后,在杜威83岁生日时,买了鲜花祝贺,第二年1月14日,杜威夫人邀请胡适与杜威一起吃饭。1946年6月,胡适离开美国回国,在船上给杜威发信道别。[①]

　　1946年8月至1948年12月,胡适担任北京大学校长,在北京大学开学典礼的演说上依然诚勉学生应有"独立的精神",体现胡适对个性主义的强调,并为中国高等教育发展制定了《争取学术独立的十年计划》这一宏伟蓝图,杜威也认为:

---

① 苏育生.胡适与杜威[J].乌鲁木齐职业大学学报,2015,24(1).

"如果依赖中央政府,好教育是没有的,好像一个圈子是跳不出来的,如果不依赖政府我们自然有法子跳出这个圈子来。什么法子呢? 就是各地人去办各地方教育,使他都适应各地方的情形,都能这样,便能互相传染,得的结果,一定比我们想象的好得多。"① 此时胡适一个重要设想就是在北京大学建立一个原子能研究中心,为国家的科学发展预备人才。

胡适的著述,大多与杜威思想有着密切的关系,特别是关于教育的论述最能反映杜威思想的本义,以下为胡适的主要教育思想。

(一)提出试验主义治学方法

1. 阐释杜威试验主义科学方法

实用主义是在美国工业时代形成的一种思潮,唐德曾这样评论过杜威的"实用主义":在杜威崛起前,如詹姆斯、皮尔斯等,统称为"实用主义",杜威认为这个称呼易流于"机会主义",所以将它称作"试验主义"。胡适最初接触试验主义,是在康奈尔大学的课堂上,当时康奈尔大学的哲学教授基本都是主张黑格尔的唯心主义,批判地对待杜威的试验主义,这反而引起了胡适对以杜威为代表的试验主义哲学的兴趣,在 1915 年暑假,胡适拜读了很多试验主义的相关书籍后,于同年的下半年赴哥伦比亚大学,师从杜威学习哲学。

胡适晚年在《胡适口述自传》中说,他一生最服膺的就是杜威及其思想学说,而这些学说中的试验主义更成为他治中国思想和中国历史的各种著作的"方法",他对于一切科学研究法中程序的理解都是"得力于杜威的教导"。那么胡适为什么如此推崇杜威的试验主义呢? 胡适在《介绍我自己的思想》一文中也曾说赫胥黎和杜威是对他思想影响最大的两个人,前者教会了他怀疑任何缺乏充分证据的事物,后者教会他把一切学说看作待证的假设,教会他如何思想。② 这也是胡适后来提出"大胆的假设,小心的求证"的思想源泉,将逻辑求证的科学方法引入到了中国学术界传统的治学方式中,在相当大的程度上推动了中国现代社会科学的发展。在这个胡适奉为真理的方法中,杜威对其影响占了很大的比重,这也是胡适受杜威影响的一个最主要的方面。受这一观点影响,胡适不看重任何"新奇的学说"和"高深之哲理",而专重"术"字,他多次指出,要注重实际问题,关注现实生

---

① 袁刚,孙家祥,任丙强.民治主义与现代社会:杜威在华演讲集[M].北京:北京大学出版社,2004:628.

② 胡适.胡适全集(第 4 卷)[M].季羡林,主编.合肥:安徽教育出版社,2003:658.

活研究,这与杜威的实用主义思想不谋而合。

杜威的实用主义也就是"试验主义"主要有两个特点:一是他力图将试验主义与自然科学的方法论协调,使其具有浓厚的科学色彩;二是他不仅只谈试验主义的理论,而且将其推广到政治、社会、宗教等诸多领域。[1] 胡适始终把试验主义作为科学的方法,无论是在他的学术生涯还是在他的教育实践中。早在杜威来华之前,他就通过多篇文章介绍试验主义,如《杜威先生与中国》一文,胡适这样写道:

杜威先生不曾给我们一些关于特别问题的特别主张——如共产主义、无政府主义、自由恋爱之类——他只给了我们一个哲学方法,使我们用这个方法去解决我们自己的特别问题。他的哲学方法,总名叫作"试验主义";分开来可做两步说:

一、历史的方法——"祖孙的方法",他从来不把一个制度或学说看作一个孤立的东西,总把他看作一个中段:一头是他所以发生的原因,一头是他自己发生的效果。这种方法是一切带有评判精神的运动的一个重要武器。二、实验的方法,第一件,——注意具体的境地。第二件,——一切学理都看作假设。第三件,——实验。[2]

这段话可以看出在胡适心目中方法论才是杜威试验主义的本质,不在于"学说"或"哲理"。这也是为什么胡适将杜威的试验主义翻译为"实用主义",在它看来,这是一个哲学方法,也就是"科学的研究方法"。当时的中国教育严重脱离实际,所学非所用,所用非所学,办学存在着形式主义的不良风气,胡适意识到这样的教育不仅不能救国,反而会导致亡国,正是因为这种社会现状,胡适才如此推崇杜威的试验主义哲学思想和教育思想,引入杜威的试验主义科学方法,他希望可以为中国的思想界注入新思想和科学的方法,成为改革旧教育形成新教育的理论基础,只有实用主义教育才能治好中国教育的各种弊病。

2. 提出试验主义治学方法

胡适后来研究中国社会和教育的问题便使用了这种方法,例如推广白话文、研究中国哲学史,并且他还将其简练概括为"大胆的假设,小心的求证"这十字箴言。所谓的"大胆"就是敢于言前人未言,这个"方法"便是从杜威的"思维五步法"中提炼而来,胡适对其进行了开拓创新。对此,季羡林先生反复说过:"大胆的假

---

[1]　胡适.胡适全集(第1卷)[M].季羡林,主编.合肥:安徽教育出版社,2003:304.

[2]　胡适.胡适学术文集·哲学与文化[M].姜义华,主编.北京:中华书局,2001:51.

设,小心的求证",这十个字是胡适对思想和治学方法最大最重要的贡献。无论是人文科学家,还是自然科学家,真想做学问,都离不开这十个字。在这里,关键是"大胆"和"小心"。十字诀是胡适重大贡献之一,对青年学者有深远的影响。[①] 胡适曾用杜威的试验主义思想方法考证《红楼梦》,他根据可靠的版本和材料,考证《红楼梦》的著者生平事迹,著述的时代,不同的版本的来历。而胡适推广的这种研究方法,也影响了当时的很多学者,像顾颉刚研究中国历史也是用的这种方法,像俞平伯研究《红楼梦》,重视曹雪芹家世和各种版本的研究,可以说,由胡适开创了不同于以发掘小说背后掩盖的秘密的"新红学"。

由此可见,胡适不仅自己接受了杜威的实用主义哲学,还希望使历史的与试验的态度渐渐地变成思想界的风尚与习惯。事实上,胡适自己也将杜威的哲学方法运用到了他的治学当中。胡适不仅在哲学层面上谈论方法论问题,他还将这一方法应用到谈论教育问题中,他对1922年新学制的感想便反映了他的方法论思想。胡适谈论新学制时没有提出具体的学制内容是什么,没有指出初等教育、中等教育如何分段,他对新学制提出了几个原则问题,特别提出弹性制在新学制中的重要性,弹性制作为一个总的指导思想、总的方法将使新学制区别于旧学制,更适合于中国社会情况。他指出,1912年的学制缺乏灵活性,难以满足社会发展的多重需要,对儿童培养也不够重视,新学制的一大优点就是它的弹性,其中一条标准就是"多留地方伸缩余地",一方面实施的时候可以根据各地方的具体需要和实际,一方面尊重了儿童的个性,给了其发展空间。可以说新学制既体现了杜威教育思想的基本精神,也是一种"折中调和"的结果,为中国现代教育制度的确立奠定了基础。

胡适不仅是中国现代文学史上的著名人物,还是"五四"新文化运动的战士,现代白话文运动的发起者。而胡适四十多年来的所有著述如《中国哲学史》《国语文学史》等都是围绕着这个"方法"打转的,这不仅是他的学术兴趣使然,而是出于当时中国社会的实际需求,他认为从人类尝试出发,治学方法东西双方原是一致的,他希望通过实行科学的治学方法,为中国找到解决国家发展的方法论思想。作为中国杜威教育学派的一员,胡适的与众不同之处在于,他对杜威思想的继承并不是简单的教育思想的继承,而是对杜威哲学和教育学二者融会贯通,并一定程度上对杜威实用主义思想进行教育实践。

---

① 胡适.胡适全集(第1卷)[M].季羡林,主编.合肥:安徽教育出版社,2003:22.

（二）革新中国传统教育

1. 批判中国传统教育

胡适早在留学时就目睹了发达国家先进的政治、文化和教育，这让他不得不联想到自己的祖国，他深刻意识到教育对社会进步的推动作用。挽救国家危难是萦绕在青年胡适头脑中的首要问题。他同时也意识到中国的教育远远不具备这样的水平和能力，尤其是中国的传统教育和传统文化，胡适对其进行了深刻的反思。胡适认为中国的启蒙教育是"十分野蛮的教育"，是读死书。与其师杜威一样，反对那种不顾儿童需要强迫儿童学习一些重形式的课程以及填鸭式教法的传统教育。

杜威来华目睹中国的传统读经教育，提出了批驳。胡适也抱有相同的态度，在回答人为什么受教育，为什么要读书时，胡适谈了三点理由：一，书是前人留下的智识遗产，我们有责任继承发扬；二，我们要为读书而读书，读的书越多，获得知识越多，就越能满足我们求知的欲望；三，读书多的人思考问题越全面，解决问题能力越好。胡适同时也感慨，中国五千年文化光四部书就汗牛充栋了，经史子集中有很多东西对我们增长知识是没有帮助的。由此可以看出胡适对中国传统教育中旧书内容的怀疑与批判。

胡适与杜威不仅在反对传统读经教育上持一致的态度，还都秉持尊重每个人身心特点进行教育的原则。胡适批判传统的读经教育，也批判高等教育存在的诸多问题，他感叹书院在中国难以持久，当时最高的教育和新起的"大学"根本不能培养出领袖人才。胡适认为，教育有两个方面，一个是提高，一个是普及。而中国的传统教育使这两个方面都难以发展，造成了人才匮乏的局面。胡适还将目光投向当时处在社会底层的女性群体，揭露了正是因为传统文化和教育提倡"女子无才便是德"残忍地剥夺了女性的自由与尊严，以及大部分中国传统女性没有独立公平受教育权利和自由自主能力的现实，深刻批判了女子缠足的陋习和"男尊女卑"的传统思想，因此他提倡通过女子教育使女子获得真正的教育。在《论家庭教育》一文中，指出家庭教育最重要的就是母亲，欲改良家庭教育，要多开些女学堂。[①] 后来新文化运动风起云涌，胡适又发表《大学开女禁的问题》为女性争取教育公平。

---

① 胡适. 胡适全集(第 20 卷)[M]. 季羡林，主编. 合肥：安徽教育出版社，2003：5.

胡适还批驳了中国传统教育的"野蛮"。他指出,因为念死书,所以要下死劲去念。小孩子天刚亮就去学堂"上早学",空着肚子,念上三四个钟头才回去吃早饭,从天亮到天黑才能回家。逃学的学生被抓回来之后,要遭到很严重的体罚,对儿童的身心成长极为不利。胡适对这种教育可谓是深恶痛绝的,作为具有悠久发展历史的民间办学形式"私塾",更是传统教育的承载形式,它传授的六经又能有多少人从中受用呢?从胡适对传统教育的批判,我们可以看到他力图教育救国的决心和深刻的教育思想。

2. 重视"道尔顿制"式的书院精神

胡适反对传统教育却并不是对传统的一切都持否定态度。胡适感慨,中国的书院自北宋以来已有四大书院,却不能像欧洲的书院一样持久,他认为原因在于欧洲的大学不是政治制度的一部分,中国的大学对于学生来说是敲门砖,会随着政治制度的变迁而改变。他特别赞赏古代的书院,提倡发扬书院精神。胡适认为书院是中国古代最高的教育机关,我国的最高学府和思想渊源,堪比外国的研究大学,因此他对书院被废深表惋惜。[1] 他认为书院被废的原因是,书院教育与中国的政治制度紧密相连,太学博士是官,司业是官,祭酒也是官,学生只把书院当作敲门砖,因此千年来我国大学没有固定的继续性。

胡适如此赞赏书院,关键是因为书院提倡自修与研究精神,他开篇提出"古时的书院与现今教育界所倡的'道尔顿制'的精神相同"[2]。因为书院重自修,"学生自由讨论,各抒意见,互相切磋","并有学识丰富之山长,加以指导,其制度完备,为亘古所未有"[3]。

正是因为胡适接受过全面的传统教育,又耳濡目染了西方的教育,才能在中国传统教育系统中的书院里发掘西方教育的思想,因此国人容易接受胡适的看法,也利于杜威的思想顺利地进入中国,这既是胡适对传统文化精华的提取,也是对其师思想的继承与发展。当然,这并不意味着复古,从注重书院的自修精神来看,胡适是十分着重学术研究的,这也是他后来引入了西方大学的研究院建设体系,创建北京大学第一个研究所——北京大学哲学研究所——的主要原因之一。

---

① 胡适.胡适全集(第20卷)[M].季羡林,主编.合肥:安徽教育出版社,2003:112.
② 胡适.胡适全集(第20卷)[M].季羡林,主编.合肥:安徽教育出版社,2003:112.
③ 胡适.胡适全集(第20卷)[M].季羡林,主编.合肥:安徽教育出版社,2003:115.

3.以评判态度看待传统教育

这里的评判就是胡适的"重新估定一切价值",即是胡适对传统文化的态度,也是胡适对待传统教育的根本态度。胡适在晚年中,承认自己从杜威处得到的最大收获就是学会了怀疑和批判性思考。对于中国旧的学术思想,胡适认为可以用批判的态度解决,也就是"凡事要重新分别一个好与不好",特别是对于风俗制度、圣贤教训、公认的行为与信仰,都要再次评估下它的价值和能否适应现在社会的需要。

这一评判态度从表面看仅是以怀疑态度对待传统文化,而背后却隐含着胡适想以西方发展潮流、特别是以当时的民主科学思潮为标准衡量传统文化教育是否符合这条标准,符合多少,以及哪些可以保留,哪些必须改进的思想。平民主义教育就是其评判传统教育的标准。

胡适认为平民主义教育可以培养人的创造性思想能力,他认为中国今日大患,在于国人之无思想能力也。众所周知,几千年的封建社会在历史长河中留下了深刻的烙印,历代统治者通过控制民众的思想来巩固自己的统治,例如儒家思想为主导的经史子集承担了多年来受教育者的启蒙教材,也逐渐形成了国人保守的习惯和思维方式,对经学传统不容置疑的权威地位的确立,是导致当时国人迷信盲从的重要原因。胡适对儿童读经持反对态度,他清醒地认识到了中国传统教育中"教条式"的思想,对人们思想的束缚和禁锢。因此,胡适用批判的态度看待国语教育,他并不否认古文学习在语文教育中的意义,而是希望学生在国语通顺的基础上再学古文,古文水平在胡适心中仍是衡量学生国文程度的标准,他主张"国语的文学,文学的国语",作为新文化运动的发起者,他对国语的改革就是希望人人能用国语自由发表思想,人人都可以看平易的古文典籍,希望国语教育可以服务大众,这其实也是平民主义教育精神的体现。

胡适用评判态度看待传统教育,并说明杜威提倡的平民主义教育是代替传统教育思想的利器,体现了胡适对其师思想的继承。1919年5月初,杜威在上海、杭州两地报告"平民主义的教育",杜威的平民主义教育思想是从宣扬民主出发,针对为贵族子弟设立的教育而提出来的教育普及、平民教育。在杜威看来,普及平民教育是解决社会问题的良方,他说:"中国的教育前途,最紧要的一层,无论什么,总要适应社会的需要,根据平民主义的趋势,创造新社会,务使各个人能发展成社会有用的分子。"[1]杜威的平民主义教育思想,直接影响和推动了"五四"时期中国平民教育运动的展开,中国是经历了几千年君主专政政体的国家,"五四"运动前后各种新思想涌来,平民主义无疑是席卷中国的思想浪潮之一。

对于如何办好平民教育,杜威也有着自己的见解。他认为先让教育普及起来,然后再实施义务教育,这不是一蹴而就的,可以先从地方着手,然后推广至全国。教育不必依赖中央政府,只要各地方的人去办各地方的教育,使教育适合当地的情形,这样互相感染,不然教育很难得到普及。[2] 杜威的平民主义思想正好与"五四"时期倡导的民主思想相辅相成,在一定程度上推动了教育民主化的思潮,并且在教育界掀起了平民教育思潮,如北京大学平民教育讲演团、北京高等师范学校的平民教育社和社刊《平民教育》,以及陶行知、晏阳初为首的平民教育促进会,都是受到了杜威的民主教育思想影响。其实杜威的平民主义教育思想就是对传统教育的批判,因此胡适也传承了其师的思想。

杜威从强调教育与社会的关系对传统教育的流弊做出了批判,他强调教育是社会的,教育离不开社会生活,社会的发展进步也需要教育来推动。而传统教育养成了一种特别的阶级,使教育被少数人垄断,传统教育内容多为古文,轻视日常生活相关的内容,这就导致了传统教育的结果使学校渐渐独立于社会,脱离了社会的需要,因此杜威主张教育普及,发扬传统教育中精华,培养社会需要的人才。

虽然所用话语不同,但杜威、胡适对传统的文化教育都持批判的态度,力图从中找出适合现代教育发展的内容,取其精华,使文字教育面向大众,面向平民,使教育成为大多数人的教育,从而为中国教育谋求新出路。

(三)倡导全面西化文化教育

1. 早期以西补中、中西汇合的文化教育观

胡适在美国学习的经历,以及杜威来华的讲演,使他深刻认识到中西文化教育存在着巨大的差异。他认为发展到现在,中国传统文化教育观念已很不适合现

---

① 袁刚,孙家祥,任丙强.民治主义与现代社会:杜威在华讲演集[M].北京:北京大学出版社,2004:579.

② 袁刚,孙家祥,任丙强.民治主义与现代社会:杜威在华讲演集[M].北京:北京大学出版社,2004:628.

代社会的发展。他在 1914 年发表的《非留学篇》指出："吾国今日所处，为旧文明与新文明过渡之时代。以他人之所长，补我所不足。……为神州造以新旧泯合之新文明，此过渡时代人物之天职也。"①

1917 年，胡适在自己的博士论文中提出了要保护中国传统文化的地位。他认为，如果突然用外来的新文化替换旧文化，会引起旧文化的消亡，在如何使外来文化与中国文化结合起来的问题上，他通过杜威的方法论重新阐释中国先秦的非儒学派着手。胡适早年所受的全面传统教育使胡适对中国文化有着深入的了解，这个时期的胡适希望西方文化可以弥补传统文化的不足，从传统文化中汲取资源，在情感上他对传统文化是有所依恋的。他曾说，中国的传统文化并不是一成不变的，我们应该把传统当作历史发展运作的最高结果来看。可以看出，胡适是希望中国人可以更好地了解中国传统的东西，中国社会经历的改朝换代、思想变迁是摆脱不了传统的影响的。正如胡适所说：中国的文艺复兴再生的东西看起来带着西方的色彩，但剥掉表层本质上还是中国根底。

正是基于对中国传统文化抱着"宝贵"但"不适时"的心态，所以胡适后来领导新文化运动，虽然否定孔教，对儒家文化也有很多批判，但他毫不掩饰对孔子的景仰之情，把孔子列为自己信仰的三位大神之一。事实上，传统文化在胡适身上的影响是不能否认的，老子的"不争"和墨子的"非攻"使他在第一次世界大战时处于反战的立场上。清代的"朴学"也影响了他的治学方法，从《红楼梦》的考证到《水经注》的研究处处彰显着胡适对传统文化的浓厚兴趣。新文化运动提倡自由民主，这自然对封建专制抨击，但胡适本人依然听从父母安排，走的是包办婚姻的传统道路，胡适遵循的还是传统伦理道德的"孝"字，这也难怪胡适逝世，蒋介石送了副挽联："新文化中旧道德的楷模，旧伦理中新思想的师表"。这个时候的胡适内心还是希望除旧布新的。

此时的胡适显然不主张以西方文化"替代"中国传统文化。胡适早年对待传统文化的态度，对待封建专制的看法，对于传统学术权威，更多地体现了容忍与抗争，正如他说的"容忍比自由更重要"一样。胡适肯定了中国古代一定阶段上某些学派中的某些哲学思想与西方近代哲学具有某种一致性，并且在胡适的《清代学者的治学方法》中认为先秦的非儒学派以及宋明程朱理学和清代朴学在治学方法上也有与西方近代科学方法相通之处。在胡适眼中，孔墨是平等

---

① 胡适.胡适全集(第 20 卷)[M].季羡林,主编.合肥：安徽教育出版社,2003：7.

的,他认为儒家文化确实是中国传统文化的精华,对待孔学应以历史的态度,他批判的是其中与近代民主精神相悖的属于封建性的"礼教法制"之类的东西。在《孔教与现代科学思想》一文中,胡适认为孔教的许多传统对现代科学的精神与态度是有利的,孔教有一种尊重真理,并承认"知的有限"的传统,孔教如果能够得到正确的阐释,绝无任何与现代科学思想相冲突的地方。正是从这点出发,当新文化运动还在进行,"民主""科学"还是时代主旋律的过程中,胡适却提出以杜威科学方法"整理国故""再造文明"的思想行动。他希望以此为出路,从根本上找出中国与西方一致的方面,找出中国文化教育的出路,在中国实现杜威赞誉的西方文化教育成果。

2. 20 世纪 20 年代"中不如西"的文化教育观

"五四"前后的胡适对于中国传统文化没有完全否认,他提倡学习西方,也注重中国传统文化。这方面,胡适与其师看法一致,杜威既不主张简单地否定过去和传统,也不承认简单地对西方近代文化照单全收,而是要对过去与传统进行理性的改造,使它适应于新的环境和人类的需要。用杜威自己的话来说:"要使古代传下来的死东西活转过来,能在现代社会里应用。"①这个时候的胡适并没有很极端的对待西方文化。

之后梁启超《欧游心影录》的出版,激起了国人对西方文化的质疑,助长了国内保守派的气焰,胡适曾评论说,梁先生的话在国内却曾替反科学的势利助长不少的威风。② 胡适的说法是有根据的,在梁启超之后,张君劢、章士钊、梁漱溟等学者也开始鼓吹东方文明,对西方文明持鲜明的反对态度,国外一些大学者如罗素、泰戈尔等也发表言论赞赏东方固有的文明,一时间迷惑了不少人,社会形成了反学西学潮流,这种情况下新文化派的先驱胡适等不得不站出来应战。

胡适在这场论战中公开亮出了自己鲜明的观点,他的观点集中体现在《我们对于西洋近代文明的态度》《请大家来照照镜子》《漫游的感想》等文章中。在这些文章中,胡适抨击西方文明是过于物质的唯物文明的说法,指出承认物质的享受是西方近代文明的特色,绝不是轻视人类精神上的需求,西方文明的本质是理想主义的、精神的,而东方文明最大特色是知足。同时进一步指出,西方文明是在"求人生幸福"基础上建立起来的,在宗教道德上推翻了迷信,建立了合理的信仰。

① 〔美〕杜威. 杜威五大讲演[M]. 胡适,译. 合肥:安徽教育出版社,1999:111.
② 胡适. 胡适学术文集·哲学与文化[M]. 姜义华,主编. 北京:中华书局,2001:163.

胡适还列举出了一系列东西方文明的差异,认为当下国人必须形成自己百不如人的心理,然后死心塌地地去学习西方。他称人力车文明与摩托车文明的交线即东西方文明的交线。根据胡适的观点,历史悠久的中国文明可以满足过去时代的需求,但已经满足不了今天的需要了,而西方文明的本质是个人主义的和唯物的,它的优越性在于它的高度理想性和精神性,不仅体现在民主制度上,还体现在增进人类幸福上。

东西方文明的差距使得胡适在对待中西文化问题上出现了一面倒的倾向。他迫切希望中国先行者能够抛开传统文化的束缚,不断探寻学习西方之路,为中国"去寻一个更新的世界"。20 世纪 20 年代后期,政府下令提倡旧礼教,新文化运动也遭受了保守派的打击,胡适对新文化运动的内涵赋予的是改造旧文化,再建新文明,因此他劝慰青少年努力进取,挽救国家。

胡适之所以出现这种倾向,是因为他认为中国在西化方面显得犹豫不决,日本的西化是一心一意的,他认为中国近世学术不如西洋近世学术,"中国方面,除了宋应星的《天工开物》一部奇书之外,都只是一些纸上的学问;⋯⋯西洋学术在这几十年中便已走上了自然科学的大路了"[1]。西洋的学者先从自然界的实物下手,造成了科学文明,工业世界,然后用他们的余力,回来整理文字的材料。他号召一班有志做学问的青年人"及早回头,多学一点自然科学的知识与技术:那条路是活路,这条故纸的路是死路"[2]。虽说胡适这些"西化"言论,很大程度是针对复古思潮的。但胡适受美国思想、受杜威思想影响很深,内心深处早已认定西方文化优于东方文化,在他思想中,是不允许反西化、排外的。他主张学习西方优秀文化教育成果,与杜威一致,但他认为中不如西,却与杜威赞赏某些中国文化、主张客观看待中西文化的观点大不一致。杜威在比较中西文化差异时就说到,东方思想更确实更健全,东方伦理根据家庭,西方伦理根据个性,中国的家族制中,也有团结的精神,孝友的德性,因此不能一概推翻传统文化,他一直主张从中国社会的时代要求出发,革新传统文化,根据中国的国情和历史的特殊性选择地引进并改造西方文化,从而谋求中西方文化的折中调和。

杜威甚至对中国传统文化中的一部分不吝赞赏,他很欣赏儒家的"中庸之道",甚至认为中国可以把自孟子以来的父母式的皇帝的保民政策变为民主的

---

① 胡适.胡适全集(第 3 卷)[M].季羡林,主编.合肥:安徽教育出版社,2003:137.
② 胡适.胡适全集(第 3 卷)[M].季羡林,主编.合肥:安徽教育出版社,2003:143.

保民政策。① 胡适与杜威在对待中西方文化上观点相左,但这不代表他们二人思想本质的区别,只是显示了胡适对杜威思想在方法上把握、不在学理上研究的特征。

3. 20世纪30年代"以西代中"的文化教育观

到了20世纪30年代,胡适则完全走向了我们所说的全盘西化这一极端。1935年1月10日,陶希圣、何炳松、萨孟武等十位教授秉承国民党当局的旨意发表《中国本位的文化建设宣言》,胡适指出:"十教授口口声声舍不得那个'中国本位',他们笔下尽管宣言'不守旧',其实还是他们的保守心理在那里作怪。"②这个时候胡适明确反对文化折中论,认为这是不可能的,因为文化自有的惰性,只有全盘西化,才能使旧文化的"惰性"成为调和的中国本位新文化。传统文化是深深烙印在中国文化里的,而中国人正是终日沉溺于这种文化教育传统中,变得懒惰、保守,并以此为盾牌,来抗拒对新思想、新事物的接受,他的观点是:中国的旧文化的惰性实在大得可怕,我们正可以不必替"中国本位"担忧。③ 正是基于这种想法,胡适在这场文化论战中也就"完全赞成陈序经先生的全盘西化论"了。

时隔三个月,胡适又发表了《充分世界化与全盘西化》一文,这是在当时社会上热烈讨论"全盘西化""中国本位文化"背景下产生的,他宣称放弃"全盘西化"的主张而鼓吹"充分世界化"。他还特地阐释了避免了"全盘"二字的原因,西洋文化中也有历史沿袭的地方,因此不会全盘接受采纳的。④ 他自己抛弃那文字上的"全盘"来包罗一切在精神上或原则上赞成"充分西化"或"根本西化"的人们。他认为这样一来,他的敌人如吴景超、潘光旦等人也都是他的同志,而不是论敌了,甚至反对他全盘西化的十教授也是同志了。"充分世界化"与今天的"国际化""全球化"颇有异曲同工之妙,它蕴含着中西文化融合适应世界发展潮流之意。

胡适之所以主张全盘西化,一方面是针对中国本位文化论者的复古守旧主张,一方面是他看到了传统文化的惰性过大,需要矫枉过正。当然,全盘西化只

---

① 袁刚,孙家祥,任丙强.民治主义与现代社会:杜威在华讲演集[M].北京:北京大学出版社,2004:82.

② 胡适.胡适学术文集·哲学与文化[M].姜义华,主编.北京:中华书局,2001:297.

③ 胡适.胡适学术文集·哲学与文化[M].姜义华,主编.北京:中华书局,2001:300.

④ 胡适.胡适全集(第4卷)[M].季羡林,主编.合肥:安徽教育出版社,2003:586.

是胡适文化变革的手段非结果,文化变革的结果仍然是以中国为本位的文化。因此,他认为:"只有努力全盘接受这个新世界的新文明。全盘接受了,旧文化的'惰性'自然会使他成为一个折中调和的中国本位新文化的……我们不妨拼命走极端,文化的惰性自然会把我们拖向折中调和上去的。"①正是因为中国文化的强大的保守性,胡适才提出拼命走极端,矫枉过正,改变旧文化的惰性,这是胡适在深层思考文化特性后得出的结论,表面看过于武断,其实质有深刻的理论基础。

　　此时胡适以西方文化取代中国传统文化的主张已与杜威的思想背道而驰。杜威在中国经历了"五四"运动和新文化运动,对中国知识界守旧派与趋新派的文化立场深表忧虑,他认为守旧派只知道一味地保守,盲从古人,趋新派过于急功近利,一味地盲从西方文化,这两派都过于极端。杜威一直主张作为新事物的西方文化应通过民主科学的思想与作为旧事物的传统文化进行调和,正所谓"旧未必全非,新未必全是,东西文化,互有短长,苟能调和融会,于二者之间,而创造一种文化,则社会自不难一新面目矣"②。杜威来华,恰逢"一战"结束,中国中西文化交战正在向深层次发展,保守派、激进派和自由派纷纷对中国文化未来走向提出了自己的见解。正是在这样的文化背景下,杜威通过自己对中国思想界的观察,主张文化上的变革,从中国所处的时代要求出发,革新传统文化,谋求中西文化的折中融合。但胡适所处的社会、文化背景与杜威是截然不同的,他深知中国传统文化在国人思想中的根深蒂固,因此他走上了激进极端的全盘西化道路,虽说这是胡适背离杜威的地方,但这也正是胡适善于师法杜威的方面。同时,胡适也表示,不用担心中国本位的文化会消失,我们通过世界文化的朝气锐气打掉我们旧文化的惰性,如果我们老祖宗留下来的文化真有无价之宝,自然也会通过科学的洗礼发挥广大的。对于胡适而言,因为当时中国思想界和文化界的具体情况和巨大的传统阻力,他不能把杜威学说的具体内容当作"天经地义"的信条,师法杜威时,他师法了试验主义根据实际作出评判的一面,在中国复古思潮严重的情况下,他一步步提出了全盘西化、充分世界化的思想,这一过程体现了试验主义、实用主义的精神。

---

　　① 胡适.胡适全集(第4卷)[M].季羡林,主编.合肥:安徽教育出版社,2003:582-583.
　　② 袁刚,孙家祥,任丙强.民治主义与现代社会:杜威在华讲演集[M].北京:北京大学出版社,2004:550.

（四）秉持教育救国主张

胡适留学美国目睹了美国的繁荣，他认为美国的义务教育和美国的大学配合着美国社会经济文化的发展，是重视高等教育的教育救国思想体现。他在给美国教授的信中解释他为什么不愿意支持革命救国时强调这是由底层基础做起，胡适认为做好教育才可以做好政治。1914年1月，23岁的胡适在《留美学生年报》第三本上发表了一篇万言长文《非留学篇》，阐明了教育是"立国之本""实为一国命脉所关"的道理。此时胡适提教育救国，并不排斥政治救国、经济救国，胡适在美国也从事学生政治活动，这在《胡适留学日记》中都有体现。胡适此时的教育救国思想与其稍早的梁启超、严复等没有太大区别。胡适在《非留学篇》中首次阐明了他的教育救国主张和见解，他坚定地认为教育是"百年树人大计"，并决定投身于这一宏伟事业。在哥伦比亚留学时，他曾给好友许怡荪致信写道："故适近来别无奢望，但求归国后能以一张苦口，一支秃笔，从事于社会教育，以为百年树人之计，如是而已。"①这可以说是青年胡适对教育的深刻了解后立下的教育救国主张，在以后的时间里他不断地对此深化、充实。

这时的胡适心怀救国之志，但并没有将希望寄托于教育。后来他回国后看到军阀政府的腐败，中国社会的混乱，思想有了转变，特别是杜威在华讲学对他影响很大。杜威讲学时多次论述教育救国问题，他曾说：

教育对于国家的社会的幸福，是事实的，非理想的，中国不能出此范围。中国精神财产，或用于精神教育，或用于武备，不偏于此，则偏于彼。……我从美国到中国来，与各学员教员讨论的，就是教育为救国的独一问题：一、教育对于国家之秩序；二、教育对于本能的发展。②

他认为教育与社会是紧密联系的，不仅是对国家秩序，还有个人的能力，毫不夸张地说，教育是社会改造的根本力量，教育的目的就是为了解决现实问题和社会问题。胡适对这个观点加以理解吸收，坚定提出要救国"只有咬定牙根来彻底整顿教育，稳定教育，提高教育的一条狭路可走"③。

杜威还曾在《我的教育信条》中认为，坚持学校是社会进步和改革的最基本的

---

① 胡适.胡适留学日记(下)[M].合肥：安徽教育出版社,1999：257.

② 袁刚,孙家祥,任丙强.民治主义与现代社会：杜威在华讲演集[M].北京：北京大学出版社,2004：396.

③ 胡适.胡适全集(第4卷)[M].季羡林,主编.合肥：安徽教育出版社,2003：540.

和最有效的工具,是每个对教育事业感兴趣的人的任务;教育不是个人的事业,是社会的、公家的、政府的责任,是人类社会进化最有效的一种工具。胡适也指出教育也是救国的一部分,教育能够使人明智,认清发展方向。他形象地说,教育的功效仿佛给人戴上一副有光的眼镜,使人看得远些,看得清楚些。平时看不出来的毛病,现在看出来了,这便是教育收效的证据。

从此时胡适与杜威一样重视教育对国家之秩序以及对个人发展影响方面看,胡适已是不折不扣的教育救国论者。事实上,胡适的"教育救国论"可以说是杜威的"教育改造决定论"的翻版,杜威认为社会进步的方法就是教育,要用教育改造社会,胡适认为中国之所以落后挨打的根源在于教育的落后,他也指出,教育是社会进化和改良的根本方法,教育可以支配人的生活,从而促进社会的进步。为了贯彻这一思想,胡适主张建立世界一流的研究型大学。在担任北京大学校长期间,胡适一直致力于将北京大学打造成最高端的科学研究中心,因为他认为欧洲之所以有今日的灿烂文化,都依赖于几十所中古大学,它们培养出了欧洲四大运动的领袖人物,中国的落后无不与缺乏领袖人物和精英人才有关。"五四"时期学生爱国运动高涨之时,胡适再次阐述他的教育救国主张,在《爱国运动与求学》一文中,胡适就提出救国的事业必须要有各式各样的人才,真正的救国的预备在于把自己造成一个有用的人才。

杜威也认为"美国富强之原,是渐渐以教育造就的"[1]。而"中国现在的政治,是这样的纷扰,社会的秩序,是这样的紊乱,往往使人趋到失望、灰心悲观的地位。故特别忠言申明,务使大家知道教育是救国的根本,教育可以解决一切的问题"[2]。杜威还提出,要使中国人人受教育、个人都能发展能力,才能成就真正德谟克拉西的国家。他指出:"教育不用最经济,最有效的方法,而教员一味注入教授,学生静默听讲,对于中国的前途,着实有关系。"[3]胡适的思想与杜威的这番话都指出,中国要有前途,必须要依靠教育。

当时持有教育救国论的人有很多,例如蔡元培、陶行知等,但胡适的教育救国思想和实践是比较坚定的,他构建了中国的现代教育体系,注重普及教育、义务教育,提倡白话文,这些都是基于科学民主等现代思想之上的,他不像严复那样偏重

---

[1]　袁刚,孙家祥,任丙强.民治主义与现代社会:杜威在华讲演集[M].北京:北京大学出版社,2004:396.
[2]　〔美〕杜威.杜威五大讲演[M].胡适,译.合肥:安徽教育出版社,1999:603.
[3]　〔美〕杜威.杜威五大讲演[M].胡适,译.合肥:安徽教育出版社,1999:679.

学习西方的自然科学,而是从人文科学、自然科学等多方面撷取西方文明的精神,相比陶行知、晏阳初、梁漱溟等人的教育救国思想和局部的小范围的教育试验,胡适的教育救国思想更全面,它贯穿胡适的一生,从国家经济文化社会的发展,从民主与科学的进步来看,不乏有其教育救国思想的进步性和历史意义。我们这里不对胡适教育救国论做优缺点分析,只是说明胡适与其师杜威一样,希望通过强调教育的作用,提高教育的地位,以此反对各方势力对教育的利用,但因教育受政治、经济等因素制约,胡适这一思想往往行不通。

(五) 关注教育与生活之联系

1. 批评与生活相脱节的教育

胡适的"生活教育",并非简单地把教育等同于生活,而是认为学校教育要有其自身的特点,他强调学校教育必须面向社会生活,注意联系生活实际。胡适曾尖锐地批评学校教育与社会需要严重脱节的现象:

> 如今中学堂毕业的人才,高又高不得,低又低不得,竟成了一种无能的游民。这都由于学校里所教的功课和社会上的需要毫无关涉。所以学校只管多,教育只管兴,社会上的工人、伙计、账房、警察、兵士、农夫……还只是用没受过教育的人。社会所需要的是做事的人才,学堂所造成的是不会做事不肯做事的人才,这种教育不是亡国的教育吗?[①]

因此,胡适认为学生学习的对象,可以不止向学校里的教师,还可以向社会上接触的形形色色的人,甚至向整个社会学习。胡适根据杜威的生活教育理论,提出了注重生活教育的思想。杜威认为"教育即生活""学校即社会",学校作为"社会生活的一种形式",是"把现实的社会生活简化起来,缩小到一种雏形的状态",而连接教育和生活,学校和社会的就是"做中学",杜威的这一生活教育理论,将以往教育与生活,学校与社会相脱节的问题联系起来。胡适在对杜威的生活教育理论作了比较深入透彻的理解后也写道:新教育理论,千言万语,只是要打破从前的阶级教育,归到平民主义教育的两大条件。这就是杜威的两大主张:

一、学校自身须是一种社会的生活,须有社会生活所应有的种种条件。

---

① 胡适.胡适全集(第 1 卷)[M].季羨林,主编.合肥:安徽教育出版社,2003:597.

二、学校里的学业须要和学校外的生活连贯一起。[①]

在胡适一生的教育活动中,特别是刚回国几年,他极力呼吁教育与生活相联系。当他看到一些学校不顾当地实际生活需要,追求课程的完备,盲目开设一些不符合实际的课程,感到很气愤,他认为这样不注重人民大众实际生活需要,不注意实用的教育,是造不出肯做事又会做事的人才的。他指出:"平民主义的教育的根本观念是:教育即是生活;教育即是持续不断地重新组织经验,要使经验的意义格外增加,要使个人主宰后来经验的能力格外增加。"[②]教育必须联系生活实践,适应社会需要,适应新的人生价值指导下的社会生活的需要,学生也不能仅在学校里闭门读书,要多与社会生活相联系,改善学校教育,改善人民生活,改善社会状况,这是胡适生活教育理论所强调的。

2. 提倡教育与生活相联系

胡适不但继承阐述杜威这一思想,还积极将此思想应用在他主持草拟的新学案中。1922年10月,胡适被推为制定新学制草案的主要负责人。该学制规定:(一)适应社会进化之需要;(二)发挥平民教育精神;(三)谋个性之发展;(四)注意国民经济力;(五)注重生活教育;(六)使教育易于普及;(七)多留各地方伸缩余地。这七条反映了杜威教育思想对中国的影响,也反映了胡适、陶行知等中国杜威教育学派的基本观点。其中的第三条"谋个性之发展"和第五条"注重生活教育"这两点,最可表现胡适等中国杜威教育学派注重生活教育、注重个性的观点,它们不仅被定为学制宗旨,还在整个学制中有充分体现,体现了杜威教育思想的基本精神,比较充分地反映了民主革命时经济文化发展对教育的需求。这个学制系统自民国时期被沿用至20世纪50年代,是中国现代教育史上里程碑式的进步,其中胡适的推进作用功不可没。

除在新学制中强调注重生活教育外,胡适还在各级教育以及平日对学生的教育中强调教育与社会相联系,生活与教育相联系。他强调生活教育要训练、培养学生具有社会所需要的各种实际能力,使之成为适应社会发展的一代新人。为此,胡适十分重视学生运用工具的能力,这里的"工具"包括语言工具和各种基本的科学知识。同时,他特别重视职业教育,在《在北平市立高工成立四十周年纪念会上讲话》一文中,他呼吁:"人在十五到十八的阶段,最为重要,应养成手脑并

---

① 胡适.胡适学术文集·哲学与文化[M].姜义华,主编.北京:中华书局,2001:43.

② 胡适.胡适学术文集·哲学与文化[M].姜义华,主编.北京:中华书局,2001:43.

用,自理自给,能有专门技术,不给国家社会增加负担,而对于社会国家有贡献。陶行知先生对教育改革都受美国十年教育的影响,即生活就是教育,教学做合一,人人要学些技术,使人能有生活的技能,教育也就是生活,普通教育应该做到自助助人的地步。"①

另外胡适还多次鼓励学生接近百姓的生活。1935年7月24日,胡适致信即将去日本留学的陈英斌,勉励道:

既来求学,须知学不完全靠课堂课本,一切家庭,习惯,社会,风俗,政治,组织,人情,人物,都是时时存在可以供我们学习的。

……

做人的本领不全是学校教员交给学生的。它的来源最广大。从母校、奶妈、什役……到整个社会,——当然也包括学校——都是训练做人的场所。②

可以看出,胡适所说的这些话不仅表达了自己的关切希望,也蕴含了十分浓厚的"生活教育"思想,它适应了中国近代社会经济生活不断发展的需要,对于反对封闭式的传统教育和培养新时代人才具有十分重要的意义。

在胡适的整体思想中,教育与生活、生活与教育是不可分离的。但胡适也指出教育与生活相联系,并不是简单地把教育等同于生活,学校教育要有其自身的特点。他不赞同教育是"雏形"的社会,不主张学生参与社会政治活动,他在与蒋梦麟合作的《我们对于学生的希望》中提出了他对学生参与生活的几点看法,明确反对学生参与社会政治活动。他希望学生还是要注重课堂里、自修室里、操场上、课余时间里的学生活动,以学校里的教育为依托。他主张的教育与生活联系的生活是有选择的,社会上的学生运动是无论如何不能作为雏形社会走进学校中的,学校的教育不要与这样的生活相联系。教育要与生活相联系,这种生活就是诸如办平民夜校、讲演、破除迷信、改良社会风俗等活动,这样的生活、这样的活动是胡适主张的与教育相联系的生活。他认为"同胞快醒,国要亡了""爱国是人生的义务"等是空话,说了两三遍就没有了,他主张教育尽量与无关政治的生活相联系。在胡适这里没有"天下兴亡,匹夫有责"一说,学生除好好学习,接触社会外,不应涉足政治。这是胡适注重生活教育所把持的一个基本点。

以上我们可以看出胡适对杜威生活教育思想的认同。不过虽然胡适也强调生活教育,在具体论述中,他对杜威的生活教育的理解稍有偏差。杜威认为"教育

---

① 胡适.胡适论教育[M].陈漱渝,姜异新,选编.福州:福建教育出版社,2016:154.
② 胡适.胡适全集(第24卷)[M].季羡林,主编.合肥:安徽教育出版社,2003:240.

即生活",并进一步强调"教育是生活的过程,而不是将来生活的预备"①。因此"教育的目的与教育的进行是一件事,不是两件事"②。胡适也注重生活教育,认为"教育即是生活,并不是将来生活的预备"③。但他又认为教育应当使学生养成将来应付生活环境的能力,职业教育可作为解决学生毕业不能适应社会生活的良策。这样一来,胡适就将教育看成了"将来生活的准备",这恰是杜威所不赞成的。在这一问题上,中国杜威教育学派有两种观点:一种以胡适、蒋梦麟为代表,强调杜威"教育即生活"命题,注重教育与生活的联系。但在理解上常常背离杜威本意,将教育看作是将来生活的预备,而不是看作生活本身,这是对杜威思想理解的偏差,也是对杜威思想的修正。另一种观点,以陶行知、陈鹤琴为代表,他们理解杜威"教育即生活"含义,认为教育就是现在生活,在实践过程中,他们也对杜威的这一思想产生了新的看法,出现了新理论,这可说是对杜威"教育即生活"思想的再造或改造。这两种观点是对杜威"教育即生活"理论的不同诠释。然而殊途同归,他们都是由杜威教育思想衍生出来的。

(六) 注重个性教育

1. 重视个性发展

在胡适思想中,个人主义是其政治哲学思想常用的词语,这一词语反映到教育中就是个性教育。早在 1914 年,胡适受穆勒(John Stuart Mill)的《群己权界论》和梁启超的《新民说》影响,对个性发展和解放充满希望。1918 年他写《易卜生主义》,积极倡导健全的个人主义。他说:"易卜生的戏剧中,有一条极显而易见的学说,是说社会与个人互相损害;社会最爱专制,往往用强力摧折个人的个性,压制个人自由独立的精神。"④面对这种黑暗势力,他呼吁发展人的个性,将自己从这旧势力中救出来,须使个人有自由意志,须使个人担干系,负责任。胡适这一思想既与易卜生一致,也与杜威一致。杜威在天津演讲"真的与假的个人主义"时谈到,个人主义有两种,一种是假的个人主义或为我主义;一种是真的个人主义或个性主义。真的个性主义"一是独立思想,不肯把别人的耳朵当耳朵,不肯把别人的眼睛当眼睛,不肯把别人的脑力当自己的脑力;二是个人对于自己思想

---

①　〔美〕杜威.杜威教育论著选[M].赵祥麟,王承绪,编译.上海:华东师范大学出版社,1981:4.

②　胡适.胡适全集(第 1 卷)[M].季羡林,主编.合肥:安徽教育出版社,2003:314.

③　胡适.胡适全集(第 24 卷)[M].季羡林,主编.合肥:安徽教育出版社,2003:31.

④　胡适.胡适学术文集·哲学与文化[M].姜义华,主编.北京:中华书局,2001:383-384.

信仰的结果要负完全责任，不怕权威，不怕监禁杀身，只认得真理，不认得个人的利害"①。简而言之，真个人主义就是独立和负责。杜威的这一论述有力地支持了"五四"宣扬个性的进步思想，胡适在其《易卜生主义》中也高扬同样的思想。

在个人与社会关系上，胡适与杜威一样都强调个性主义的重要性，同时他们也认为个人离不开社会，个人和社会是同一的。杜威在批评旧个人主义，强调个性解放的同时，也重视社会的作用，他认为"个人主义和社会主义是一致的"，离开社会，个性无从谈起，而社会也依赖个人而存在，"政府、实业、艺术、宗教和一切社会制度都有一个意义，一个目的。那个目的就是解放和发展个人的能力"②。胡适也认为相对于个性而言，社会更重要，他指出：

我这个"小我"不是独立存在的，是和无量数小我有直接或间接的交互关系的；是和社会的全体和世界的全体都有互为影响的关系的；是和社会世界的过去和未来都有因果关系的。我这个"小我"，加上了种种从前的因，又加上了种种现在的因，传递下去，又要造成无数将来的"小我"。这种种过去的"小我"，和种种现在的"小我"，和种种将来无穷的"小我"，一代传一代，一点加一滴；一线相传，连绵不断；一水奔流，滔滔不绝；——这便是一个"大我"。③

2. 提倡个性教育

胡适在重视个性发展基础上，提出了个性教育思想。胡适的更大贡献在于他将杜威教育中养成智能的个性，即独立思想、独立观察、独立判断的能力进行输入和推广。杜威的教育哲学将"发展个性的智能"看成是平民教育宗旨的一个极其重要的条件。胡适将其进行了实践，在他领导制定的1922年新学制中，认为初等教育的一大长处就是"教育以儿童为中心，学制系统宜顾及其个性及智能，故于高等及中等教育之编课，采用选科制；于初等教育之升级，采用弹性制"④。并把"谋个性之标准"作为拟定的《壬戌学制》标准之一。胡适希望新学制以学生自身的兴趣爱好出发，鼓励学生通过自学发挥潜能。

胡适不仅这样说，还为学校的课程提供重视学生个性的教学实例。胡适一直

---

① 顾红亮.实用主义的误读：杜威哲学对现代中国哲学的影响[M].上海：华东师范大学出版社，2000：195.
② 〔美〕杜威.哲学的改造[M].许崇清，译.上海：商务印书馆，2002：100.
③ 胡适.胡适文存[M].合肥：黄山书社，1996：100.
④ 胡适.胡适全集（第20卷）[M].季羡林，主编.合肥：安徽教育出版社，2003：75.

提倡大学选课制度,让学生减少必修课,增加选修课,让学生暗中摸索一点,扩大其研究兴趣。所谓兴趣,不是进了学堂就算是最后兴趣。胡适以伽利略为例说,伽利略的父亲要他学医,他的朋友又劝他学美术,但他都不感兴趣,有一次无意间在补习班偷听了几何学的课程,大有兴趣,最后成为新天文学和物理学的奠基人。其实胡适自己就是个典型的例子,他在考取官费留学时,他的哥哥建议他学习矿业或铁路,但他选择了农业,在康奈尔大学农学的课堂上,他发觉自己兴趣不在此,又改读文科,最终在文学领域颇有建树。因此,胡适向青年学生提出"要向自己性情所近,能力所能做的去学"的希望,早年便提出"教育之宗旨在发展人身所固有之材性的特点"的观点。

胡适在对即将毕业的大学生演讲时,也提到学生在毕业后择业时,应实现"社会需要"和"个人需要"的有机统一,根据个人的性情爱好,结合社会需求选择职业,不应过多地被他人意见左右。如果个人需要与社会需要二者不能同时兼顾,那么应该将个人需要放在首位。在胡适看来,如果不能根据个人爱好选择职业,在岗位上也不会发挥出自己所长,很难人尽其才,这对个人和社会都是无益的。大学也要"注重学术思想的自由,容纳个性的发展",他认为北京大学这几年已成为国内自由思想的中心并引起了学生对于各种社会运动的兴趣,他"祝北京大学的自由空气与自治能力携手同程并进"[1]。

胡适的这种重视个性教育的思想正是杜威教育思想中的一个重要观念,杜威曾在《现代教育的趋势》中大力宣扬这一思想。杜威指出:从前的教育是拿现成的教材做起点的,现在的新教育是拿这个那个儿童、这个那个人做起点的。[2] 概括起来,杜威这句话有两个意思,一是现在教育注重儿童学生的个性发展,二是现在教授方法要适应学生个性发展需要。因此,胡适特别注重对学生思维能力的培养和训练,尤其是对大学生,他希望通过科学的训练方法,即杜威的思维五步法和四年有系统的学习,培养出有独立思想、客观判断能力的个人。这正是胡适重视学生个性的现代教育理念的体现和杜威的教育思想的映射。

(七)强调普及与提高并重

胡适积极地投入到教育实践中,他认为教育有两方面,一个是提高,一个是普

---

① 胡适.胡适全集(第20卷)[M].季羡林,主编.合肥:安徽教育出版社,2003:105.
② 袁刚,孙家祥,任丙强.民治主义与现代社会:杜威在华讲演集[M].北京:北京大学出版社,2004:670.

及。正是为了推动教育的普及，胡适想先消除文字上的障碍，所以推广白话文，对提高国民的文化素质起到了推动作用。其实，中国杜威教育学派很多人在这方面都有过论述，其中当属陶行知和胡适论述的最多，通常认为陶行知注重教育的普及，胡适注重教育的提高，其实不然，胡适在这两方面都有详尽的论述。

1. 提高与普及并重

在普及方面，胡适主要是从国学知识开始，从白话文的推广到1919年发表《新思潮的意义》等一系列考据，可以看出来胡适对传统文化的所思、所考。考据本身就是考核、证实还原历史真相的活动，也是对国学的普及和发展的努力，但胡适想通过考据传达的是一个教人思想学问的方法，目标当时是以青年人为主，也是为了普及国学和传统文化。除此之外，胡适发起了"整理国故"运动，他在国立东南大学演讲时提到，现在的一般青年对研究中国本来的学术和文化都缺乏兴趣，整理国故的目的就是，要使从前少数人懂得变为人人能理解。这是我们的责任。[①]

不仅如此，胡适还将教育普及推行至国语教育上。他将"国语文"的教材分为三部分，第一部分就是二十部以上五十部以下的白话文小说，胡适自己幼年时就曾在小说那里得到过很多益处，他进一步列举了十几本通俗小说如《水浒传》《红楼梦》《西游记》等作为中学生国语教材，无疑有宣扬国学的用意。胡适对国学的普及还体现在他当时与商务印书馆的合作上，通过商务印书馆出版了"学生国学丛书"。此外，胡适还提倡女子教育，男女平等的教育，针对绝大部分女子被排除在教育体系之外的传统教育，他认为不容许女性接受教育，是一个国家教育的失败，是一个愚蠢的笑话。他在北京大学任教时，就扩招女子作为旁听生入学，聘请外国女性教授来北京大学讲演，推行男女同校，平等教化，女子不仅应该接受义务教育，还应该接受高等教育，这其实还是胡适的普及教育思想。

在《提高和普及》一文中，胡适还强调，提高就是"无中生有"地去创造一切，只有提高才能普及，越"提"得"高"，越"及"得"普"。这是胡适对北京大学创造文化、学术和思想的期望，此时胡适将目光聚焦在高等教育上，他认为只有高等教育发展了、提高了，才能更好地普及教育，高等教育是新中国建立的根基。他认为中国的近代高等教育发轫于晚清，历史短暂，没有好的大学如何培养出精英人物呢？中国的壮大需要各类精英人物的领导，欧洲之所以有今天的灿烂，得益于几十所

---

① 胡适.胡适文集[M].欧阳哲生,主编.北京：北京大学出版社,1988：91-93.

中世纪大学,因此他寄予北京大学学术科研方面的重点建设。

他批评当时或偏重普及或偏重提高的两种倾向,指出:"民国初元,范源濂等人极力提倡师范教育,他们的见解虽然太偏重'普及'而忽略了'提高'的方面,然而他们还是向来迷信教育救国的一派的代表。民国六年以后,蔡元培等人注意大学教育,他们的弊病恰和前一派相反,他们用全力去做'提高'的事业,却又忽略了教育'普及'的方面。"①大学教育要提高,大众教育要普及,只有这样才可救济中国,这是胡适教育救国思想的真义。他在1935年明确提出,教育有两种方法:一是普及,一是提高。把它普及了,又要把它提高,这样的教育才有稳固的基础。②他后来甚至偏激地认为中国社会没有大学、没有普及教育,是国家的耻辱:"一个国家有五千年的历史,而没有一个四十年的大学,甚至于没有一个真正完备的大学,这是最大的耻辱。一个国家能养三百万不能捍卫国家的兵,而至今不肯计划任何区域的国民义务教育,这是最大的耻辱。"③

2. 偏重提高实质

胡适努力将着眼点放到教育上,提倡大学做好提高工作,基础教育做好普及工作,这与杜威对中国中小学教育以及大学教育提出的看法相一致。杜威在华曾对不同的中小学、大学发表演讲,指出各级各类教育都具重要作用,不可偏废。然而,因国情背景以及从教经历、生活状况的不同,胡适在看待教育提高与普及方面与其师也有着不尽相同的看法,杜威在讲演社会政治哲学中,就提出了普及教育是思想界以科学代替旧训的方法之一,普及教育也是杜威的教育哲学的目标之一,来华后杜威观察中国经济发展的现状后,结合西方国家工业化的进程,根据工业化带来的贫富差距不断拉大的弊端给中国提供了建议,普及教育就是其中之一,他认为中国还处于工业革命的最初阶段,办教育的人应该让大多数工人发展知识,预备将来给每个人造就平等机会的能力。因此,他提倡在中国普及平民教育,使工人在工作之余有机会去用脑,相比杜威对普及教育的重视,胡适更重视教育的提高。杜威曾指出:"欧战之际,美国因国民教育普及之基础,短时即能召集军队。……他国过去事实,可为中国借鉴的,只有普及教育这一件事。强国之道,

---

①　胡适.胡适全集(第4卷)[M].季羡林,主编.合肥:安徽教育出版社,2003:554.

②　胡适.胡适全集(第20卷)[M].季羡林,主编.合肥:安徽教育出版社,2003:192.

③　胡适.胡适全集(第4卷)[M].季羡林,主编.合肥:安徽教育出版社,2003:504.

在于国民有团结力,而如何使国民具有团结力,不在于政客,而在于教育家。"①可以看出,杜威是不主张中国对西方国家的教育生搬硬套的,而是希望中国借鉴西方的普及教育,实行义务教育,先从地方着手,然后推广至全国,在钻研本国、本地的社会需要前提下,改革旧教育,从而造成中国自己的现代新教育。我们需要注意的是,杜威所说的普及,指的是国民教育、平民教育的普及,这是杜威与胡适见解不同之处。

在杜威来华做的一系列讲座的最后五讲中,他分别就初等教育、中等教育、高等教育、职业教育和道德教育谈了自己的看法。他认为初等教育比中等教育和高等教育重要,因为儿童时期是吸收力最好的时期,初等教育是打基础的时期,对儿童未来兴趣、能力和习惯的培养都是至关重要的。他对中国长期以来重视高等教育的做法很不赞同。他指出:"我信中国在世界上是最注重高等教育的一个国,官吏必须受过高等教育,还要经过一种考试,但是只重高等教育,便忽略了群众教育。所以高等教育,产生的高等人才,成了一种特别的阶级,和没受过教育的就有界限了。""结果,不过造成社会上的贵族,和一般的平民就裂口了。高等教育越注重,这裂口就越大。现在仍旧还有享特权的贵族,反对普及教育,因为恐怕一般人受了教育就夺了他们的权力。要想成为一个真正的共和国,必须拿这办高等教育的注意去普及教育。"②

胡适虽然也主张提高与普及并重,但因其长期从事的教育工作,在实际中,他更重视高等教育的发展。1917年胡适留美归国后进入北京大学担任教学管理工作,首先提出了选科制取缔了学科分级制,并且积极倡导各科系建立研究所,在北京大学哲学研究所担任要职,后制定推行了《北京大学学院规章草案》,在院系的管理上,仿照欧洲国家的院系治理模式的三会制,推动了北京大学的改革与发展。从胡适在北京大学的教育实践中,可以看到他对西方高等教育管理理念的理解与吸收,他对高等教育的独特见解与理念,都为中国高等教育发展提供了一个良好的范式。

当然,胡适也是提倡普及教育的,但他对于当时中国的现状、对普及教育的实施持悲观态度。在这一点上,对普及教育深有感触的陶行知却不赞同胡适的看

---

① 袁刚,孙家祥,任丙强.民治主义与现代社会:杜威在华讲演集[M].北京:北京大学出版社,2004:403-404.

② 袁刚,孙家祥,任丙强.民治主义与现代社会:杜威在华讲演集[M].北京:北京大学出版社,2004:626.

法,他提倡平民教育、乡村教育都是为了使教育得到普及,他深知当时中国的国情,文盲占了总人口的90％以上,师资、办学经费都成困难,普及教育只能办"省钱的学校""经济实效的学校",因此他创造了"空中学校""小先生制"等多种方法普及教育。对于胡适在普及教育上的观点,陶行知气愤地说:"到那时,不消说得,文学革命的巨子是一变而为英国远东殖民地普及教育之导师了。"①实际上,随着时间的推移,陶行知与胡适二人的确在教育理念上有着相左的地方,胡适在1930年的《胡适日记》中曾写道:"一个民治的国家里应该人人识字,但我希望从儿童教育入手,我不赞成今日所谓'平民教育'",因为"成人的习惯已成,不易教育,给他们念几本《千字课》,也没有什么用处"②。胡适不主张对大多数没有受过教育的平民进行教育,也没考虑所有儿童的受教育问题,他这里的儿童教育仅是指对城市内有条件上学的儿童进行教育,他的普及教育也仅是部分地区的教育普及,与广大乡村人口,特别是广大乡村儿童占重要比例的整个中国的教育普及有着天壤之别。相比其在"普及"教育上的用力,胡适更多将着眼点放在"提高"方面,他曾激进地提出:

国无海军,不足耻也;国无陆军,不足耻也;国无大学,无公共藏书楼,无博物院,无美术馆,乃可耻也。③

杜威更多提倡普及教育为基础,大学的作用更多是培养领袖人才,他提出:"高等教育的大学专门学校,应当养成专门的人才,不是专门的机械;尤为重要者,须养成专门的领袖人才。在工业、实业、政治、文学各科当中,知道它的方法,使别人能在他所开的一条路子上进步,不但事业上做领袖,还要在本门的学问上做领袖,这是高等教育应该根据的。"④而培养领袖人才的基础还在普及教育方面,"中国地大人众,必国民教育普及后,方可得多数之领袖人才"⑤。

在重普及还是重提高方面,胡适与杜威是不一致的,不仅如此,他与中国杜威教育学派其他人如陶行知等也具有不同看法,胡适虽多次提到重视普及教育,但他更重视的是正规的高等教育,而陶行知自始至终将全副精力放到普及教育方

---

① 华中师范学院教育科学研究所.陶行知全集(第五卷)[M].长沙:湖南教育出版社,1985:487.

② 胡适.胡适全集(第31卷)[M].季羡林,主编.合肥:安徽教育出版社,2003:674.

③ 胡适.胡适全集(第28卷)[M].季羡林,主编.合肥:安徽教育出版社,2003:57.

④ 袁刚,孙家祥,任丙强.民治主义与现代社会:杜威在华讲演集[M].北京:北京大学出版社,2004:463.

⑤ 袁刚,孙家祥,任丙强.民治主义与现代社会:杜威在华讲演集[M].北京:北京大学出版社,2004:407.

面。正因为如此,当他们看到当时武汉大学校园时,产生了完全相反的看法。胡适在日记中提到,校址之佳,计划之大,风景之胜,均可谓全国学校所无,看这种建设,使我们精神一振,使我们感觉中国事尚可为。而陶行知则反对"一动手就是圈它几千亩地皮,花它几百万块钱,盖它几座皇宫式的学院"做法,他认为用巨款来盖"时髦大学",不如"用来开办大众大学","用来发展一些适合国民经济的工业"。①

通过对比胡适与杜威、与陶行知关于普及与提高思想的关系,我们可以发现他们代表的是教育界普及与提高两种不同观点,实际这两条轨道是互相联系、互相制约的。毛泽东曾在《在延安文艺座谈会上的讲话》中指出:"普及工作和提高工作是不能截然分开的"②,这一论点可作为我们分析胡适与陶行知争论普及与提高问题的一个参考点。

以上通过对胡适作为中国杜威教育学派思想的分析,我们可以发现,胡适作为新文化运动的领导人之一,他更多是从教育哲学领域阐述杜威观点,谈论中国教育问题。他对杜威不进行具体教育学理的研究,只进行方法的研究;他对教育,不关注实际问题研究,而更关注教育方法、教育基本理论研究。从分析中可看出,他对中西文化观、治学方法等方法论问题论述的更充分、更具体,而对生活教育、个性教育等具体的教育问题,则进行的是泛泛的阐述,在中国杜威教育学派中,胡适是对杜威教育哲学思想阐述最多的一位,也最具典型性。

三 、蒋梦麟对杜威教育思想的秉持及实践（1919—1945 年）

1912 年,蒋梦麟以教育科为主科,历史与哲学为副科,毕业于加州大学教育系,旋即赴纽约哥伦比亚大学,师从于美国著名实用主义哲学家、教育家杜威,攻读哲学、教育学。1917 年 3 月,蒋梦麟在哥伦比亚大学完成了题为《中国教育原理之研究》的博士论文,1919 年 2 月,蒋梦麟与黄炎培、陶行知等于上海创办《新教育》月刊,《新教育》高举"养成健全之个人,创造进化之社会"的旗帜,宣传杜威教育思想,提倡平民主义,呼吁发展儿童个性,反对填鸭式教育。③ 杜威来华时,蒋梦麟与胡适、陶行知一起在码头迎接,杜威于 5 月 3、4 日作"平民

---

① 华中师范学院教育科学研究所.陶行知全集(第三卷)[M].长沙:湖南教育出版社,1985:72-73.
② 毛泽东.毛泽东选集[M].中共中央毛泽东选集出版委员会,编.北京:人民出版社,1967:819.
③ 蒋梦麟.蒋梦麟教育论著选[M].曲士培,主编.北京:人民教育出版社,1995:4.

主义的教育",演讲后,蒋梦麟陪同杜威夫妇到杭州等地游览。1919 年,蒋梦麟受聘为北京大学教育学教授,同年 5 月 9 日,蔡元培委托蒋梦麟代他全权处理校务。蒋梦麟协助蔡元培再度改组北京大学,推行"教授治校",鼓励学生自治,以实现民主精神,与杜威强调的"自动自治"和民主思想不谋而合。1927 年南京国民政府成立后,蒋梦麟被任命为浙江省教育厅厅长兼浙江大学校长,1928年 10 月被任命为教育部长,1945 年 6 月蒋梦麟出任行政院秘书长,辞去北京大学校长职务,离开教育界。

(一)平衡中西文化教育

蒋梦麟深厚的中国传统文化根底和他在留美期间对西方哲学、政治、教育等领域广泛而深入的思考,使他意识到中西方文化也有许多相通之处,中国的教育必须要吸取西方的经验。在他的博士论文《中国教育原理之研究》中,他深入阐述了中西方教育家的教育理论,然后比较了中国教育思想和西方教育思想的差异,提出"要保持中国文化精华,同时要把某些西方理想结合到中国生活中来"的教育构想。[①] 这可以说是蒋梦麟平衡中西文化教育的思想雏形。后来"五四"运动爆发,对于当时国人面临西方文化的冲击和碰撞,蒋梦麟有着自己独特的见解。他认为当时的中国教育就像希腊前五世纪一样,正处于一个变迁的阶段,因此也可以像希腊哲学家苏格拉底提倡个性为人生价值一样解决中国的问题,这可以说是蒋梦麟"亦中亦西"教育原则的最初显露。

蒋梦麟认为中西文化各有特点,"讲中不讲西,终觉孤立。讲西而不讲中,终觉扞格。能学兼中西,方知吾道不孤"[②]。他主张中西结合,找出解决问题的办法,他自己也表示,他在美国时喜欢用中国的尺度衡量美国的东西,回国后他喜欢用美国的尺度衡量中国的东西,一种不中不西的尺度。他认为中国教育有与西方教育一致的地方。他说:

从大处着眼,儒家学说实能适合近世之人文主义与自由主义。孔子的"学不厌,诲不倦""有教无类""因材施教",孟子之"得天下英才而教育之"及"性善"之说,为清末民初教育界迎接新教育之媒介。孟子之"民为贵,社稷次之,君为轻",与民治主义之原则相似。[③]

① 蒋梦麟.蒋梦麟教育论著选[M].曲士培,主编.北京:人民教育出版社,1995:8.
② 蒋梦麟.西潮·新潮[M].长沙:岳麓书社,2000:66.
③ 蒋梦麟.孟邻文存[M].台北:台湾正中书局,1974:62.

同时他也反对所谓的中西"调和"论,他认为学习西方先进的文化思想就像新陈代谢一样,这是进化论的道理,并不是机械地将二者之间进行调和,也不是说引进了西方文化,中国文化就停止发展。由此可见蒋梦麟与胡适不同,他主张的并非全盘西化,而是以新的态度学习西方文化,以发展新教育和新思想,同时从中国文化中挹取精义。

蒋梦麟可说是早期留学生中,能对中西教育求根本研究的人之一。他的这些思想实媒合了杜威的思想。杜威在华讲演时,蒋梦麟做了大量的翻译工作。杜威在其论述中,认为中国正处于过渡时代,需要对东西文化兼收并蓄,不能只偏向一方,忽视另一方。他认为中国古代的儒家思想与近世西洋思想有联系处,"我向来主张东西文化的汇合,中国就是东西文化的交点"①。同时杜威也一再告诫中国人,一国的教育,决不可胡乱摹仿别国。他认为:

一切摹仿都只能学到外面种种形式编制,决不能得到内部的特别精神。所以我希望中国的教育家,一方面实地研究本国土地的社会需要,一方面用西洋的教育学说作一种参考材料,如此做下去,方才可以造成一种中国现代的新教育。②

而蒋梦麟即对杜威的思想做出了具体的实践,他在任教部长期间,开始思考中国本土教育与外来教育问题,确定并实施了三民主义教育政策。这个政策以提倡中国固有道德、发扬民族文化为宗旨。蒋梦麟指出:"国民有高尚之观念也,则其国虽小犹大,反之则其国虽大犹小。所谓国民高尚观念者,爱国之观念是也,中国将来世界之位置如何,以国民能有此观念与否为断。"③吴俊升评价蒋梦麟推行的三民主义与杜威思想的关系时,也认为这是他视当时的时势取得均衡,体现了他对中国道德伦理的尊重和个人的自由。

(二)强调个性发展教育

个性教育是蒋梦麟教育思想的核心。他在《个人之价值与教育的关系》一文中说:"新教育之力,即在尊重个人之价值","个人之天性愈发展,则其价值愈高,社会之中各个人价值愈高,则文明之进步愈速。吾人视教育为增进文明之方法,

---

① 袁刚,孙家祥,任丙强.民治主义与现代社会:杜威在华演集[M].北京:北京大学出版社,2004:647.

② 袁刚,孙家祥,任丙强.民治主义与现代社会:杜威在华演集[M].北京:北京大学出版社,2004:671.

③ 蒋梦麟.蒋梦麟教育论著选[M].曲士培,主编.北京:人民教育出版社,1995:50.

则当自尊重个人始。"一方面,蒋梦麟受当时西方提倡的平民教育、平等教育影响,认识到只有个人得到发展,个人的价值得到实现,才能创造更大的社会价值,从而促进社会的进步;另一方面,这也是蒋梦麟针对当时中国社会的缺陷和实际情况提出的,他认为当时的中国人民生活在水深火热之中,知识浅劣,教育也没有标准,因此个性教育显得尤为必要。

当时,第一次世界大战已经落幕,蒋梦麟分析了"一战"发生的原因和决定战争胜负的因素,并根据欧美国家的教育举措,联系到中国的教育实际,意识到中国应该趁战后这一关键时期发展教育,在他1918年10月发表的《世界大战后吾国教育之注重点》文章中,他为中国的教育提出了一系列的建议和举措,处处彰显着个性教育思想,如"雄伟之经济,强健之个人,进化之社会"是立国之本,在学校教育方面,他提出了发展学生的个性以养成学生健全的人格,通过美育、体育等教育培养学生,当然,他也提出了推行义务教育、职业教育等具体建议。

在提出重视个性发展的观点后,蒋梦麟还从社会国家和文化教育两个维度深化了他的思想。杜威阐发他的新个人主义时,力图化解个人和社会之辩的紧张关系,认为个人与社会的发展是一致的,它们之间不存在相互阻碍的问题,个人个性发展了,社会才能有发展。而蒋梦麟认为,对于社会国家来说,个人主义就是平民主义主张的自由平等,保障个人之说也;对于文化教育而言,个人主义就是个性主义,发展个性,养成特才,这样文化才得以发达。[①] 蒋梦麟同杜威一样认为个人与社会的发展是一致的,契合了杜威的发展个性的教育原则,同时也体现了他的平衡中西文化思想。

蒋梦麟不仅阐述了个性教育在世界范围内的发展趋势,还提倡将其与学校教育结合起来,在蒋梦麟主编的《新教育》月刊中,在教学法上主张自发自动,强调儿童的需要,拥护杜威在《民主主义与教育》中所提的主张。《新教育》月刊的主要目标是"养成健全之个人,创造进化之社会"。后在"一战"结束后,提出"雄伟之经济,强健之个人,进化之社会"是立国条件。根据这些条件谈战后之教育,他提出学校要进行这些方面的建设:

(甲)发展个性以养成健全之人格。

(乙)注重美感教育以养成健全之个人。

(丙)注重科学以养成真实正当之知识。

---

① 蒋梦麟.蒋梦麟教育论著选[M].曲士培,主编.北京:人民教育出版社,1995:77.

（丁）注重职业陶冶以养成生计之观念。

（戊）注重公民训练以养成平民政治精神，为服务国家及社会之基础。①

从上面这些建议不难看出，蒋梦麟的发展个性是与养成健全之人格联系起来的。后任北京大学校长时，他将这一思想贯穿到教学管理中，并规定了"陶融健全品格"为北京大学的职志，在协助蔡元培改革完善北京大学体制时，他还将杜威的思想和教育理论融入他对北京大学的改革中，例如"选科制"的实行，他主张人文与自然科学的学习相结合，确立"文理沟通"方针，这在学则中有体现，学则特别规定外国语文为一、二年级的共同必修科，入国文系者外语必须好，中外兼优。同时，他还定体育为必修科，改第三院大礼堂为临时健身房，举办第一届全校体育普及运动会，他认为体育是美育的基础，在蔡元培提倡美育的指导下他进一步发展体育，希望二者齐头并进，养成学生健全之人格。从蒋梦麟对个性教育的思考和实践中，我们不难看出杜威思想中个人与社会的关系和个人主义对他的影响。

（三）主张教育与生活相联系

蒋梦麟是杜威的学生，在回国后于上海创办的《新教育》杂志中，他就不遗余力地宣传杜威的思想，杜威来华时，他出版《新教育》"杜威专号"并亲自陪同杜威去全国各地讲演。杜威的"生活教育"思想对蒋梦麟的教育思想与实践影响颇深。在《历史教授革新之研究》一文中提出，要注重教育与生活联系，并指出教授中国历史要"当以学生之生活需要为主体，目的使儿童生活丰富，活泼灵敏，富有改良环境，解决种种问题的能力"②。他尖锐批判了充满封建主义的历史教学和重古轻今的旧历史观带来的危害，因此提倡教授历史要以学生生活的需要为中心，以平民生活为中心，反映了他注重教育与生活联系的教育思想。

蒋梦麟还将视线投入职业教育中，提出以教育联系生活之思想解决职业界人才问题。他认为当时的职业界位置虽然不多，但却找不到合适的人，社会上求职的人很多，但适合的人很少，求职的也找不到合适自己的位置。他认为原因是教育与实践生活相背驰，教育注重格式，纸上谈兵，不能适应时势的需要，如果普通教育和高等教育不能推广，没有稳固的政治，发达的实业，那么职业教育中人才的问题也不会得到解决。因此补救当下职业教育的方法还是要注重职业教育与生

---

① 蒋梦麟.蒋梦麟教育论著选[M].曲士培,主编.北京：人民教育出版社,1995：59-63.
② 蒋梦麟.蒋梦麟教育论著选[M].曲士培,主编.北京：人民教育出版社,1995：8.

活的联系,设立介绍机构,沟通职业教育与实业界适当之联系。

这些可说是蒋梦麟回国后看到中国的教育发展现状,从而对杜威的"教育与生活相联系"的进一步思考和发展。作为杜威的学生,他本应在各级教育中大力提倡教育与生活相联系,但是当时经常出现学生游行,有些人会把这些看作是教育与社会相联系的一方面,这与蒋梦麟反对学生运动的观点是背道而驰的,因此就像前文在职业教育中,他提出的是"适当之职业教育",这是他根据当时中国的实际情况所做的变动,从而使他与杜威那种将社会生活看作学校教育的内容产生了本质不同。

其一杜威主张教育是生活,在学校中教师要传授知识引导儿童参加活动,从而在活动中实现生活、经验的成长,为在社会中的真实生活而准备;而蒋梦麟提倡教育与生活相联系更多地是要求日常教学中教师讲授更多贴近生活的事,这是将教育与生活看作了两件事、两个现象。

其二在教育与生活之辩上,杜威以社会生活作为学校教育的内容,反对书本知识为主,蒋梦麟却以学校教育、以书本知识为主,让学生将学到的知识应用到生活中,这与杜威有很大的不同。可以说他也提倡教育与生活相联系,但他是从与杜威相反方向走向"教育与生活相联系"的,实际上在杜威思想中教育与生活相联系,并不是说教育要讲生活中发生的事,他还包含着更广泛的含义,他认为学校教育是社会雏形,教育就要按照社会生活的样式进行,而不仅是说教育中提到社会生活中正在或以前发生的事就可以,蒋梦麟的教育与社会生活联系的范畴在某种程度上说要窄于杜威本意。从这还可以引出,蒋梦麟是将教育与生活看作了两件事、两个现象,这与杜威将教育与生活看作一件事两个方面有明显不同。

(四) 提倡学生自动自治

在蒋梦麟对杜威思想的继承中,自动自治也是其中一部分。杜威指出自动不是任意去做,去动,动实有心理而出,"真正的自动,是有目的地动作,有意义地动作。动了,就可以增进社会的文明,有关社会的进化"[①]。蒋梦麟在《职业教育与自动主义》一文中认为职业教育应该培养自动的人才,即有远大的眼光,进取的精神;事事图改良,著著求进步。人未敢行者,我独敢行之,人未及知者,吾独察先机

---

① 袁刚,孙家祥,任丙强.民治主义与现代社会:杜威在华讲演集[M].北京:北京大学出版社,2004:107.

而知之。① 这是对杜威主张的"自动"的详尽阐述和深入的描绘。

关于自治,杜威是在批评有关对自治的误解中阐述自己观点,并带出自治与自动关系的。杜威认为自治是与被治于人相对立的,不是教职员不必留意学生而任其所为,或让学生作校内之巡警侦探以纠正他人不规则之举动。学生自治是自动地去做些事情,管理自己,以便"协助将来社会,使合于共和的"。杜威进一步指出:"现在中国各学校,学生自治的声浪很高,这是很好的现象。但自治必先智识丰富,有判断力,方才可以做到。自治不是个人的私意,一时的感情;要有互助的精神、稳健的方法。不是今天说自治,就能够自治;要有自治的真正精神、自治的完全人格。"

蒋梦麟对培养国民具有自治人格只字未提,但他认为依据中国的情况,在学校里,特别是大学中提倡自治是可行的并且是重要的。

学生自治,是爱国的运动,是"移风易俗"的运动,是养成活泼泼地一个精神的运动。学生自治,要有一个爱国的决心;"移风易俗"的决心;活泼泼地勇往直前的决心。没有这种大决心,学生自治是空的,是慕虚名的,是要不得的。②

蒋梦麟重视学校的自治,也对学校的自治做了深入的研究。他在《学生自治》中提到杜威、蔡元培先生已经讲过自治,他再讲时要加添些新意思。他强调自治精神是自治的基础,放在学校里,这个精神就是"学风",学生自治应是爱国的运动,养成活泼精神的一个运动,学生应把提高学术作为学生自治的责任。③ 可见他提倡的学生自治还是以促进学生个性发展和健全人格之养成为目的的。他也如杜威一样,提出了几点要求,认为自和治要并重。

蒋梦麟初到北京大学时,在学生欢迎会的演说中就提到,救国之要道,在从事增进文化基础工作,以自己的学问功夫为立脚点,他希望北京大学的学生,"本自治之能力,研究学术,发挥一切,以期增高文化"④。可见,蒋梦麟对于学生运动是反对的,他提倡的学生自治,是在学术上的研究和学问上打好基础,将来改良社会,承担更加重大的责任。并且他还希望办学校的人奖励学生自治。他由斯宾塞的教育是预备生活,杜威的"教育就是生活。今天受一天教育,就要有一天好生活"引入,学生自治就是自动的一个方法。学生自治团体,就是学生

---

① 蒋梦麟.蒋梦麟教育论著选[M].曲士培,主编.北京:人民教育出版社,1995:8.
② 蒋梦麟.蒋梦麟教育论著选[M].曲士培,主编.北京:人民教育出版社,1995:136.
③ 蒋梦麟.蒋梦麟教育论著选[M].曲士培,主编.北京:人民教育出版社,1995:136.
④ 蒋梦麟.蒋梦麟教育论著选[M].曲士培,主编.北京:人民教育出版社,1995:119.

追求丰富生活的一个团体,学生只有在校生活丰富了,才能达到"教育是生活"的目的,学生自治,是养成青年的各个的能力,来改良学校社会。① 从这里我们不难看出,蒋梦麟提倡学生自治也是对杜威的"教育即生活"思想的继承与发展。

(五) 注重学术的提高

杜威在抵达中国的第三天,就做了一场名为"平民主义的教育"的演讲,在他看来,平民教育绝不是口号,是需要国家花费巨大代价付诸实施,让全体公民尽可能接受良好的教育。蒋梦麟十分赞同杜威的平民主义教育思想,他认为平民主义之教育是养成活泼之个人的开端,从而促进社会进化。在促进社会进化的直接方法中,蒋梦麟对奖进学术做了单独的强调,他认为这是社会精神进化的方法,"学术者,一国之精神所寄"。"欲求学术之发达,必先养成知识的忠实","学术兴,则中国之精神必蓬勃蒸发,日进无疆"。② 后蒋梦麟主持北京大学期间,将"学术"与"事务"明确的分割开来,之前教授不仅要治学还要处理事务,蒋梦麟为了提高学术,给教授创造良好的治学氛围,对北京大学进行了裁员以缩减经费,实行教授专任制度,他与胡适二人相辅相成共同治理北京大学,使教授专心治学。在学生的培养上,北京大学的教学也偏向专精方面,教育方针以造成学术专家为目的,功课高深为主,就这样师生之间形成了研究的风气,蒋梦麟自述在北京大学的那几年,"教授们有充足的时间从事研究,同时诱导学生集中追求学问,一度是革命活动和学生活动漩涡的北京大学,已经逐渐转变为学术中心了"③。自此,"研究高深学术"是北京大学的性质和标志之一。

在杜威思想盛行中国之时,蒋梦麟就提倡教育部应该奖励学术,激发社会尊重学术的精神,他一直希望通过教育解决社会问题,然而后来北京大学办学经费的问题、经济破产等,让他意识到不能只谈教育,不谈政治。而这之前一年,杜威说他曾听见教育界人说:"除非有好教育,中国不能成为一个真正的共和国,但要有好教育须有好政府。"④他认为这样的说法是不对的,我们要想出自己的办法。

---

① 蒋梦麟.蒋梦麟教育论著选[M].曲士培,主编.北京:人民教育出版社,1995:153.
② 蒋梦麟.蒋梦麟教育论著选[M].曲士培,主编.北京:人民教育出版社,1995:74.
③ 蒋梦麟.西潮·新潮[M].长沙:岳麓书社,2000:310-311.
④ 袁刚,孙家祥,任丙强.民治主义与现代社会:杜威在华讲演集[M].北京:北京大学出版社,2004:628.

"依我看,如果依赖中央政府,好教育是没有的,好像一个圈子是跳不出来的,如果不依赖政府我们自然有法子跳出这个圈子来。什么法子呢? 就是各地方人去办各地方,使他都适应各地方的情形,都能这样,便能互相传染,得的结果,一定比我们想象的好得多。"①蒋梦麟也意识到了这一点,如果教育家不关心政治,则学生亦将间接受其影响,将来政治之改良,由谁来负责任呢,所以他认为政治应该分两个方面看,一是教育界不应当干涉政党和政事,二是政论,掌管教育权的人应当责无旁贷的剖明是非,伸张正义,养成平民政治之习惯。而且教育作为解决中国种种问题的重要方法之一,不但教育界应注意,政治经济界也应当关注研究。② 这可以说是蒋梦麟对中国的政治与学术、政治与教育的关系思考的一大进步,也与他一直提倡的"新思想是一个态度"有着密切的关系,奖进学术是为了鼓励青年学生做学问钻研学术,这样才能接触新的东西,开拓自己的视野,从而改良社会,促进社会之进化。

正是因为蒋梦麟奖进学术,重视科研,注重学术的提高,因此北京大学当时新旧两派在思想学术上的竞争,使北京大学成为新文化的中心,蒋梦麟将其比作"昔欧洲文运复兴,肇自意大利古城。今日吾国之新潮,发轫于北京古城,犹文运之澎湃全欧也。此岂非学术进步之好现象乎?"③对他来说,提高学术就是形成北京大学学风的方法,"什么叫学风呢? 一个学校里,教员学生,共同抱一种信仰,大家向那所信仰的方向走。前清时代,这种学风就是'欧化'。自民国六七年间至九年,大家所报的信仰,就是'文化运动'。现在我们所能提出的一个办法,就是提高学术"。在他的领导下,师生间风气演变成调查试验,合作研究的风气。可以说,蒋梦麟一生的教育实践主要有两个阶段,一是主持北京大学,二是先后担任浙江教育厅厅长、南京国民政府教育部长。作为杜威的学生,杜威的思想在他的教育实践中留下了深刻足迹,他对杜威思想的实践也是最具体而彻底的,杜威的实用主义哲学对他文化教育思想的形成影响很大,他在中国近代教育史上的地位是无可否认的。

① 袁刚,孙家祥,任丙强.民治主义与现代社会:杜威在华讲演集[M].北京:北京大学出版社,2004:628.
② 蒋梦麟.蒋梦麟教育论著选[M].曲士培,主编.北京:人民教育出版社,1995:97.
③ 蒋梦麟.蒋梦麟教育论著选[M].曲士培,主编.北京:人民教育出版社,1995:104.

四、 陶行知对杜威教育思想的继承及发展（1919—1946 年）

陶行知是中国近代著名的教育家,他的一生可以说是探索救国之道、不断追寻真理的一生,他以极大的奉献精神、火热的赤诚之心积极投身于民族解放、社会改革和人民教育,是中国进步知识分子的典型与模范。

1915 年 9 月,陶行知师从杜威,进入哥伦比亚大学师范学院学习,1917 年学成离美归国。陶行知与杜威有多少交往有诸多不确定性,可以确定陶行知在哥伦比亚大学和杜威有交往。1916 年 6 月 16 日,胡适的日记中夹了一张标明陶行知为杜威和安庆人胡天濬拍的合影照片,并记“胡陶二君及余皆受学焉”。

虽然陶行知与杜威早在哥伦比亚大学时期结识,但陶行知有关杜威思想的教育实践活动是在 1919 年杜威来华后才真正开展。1919 年 3 月 12 日,陶行知写了第一封给胡适的信邀请杜威来华访问,由郭秉文亲自去日本邀请。在杜威来华前,陶行知已经在积极宣传杜威的教育思想,如 1919 年 3 月 31 日,陶行知撰写的《介绍杜威先生的教育学说》就是其中的典型性代表文章。1919 年 4 月 30 日午后,杜威与夫人艾丽丝和女儿罗茜抵达上海,胡适、蒋梦麟、陶行知等人前去迎接。

在杜威访华期间,陶行知多次为杜威讲演做主持和翻译,如 1919 年 5 月 3 日,在江苏教育会上,杜威做了题为“用平民主义做教育的目的,用试验主义做教育的方法”的演讲,黄炎培担任主持,陶行知担任翻译;1920 年 4 月 6 日起,陶行知还主持接待了杜威在南京高等师范学校讲授教育哲学十讲、哲学史十讲、试验论理学三讲,历时 3 个月。1921 年 7 月 24 日,陶行知、胡适等人欢送杜威回国。

1923 年,陶行知受杜威教育思想影响,开展平民教育实践活动。1923 年 5 月,陶行知与黄炎培、朱其慧、晏阳初等人发起成立中华平民教育促进会,陶行知还与朱经农合编《平民千字课》课本,他通过筹办平民学校、平民读书处、平民问字处等来推行平民教育。

陶行知受杜威“教学做合一”教育思想的影响,在 1926 年与国立东南大学赵叔愚等人一起筹办乡村师范学校,并于 1927 年 3 月正式成立晓庄师范,开展乡村教育。1932 年在上海创办山海工学团,首创“小先生制”。

陶行知不仅在教育实践活动上与杜威有密切联系,在民族独立和争取民主方面也与杜威交际频繁。1937 年 12 月 4 日,陶行知拜访杜威。在征得杜威同意后,12 月 6 日,陶行知草拟了杜威宣言,杜威博士同意后将所拟宣言及电稿发给甘地(Mohandas Karamchand Gandhi)、罗素、罗曼·罗兰(Romain Rolland)、爱因斯坦(Albert Einstein)四位,征求联名。12 月 13 日,他们(甘地 22 日来电参加)共同发表宣言:支援中国抗战,谴责日本侵略,呼吁对日禁运。

1944 年 6 月 10 日杜威从朱启贤处得知陶行知近况后,亲笔回信道:"很高兴你在目前的困难情况下还在继续你的教育工作。美国正在为你们遭难的国家尽一点力,这是我觉得很欣慰的事。我期待着,我想你也在同样地期待着有一天,我们不仅在军事上,而是在带根本性的各方面,帮助你们建立起民主的社会和民主的教育,做比过去多得多的事。"

1946 年 7 月 25 日,陶行知逝世,杜威、克伯屈等致电陶行知治丧委员会:"今闻陶行知博士逝世,不胜哀悼,其功绩,其贡献,对于中国之大众教育,无与伦比。我们必须永远纪念并支持其事业。"

1946 年 12 月 9 日,在纽约举行的陶行知追悼会上,杜威与冯玉祥担任名誉主席,并分别发表演讲,美国教育名流 300 余人参会。

陶行知在赴美求学及杜威来华访问时追随杜威思想与杜威有密切的联系,而且平民主义教育、乡村师范教育、普及教育、国难教育等教育实践也与杜威的思想有着千丝万缕的关联。

(一)对传统教育的深刻批判

1. 对传统教育观念的批判

陶行知同其他中国杜威教育学派一样,也深受其师杜威的实用主义教育思想影响,并以此为根据批判日益脱离实际的传统"老八股"教育。他在《为中国教育寻觅曙光——致王琳的信》中对王琳(浙江浦江人,陶行知创办的晓庄师范第一期学生。)说道:"你说'洋八股'依旧是一个'国粹'老八股,离开整个生活,以干禄为目的,也是千真万确的。我们现在要打倒的就是这八股教育、干禄教育。我们决定再不制造书呆子和官僚绅士们。"①

在以"科学""民主"为两面大旗的新文化教育运动中,陶行知是其中的活跃分子,他在新文化运动中毫不留情的批判传统旧教育并提出了改造旧式传统教育的

---

① 陶行知.陶行知教育论著选[M].董宝良,主编.北京:人民教育出版社,2015:198.

一系列设想。他指出传统教育存在诸多弊病,指出在旧式的传统教育中,以"教师讲、学生听""教室学、课堂学"为主,先生们"死教书、教死书",儿童所受的教育与实际操作、实际生活没有什么关联,其结果自然是培养出无生活力、无创造力的学生。基于传统教育的弊病,陶行知提出改革教育的主张,认为首先从影响学校教学最甚且极易见效果的教学法入手,主张将制约教与学的"教授法"改为"教学法",从而使学生成为教育中的主体。之后陶行知又对中国传统教育中的儿童观、教师观进行批评,指出了在以往的传统教育中,教学中的极大弊病就是只有教师的教,没有学生的学。

针对传统旧式教育的种种问题,陶行知提出了一种解决方法,那就是实行"活的教育",以往传统旧式死的教育没有指望,而活的教育我们要让它更活。那什么是活的教育呢? 陶行知认为活的教育不容易下定义,但他将儿童接受活的教育做了生动形象的比喻,"活的教育,好像在春光之下,受了滋养料似的,也就能一天进步似一天,换言之,就是一天新似一天"。陶行知认为,办活的教育我们首先要承认儿童是活的,要按照儿童的心理发展水平进行教育。换言之,即儿童的需要有大有小,我们只求其能够满足他的需要就是了。陶行知还认为儿童的特性都是具有天然的好奇心的,面对新鲜事物都会跃跃欲试,我们如果承认教育是活的,就要能揣摩儿童的心理,根据儿童的需要的力量为转移。其次,办活的教育,还要注意儿童不仅"对于种种事体的需要有大小,他们能力亦有各种不同"①。我们作为教育工作者,要因材施教,根据每个儿童自身的特点来开展适合他的活教育。那如何开展活的教育呢? 陶行知认为,需要"用活的人去教活的人""拿活的东西去教活的学生""要拿活的书籍去教小孩子"。② 陶行知的活的教育是活生生的,这种方法相当大程度解决了学生死学的弊病,将儿童从残酷的死学习中解放出来。而且在活的教育中,要求教育工作者要根据儿童的需要和身心发展特点作为教育、教学的出发点,这是对中国传统教育脱离实际的超越,是一次全面的革新,在当时的中国教育界掀起了一股反传统的风浪,带来了一次新的教育理念的洗礼。

陶行知这一思想的出现既是他多年求学以及工作经历使然,也是他受杜威影响的结果。杜威曾在《传统教育与进步教育》中指出,传统教育只着眼于过去的知识,忽视与现实生活的联系;它将外部的、成人的标准强加给正在成长中的儿童,

① 陶行知.陶行知教育论著选[M].董宝良,主编.北京:人民教育出版社,2015:73.
② 陶行知.陶行知教育论著选[M].董宝良,主编.北京:人民教育出版社,2015:76-77.

压抑了儿童的个性。杜威曾说道:"传统的计划,本质上是来自上面的和来自外部的灌输。它把成年人的种种标准、教材和种种方法强加给仅是正在缓慢成长而趋向成熟的儿童。"①他认为成年人所学的知识与儿童之间隔着一道鸿沟,成年人规定的种种标准、编写的教材和其他指定的学习行为不适合儿童现有的能力发展,这是无论多么优秀的教师运用多么出色的教学方法也掩饰不掉的。为此他提出一种新的教育主体论,即儿童中心论,要求将教育中心从教师、教材转移到学生,杜威称这样的变革是哥白尼式的革命。从反传统教育观上看,杜威的上述论点是对以往只注重教师、忽视儿童的教育的反对,是新的儿童观、教育观。在儿童观上的共识使我们可以看出陶行知与杜威思想的一致性以及陶行知对其师思想的继承。

陶行知认为"从前的教育是传统政策,单教劳心者,不教劳力者"②,致使人们成了一个个的"书呆子"和"田呆子"③,他认为这是一条山穷水尽的传统教育,是没有前途的,这也是之所以造成中国危机四伏处于国难危局的重要原因之一。陶行知认为,我们要想解除危机挽救中华民族,就要对旧式的传统教育进行革新,从"两条路线"上下功夫来办教育:一是教劳心者劳力,即教读书的人做工;二是教劳力者劳心,即教做工的人读书。陶行知认为只有真正在劳力上劳心才是真的教育,只有用脑的人要用手,用手的人要用脑,才能成为新型人才。陶行知还批判了旧教育制度重劳心不重劳力的思想,他在《中国教育改造》中提出:

在劳力上劳心,是一切发明之母。事事在劳力上劳心,便可得事物之真理……我们必须把人间的劳心者、劳力者、劳心兼劳力者一齐化为在劳力上劳心的人……而我们理想之极乐世界乃有实现之可能。④

除"书呆子""田呆子"之外,陶行知还认为中国存在两种病症:"软手软脚病"和"笨头笨脑病"⑤,与之前论述相类似的是,中国读书人实践能力差而导致呆头呆脑;工人和农民没有知识而导致粗手粗脚。陶行知认为,一个人若想要对社会做出一些贡献的话,必须要两者有机结合起来,缔结"手脑联盟",然后才会有所发

① 〔美〕约翰·杜威.学校与社会·明日之学校[M].赵祥麟,等译.北京:人民教育出版社,2005:244.
② 华中师范学院教育科学研究所.陶行知全集(第二卷)[M].长沙:湖南教育出版社,1985:597.
③ 华中师范学院教育科学研究所.陶行知全集(第二卷)[M].长沙:湖南教育出版社,1985:598.
④ 陶行知.陶行知教育论著选[M].董宝良,主编.北京:人民教育出版社,2015:220.
⑤ 陶行知.陶行知教育论著选[M].董宝良,主编.北京:人民教育出版社,2015:363.

明有所创造。

杜威在这方面也有论述,杜威曾在陶行知大力推荐的《民主主义与教育》中批评传统教育是"培养摆阔懒汉、教师、作家和领袖人物的教育",这种教育与实际生产生活相脱离,与实用教育相抵抗,现时代的教育需要人们更新观念,要重视教育与生产的结合。他在《学校与社会·明日之学校》中说道:"声称机会均等为其理想的民主制度需要一种教育,这种教育把学习和社会应用,观念和实践,工作和对于所做工作的意义的认识,从一开始并且始终如一地结合起来。"①杜威认为传统教育实施的是一种与民主精神完全相违背的教育,这种教育虽然比起完全没有接受过一点知识学习要好一些,但是,人民并没有社会民主意识,所以,这也是他所极力反对和批判的。

2. 对传统学校教育观的批判

不仅在反传统教育观念方面陶行知与杜威存在相似之处,而且在反对传统学校教育方面,也与其师杜威存在着共同点。陶行知认为:"为学校而学校,它的方法必是注重在教训。给教训的是先生,受教训的是学生。改良一下,便成为教学——教学生学。先生教而不做,学生学而不做,有何用处?"②他主张有暇进学校的,尽可进学校;无暇进学校的,在自己家里、店里、厂里及任何集团里创起文化细胞来共谋长进,那种专靠学校来进行教育在中国是很勉强的,且不易做到。即使做到了,也是一种短命教育,没有久远的长进。办教育一定要从广大人民的经济、文化现状着想,不要拘泥于以往的对学校、教育的理解。那种认为学校是唯一的教育场所,如果要想普及教育便非普设学校不可的观点,只是一种守旧的迷信。

陶行知这种思想并非毫无根据,从其师杜威处可以看到其出处。杜威反对传统意义上的学校教育,认为以往的教育只看到生活是琐碎的、狭隘的和粗糙的,主张将各门科目具有极其完备的和复杂意义的内容揭示出来,教给儿童。陶行知深以为然,同样也提出:"学校生活只是社会生活一部分。学校不是道士观、和尚庙,必须与社会生活息息相通。要有化社会的能力,先要情愿社会化。"③杜威认为这样的学校教育是不够的,首先它不能保证多数人得到适当的教育,因为条件

①　〔美〕约翰·杜威.学校与社会·明日之学校[M].赵祥麟,等,译.北京:人民教育出版社,2005:373.

②　华中师范学院教育科学研究所.陶行知全集(第二卷)[M].长沙:湖南教育出版社,1985:712.

③　陶行知.陶行知教育论著选[M].董宝良,主编.北京:人民教育出版社,2015:170.

有限,许多学生还没有接受完全的教育就已经离开了学校,这无论对个人的发展还是社会的发展都是有极大的负面影响的。另外,将学校看作是精英养成所,在这样的学校中实施的是与民主完全无关的"社会宿命论的计划"①,而对于劳动人民只进行初步的读、写、算知识的教育,这样的传统教育违反了民主社会的基本要求,违背了民主精神的基本要求,造成了人与人之间事实上的不平等,因此必须改革传统教育。陶行知和杜威有关学校教育的论述显示了他们极力主张改革传统学校教育的愿望,他们共同认为新的教育必须使教育与生活、学校与社会相联系,只有这样,才能解决传统学校教育的弊病,才能建设民主的社会,使人民民主意识觉醒。

在中国杜威教育学派进行的教育实践中,郭秉文、蒋梦麟、胡适研究视角更多地集中在面向中上层阶级的高等教育、正规学校教育上,在发展中更偏向西方化。陶行知与他们则不同,陶行知立足于人民大众、立足于中国国情,提出了社会大学、大众教育思想。由于他们研究领域的不同、思考角度的不同,产生了多样的观点,甚至有些冲突的地方,但他们都一致认为中国传统教育弊病繁多,必须加以改革。

(二)中西方文化教育的辩证看待

陶行知与其他中国杜威教育学派学者相比,不仅重视西方文明而且重视中国传统文化教育,他以这两点为基础将二者融会贯通,开展了立足于中国教育现实、立足于民族大众的教育实践活动。

1. 反对仪型他国

杜威作为一个美国公民,对美国进步主义、民主和科学教育大加赞扬。杜威极力将适合西方的文化价值观念作为典范传达给中国人,希望中国人仿效,他甚至为中国教育与社会相脱节提出一个美国式的解决方案,希望中国大力发展公立教育。他认为他不是替美国的民治制度、民治教育鼓吹,而是经过一场空前大战争后,深觉得世界上一切非民治制度的大害。杜威看到第一次世界大战带给世界的灾难后,热忱地将美国、西方的思想送给中国,希望中国作为理想追求。

虽然陶行知也认同杜威的一些观点主张,并积极推行杜威有关民主科学思

---

① 〔美〕约翰·杜威.学校与社会·明日之学校[M].赵祥麟,等译.北京:人民教育出版社,2005:373.

想,但他赞赏学习西方文化时,并不认为西方文明优于中国,中国一定要拿西方来作典范。这点他不仅与杜威对西方、对美国教育的赞美截然不同,也与中国杜威教育学派其他人物存在巨大差异。郭秉文、胡适、蒋梦麟等中国杜威教育学派的学者多数时候主张中国应全面学习西方,从根本上加以改革,祛除中国教育之积弊,彻底改变旧式的传统教育。然而,陶行知却另辟蹊径,他试图通过自己的教育实践说明,要想搞好中国教育,必须立足中国国情,不能不加变通地一味学习西方教育。陶行知深信一个国家的教育,无论在制度上、内容上、方法上,都不应常靠着稗贩和因袭,而应准照那国家的精神和需求去谋适合,谋创造。按照这个思路,陶行知创造性地提出了"生活教育"理论和"教学做合一"教学法。陶行知回国之初,即发表文章批评教育界"专事仪型"的不良倾向:

> 吾国办学十余年,形式上虽不无客观,而教育进化之根本方法,则无人过问。故拘于古法,而徒仍旧贯者有之;慕于新奇,而专事仪型者有之。否则思而不学,凭空构想,一知半解,武断从事。即不然,则朝令夕罢,偶尔尝试。[①]

陶行知不仅在思想层面上反对完全西化,也在制度层面上反对"仪型他国"。他批评那些"辄以仪型外国制度为能事"的新人物不问国情,为害非浅。"现在有一班人,开口就说:西方的物质文明比东方好,东方的精神文明比西方高。这句话初听似乎有理,我实在是百索不得其解。"[②]陶行知反对教育制度"仪型他国"与其反对西化思想是一致的。在谈论新学制、制定新学制草案的过程中,教育界出现了一种弊病——囫囵吞枣的一味模仿美国、学习西方,制定的新学制草案缺乏对本国国情的考虑,可以说是美国教育直接照搬在了中国。面对这种情况,许多有识之士表示了不满与抗议。针对新学制草案不问国情,陶行知深有感触,但当时教育界正处在学制改革过程中,学者们对于新学制如何制定看法各不相同,他认为新学制草案,确实是适应现在的需求应运而生的,此次新学制拟定的标准对于社会需要和个人需要两种要素已经考虑得比较周全,但对于生活事业本体上之需要,却无明显之表示[③],虽然在中等教育阶段有些许描述,但因为表述过于模糊而无法具体应用出去。而且仪型外国教育思想、教育制度太过,新学制的制定应当注意结合本国国情,陶行知认为在新学制的制定过程中一定要依据社会、个人所需的能力和社会生活本体所需要的能力来综合考量。

---

① 陶行知.陶行知教育论著选[M].董宝良,主编.北京:人民教育出版社,2015:13.
② 陶行知.陶行知教育论著选[M].董宝良,主编.北京:人民教育出版社,2015:229-230.
③ 陶行知.陶行知教育论著选[M].董宝良,主编.北京:人民教育出版社,2015:94.

陶行知对于中西方文化教育的辩证看待在我们现在看来,或许没有什么特别之处,但如果结合当时的情景:一是当时杜威实用主义教育思想正盛,二是陶行知作为杜威的弟子、中国杜威教育学派成员之一,陶行知能够结合中国国情,开展生活教育实践而提出反对完全效法西方,此种勇气与眼界实属不凡,值得我们学习。

2. 重视传统文化教育精华

陶行知认为传统教育存在很多弊病,比如与人民群众的日常生活相脱节,没有很好地与广大社会发生有机联系,等等。杜威跟陶行知一同抨击中国传统的旧式教育,杜威认为,在中国传统教育中,教育脱离了平民百姓的生活实际,过于书斋化、理智化、缺乏与社会的联系。而那些专长于同社会实际需要极少相关的人文研究的人因为不事生产,与社会脱离,也最终会被社会抛弃。他主张办教育就要办以社会一般人民的需要为基础的教育,以一种实用主义教育代替传统书斋教育,让人人都做工,都与生活相联系,这样就会促进民主在社会的发展。陶行知在他最初开办晓庄师范学校时,考虑到与生活相联系,最好的例子就是,让学生开垦荒地、进行一天体力劳动作为晓庄师范入学考试的一部分。

陶行知认为要坚决祛除传统教育的弊端,然而对于传统教育中的精华也需要认真吸收并加以利用。陶行知认为,中华上下五千年,中国有优秀历史文化传统,"先秦诸子如老子、孔子、庄子、墨子、扬子、荀子等都能凭着自己的经验发表文字,故有独到的议论"[①]。从道家的"真人"说,到墨家的"亲知"说,到儒家的"格物致知""重民思想",到王阳明的"知行合一"、颜元的"经世致用"说等,陶行知都进行了认真的批判吸收。

陶行知在借鉴和批判西方现代教育思想的过程中,也积极对中国传统教育进行反思,吸收了不少有益的文化精髓。他在近二十年的教育实践中,不仅引进了西方的现代教育观和科学的教育理论与方法,也吸取了博大精深的传统文化,并立足于中国国情,创立了中国化的生活教育理论,丰富了中国教育思想的宝库。

3. 借鉴西方文化教育思想

陶行知重视西方文明对中国教育发展的作用。他明确表示中国对于外国输入的真知识是竭诚的欢迎。那种认为"西方的物质文明比东方好,东方的精神文

---

① 华中师范学院教育科学研究所.陶行知全集(第二卷)[M].长沙:湖南教育出版社,1985:88.

明比西方高"的观点是片面的、刻板的。在陶行知眼中,精神文明与物质文明是一体的,他将生活教育作为基点,指出衡量一个国家或学校是否进步文明,要以生活工具为出发点,按这个标准,西方不仅物质文明发达,精神文明也同样发达。因为西方在生活工具方面极为发达,与此相对的是,中国已到绝境。于是,他主张中国要学习西方,千万不要空谈教育,只有教人发明工具、制造工具、运用工具才是真教育、真生活。

陶行知真诚的欢迎国外的先进思想进入中国,他不仅欢迎杜威的实用主义教育理论,与此同时还热忱地宣讲欧美"新教学法"。他在担任中华教育改进社主任干事一职期间,曾与教育界人士一起积极宣传和试验"新教学法"。陶行知十分认可对当时颇有影响的设计教学法和道尔顿制,认为设计教学法是当时"实行活的教育的两个最时髦的法子之一"①,而且是活的教育最不可少的;而道尔顿制是课堂组织最好的教学法。在谈论道尔顿制时,陶行知认为如果我们要学习道尔顿制,应当有充分的准备才能得到最大的益处。因此,陶行知在帕克赫斯特女士来华前将他所了解的有关道尔顿制的论文、书籍整理成报告介绍给广大的教育界同仁。陶行知还曾表示,中国近几年对新制度和新方法的尝试有很多,但成功的却不多,究其原因,是因为试验者首先必须要对试验的制度有透彻的了解,其次还要有掌握试验程序的能力,另外还需要百折不挠的精神和完成试验最低限度的资源条件。陶行知认为,如果这两种教学法能够恰当的实行,将会对中国传统教学改革大有裨益。他针对中国情况,并综合上述教学法的优势加以学习,提出了将教授法改为教学法的主张,得到了南京高等师范学校师生的支持。

4. 辩证看待中西文化教育

在陶行知的文化教育观中,最坚决的即是反对仪型他国、反对传统文化,但他也重视世界新教育运动中先进的教育理念、教育方法,重视传统文化中的积极因素。他既没有同其他中国杜威教育学派的学者一样,完全认同西方的教育理念,主张完全的革新,彻底推翻中国的传统教育,丝毫也不再保留;也没有态度"暧昧"保守的延循旧式的教育模式,或是"点到为止"的改变。陶行知的观念是集中西方的教育精粹于一体,革故鼎新,发展出一条适合中国国情的教育之路,陶行知这种有关中西文化教育的态度是辩证的、是具有批判性的,这种思想放到现今来看也是极为先进的,不得不夸赞他的目光之久远,具有高瞻远瞩式

---

① 华中师范学院教育科学研究所.陶行知全集(第一卷)[M].长沙:湖南教育出版社,1984:553.

的胸怀与谋略。

(1) 反传统教育，但并不反对优秀传统文化

陶行知反对升官教育和超然教育，认为这样的教育专靠文字、书本做唯一无二的工具，其结果是将中国教育弄到山穷水尽，没得路走。但对于中国固有之美德是竭诚地拥护，他在吸收传统的《墨辩》有关亲知、闻知、说知说，以及王阳明的"知是行之始，行是知之成"思想基础上，形成了自己的"行是知之始"的认识论，发扬了中华民族优秀文化。陶行知认为，教育是一种令人快乐的事业，他在"师范生应有之观念"的演讲中讲道："现任教育者，无不视当教员为苦途，以其无名无利也；殊不知其在经济上固甚苦，而实有无限之乐含在其中。"这是陶行知内心的真实呼唤，也是他对中国传统儒家学派创始人孔子思想的继承，孔子弟子三千，一生诲人不倦，达到了"发愤忘食，乐以忘忧，不知老之将至"①的地步。对于陶行知而言，将教育事业作为自己毕生的追求，不可能不是一种正面的典型。陶行知还有感于曾子"吾日三省吾身"的言论，要求师范生也能自省自己为何求学于教育领域，可见陶行知早年的中国传统文化教育的启蒙对他今后探索教育救国之路、民族解放、社会改革都有潜移默化的深远影响。

(2) 反洋化教育，但对外国的真知识竭诚欢迎

一方面，陶行知反对洋化教育，反对办学不顾中国落后贫穷的国情的做法，他认为一味照搬照抄发达国家教育模式、一味办奢侈教育的作风，是不符合中国实际的，从长远来看，也无益于中国教育的发展。另一方面，虽然陶行知反对洋化教育，但是，他反对洋化教育的用意并不是反对外来的知识，他对于外来的真知识是"十二分欢迎"的。陶行知认为泰西学术，实高出吾人之上，何妨借人之长，以济己之短。在美国留学之初，他已经体会到了美国各行业之兴旺富裕、社会之繁荣发达、人民之幸福安康，所以他是真实的渴慕于国外的真知识的。

他自己也在实践中不断借鉴杜威等西方教育家思想创办教育，他提出的"生活即教育""社会即学校""教学做合一"不仅在语序上与杜威的"教育即生活""学校即社会""做中学"相一致，就是在思想上也存在着很大的相关性，这不仅仅体现了陶行知曾师从杜威，接受过西方高等教育的熏陶，更重要的是表明了陶行知擅于在中西文化的精华中吸取营养，丰富自己的思想。所以他才能在前人经验的基础上总结归纳，又立足于中国国情与自己亲身的教育实践，富有创造性和开辟性

---

① 陶行知.陶行知教育论著选[M].董宝良，主编.北京：人民教育出版社，2015：17.

的创立出生活教育理论,这在一定程度上也坚定了他反对洋化教育,欢迎外国真知识的传入。

（3）去与取,只问适不适,不问新与旧

面对西方的文化还有中国的传统文化,陶行知在进行选择吸收时,有自己的原则,那就是无论西方文化还是中国传统文化,陶行知对其总的指导思想是"去与取,只问适不适,不问新与旧"。这是极为辩证的,在现在看来也是极为合适的,比较与其同时代的其他中国杜威教育学派的学者而言,显示出了较为客观的一面。

他在讨论学制草案时,提出要用科学的方法,修正出一个适用的学制。这个科学方法就是对于"外国的经验,如有适用的,采取他;如有不适用的,就回避他。本国以前的经验,如有适用的,就保存他;如不适用,就除掉他。去与取,只问适不适,不问新和旧"。而适合的标准就是看是否"适合国情,适合个性,适合事业学问需求"①。陶行知反洋化、反传统,最终目的就是要建立适合我们自己的教育理论与实践,不要直接照搬西方教育的经验,不可类似于"抄袭"式的拿来放置于中国的教育,勿以西方教育、古代教育代替我们目前的教育。直接照搬过来的东西,不一定适合中国的国情。对于西方的经验,我们要加以辨别的学习与汲取,决不可舍己从人,轻于吸收。陶行知"去与取,只问适不适"的做法是客观的,是科学的,必然也是有利于中国教育长远发展的。

综上所述,以上三条原则是陶行知处理中西文化教育的基本观点,简而言之就是："用批评态度,介绍外国文化,整理本国文化"②。多年来,陶行知在从事教育实践活动中都遵循这一原则。陶行知指出若干年来,中国教育为之努力的就是根据中西文化教育观,建立适合于当今中国的教育理论和实践,这是中国教育可以为之努力的前进方向。陶行知十分重视西方以及中国传统的优秀文化成果,但是,更为重要的是,他认为办教育一定要走适合自己国情的道路,不能办与民众生活无关的"老八股""洋八股"。他坚持要在中国土壤上产生适合中国向前发展的教育,建立新的适应农民生活需要而来的教育理论与方法。③ 事实上,他也是这么做的。陶行知创造性地提出了生活教育理论,他的生活教育就是扎根于中华大地,植根于中国的特殊国情,因此,与其他学说相比生活教育理论彰显出独有的

---

① 华中师范学院教育科学研究所.陶行知全集(第一卷)[M].长沙：湖南教育出版社,1984：190.
② 华中师范学院教育科学研究所.陶行知全集(第一卷)[M].长沙：湖南教育出版社,1984：557.
③ 华中师范学院教育科学研究所.陶行知全集(第二卷)[M].长沙：湖南教育出版社,1985：27.

强大生命力。

（三）秉持教育救国论

陶行知早在南京金陵大学求学时，就试图探索国家发展的出路，面对满目疮痍的中华大地，青年陶行知的心中是痛苦的，他想要做些什么，却又感到深深的无力。后来负笈游美，他看到美国社会如此发达，教育如此先进，人民文化素质如此之高，各行各业如此之兴旺，思索到底是什么让美国发达而中国却破败不堪，这一切使他产生了教育救国的想法。陶行知留美归国后一直到创办晓庄师范学校再到晓庄师范被封前，一直行走在用教育挽救中国的路途上，他与中国杜威教育学派其他学者——胡适、郭秉文、蒋梦麟等人一样，秉持"教育救国"思想，其间陶行知虽然有新的有关教育理论、教育实践的探索，但是，都没有走出"教育救国"的圈子，他始终坚信教育能够给这个奄奄一息的国家带来生的希望，所以他内心是坚定的、是充满希望的，于是行动上也是积极的、充满干劲的。

但是，令陶行知没有想到的是，陶行知一心为改变中国破败局面而进行的教育实践的心血——晓庄师范学校被封了。当晓庄师范学校被查封后，特别是"九一八""一二·九"运动以后一段时间内，陶行知开始反思究竟是哪个环节出现了问题。我们相信，此时的他内心一定是极其痛苦的，"教育救国"的希望破灭了，但是作为一个有血有肉的中国人，作为一个对祖国饱含深情的有志青年，作为一个心怀中国命运的满腹才情的学者，陶行知是不会看着泱泱中华沦为别人手中的鱼肉的。所以，当中国杜威教育学派其他人还在继续强调"教育救国""学术救国"，反对学生运动时，陶行知并没有停下他探索救国之路的脚步，而是他的"教育救国"思想发生了转变。他开始由"教育救国"逐渐转变为"革命救国"，他之所以会发生这种思想的转变，是因为陶行知已深刻认识到单靠教育是救不了国的，他提出："中国已到生死关头，我们要认识只有民族解放的实际行动，才是救国的教育，为读书而读书，为教书而教书，乃是亡国的教育。"[①]但这时的陶行知只是做出了念头的转变，在行动上并没有完全放弃长期坚持的"教育救国"主张。

在同情革命、赞赏革命的同时，他依然将民族国家发展的希望放到教育改造上，中国的国难不是少数人可以挽救，我们必须教育大众共同抵抗，中国才能起死

---

① 华中师范学院教育科学研究所. 陶行知全集（第三卷）[M]. 长沙：湖南教育出版社，1985：10.

回生。[①] 面对中华民族有史以来最严重的亡国的危机,陶行知发出最深沉的呼喊,他希望可以通过教育的手段唤醒民众,让全民族大众一起团结起来,共同抵抗危机,一起挽救中华民族于水深火热之中。从晓庄师范被封到抗日战争爆发前,陶行知秉持教育救国的信念而进行了一系列的教育实践,先后开展了普及教育、国难教育、战时教育、全面教育等运动,为挽救国家危机而努力。

从抗日战争到解放战争期间,陶行知的思想又发生了一些转变,在他心中革命的成分逐渐加深。不仅仅是因为马克思主义影响的范围和深度愈来愈深远,也由于其对蒋介石政府的日益不满。"我们的抗战是全面抗战,我们的教育也跟着全面抗战的开展而成为全面教育……我们不能坐视中华民族的妈妈病死,必定要起来服侍她。"[②]当中国杜威教育学派其他人正醉心美国的帮助,为国民党文化教育事业服务,被表面的现象所蒙蔽之时,陶行知却能够保持清醒,对美国的做法产生了质疑,表达了自己的看法。1945 年他在给杜威的信中指出希望杜威能一如既往支持中国的民主事业,号召美国人民不做有害于中国民主的事,他提出自己正站在这样的岗位,推动民主教育,以帮助民主的实现。[③]

不难看出,陶行知的言论与杜威以及中国杜威教育学派学者思想的不同之处。但因陶行知一生从事教育,对教育怀有深厚的感情,所以陶行知"教育救国"观念并未完全消失,他依然将精力投入到教育中,希望通过教育改变中国社会贫穷落后的面貌。陶行知虽然仍重视教育作用,但已不再如前期那样认为教育是万能的,将满心的希望都寄托于教育之上,而是转变了思路,强调应该如何发挥教育作用去解决实际问题。

陶行知一直在"教育救国"之路上辛勤探索,基于"教育救国"思想开展的教育实践活动非常丰富。他的"教育救国"思想如下。

1. 教育为立国之根本

陶行知重视教育的作用,他将挽救国家的危亡以及进行国家建设的重任放到教育上,认为教育能"救国"并能"造国",一个国家教育能造"文化",也能"造人";能"造人",则能"造国"。陶行知认为教育是一个国家发展最有可为之事,我们要想摆脱亡国灭种的危机,就要从教育上面下功夫,认认真真地做教育。根据陶行

---

①　华中师范学院教育科学研究所.陶行知全集(第三卷)[M].长沙:湖南教育出版社,1985:10.

②　陶行知.陶行知教育论著选[M].董宝良,主编.北京:人民教育出版社,2015:492-494.

③　华中师范学院教育科学研究所.陶行知全集(第三卷)[M].长沙:湖南教育出版社,1985:930-934.

知的所见所闻以及留美的亲身经历,他认为,欧美民主国家之所以发达的主要原因就是教育发展得好。他在《师范教育之新趋势》中开篇即提"教育是立国的根本",认为当时中国具有国民资格的人很少,我们要大力发展教育,提高国民的素质,因此对于中华民国来说,教育显得更为重要。

在国难教育时期,中华民族陷入了从未有过的绝境,全中国上下都在挣扎,迫在眉睫地需要奋起反抗的力量带领我们走出困境,走出敌人为我们设置的牢笼。陶行知在此时提出了通过教育唤醒民众,使民众团结起来的口号,呼吁:"我们站在教育的立场上,我们应当把教育的力量来建设新中国,我们的使命是要唤醒民众使民众团结起来!……所以我们可以说,现在国民革命还没有成功,因为中华的民众还不能自己团结起来。现在我们只有努力教育,用教育的力量来建设新中华!"[①]"我们要下一个决心,用教育的力量使民众团结起来,叫日本人回到日本去。我们晓庄学校的理想,是要用教育的力量来叫日本人自己回到日本去,是要用教育的力量来建设新中华民国!"[②]陶行知在面对中华民族的深重危机的时候,显示出一个中国知识分子的不屈不挠的斗志,用教育的力量来唤醒民众,使人民大众团结起来奋起反抗。只有这样,古老的中国才有一线生机,才有可能从敌人的铁蹄之中得以保全。

1932年,民族危机加深,中华民族陷入了前所未有的危亡之中,为了应对当前的国难,陶行知提出了国难教育。认为想要救中华民族于水深火热还是主要依靠教育来完成。"我们现在要解除国难,先要有力量,因为我们力量不充分,所以才不能对付国难。因此,我们要对付国难,就必须以教育为手段,使我们的力量起了变化,把不能对付国难的力量,变成能够对付国难的力量,这才能达到目的。"[③]因为陶行知从事教育事业,对教育怀有深厚的感情,对教育事业有天然的信心,所以,陶行知希望通过教育使我们的物质变得丰富、精神变得强大,从而使我们有足够大的力量夺取抗日战争的胜利。甚至到1939年,他依然坚定信念,认为教育是具有强大力量的,生活教育理论是有巨大作用的。例如,义勇军之母赵宏文国老太太及台儿庄的小孩唱歌感化小汉奸为小战士的事实就是最好的证明。

陶行知将教育视为打倒日本帝国主义、复兴中华民族的伟大力量。这是他一

---

① 　陶行知.陶行知教育论著选[M].董宝良,主编.北京:人民教育出版社,2015:251.

② 　陶行知.陶行知教育论著选[M].董宝良,主编.北京:人民教育出版社,2015:252.

③ 　陶行知.陶行知教育论著选[M].董宝良,主编.北京:人民教育出版社,2015:357.

贯秉持的观点。不过在经过种种事情的洗礼以及现实形势的发展,陶行知的思想观念转变了很多,他已不再如前期那样高谈教育救国。陶行知主张将抗战救国放到首要位置,指出教育要在这基础上发挥力量并且增加力量。这时,他的思想中的革命性达到了前所未有的高度。这也在侧面体现了他的思想观念的先进性和科学性。他在《育才学校教育纲要草案》中指出,育才学校的教育,是抗战与建国统一的教育。陶行知在之后开展的民主教育、全民教育等教育实践活动中,将注意力转到如何发展教育以促进中国社会发展方面,基本不再谈教育救国、教育为救国之根本。因为他也意识到了,单单只靠教育一项措施来挽救整个国家是行不通的,必须要有政治的、经济的、社会的因素在其中形成合力,方可奏效。教育可以作为一股重要的中坚力量来教化人民,形成良好的社会风气,引领社会风潮,使人民团结起来一心向上走,从而建设物质资源丰饶、精神境界较高的社会。所以,在陶行知教育生涯后期他提出了抗战建国、政治教育等主张。陶行知后期的教育活动,已经与前期的教育实践活动有了很大的不同,与其师杜威的教育思想也有了很大的差异。

在建设新中华时期,陶行知也对教育如何发挥出它应有的作用做了具体论述。他列举了中国社会面临的政治问题、经济问题,在此之后,他又指出,中国是农业文明国,中国之所以遭受帝国主义各国的侵略,是由于它是一个"纯粹的""一切静止的""落后的"农业社会;但由于国民革命在军事上的紧张,农民大众运动蓬勃发展起来,城市"大众"运动也不断发展起来,中国又是"向工业文明前进"的农业社会。[①] 在这种情况下国家出现了很多问题,解决这些问题,只有通过几种教育努力才可实现:一是教人少生小孩子,二是教人创造富的社会,三是教人建立平等互助的世界。只有这样,中国才有出路,才会强大。[②] 这一切可以看出陶行知一生从事教育,对教育怀有深厚的感情,希望可以通过自己从事的事业来帮助这个积贫积弱的国家,走出困境,变得富强起来。不得不说,陶行知的初心是好的,是每一个知识分子、每一个青年、每一个中国人值得学习的。

陶行知一生都奉献于教育事业,企图通过教育的力量来唤醒民众、教化人民,从而使得中国的社会面貌发生改头换面的新变化。可以这样说,陶行知甚至比杜威更重视教育在改变社会风貌中发生的作用,因为那时的中华民族比任

---

① 华中师范学院教育科学研究所.陶行知全集(第二卷)[M].长沙:湖南教育出版社,1985:247.

② 华中师范学院教育科学研究所.陶行知全集(第二卷)[M].长沙:湖南教育出版社,1985:285-286.

何一个时候都更需要教育带来的正面的积极影响。杜威曾认为"学校是社会进步和改革的最基本的和最有效的工具"①"公立学校创始于自由民主精神的觉醒。越来越多的人意识到,科学是如此迅速地改变了所有的社会和工业状况"②,欲国之强,非注重教育不可。陶行知也认同杜威先生的观点,除此之外,他还认为坚持社会的进步是由教育推动经济而发展的。陶行知将教育的力量看作第一位的,比起社会进步、经济发展,他将教育作为更先行性的因素,认为其发挥着推动二者发展的重要力量。在其一生的教育生涯中,始终秉持这样一个观点——教育对社会进步起到的作用是其他因素无法比拟的,教育在社会发展中起到的作用是不可替代的。

不难发现,在他的教育生涯前期,陶行知是一名彻底的教育救国论者;在他的教育生涯后期,虽然不再明确表示"教育救国",但他仍旧十分重视教育在社会发展中的重要作用。而且,在此期间,陶行知根据时局的变换以及不同的社会发展阶段提出不同的教育思想。这种做法与其他中国杜威教育学派的学者有很大的区别,他不像郭秉文、胡适、蒋梦麟等人一样,一直潜心追随杜威,也不像他们一样,一直一味信奉教育救国理念、服务于国民党教育。

2. 大众教育为教育救国之基础

陶行知认为,在当前这种濒临亡国的绝境之下,单单依靠少部分人的力量,即小众的力量,是再也无法解决问题的。必须团结起来全中华民族的力量,团结起来每一个人的力量,使大众承担起救国的责任来,唯有如此,中国才可以得救。那么,大众教育是什么呢? 简单的概括来说,大众教育就是人民大众自己的教育;大众教育就是人民大众自己办的教育;大众教育就是为人民大众谋福利除痛苦的教育。大众教育不是简简单单的以教育的数量多就可以称之为大众教育的,大众教育最核心的要点是教大众觉醒。

陶行知将大众教育作为教育救国的基础性工程,他深以为大众教育水平如何将会决定国家发展的方向所在。大众教育若办得好,中华民族尚可以有挽救的余地;大众教育若办得不好,那么中华民族,危矣。他曾经在《教育研究方法》中明确表示过:

① 〔美〕约翰·杜威.学校与社会·明日之学校[M].赵祥麟,等译.北京:人民教育出版社,2005:15.

② 〔美〕约翰·杜威.学校与社会·明日之学校[M].赵祥麟,等译.北京:人民教育出版社,2005:299.

苟无多数健全之公民,利害洞彻,时势明了,取鉴先觉,各尽其职,则有倡无和,事卒不举。故人才教育以外,又当以普通教育为根本,以造成健全之公民。①

大众教育应该怎样办呢? 根据当年教育部统计,中国有二万万失学成人、七千万失学儿童。面对如此庞大的数字,如果想要将他们纳入大众教育的对象,教育部所能够承担的教育经费肯定是不足的,甚至可以说是捉襟见肘。而且,当时的政府也必定不会将这样一笔巨大的经费投入到教育事业中。陶行知认为,虽然情况不尽如人意,但我们不可以不采取行动,毕竟时不我待,中华民族正在遭受有史以来最严重的危局,我们可以采取以下几个办法来解决教育资金不足的问题。一是"社会即学校"的方法。大众教育用不着花几百万几千万来建造武汉大学那皇宫一般的校舍,工厂、农村、店铺、家庭等等都可以成为大众教育的学校,客堂、厕所、亭子间等等都可以成为大众教育的课堂,即大众教育的场所不必固定,所有的一切地方都可以开展大众教育,因为社会就是最好的学校。二是"即知即传"的方法。"得到真理的人便负有传授真理的义务。不肯教人的人不配受教育。"②陶行知认为,掌握知识的人负有传播知识的责任,先进的知识分子自然是不必说,要行走在推动大众教育的最前列,但是,我们都是学生,都是同学,掌握了知识的大人和儿童也可以成为推动大众教育前进的力量,成为"先生""小先生",传递知识,粉碎知识私有。三是"拼音新文字"的方法。陶行知认为,拼音新文字具有极易被掌握的特点,是属于大众的拼音和文字。有了新文字,我们可以使民众快速地掌握一种学习的工具,短时间内就可以看到成效,使大众教育快速的推广开来。除此之外,新文字还有一个特点,那就是所需投入的教育经费少,不用等待慈善家的赈济。通过这样的方法,我们便可以引导大众组织起来争取更多中国大众的解放,让人民群众自己教育自己,自己解放自己,这便是中华民族需要的大众教育。

陶行知的大众教育设想是极好的,而且他的这一思想并非空穴来风,而是与杜威有着一致性。杜威曾经提到过:"教育如架屋,政府如楔顶,国民如基础,必须基础坚固,房屋才能巩固。"③社会只有致力于构成它的所有成员的圆满生长,才能尽自身的职责于万一。若要国家富强、社会发展、人民幸福,必须要普及教

---

① 华中师范学院教育科学研究所.陶行知全集(第一卷)[M].长沙:湖南教育出版社,1984:65.
② 陶行知.陶行知教育论著选[M].董宝良,主编.北京:人民教育出版社,2015:453.
③ 袁刚,孙家祥,任丙强.民治主义与现代社会:杜威在华讲演集[M].北京:北京大学出版社,2004:396.

育,人人有平等的接受教育的权利。无论是任何一个国家,大国也好小国也罢,最大的资源是它的国民。杜威对比了美国的芝加哥与中国的福建,研究认为芝加哥与福建在一些方面存在很大的相似性,但是,芝加哥却在语言、思想、习惯、宗教等方面比福建更为统一。究其背后原因,杜威认为是在美国,国民教育更为普及,国民于学校中接受教育、于学校中统一思想。他认为"他国过去之事,可谓中国借鉴者,唯有普及教育一事"①,中国如果能普及大众的教育,能够解决普通大众受教育的问题,那么,中国教育的种种问题,也都可以得到妥善解决。

从上述陶行知与杜威的言论中,我们不难看出,他们师生二人都对发展大众教育、普及教育怀有相当大的热忱。从一方面看,这可以说是他们师生二人一种不约而同的默契;从另一方面看,这也是陶行知与杜威思想颇有渊源的联系之处。

3. 平民教育为教育救国之方法

在中国传统的教育思想中,精英主义教育长期以来占据着重要的地位,所以,在人们的脑海中总是天然地将它与特权阶级联系起来,认为它是为少数有钱、有闲阶级服务的教育。在陶行知看来,精英主义教育只能照顾到极少数的人,没有照顾到广大的劳动人民。然而国家的发展不能只依靠精英,国家的繁荣富强离不开广大的劳动人民。虽然陶行知本人接受的是精英主义教育,但他幼年时期家境贫寒,间断性的受教于私塾,中学以后入教会学校读书,所以他能够深刻地体会到下层人民群众生活的艰辛。后期陶行知受教于金陵大学,毕业后又赴美留学,在他身上能够看到一些精英主义教育的影子。陶行知虽然接受过精英主义教育,但是,他并没有忘记自己出身于何处,并未将过多精力投入到精英教育的研究,而是将目光投向平民主义教育,反思精英主义教育的不足之处。陶行知认为,中国的繁荣富强不能只依靠精英,中国复兴的希望在于80%的平民阶层,只有他们也接受教育,中国才有可能复兴。所以,陶行知与中国杜威教育学派其他学者一起,积极的宣传和实践当时流行于各国的杜威式平民教育、民主教育思想。杜威来华前,陶行知积极奔走,致力于宣传杜威的教育学说,他将杜威平民主义的教育看作是紧要的。杜威访华及之后的一两年内,他也没有停止步伐,继续追随杜威脚步,一直致力于推行平民主义教育。

---

① 袁刚,孙家祥,任丙强.民治主义与现代社会:杜威在华讲演集[M].北京:北京大学出版社,2004:401.

陶行知开展了轰轰烈烈的平民主义教育,他积极宣讲、四处奔走,不知疲倦地踏遍了全国十几个省市,开展了广阔的"教育救国"实践活动。陶行知认为现在推行的平民教育是未来普及教育的先声。教育无论对国家还是个人来说,都有莫大的便利。因此,自平民教育开办以来,"各地推行平民教育的时候,军、政、警、绅、工、商、学、宗教各界无不通力合作"[①],平民教育不但各界配合,而且各个地方也都是配合的。广东、云南、湖南、东三省、四川以及其他各省区都协力进行,陶行知对于这种好现象是十分欣喜的,他认为只要我们同心同德,虽然目前政治尚不统一,但统一的教育可以促成统一的国家。[②] 自从开展平民主义教育以来,陶行知使成千上百万的民众受到了识字教育。他开办平民读书处来组织不识字的平民百姓进行识字,这种做法是非常适合中国社会的现实需要的。他将开展平民教育比作给人吃饭,举例说道:给人吃饭有两种方法,一种是"开饭馆""来饭馆吃饭",这是开办平民学校的方法;一种是"设厨房""弄家常便饭",这是开办平民读书处的方法。陶行知说道:"社会上顶多十人中有一人可上饭馆吃饭,顶少是有几人要在家里吃家常便饭的。所以要想平民教育普及,就要兼办平民学校和平民读书处。"[③]

从上述陶行知的话语中不难看出,他对平民教育给予了很大的希望,他希望可以通过平民教育给民众带来实际的知识、带来生活上的便利,可以给国家带来生气、带来社会力量的增长。而且,陶行知对于平民教育开展的情况也是感到十分欣慰的。他将教育救国的抱负施展到平民教育中来,希望人人读书,人人明理,陶行知也将这一目标作为今后开展工作的前进方向。

4. 乡村教育为教育救国之重点

上述我们提到了平民教育,在陶行知实施的平民教育中,他所面向的教育对象主要是城市平民。在平民教育失败后,陶行知痛定思痛,进行了深刻反思,重新转换了思路。1925年后,陶行知将目光由城市转向农村,他认为只有将教育救国的重心放在乡村,才可以达到理想中的效果。对于陶行知来说,这是他区别于其师杜威的一点,也可以说是他对杜威教育思想的发展。纵览在此之前的教育实践,无论在美国还是在中国,杜威教育思想的主要目标都是在城市大众。中国杜威教育学派的其他学者如胡适、蒋梦麟等也是将目光更多集中到城市大众,从未

---

① 陶行知.陶行知教育论著选[M].董宝良,主编.北京:人民教育出版社,2015:147.
② 陶行知.陶行知教育论著选[M].董宝良,主编.北京:人民教育出版社,2015:149.
③ 华中师范学院教育科学研究所.陶行知全集(第一卷)[M].长沙:湖南教育出版社,1984:491.

思考过乡村教育的问题,陶行知却基于中华民族的国情考量,创新性地提出了乡村教育,这也是陶行知灵活的继承杜威思想的精华而又区别于杜威的独特之处。陶行知在一次演讲中动情地说道:"全国有三万万四千万的人民住在乡村里,所以乡村教育是远东一种伟大之现象。"①乡村教育关乎中国民众数以亿计,在全球来看,也占据了世界人口的五分之一。所以,中国乡村教育值得我们关注,我们也要切实办好乡村教育。

平民教育失败后,陶行知将教育的受众由城市转移到乡村,转而在贫穷落后的中国乡村实施杜威的实用主义教育思想。他认为,乡村教育才应该是国家教育发展的重点。陶行知认为现在中国的乡村学校不能很好地适应乡村的需要、不能很好地适应农民的需要,所以对乡村教育的改革势在必行。他指出中华教育改进社成立三年以来,对于乡村教育素所注意,近来更觉得这件事是立国的根本大计。②为此陶行知以晓庄师范学校为中心开始了农村教育改造试验,并将试验成果推广到全国广大农村,形成了遍及全国的乡村教育救国运动。陶行知希望各省各县都能开展乡村教育运动,他深信通过乡村教育能使全国上下焕然一新,能够使乡村重新焕发出新的生机,从而使中华民族焕发出新的生机。

毛泽东在谈到湖南农民文化运动时曾给予这一教育活动好评:

农村里地主势力一倒,农民的文化运动便开始了。试看农民一向痛恶学校,如今却在努力办夜学校。……如今他们却大办其夜校,名之曰农民学校。……他们非常热心办这种学校,认为这样的学校才是他们自己的。……农民运动发展的结果,农民的文化程度迅速地提高了。不久的时间内,全省当有几万所学校在乡村中涌现出来,不若知识阶级和所谓"教育家者流",空唤"普及教育",唤来唤去还是一句废话。③

我们可以从毛泽东对农民教育的评论中看出,毛主席是十分赞赏乡村教育的。评论中虽然没有明确指出陶行知贡献,但从侧面反映出对陶行知领导的乡村教育给予了很大的肯定。指明了陶行知创办的乡村学校是因时因国情而办的,他的乡村教育与别的教育不同,他从不空唤普及教育口号,却实实在在的达到了让农民办属于自己的教育、提高农民文化程度的效果,说明了陶行知的乡村教育是符合国情的、是有生命力的,还说明了乡村教育在当时的中国是走得通的。

---

① 陶行知.陶行知教育论著选[M].董宝良,主编.北京:人民教育出版社,2015:205.
② 华中师范学院教育科学研究所.陶行知全集(第一卷)[M].长沙:湖南教育出版社,1984:670.
③ 毛泽东.毛泽东选集[M].中共中央毛泽东选集出版委员会,编.北京:人民出版社,1976:39-40.

5. 科学教育为教育救国之良策

陶行知在平民教育失败、乡村教育受阻后的一段时间里，重新思索教育的出路，国家的未来。此时陶行知内心一定是极其痛苦的，经过一次又一次尝试，同时也经历了一次又一次失败，内心的希望燃起又破灭，几度波折之后，他痛定思痛，经过慎重思考，又将目光转到科学教育救国方面，将科学教育视为教育救国之良策。虽然直到此时陶行知才正式提出科学教育救国思想，但其萌芽却从早期接触杜威的著作以及杜威在华演讲时就已悄然产生。

杜威曾提出科学的发展确实为我们增加了有关教育的知识资本，但更为重要的是，"科学进步以后使我们有新的诚实，有研究事实的方法和信仰，知道人的智慧，有找出真理，解决天然界事实种种困难的能力，对于事实只是老实说出，这么样就是这么样，然后去找出真理，去想解决纠正的方法，不是弥缝过去就算了"①。陶行知认同杜威的思想，他和杜威一样也认为试验主义是解决问题的一种高度普遍化了的方法论，并且认为科学成果导致物质和精神进步，因此他重视科学教育对国家的作用，在此后开展了一系列有关科学教育的教育实践活动。

当在日本流亡看到科学教育对日本发展的促进作用时，陶行知深有感触，也将中国的发展寄希望于"教育救国""科学救国"。1931 年他从日本回来，一边从事于科学教育书籍的编撰，一边创办"自然学园"，一边推行"科学下嫁"。他认为当时中国教育的通病是"教用脑的人不用手，不教用手的人用脑"②，结果自是可想而知，整个社会发展处于无力状态。陶行知在此时提出了"手脑联盟"，"脑筋与手联合起来，才可产生力量，把'弱'与'愚'都可去掉"③。陶行知认为科学的教育会使我们现在贫穷落后的中国焕然一新，变成理想中的富强兴旺的国家。

陶行知将救国的希望寄托于科学教育，在 1931 年、1932 年陶行知进行了很多丰富的有关科学教育的实践活动。他秉持这样一个观点：科学教育必须在儿童身上下功夫培植，我们要在儿童身上下功夫。只有有了接受过科学教育的儿童，才会产生科学的中国和科学的中华民族。在国难当头之际，他愈益觉得立国根本之教育，更有从速举办的必要。为此陶行知积极编撰"儿童科学丛书"百种并阐述，希望通过科学教育这条路为中华民族发展找到良策。在他给庄泽宣（早年

① 袁刚,孙家祥,任丙强.民治主义与现代社会：杜威在华讲演集[M].北京：北京大学出版社,2004：448.
② 华中师范学院教育科学研究所.陶行知全集（第二卷）[M].长沙：湖南教育出版社,1985：300.
③ 陶行知.陶行知教育论著选[M].董宝良,主编.北京：人民教育出版社,2015：366.

留学美国哥伦比亚大学,时任广州中山大学教授及该校教育研究室主任)的信中提到:"几年以来,我们觉得要救中华民族,必须民族具备科学的本领,成为科学的民族,才能适应现代生活,而生存于现代世界。科学要从小教起……有了科学的儿童,自然会产生科学的中国和科学的中华民族……我们在这次国难当中察出,愈觉科学教育之重要。所以我们今后教育方针,准备瞄准向着这条路线上前进,为中华民族去找新生命。"①

陶行知提出的通过教育使"科学大众化"的思想本意在拯救中国的贫穷落后,但是因为中国社会状况不断恶化,人民急需解决眼前的温饱生存问题,陶行知提出的教育救国、科学教育思想与人民的需求有很大的距离。当时科学教育不仅解决不了中国农工大众的生活问题,更不可能挽救中国。他的科学教育救国思想只能在少部分城市实现,要在广大农村普及几乎是不可能的。因此尽管强调科学,强调教育,与生活教育理论相比,陶行知并没有发展他的科学教育救国思想,其科学教育观点与杜威基本一致。

6. 师范教育为教育救国之紧要

陶行知认为教育为国家之根本,国家前途的盛衰,都在师范教育,在教师手中,师范学校则负有培养改造国民的大责任,因此,他将师范教育视为教育救国之紧要。他曾说"师范教育可以兴邦,也可以促国之亡",他还说过:

教育能养成共和国之要素。共和国有二大要素:一须有正当领袖,一须有认识正当领袖之国民……故又必须养成能认识正当领袖之国民,领袖正当则从之,领袖不正当则去之。由是正当领袖之势力日张,而不正当领袖之势力日魇。所以教育能巩固共和之基础也。②

陶行知尤其注重师范教育,将教师视为决定国家兴亡的关键,这种观点虽然过于偏激,但其对师范教育的强调、期望通过教育培养人才增进国家的力量才是他所强调的重点。而且,唯有对师范教育如此强调,才可以使教育立足于中国,所以,他开展了一系列有关师范教育的实践活动。陶行知感慨于现行师范教育的缺憾以及各种行业施行"艺友制"之实效,决定在南京六校招收艺友。他在《艺友制师范教育答客问——关于南京六校招收艺友之解释》中说道:"师范教育的功用是培养教师……学做教师有两种途径:一是从师,二是访友。跟朋友操练,比从

---

① 陶行知.陶行知教育论著选[M].董宝良,主编.北京:人民教育出版社,2015:351.
② 陶行知.陶行知教育论著选[M].董宝良,主编.北京:人民教育出版社,2015:16.

师来得格外自然,格外有效力。所以要想做好教师,最好是和好教师做朋友。凡用朋友之道教人学做教师,便是艺友制师范教育。"①陶行知又提出了"艺友制"的根本方法是教学做合一,而且,只有"艺友制"才真正做到了彻底的教学做合一。"事怎样做便怎样学,怎样学便怎样教。教的法子根据学的法子,学的法子根据做的法子。先行先知的在做上教,后行后知的在做上学。"②陶行知还要求中国师范教育要"依据做学教合一的原则,实地训练有特殊兴味才干的人,使他们可以按着学生能力需要,指导学生享受环境之所有并应济环境之所需"③。在这个定义中实际包含三大内容:师范学校的工作;中学学校的工作;儿童的生活。陶行知要求这三者必须有机结合、融会贯通,才能建设出适宜的中国师范教育。

在杜威看来,教师的作用更多地是起到教学辅助,除此之外,并没有过多其他用途,所以在美国时,杜威谈论师范教育以及教师的文章并不多。其思想的转变发生在访华后,杜威在中国的所见所闻影响了他之前的想法,来华后他多次发表讲话谈及师范教育以及教师问题。如他在南通讲演时提到,教师肩负着巨大的社会责任,因为教育是改造社会的工具,教师掌握着教育的利器,今日的学校,就是他日的社会,所以教师要承担起应有的责任。陶行知也与杜威的思想有吻合之处,陶行知在归国不久即责问"教育保国究竟是谁的责任?"他认为"要晓得国家有一块未开化的土地,有一个未受教育的人民,都是由于我们没尽到责任"④,陶行知认为身为教育者,或者是培养教师的师范学校,他们都负担着保卫国家、建设国家的责任。因此,陶行知特别重视教师的作用,认为教师在教育中起着十分重要的作用,将师范教育作为教育救国之紧要。陶行知将师范教育看的如此之重要,他自然也以身作则,一生奉献给教育事业,秉持着教育救国观念,积极投身于民族解放、社会改革和人民教育。他是中国进步知识分子的楷模,是教育界不朽的丰碑,毛泽东称赞他为"伟大的人民教育家",宋庆龄称赞他为"万世师表",他的精神值得我辈师范后人永远铭记、学习。

(四) 提倡民主科学教育

杜威在"民主的教育"这个话题上总结了两大变化使人类生活和思维习惯发

---

① 陶行知.陶行知教育论著选[M].董宝良,主编.北京:人民教育出版社,2015:223.
② 陶行知.陶行知教育论著选[M].董宝良,主编.北京:人民教育出版社,2015:224.
③ 陶行知.陶行知教育论著选[M].董宝良,主编.北京:人民教育出版社,2015:181.
④ 华中师范学院教育科学研究所.陶行知全集(第一卷)[M].长沙:湖南教育出版社,1984:114.

生了改变,其中之一即"民主思想的发展",另一个则是"通过科学发现所带来的变化"①,陶行知吸收了杜威思想中的精华。

1. 平民主义教育思想及实践

随着杜威访华与新文化运动轰轰烈烈的开展,平民教育成为"五四"运动期间最具代表性的教育思潮之一。恰逢其时,陶行知认同并继承了其师杜威的思想,于 1920—1923 年与晏阳初、朱其慧等人一起开展了一系列平民教育实践活动。

杜威在《学校与社会·明日之学校》中曾指出民主主义教育"致力于抛弃那种只适合于小部分人和专门阶级的课程,而朝向一种将真正地代表一个民主社会的需要和条件的课程"②。在陶行知开展平民教育活动过程中,始终坚持以杜威民主主义教育思想为总指导,陶行知等开展平民教育运动之初,也是要全社会尊重平民受教育的权利,无论什么样的人都有受教育的权利,平民教育最初就包括了大中小学在内的全部教育。起初,陶行知采取了一些暂时性的措施,如夏季大规模的扫除成年文盲的运动,不久他开始去各地旅行,在全国范围内推行平民教育,仅在 1923 年到 1924 年不足一年的时间内平民教育运动便普及了 20 个省和自治区。③ 只是后来因为中国没受教育的成人太多,他们才将力量放到社会教育,并逐渐将平民教育演变为中国最早的成人教育、扫盲教育。但无论怎样变,其关于平民教育的概念、宗旨等理论思想以及平民教育活动的具体实施方法等都没有背离杜威的平民主义教育思想。

(1) 平民教育的观念

陶行知认为:"平民教育就是要叫种种人受平民化,一方面我们要打通贫贱、富贵等层层叠叠的横阶级,如贫富、贵贱、老爷小的、太太丫头等等,素来是不通声气的,我们要把他们沟通,又一方面我们要把深沟坚垒的纵阶级打通。"④总体说来,陶行知十分看重平民教育,认为平民教育就是要破除贫富差距悬殊的状况,打破各省、各行各业以及男女受教育的疆界,想要以此来达到改革传统教育给人带来的思想上的桎梏,以此来挽回国家的厄运。杜威在来华的演讲中,特别提到民主教育意味着教育的平民化和平等化,与弟子陶行知的观念不谋而合。杜威指

---

① 〔美〕约翰·杜威.学校与社会·明日之学校[M].赵祥麟,等译.北京:人民教育出版社,2005:368.

② 〔美〕约翰·杜威.学校与社会·明日之学校[M].赵祥麟,等译.北京:人民教育出版社,2005:359.

③ 华中师范学院教育科学研究所.陶行知全集(第一卷)[M].长沙:湖南教育出版社,1984:489.

④ 华中师范学院教育科学研究所.陶行知全集(第五卷)[M].长沙:湖南教育出版社,1985:55.

明,平民主义的教育,"就是我们必须把教育事业,为全体人民着想,为组织社会的各个分子着想,使得他成为利便平民的教育,不成为少数贵族阶级或者有特殊势力的人的教育"①。

　　陶行知受杜威的影响,十分看重平民教育。他认为无论是对于个人还是国家而言,平民教育都彰显出强大的力量,都是不可或缺的。他曾经在演讲中说道:"若不能读书写字,便非完全的人,简直和禽兽无甚区别!然则我们要用什么法子使不能读写的非完全的人而成为能读能写、智力完全的人呢?唯一的方法,就是平民教育。"陶行知将平民教育看作教人以智慧的手段,人和禽兽相区别的尺度,这样的比喻可见他相信平民教育带给人的深度变革是其他方法无可比拟的。对于国家方面而言,他认为"简单一句——要仗平民教育"②。陶行知认为,中华民国空有民国的称号而无民国的实质,原因在于读过书的人太少,人民群众缺少主人翁的知识和能力,麻木地认为中华民国的存与亡与自己无关。

　　杜威针对平民主义教育提出了许多建设性的想法,如课程要实用,教师应负陶冶无数学生之责任,教育方法得当,注意个性,使各个人所具之自然特长,各得发育遂长。③ 在这一问题上,陶行知没有进行过多的理论阐述,而是更多针对中国具体的情况,提出解决方案。他提出了办平民教育教员来源、教师数目以及教师训练等解决方法,也对经费、教育研究、教科书等问题给出自己的意见。如对教具问题,他指出教具基本有三种:教科书,影片,挂图。此刻我们最大的愿望是:一、有不愿赚钱而承印者;二、印得快;三、并且印得好。他说他就此问题已与商务印书馆进行了磋商,有成效。④ 陶行知的设想并不是仅空喊口号,更重要的是他积极将计划付诸实施,体现了杜威学派重视实用、重视实行的特点。在陶行知的积极倡导和推动下,全国平民教育运动开展得轰轰烈烈。

　　(2)平民教育的实践

　　陶行知在杜威平民教育理论基础上,根据中国的实际情况,开展平民教育实践活动。从1921年举办平民教育,推进平民识字运动起,陶行知足迹踏遍了全国11个省,甚至将平民识字推广到一些省市的监狱,到1924年,他主编的《平民千

---

① 袁刚,孙家祥,任丙强.民治主义与现代社会:杜威在华讲演集[M].北京:北京大学出版社,2004:354.

② 陶行知.陶行知教育文集[M].胡晓风,等编.成都:四川教育出版社,2005:173.

③ 袁刚,孙家祥,任丙强.民治主义与现代社会:杜威在华讲演集[M].北京:北京大学出版社,2004:357.

④ 华中师范学院教育科学研究所.陶行知全集(第一卷)[M].长沙:湖南教育出版社,1984:436.

字课》推行到了20个省区，据说有40万人接受了识字教育。在平民主义教育运动中，他基本以杜威有关平民教育具体措施、方法为指导进行从教活动。杜威指出，各地应利用各种条件开展这种教育，将成人补习教育看作实施平民教育的一大益处。"方今各处多有学界联合会之设，其初志虽系督促政府，唤醒社会，然可利用之实行露天演讲，俾无数未受教育之成人，得享受普通之知识。是亦补习教育之一，于平民教育方面，大有裨益也。"①

除了主编《平民千字课》外，陶行知还进行了一些平民教育实践，他提出了三种形式的平民教育：一是平民学校，二是平民读书处，三是平民问字处。平民学校与普通的班级教学类似。平民读书处是为社会里有许多人因职务或别种关系不能按照钟点来校上课而想的变通办法，它通常以家、店、机关为单位设立。平民问字处是服务于从事流动性质的小本生意的人或车夫之流，问字处设在有人教字的店铺、家庭、机关里。这些平民教育形式与杜威提倡的利用散处各方的分子，于各地方创办种种教育的思想如出一辙。②自从开展平民主义教育以来，陶行知使成千上百万的民众受到了识字教育。在这三种形式中，他更注重与开办平民读书处来组织不识字的平民百姓进行识字，因为这种做法是非常适合中国社会的现实需要的。他在北京开了一百多个平民读书处，并在自家门口挂起了一块"笑山平民读书处"的牌子（"笑山"是陶父之号）。③

杜威在阐述如何实施民主主义教育的思想，指出"我们实施平民教育的宗旨，是要个个人受切己的教育；实施平民教育的方法，是要使学校的生活真正是社会的生活。这样看来，人民求学的主旨，就是求生活的道理，这是真正的目的"④，而"若要注意平民的生活上去设施教育，除非把他们日常经验的事情都搬来做学校的教课，这方是平民的教育呢"⑤。陶行知在实践中也注意到这一情形，他根据平民生活，从社会需要、社会能力出发，设立许多平民教育读书处，并在平民教育中，主张读书与饭碗发生密不可解的关系。他以自己教安徽教育厅

---

① 袁刚，孙家祥，任丙强．民治主义与现代社会：杜威在华讲演集[M]．北京：北京大学出版社，2004：367．

② 袁刚，孙家祥，任丙强．民治主义与现代社会：杜威在华讲演集[M]．北京：北京大学出版社，2004：25．

③ 华中师范学院教育科学研究所．陶行知全集（第五卷）[M]．长沙：湖南教育出版社，1985：243．

④ 袁刚，孙家祥，任丙强．民治主义与现代社会：杜威在华讲演集[M]．北京：北京大学出版社，2004：359．

⑤ 袁刚，孙家祥，任丙强．民治主义与现代社会：杜威在华讲演集[M]．北京：北京大学出版社，2004：357．

二十一位公役为例,指出:"安徽教育厅有二十一位公役,内中有六个人起初不愿意读书。厅长只说了'不愿读书的人不得在厅里做事'一句话,大家都读了。"①他认为这样的平民教育是和平民职业、平民切己生活相关的,具有重大的价值,可以事半功倍。由此,陶行知的平民主义教育实践既有与杜威一致的方面,又有对其发展的一面。

2. 教育科学与科学教育思想及实践

陶行知的教育活动十分关注科学。从美国归来后,陶行知积极从事教育试验,提倡用科学的精神来办教育。作为近代中国留美学生,他目睹了科学给西方国家带来的伟大发展,并且从此深深为科学所折服。1932 年,陶行知在给教育家庄泽宣的信中指出:

> 我们觉得要救中华民族,必须民族具备科学的本领,成为科学的民族,才能适应现代生活,而生存于现代世界。……国难当头,愈益觉得立国根本之教育,更有从速举办的必要。②

陶行知关于科学教育思想既是对杜威科学思想继承的体现,也是其对杜威科学教育思想本土化的过程。杜威对于现代科学、教育和民主之间的相互关系极为关切,他曾对中国科学教育、教育科学化问题作了诸多论述。他认为现时代是用新的"科学的权威代替传统的权威",这种发展对教育内容和教育方法都有很大影响。

> 在教材方面,科学进步的影响,大概减少从前偏重文科方面的语言文字等学科,而加上些注意实证的(positive)学科。在教授方法方面,科学进步的影响则把从前武断的方法如依据古说遗训、圣经贤传以及强使学生记诵等等,都减少了,而再加上些使学生直接去观察去试验的方法。③

杜威提出了科学发达在道德方面、知识思想等教育方面的影响以及科学的内容或材料在教育上的关系,使中国文化教育界注意到科学与教育的关系。陶行知关注教育科学化以及如何科学化的问题,又通过各种实践活动,丰富了这一思想,为中国教育科学化做了诸多的贡献。在有关教育科学化的思想中,陶行知体现了对杜威思想进行实践的特点,杜威在中国演讲的,基本是有关世界科学与教育理

---

① 华中师范学院教育科学研究所.陶行知全集(第一卷)[M].长沙:湖南教育出版社,1984:454.
② 华中师范学院教育科学研究所.陶行知全集(第五卷)[M].长沙:湖南教育出版社,1985:248.
③ 袁刚,孙家祥,任丙强.民治主义与现代社会:杜威在华讲演集[M].北京:北京大学出版社,2004:444.

论的阐述,这不是一种适应中国的教育理论。他在理论上所缺乏的,被陶行知在实践中弥补了,陶行知在有关中国教育科学化问题的论述及实践方面继承和丰富了杜威的科学思想。

(1)呼唤教育试验

因为重视科学思想,陶行知重视科学试验在科学、教育中的作用。他接受杜威的试验主义作为解决问题的一种高度普遍化了的方法论,认为试验之精神,近世一切发明所由来也,"推类至尽,发古人所未发,明今人所未明,皆试验之责任也"[①]。

杜威认为"试验主义"就是把科学精神应用到社会上去,和事情上去,现在科学的应用,既要注意物质上"增高人类的生产力",又要"注意精神方面的道德",而欲达此目的,必要以思想指导行为而以行为试验思想才好,[②]现在中国尚在过渡时代,应该极力提倡"试验主义"。陶行知也提倡科学精神,重视教育试验,他认识到:"欧美之所以进步敏捷者,以有试验方法故;中国之所以瞠乎人后者,无以试验方法故。"[③]他在《试验主义之教育方法》中对美中开展教育试验对比后,指出中国办学十余年,形式上虽不无客观,而教育进化之根本方法,则无人过问,而教育没有改进,在于缺乏试验精神。"故欲教育之刷新,非实行试验方法不为功。盖能试验,则能自树立;能自树立,则能发古人所未发,明今人所未明。"[④]从这里我们可看出早期陶行知受美国及杜威思想的影响,他希望通过教育试验,提高中国的教育水平,发展科学教育,振兴民族。

杜威在1919年与南京教育界人士进行座谈时,指出:"教授科学,不重试验,其弊甚多。盖以学生所得者,空而无用,于审思明辨毫无裨益。"[⑤]他认为从前教育不重视试验,什么事只是定了章程,永远遵守;或怀疑态度,完全没有计划,过了今日,不知明日怎么样,都各有利弊。正确的做法是"我们应该先有一个计划,步步以试验的结果来更变""学校应有试验的计划,办学的,做教师的,都随时随地试验,随时随地修正,复以各地试验的结果,互相报告,彼此交换意见,彼此纠正;集

---

① 华中师范学院教育科学研究所.陶行知全集(第一卷)[M].长沙:湖南教育出版社,1984:95.

② 袁刚,孙家祥,任丙强.民治主义与现代社会:杜威在华讲演集[M].北京:北京大学出版社,2004:274.

③ 华中师范学院教育科学研究所.陶行知全集(第一卷)[M].长沙:湖南教育出版社,1984:60.

④ 华中师范学院教育科学研究所.陶行知全集(第一卷)[M].长沙:湖南教育出版社,1984:62.

⑤ 袁刚,孙家祥,任丙强.民治主义与现代社会:杜威在华讲演集[M].北京:北京大学出版社,2004:657.

合大家试验的结果，成为有弹性的教育精神"①。杜威认为这不是形式上的统一，而是有试验做保证的"精神上的统一"。

陶行知也主张要进行教育科学研究和试验，他一直以现实为着眼点，力求通过教育试验解决生活中的实际问题。陶行知认为试验人才、试验组织、试验基地、试验精神都是以"做"为核心的教育试验的最重要因素。他强调教育试验要用科学的方法，他们是"建设新教育的利器"，如观察法、统计法、测验法等。1921年陶行知发表了《中学教育试验之必要》等文章，分析陶行知的试验教育的主要论点大致有：第一，试验是教育创新的必由之路。他说："试验者，发明之利器也。"第二，唯有试验才能创立适合国情的教育。陶行知之所以提倡教育试验，是因为他认为只有通过教育试验才能创立适合中国国情的教育。第三，教育试验必须要有科学的方法。教育试验是一个复杂的创新过程。开展教育试验，必须要有科学的教育方法。第四，教育试验要有缜密的计划，因为教育试验以人、以学生为对象。第五，主张设立试验学校。从教育试验的实际需要出发，设立相应的试验学校。

尽管陶行知与杜威关于教育试验的论述不完全相同，但是他们都认定试验是解决教育问题的良策，学校教育应有试验精神。总而言之，会试验的教育家和会试验的国民都是试验教育所要养成的。试验教育对于当时中国教育发展、社会进步来说都具有重大意义。

（2）开展教育试验

在将西方教育科学知识引入中国后，陶行知开展了教育试验活动。他指出我们现在所有的学校，大概都是按着一定的格式办的，目的有规定，方法有规定。变通的余地很少，不能发现新理，并且师范学校的附属学校，有为实地教授的，也有为模范设的，但为试验教育原理设的，简直可以说没有，这样对于全国实行的课程、管理、教学、设备究竟是否适当，无人过问，也无从问起。因此办好教育，他主张要有教育试验，并且也要管理好教育试验。"为今之计，凡是师范学校及研究教育的机关，都应当注重试验的附属学校；地方上也应当按着特别情形，选择几个学校，做试验的中心点。不过试验的时候，第一要得人，第二要有缜密的计划。随便

---

① 袁刚，孙家祥，任丙强.民治主义与现代社会：杜威在华讲演集[M].北京：北京大学出版社，2004：453.

什么学校,如果合乎这两个条件,就须撤销一切障碍,使它得以自由试验。"①

杜威提出的教育试验是一种理论上的见解,陶行知将其实践化、中国化。陶行知创办的晓庄学校最初即取名为"试验乡村师范学校",晓庄乡村师范学校内的一切教育教学活动都不是沿袭旧历,而是有所试验,有所创新,它可能有成功之处,也可能有失败之处,无论怎样,这是发展中国教育的一条新路。陶行知指出他以及中国教育改进社的人是"抱着研究的态度、科学的精神,以实际乡村生活"进行乡村教育试验的。当时的晓庄师范是陶行知试验他的教育理想的场所,在晓庄师范学校,各种建设都很简陋,因为时值国民革命高涨之秋,陶行知也主张在教育上进行革命。他在晓庄师范学校的演讲中指出:"本校的办法,是主张在劳力上劳心。本校全部生活,是'教学做'……我们的实际生活就是我们全部的课程;我们的课程就是我们的实际生活。"②除此之外,陶行知还提到了晓庄师范基本的生活包括:早晨时进行寅会、武术,上午进行阅读,下午进行农事和简单仪器制造,晚上在平民夜校做笔记、日记。晓庄师范学校是陶行知提出的教育试验设想的具体实践,我们不难看出他对晓庄师范学校的规划体现了他尊重中国当时的国情,并没有照搬西方国家的经验,而是采用灵活的、变通的方式改革教育,这也与杜威给中国教育试验的建议不谋而合。

陶行知重视教育试验并力行试验,这既使杜威的关于科学试验的思想在中国得到实施,又使他的生活教育理论发展得到了强有力的保证。他进行的教育科学试验,提出的生活教育理论以及有关教育的信条为当时以及后来中国教育的试验奠定了基础,我们今日对教育试验的重视,各地的实验小学、实验中学,即从那时开始的。

(3) 重视对儿童进行科学教育,编写教科书

陶行知回国初始即提倡科学教育,提倡教育试验,但那时他更多是引进外国科学教育思想,在中国进行理论阐述。1931 年他从日本回国后,则开始了另一种科学救国运动,即强调从儿童时期开展科学教育,使儿童从小打下科学教育烙印。他指出:"科学要从小教起。我们要造成一个科学的民族,必要在民族的嫩芽——儿童——上去加功夫培植。有了科学的儿童,自然会产生科学的中国和科

① 华中师范学院教育科学研究所.陶行知全集(第一卷)[M].长沙:湖南教育出版社,1984:110-111.

② 陶行知.陶行知教育文集[M].胡晓风,等编.成都:四川教育出版社,2005:241.

学的中华民族。"①他在杭州师范的演讲中提出,我们应当有一个科学的中国。而承担起这个责任的是小学教师,陶行知之所以这么说是因为他认为科学的中国首先要中国人个个都知道科学②,只有在小孩子身上施加科学教育,培养他们对科学的兴趣,才有可能产生一个科学的中国。陶行知鼓励杭州师范学校学生不要惧怕科学是很高深、精微的学问,生动形象的举了两位著名科学家富兰克林和爱迪生的例子来激励男教师学做"富兰克林的父亲"女教师学做"爱迪生的母亲"。从中我们可以看出,陶行知是十分渴望中国成为科学人才辈出的国家,因此他极其重视对儿童的科学教育,这也与杜威的教育观点不谋而合。

杜威虽没有为中国科学教育提出明确的课程,但他经常以物理、化学、生物等自然学科为例讲述科学教育、教授等问题。同时他还告诫中国教育者对儿童进行科学教育要使科学与日常的生活、知识相连属,他还设计了几个中国进行植物、电学、农艺的课程如何去教的问题。

陶行知认为手脑结合是对儿童进行科学教育的最为科学的方法,根据这一方法,他编出了适合儿童教育的教学做合一的教科书。他批评旧教科书的无能,提倡新编科学教科书,亲自为晓庄师范学校编制了七十种生活力和教学做指导用书,其中第二十一种至五十种属于科学生活,科学教育在教学做合一教科书编制中占据了最大的分量。这些教科书涉及物理、电学、生理卫生、建筑、光学等学科,使儿童从接触简单的科学知识开始,渐渐向复杂知识接近。陶行知有关科学教科书的论述,既是他在晓庄试验基础上提出的,同时也是他在吸取杜威有关科学教育思想基础上提出的。杜威认为,一切科学都是应生活需要而起,所谓科学教材,也无非是把日常经验之事物用这个方法把它组织一下子罢了。陶行知也指出他的生活用书或教学做指导,"最先须将一个现代社会的生活或该有的力量,一样一样的列举,归类组成一个整个的生活系统,即组成一个用书系统"③。对科学教材他们都强调要适合不同生活的需要,强调对儿童进行科学教育,培养儿童进行科学生活的能力。

虽然陶行知与杜威在儿童科学教育方面的思想不尽一致,杜威侧重在理论上提醒中国教育界进行科学教育,陶行知注重在实践中开展面向儿童的科学教育,但他们都注意到中国科学教育的不足,并提出了具体的建议、措施。杜威有关科

---

① 华中师范学院教育科学研究所.陶行知全集(第五卷)[M].长沙:湖南教育出版社,1985:247.
② 陶行知.陶行知教育名篇选[M].董宝良,等主编.北京:人民教育出版社,2012:432.
③ 华中师范学院教育科学研究所.陶行知全集(第二卷)[M].长沙:湖南教育出版社,1985:295.

学教育的教材、教法等阐述也给陶行知的儿童科学教育思想提供了理论支持，使陶行知的实践有了保证，也使陶行知对在中国推广科学教育充满信心和决心，只是当时中国社会状况不断恶化，人民处于水深火热之中，更需要及时地、具体地解决他们日常生活中的实际问题，而这与杜威、陶行知提出的长远的科学教育计划产生了矛盾，最终杜威、陶行知的科学教育、教育科学化不了了之。

（五）重视学生自治的研究

陶行知的教育思想中，关于学生自治部分虽不多，但却是其教育思想中非常重要的一个方面，其中专门讲述自治的只有《学生自治问题之研究》一篇，另外在论述育才学校、普及学校时也曾提到自治。陶行知践行学生自治的最重要事件是他在开展民主教育运动时，创办的晓庄乡村师范学校，在普及教育的活动中，他提倡将学生组织成一个集体，让学生在集体中进行自我管理与自我教育。陶行知对于自治的观点如自治是什么、如何进行自治等问题，与杜威有的看法基本一致，二者的区别在于，陶行知的自治思想在于如何在学校里贯彻执行学生自治，而杜威的自治思想更多是从哲学、教育的角度进行理论上的阐述。

1. 自治含义及作用

陶行知认为学生自治是相对于被治而言，它要求学生自己管理自己，但自治不是打消规则，不是放任，也不是和学校宣布独立，它是一种练习自治。在这个有关学生自治思想的认识论基础上，陶行知提出"学生自治是学生结起团体来，大家学习自己管理自己的手续"[①]。陶行知还指出，学生自治与别的自治稍有不同，因为学生还在求学时代，就有一种练习自治的意思。从学校这方面说，就是"为学生预备种种机会，使学生能够大家组织起来，养成他们自己管理自己的能力"[②]。依这个定义说来，学生自治，不是自由行动，乃是共同治理；不是打消规则，乃是大家立法守法；不是放任，不是和学校宣布独立，乃是练习自治的道理。

陶行知认为自治是共和国的公民所必备的能力。专制国所需要的公民，是要他们有被治的习惯；共和国所需要的公民，是要他们有共自治的能力。在一个国家中，人民能够自治，就可以得到太平。当时平民主义的潮流来势凶猛，使人想挣脱束缚，渴望自由。人民需要被给予机会获得自治的能为，将自由的欲望约束在

---

① 华中师范学院教育科学研究所.陶行知全集(第一卷)[M].长沙：湖南教育出版社,1984：132.
② 华中师范学院教育科学研究所.陶行知全集(第一卷)[M].长沙：湖南教育出版社,1984：133.

一定的范围之内。从这点上来看,自治也就是克制,守法。有了自治能力,可以养成几种主要习惯:"一是对于公共幸福,可以养成主动的兴味;对于公共事业,可以养成担负的能力;对于公共是非,可以养成明了的判断。"①

陶行知关于自治的诸种好处在杜威这儿都早有论述。杜威以上海一职业学校为例,指出学校实行自动自治对学生发展的几大益处:第一,学生自治可为修身伦理的试验。第二,学生自治能适应学生之需要。第三,学生自治能辅助风纪之进步。第四,学生自治能促进学生经验之发展。另外,杜威认为自治可以发展精神。"我们遇着一件事情,必先审度能动与否;再想动了怎样,怎样变化,怎样应变,它最后的胜利怎样,最后的胜利在哪一方面;然后从善的一方面去动。必如此动作,才能算是改良或创造。"陶行知与杜威都认为自治可以使学生习知社会行事道理,自治可以发展判断力,主张练习自治。谈到学生自治对国家的作用时,陶行知认为:"共和国所需要的公民,是要他们有共同自治的能力。中国既号称共和国,当然要有能够共同自治的公民。想有能够共同自治的公民,必先有能够共同自治的学生。所以从我们国体上看起来,我们学校一定要养成学生共同自治的能力,否则不应算为共和国的学校。"②

杜威在中国访问时,也同样注意到中国学校儿童被动学习的情况,提出希望自动学习的想法,他指出现代教育是"学校以儿童为中心,社会以青年为中心,所以最希望学校养成一种有生气的儿童,社会养成一种有生气的青年。要怎样能养成呢? 就是从自动始。"③杜威在讲自治时注重"自"与"治"之间的联结作用,他指出:

现在人们讲自治,往往注意"自"字而忘却"治"字,所以日言自治,乃至被治于人。被治于人,固非假自治之名而欲以治人,亦非学生在校提倡自治,每以为藉自治之名,可以避教职员之督责,或取得教职员之职权而反以治教职员。④

陶行知也指出学生自治,不是自由行动,乃是共同治理;不是打消规则,乃是大家立法守法;不是放任,不是和学校宣布独立。他主张学生要有自治的经验,就要让学生在自治的实践中去培养学生的责任感,就必须让学生去自负解决问题的

① 华中师范学院教育科学研究所.陶行知全集(第一卷)[M].长沙:湖南教育出版社,1984:134.
② 华中师范学院教育科学研究所.陶行知全集(第一卷)[M].长沙:湖南教育出版社,1984:136.
③ 袁刚,孙家祥,任丙强.民治主义与现代社会:杜威在华讲演集[M].北京:北京大学出版社,2004:108.
④ 袁刚,孙家祥,任丙强.民治主义与现代社会:杜威在华讲演集[M].北京:北京大学出版社,2004:128.

责任。学生"自觉得越多,则经验越发丰富"。如果由教师或其他人代为解决问题,纵然暂时结束,经验却也被旁人拿去了。① 从某种意义上说,陶行知这一自治自主思想不仅仅是一个教育思想,更是一种民主思想,一种教育民主的思想,同时又深深有着政治民主的烙印。这都可以从他论述学生自主自治的重要性中得以印证。杜威认为:"人类都不喜欢被人夺去自己的权力。极琐屑的问题,也往往载在法律,使人不能逾越。其弊终至处处受法律的束缚,自由意志不能发表,一些事也不能做。所以一切的法律章程,都是愈简愈好,只要能够解释清楚为什么要有这一种法律。"杜威还指出中国许多学生自治团体失败的原因在于为着制定法律、规则的时候,未经详细的推究、得舆论的赞同的缘故。因为"在学生团体之中,偶一不慎,也要有像军阀派一样的人物,从中操纵一切"②。

陶行知认为学生自治对建设民主国家非常重要,因此,学生自治是共和国学校里一件重要的事情。我们若想得美满的效果,须把它当件大事做,当个学问研究,当个美术去欣赏。当件大事做,方才可以成功;当个学问研究,方才可以进步。这两种还不够。因为自治是一种人生的美术,凡美术都有使人欣赏爱慕的能力;那不能使人欣赏的、爱慕的,便不是真美术,也就不是真的学生自治。所以学生自治,必须办到一个地位,使凡参加和旁观的人,都觉得它宝贵,都不得不欣赏它,爱慕它。办到这个地位,才算是高尚的人生美术,才算是真正的学生自治。陶行知还论述了学生自主自治精神在公民政治素养中的作用:"我们既要能自治的公民,又要能自治的学生,就不得不问问究竟如何可以养成这般公民学生,所以养成服从的人民,必须用专制的方法;养成共和的人民,必须用自治的方法。"③最后,陶行知也意识到了政治民主后会出现民主泛化的危险,因此提高学生自主自治还有其欲抵消平民主义的负面影响之考量,使他们自由的欲望可以自己约束,以除自乱的病源。④ 在这个意义上,学生自治很好地把握了民主的理念,并同时奇妙地避免了过分民主所带来的弊病。

---

① 华中师范学院教育科学研究所.陶行知全集(第一卷)[M].长沙:湖南教育出版社,1984:134.

② 袁刚,孙家祥,任丙强.民治主义与现代社会:杜威在华讲演集[M].北京:北京大学出版社,2004:114-115.

③ 华中师范学院教育科学研究所.陶行知全集(第一卷)[M].长沙:湖南教育出版社,1984:140-141.

④ 华中师范学院教育科学研究所.陶行知全集(第一卷)[M].长沙:湖南教育出版社,1984:140-141.

2. 如何练习自治

陶行知关于培育学生自治自主精神的思想,不只是停留在文字上,更是身体力行、积极实践,并在实践中发展理论。他在20世纪20年代从事乡村教育时,在乡村学校里就始终贯彻"自立、自治、自卫"的方针。在晓庄师范的办学实践中,陶行知提出了"自立与互助""平等与责任""自由与纪律""大同与不同"四条方针。他要求晓庄人"滴自己的汗,吃自己的饭,自己的事自己干"。① 晓庄要求每个学生每段时间制订自己的计划并按自己的计划进行,但至于是什么计划、如何实现,便是学生自己个人的自由了。晓庄以学生的志愿为志愿、学生的计划为计划、学生的贡献为贡献,格外体现出自由的意义。这也是陶行知练习学生自治的重要手段与方法。

对于如何练习自治,陶行知认为,事怎样做就须怎样学。譬如游泳要在水里游,学游泳,就须在水里学。若不下水,只管在岸上读游泳的书籍,做游泳的动作,纵然学了一世,到了下水的时候,还是要沉下去的。所以,"专制国要有服从的顺民,必须使做百姓的时常练习服从的道理;久而久之,习惯成自然,大家就不知不觉的只会服从了。共和国要有能自治的国民,须使做国民的时常练习自治的道理;久而久之,习惯成自然,他们也就能够自治了"②。他认为现在我们要养成自治公民一定要拿自治方法给学生,如果用专制的方法,可以养成自治的学生公民,那么,学生自治问题,还可以缓一步说;无奈自治的学生公民,只可拿自治的方法将他们陶熔出来。杜威认为"要养成自治的习惯,须渐渐而来",自治的组织,乃不断的进行,仿佛登楼,必须一级一级的上升。③ 在专制国家的学校中,采用专制的方法,养成学生依赖的心性。在共和国家,民主精神发达的社会之下,这种专制的方法就不适用了。

陶行知与杜威都强调自治是要通过训练得来的。要练习道德的行为,养成学生对于公共事情上的愿为、智力、才力。自治还需学生根据生活经验,适应学生的需要,自立规矩,自订法律。经过同学之间的切磋和教师的辅助,犯了错也可以有机会纠正,避免在社会上因没有练习而犯错走上害己害国的路。在自治

---

① 华中师范学院教育科学研究所.陶行知全集(第一卷)[M].长沙:湖南教育出版社,1984:134.

② 华中师范学院教育科学研究所.陶行知全集(第一卷)[M].长沙:湖南教育出版社,1984:140-141.

③ 袁刚,孙家祥,任丙强.民治主义与现代社会:杜威在华讲演集[M].北京:北京大学出版社,2004:116.

问题上要注意,学生自治不是叫学生争权,有了权力来管理其他学生,出现"治人"的现象,这是和民主相违背的。当然自治也要配合学校管理,不和学校对立。练习自治的过程中,同学之间互相切磋,教员尽心尽力进行指导,学校要从整体上指导参与。陶行知在《学生自治问题之研究》一文中指出,施行学生自治要注意的要点:

第一,学生自治是学校中一件大事,全体学生都要以大事看待它,认真去做。

第二,学生自治如同地方自治。

第三,学生自治之有无效力,要看本校对于这个问题是否有相当了解兴味。

第四,法是为人立的:含糊启争,故宜清楚;烦琐害事,故宜简单。

第五,推测一校学生自治的失败,一看他的领袖就知道。

第六,学校与学生始终宜抱持一种协助贡献的精神。

第七,学校与学生对于学生自治问题,要采取一种试验态度。①

陶行知论述的学生自治的言论是杜威有关培养自治国民法律事宜在学校和社会上的具体应用。因此,陶行知关于自治问题的论述,基本上是对杜威自治思想的一种再次创新性地阐释与贯彻,二者之间是一种继承性、一致性的关系。

(六)提出"生活即教育""社会即学校"观点

陶行知在生活教育等方面实践并创造性地发展了杜威的教育思想。杜威重视教育与生活的关系,倡导"教育即生活"与"学校即社会",提出中国的教育与生活、学校与社会之间的紧密联系。陶行知与中国杜威教育学派的其他人一样,也重视教育与生活的关系,但与杜威及中国杜威教育学派其他人不同,他反对将他的生活教育理论说成是教育与生活相联系,陶行知认为一提到联系,便含有彼此相外的意思:

生活教育是以生活为中心之教育。它不是要求教育与生活联络。一提到联络,便含有彼此相外的意思。倘使我们主张教育与生活联络,便不啻承认教育与生活是两个个体,好像一个是张三,一个是李四,平日不相识,现在要互递名片结为朋友。②

"生活即教育""社会即学校"理论是陶行知生活教育理论与实践的主要命题。

---

① 华中师范学院教育科学研究所.陶行知全集(第一卷)[M].长沙:湖南教育出版社,1984:140-141.

② 华中师范学院教育科学研究所.陶行知全集(第二卷)[M].长沙:湖南教育出版社,1985:182.

命题从形式上看是对杜威"教育即生活""学校即社会"的颠倒,实际上却是陶行知本人实践创造的结果,它与杜威理论既有相连相承性,又有本质的差异。这两个命题与"教学做合一"经常被放在一起谈论,并且它们之间有着密切联系性,但在陶行知的论述中,我们可以看到"生活即教育""社会即学校"常被伴随阐发,"教学做合一"则有相对独立性,"生活即教育""社会即学校"是生活教育理论,"教学做合一"是生活教育的方法论。

1. "生活即教育"与"社会即学校"思想的形成及意义

瑞士教育家裴斯泰洛齐在八十岁总结自己教育经验时曾提出一个原则,"生活教育具有教育的作用"[①]。他认为自然的生活能给人的德育、智育和实际技能等各方面发展带来影响。

1897 年杜威在《我的教育信条》中提出"教育是生活的过程"[②]。这个学说将教育与现实生活联系起来,改变了以往教育与社会生活相分离、教育是将来生活准备的状况,这是教育思想的一大变革,较之裴斯泰洛齐的思想更进一步。1918年,陶行知受裴斯泰洛齐、杜威的影响在其著作《生利主义之职业教育》中提出:"生活主义包含万状,凡人生一切所需皆属之,其范围之广,实与教育等。"[③] 1919年,陶行知又对"生活教育"作了进一步解释,"生活的教育为生活而教育,也就是为生活的提高、进步而教育",分析了学校与社会的关系,认为"学校是小的社会,社会是大的学校。所以要使学校成为一个小共和国,须把社会上一切的事,拣选他主要的,一件一件的举行"[④]。这是陶行知"生活即教育""社会即学校"思想的初步提出,他将教育与生活看作是具有密切关系的两件事物,将学校看作是精心选择教学内容,排除外界不良影响的机构。

1929 年前后,陶行知正式形成生活教育理论。他在《晓庄三岁敬告同志书》中提出:当初,生活教育戴着一顶"教育即生活"的帽子。自从教学做合一的理论试行以后,渐渐地觉得"教育即生活"的理论行不通了,一年前我们便提出一个"生活即教育"的理论来代替。在提出"生活即教育"的同时,陶行知还指出:与"教育即生活"有连带关系的就是"学校即社会"。"学校即社会"也就是跟着"教育即生

① 陶行知,等.生活教育文选[M].成都:四川教育出版社,1988:(代序)6.
② 〔美〕约翰·杜威.学校与社会·明日之学校[M].赵祥麟,等译.北京:人民教育出版社,2005:6.
③ 华中师范学院教育科学研究所.陶行知全集(第一卷)[M].长沙:湖南教育出版社,1984:78.
④ 华中师范学院教育科学研究所.陶行知全集(第一卷)[M].长沙:湖南教育出版社,1984:126.

活"而来的,现在我也把它翻了半个筋斗,变成"社会即学校"。①

"生活即教育"是陶行知生活教育思想的主要内容,这一思想对生活与教育的关系重新作了阐释,具有重大意义,它从根本上消解了人们对于"生活教育"的误解。从生活与教育的关系上来看,生活决定教育,有什么样的生活就有什么样的教育;教育对生活具有反作用,良好的教育会催人奋进,进而改造我们的生活,推动社会的进步。生活无时无刻不在变化,这就要求教育也要随之发生改变。所以,陶行知认为生活的过程就是进行教育的过程,这就扩大了教育的内容和范围,主张人人都要主动参与到生活中去,在生活中接受教育。"生活即教育",承认一切非正式的东西都在教育范围以内,它"是叫教育从书本的到人生的,从狭隘的到广阔的,从字面的到手脑相长的,从耳目的到身心全顾的"②。从此生活教育的内容、方法便脉脉贯通了。

"社会即学校"是陶行知生活教育理论的重要组成部分,同样具有重大意义与影响。"社会即学校"打破传统的学校观,即认为只有学校是学习的场所,是受教育的地方,学校的定义十分狭隘,用围墙将学校与社会隔开,每天固定的上课时间,在时空上限定学校,束缚了学生的视野和创造力。"社会即学校"不是简单的学校社会化,而是要求拆去学校与社会中间的围墙,使我们可以达到亲民亲物的境界,"主张教育的材料,教育的方法,教育的工具,教育的环境,都可以增加扩大,学生、先生也可以更多起来"③。"社会即学校"把社会教育、学校教育和家庭教育连贯成一个整体,将整个人生和整个社会都纳入生活教育的范围。人人可以受教育,处处可以受教育,这样一来,人的教育范围更加广泛。陶行知提出生活教育理论在当时历史背景下具有重要意义与作用:

一、我们认识教育只是民族大众人类解放之工具。二、我们认识生活之变化才是教育之变化,便自然而然的要求真正的抗战教育,必须通过抗战生活。三、我们认识社会即学校,便不会专在后方流连。四、我们认识人民集中的地方便是教育应到的地方。五、我们认识集团的生活的力量大于个人的生活的力量,即认识集团的教育力量大于个人的教育力量。六、我们认识"生活影响生活"以及人人都能即知即传,故不但顾到成人青年而且顾到老年人与小孩子,整个民族不分男女老少都必然的要他们在炮火中发出力量来。七、我们认识教学做合一及在劳力上

---

① 华中师范学院教育科学研究所.陶行知全集(第二卷)[M].长沙:湖南教育出版社,1985:181.
② 华中师范学院教育科学研究所.陶行知全集(第二卷)[M].长沙:湖南教育出版社,1985:199.
③ 华中师范学院教育科学研究所.陶行知全集(第二卷)[M].长沙:湖南教育出版社,1985:201.

劳心为最有效之生活法亦即最有效之教育法，便自然以行动为中心而不致陷落在虚空里面。八、我们认识到处可以生活即到处可以办教育。①

2. "生活即教育""社会即学校"对"教育即生活""学校即社会"之突破

"生活即教育"与"教育即生活"，"社会即学校"与"学校即社会"，表面为词语顺序的颠倒，实则反映了不同的教育实践，不同的教育努力方向。杜威的生活教育以改进学校教育为目标，而陶行知的生活教育则以改进大众教育为目标。经过多年的教育实践，陶行知已明显地认识到杜威及其进步主义教育思想在中国的不适合性以及其理论的局限性，杜威等教育思想立意虽好，但却只重视在学校教育中的"做"，忽视了实际生活中的"做""行动"的环节。②

陶行知一再指出杜威教育理论是对中国传统教育进行批判的有力武器，生活教育就是针对传统教育而言的，生活是教育内容的来源，教育是为了更好的生活，传统教育是让人死读书，读死书，读书为了考试升学和做官发财，这种教育使人的头脑僵化，不利于人的能力的培养，也不利于国家和社会的进步。但是一旦抱着解决被排斥在公立学校之外的农民及其子弟的问题时，杜威的理论又不能原封不动地适用于中国现实，它必须得到改造。虽然"生活即教育""社会即学校"与"教育即生活""学校即社会"看起来是顺序颠倒，实际它们代表着不同的理念，反映了杜威、陶行知对中国教育问题的关注、正视。③ 杜威关注的是以建设发展为任务的发达国家的学校教育，陶行知虽然也关注中国的学校教育，但他更认识到中国民族大众教育的严峻性、迫切性，为了使广大民众受到必要的教育，他提出了办理效力极大的生活教育，反对将眼光局限在偏狭的学校教育上。他指出："教育可以是书本的，与生活隔绝，其力量极小。拿全部生活去做教育的对象，然后教育的力量才能伟大，方不至于偏狭。"④

陶行知对生活教育理论的论述，明显地反映出他与杜威思想的不同，即存在一定的突破性。杜威提倡"教育即生活""学校即社会"，学校的教育是一种事先设计好的内容、是有意识地专门针对一定年龄的儿童进行教育。这样的学校是雏形的社会生活，它反映的是"大社会生活的各种类型的作业"，是对社会生

---

① 华中师范学院教育科学研究所.陶行知全集(第四卷)[M].长沙：湖南教育出版社,1985：184-185.

② 华中师范学院教育科学研究所.陶行知全集(第二卷)[M].长沙：湖南教育出版社,1985：199.

③ 华中师范学院教育科学研究所.陶行知全集(第四卷)[M].长沙：湖南教育出版社,1985：184-185.

④ 华中师范学院教育科学研究所.陶行知全集(第二卷)[M].长沙：湖南教育出版社,1985：199.

活的模仿,不是现实的社会生活。杜威反对以直接获得生活技能为目的的技能性学习,而认为学生技能学习只是起点,最终学生应了解的还是适应未来生活的知识。① 陶行知的理论尽管可能使学生开展的活动以及活动结果与杜威提倡的一致,但其源头、理论指导思想是不一致的,陶行知认为生活就是教育,他的生活是一种广泛的生活,教育也是一种广泛的教育。他主张学生学习的内容就是真实的社会情境,这种情境较之杜威的设定好的情境要粗糙,晓庄的整个生活就是晓庄的教育。

陶行知思想与杜威思想的不同还在于二者对教育概念、命题的理解以及生活教育的实践不同,在这基础上,他们开展了不同的教育实践活动。而他们理论、实践的立足点不同又是二人的最根本不同。陶行知立足于中国土壤,开展了适合中国社会发展的乡村教育、大众教育,杜威则立足于发达资本主义国家,提出了普及教育后的教育问题。陶行知曾说,杜威不能和他主张的一致,因为美国是资本主义国家,杜威的理论也不能在中国实现,因为它不适合中国,他认为生活教育才是我们这个国土上的教育。到 1936 年,陶行知对以往生活教育理论与实践经验进行总结,写出了《生活教育之特质》一文,明确指出生活教育基本特征:(1)生活的;(2)行动的;(3)大众的;(4)前进的;(5)世界的;(6)有历史联系的。② 从陶行知提出的这些生活的特质,我们可以看出生活教育理论,"生活即教育""社会即学校""教学做合一"已成为与"教育即生活""学校即社会""做中学"完全不同的两种思想,陶行知提到的适合中国生活、前进的、大众的、有历史联系的生活教育扎根于中华民族土壤,它既吸取了历史上以及国外的优秀成果,又具时代特点。

杜威提出"教育即生活",把生活拉进学校里,让学校成为小社会,这就好比动物关在笼子里,失去了自由,这是不行的。陶行知先生对于杜威的理论是批判地继承,教育要紧扣生活主题,围绕社会生活进行,要用好的生活来教育不好的生活。"生活即教育"是生活教育理论的核心,是生活教育体系的主体框架,是生活教育的本质。"学校就是社会"的概念,目的是把学校的各个方面延伸到自然界。从某种意义上说。陶行知将杜威的"学校即社会"创造性地转化为"社会即学校",类似于当代美国一些教育改革家,使他们的学校走向社区和社会。

---

① 华中师范学院教育科学研究所.陶行知全集(第二卷)[M].长沙:湖南教育出版社,1985:182.

② 华中师范学院教育科学研究所.陶行知全集(第三卷)[M].长沙:湖南教育出版社,1985:25-27.

学校本身不能提供我们所需要的教育,机构和机构设想的生态系统的主流发展了社会意识性的知识、价值观、技能和耐心,这对于美国和中国的教育工作者是一个伟大的挑战。

综上,陶行知的"生活即教育""社会即学校"理论与杜威的"教育即生活""学校即社会"有着深刻的联系,这一理论既是对杜威思想的继承,又是对杜威理论的超越,陶行知的"生活教育"是以生活为中心的教育,将教育的范围从学校扩展到整个社会生活,使社会也成为教育的场所,把生活和教育密切联系在一起。他在践行"生活即教育"思想的过程中,采用的教学方法是"教学做合一",着眼于当时中国的实际,寄希望于教育,希望教育上的变革能够带来国家的稳定、人民的幸福。这是杜威理论从未做到的,这一实践也说明了从"教育即生活"到"生活即教育"并不是简单的顺序的变动。

(七) 提出"教学做合一"观点

"教学做合一"是陶行知"生活教育"理论的切入点,同时也是一种新的教学方法。这一理论的中心即是"做",它既是学的中心,也是教的中心,在陶行知看来,"教学做"是一件事,而不是三件事,不能把教与学和做分开。若将其分开,把传授知识看作是教师自己的工作,把学知识看作是学生的任务,只注重理论知识的传授,忽视实践的重要性,就会重蹈传统教育的覆辙。这就要求教师在传授知识时要在做上教,学生要在做上学,只有做到教、学、做三者的统一,才是真正的教育。生活教育必须是"教学做合一"的教育,是知行合一、理论与实践合一的教育,它反对传统教育的形式主义,要求学生手脑并用,提升自身的综合能力。陶行知"教学做合一"这一方法论的提出对于教育发展具有重要作用,他指出:

"教学做合一"的教育方法,它是以社会为学校,以生活即教育,它使得教育活动不再在旧的纯观念的小圈子里打转,而是走向了实践的新时代,它使教育不再回避现实而大胆地面对现实,它又使得教育不再空自卖弄玄虚,而是具有了坚实的基础和活生生的内容了。①

1. "教学做合一"思想的形成过程

1918年,陶行知提出改革传统教育方法的主张,即以"教学法"取代"教授法",在南京高等师范学校遭到保守势力的强烈反对,后来他借助"五四""新文化

---

① 陶行知,等.生活教育文选[M].成都:四川教育出版社,1988:220.

运动"的影响,改革才得以进行,不久即为全国教育界所采用。1919年7月,他在浙江省立第一师范学校演讲时,又依据杜威"教育即经验改造"定义,提出了教和做的关系,指出新教育要"依据经验,怎样做的事,就应当怎样教"①。随后在《学生自治问题之研究》一文中,又提到做和学的关系,指出:"事怎样做,就须怎样学。"②这时期陶行知关于"做学教"进行的只是零散的论述,其理论带有明显的杜威"做中学"的痕迹,如杜威主张"从活动中学""从经验中学",使学校的知识与实际生活联系起来,陶行知也提出依据经验进行做事、教学,使知识与学生兴趣相符合。

后来随着其对中国情况了解的深入,随着实践经验的丰富,陶行知不断走出杜威思想的束缚,并于1922年新学制制定过程中,形成了自己独特的"教学做合一"理论,指出:"事怎样做就怎样学,怎样学就怎样教,教的法子要根据学的法子,学的法子要根据做的法子。"③这是陶行知首次对"做学教"三者关系进行理论阐述,标志着"教学做合一"理论开始形成。但这时"教学做合一"名称还未清晰出现。1925年他在南开大学演讲时,受中国杜威教育学派另一代表人物张伯苓启发,才明确提出了"教学做合一"名称。④"教学做合一"理论形成后,很长一段时间没有大的发展。直到1926年,陶行知从平民教育转向乡村教育、师范教育,在《中国师范教育建设论》一文中,为回答师范学校"教什么? 怎样教? 教谁? 谁教?"问题,完整阐述了"教学做合一"理论实践:

> 教的法子要根据学的法子;学的法子要根据做的法子。教法、学法、做法应当是合一的。我们对于这个问题所建议的答语是:事怎样做就怎样学;怎样学就怎样教;怎样教就怎样训练教师。⑤

1927年3月15日,晓庄师范学校正式成立,校训就是"教学做合一"五个字。7月2日,陶行知针对有些同志仍不明了校训的意义,就做了《教学做合一》的演讲并形成专文,"教学做合一"思想真正确立。陶行知"教学做合一"理论既是对杜威"做中学"的批判性继承,也是其对中国传统教学方式反思改革的结果。陶行知

---

① 华中师范学院教育科学研究所.陶行知全集(第二卷)[M].长沙:湖南教育出版社,1985:41-42.
② 华中师范学院教育科学研究所.陶行知全集(第一卷)[M].长沙:湖南教育出版社,1984:133-134.
③ 华中师范学院教育科学研究所.陶行知全集(第一卷)[M].长沙:湖南教育出版社,1984:133-134.
④ 华中师范学院教育科学研究所.陶行知全集(第二卷)[M].长沙:湖南教育出版社,1985:42.
⑤ 华中师范学院教育科学研究所.陶行知全集(第一卷)[M].长沙:湖南教育出版社,1984:638.

在美国时,美国重视实践、重视做的教育思想给他留下了深刻印象,当他回国看见国内学校里"先生只管教,学生只管受教的情形"[①]就认定中国学校一定要改革教学法。随即于 1927 年 11 月,陶先生发表《教学做合一》一文,把他的教学改革主张进一步系统化。他说:"教学做是一件事,不是三件事。我们要在做上教,在做上学。在做上教的是先生,在做上学的是学生。从先生对学生的关系说,做便是教;从学生对先生的关系说,做便是学。先生拿做来教,乃是真教;学生拿做来学,方是实学。不在做上用功夫,教固不成教,学也不成学。"[②]依据此理论,陶行知提出了不同的"教学做合一"方式,创办晓庄学校时,提出乡村师范的"教学做合一";抗战前后,提出民族解放的"教学做";民主教育阶段,提出民主学校的"教学做合一"的方法。这些都真实反映了陶行知善于实践,敢于实践,并勤于总结的"行知精神"。

杜威和陶行知二人都倡导从生活实践中学习知识、能力和本领,都强调实践的重要性。因此,杜威的"从做中学"和陶行知的"教学做合一"都是以"做"为中心,践行各自的教育理念。总之,杜威和陶行知都强调实践的重要性,主张理论与实践相结合,教育与生活是一个不可分割的整体。

2. "教学做合一"对"做中学"思想的突破和创新

从"教学做合一"理论的最初产生,到"教学做合一"实践的初步展开,到成熟的"教学做合一"理论,再到实践,陶行知的"教学做合一"经历了漫长复杂的过程,在这个过程中,"教学做合一"逐渐突破"做中学"的束缚,成为适合当时中国教育实际的崭新理论。[③] 这些创新性主要体现在以下几方面。

(1)"教学做合一"突破了"做中学"的认识论基础

杜威的"做中学"是以知行合一于行的观点为理论依据的,陶行知的"教学做合一"是以"行是知之始,知是行之成"观点为其认识论依据的。[④] 杜威和陶行知都重视"知行合一",杜威是从互动方面理解知行关系,陶行知则从先后维度谈"知行合一"。杜威重视"行"的方面,据此提出了著名的"做中学"论点,主张学生通过实际的"行""做"去获得生活的知识技能,然后在此基础上,进一步去做、去改造社会。在其"做中学"中,只有行,没有其他,甚至"知"就其本义而言也就是做。杜威

---

① 华中师范学院教育科学研究所.陶行知全集(第一卷)[M].长沙:湖南教育出版社,1984:638.
② 华中师范学院教育科学研究所.陶行知全集(第一卷)[M].长沙:湖南教育出版社,1984:42-43.
③ 华中师范学院教育科学研究所.陶行知全集(第二卷)[M].长沙:湖南教育出版社,1985:152.
④ 〔美〕杜威.杜威五大讲演[M].胡适,译.合肥:安徽教育出版社,1999:138.

认为知行中，只有行动才可以有知识，他提出："我闻中国古代'知之非艰，行之维艰'的话。试验的方法，却与之相反。这是只有行然后可以知，没有动作，便没有真的知识。"①

陶行知也谈"知行合一"，但他从不同的方面来谈此问题，他认为在人的认识过程中，知行各具独立性，不能以知代行或以行代知，知和行在认识过程中都出现，知行中，行先知后。他曾指出：

阳明先生说："知是行之始，行是知之成。"我以为不对。应该是："行是知之始，知是行之成。"他举例道："小孩起初必定是烫了手才知道火是热的，冰了手才知道雪是冷的；吃过糖才知道糖是甜的，碰过石头才知道石头是硬的……凡此种种，我们都看得清楚'行是知之始，知是行之成'。"②

陶行知认为有行动才能得到知识，有知识才能创造，有创造才有热烈的兴趣。基于行先知后的观点，陶行知提出了"教学做合一"思想，要求无论教师还是学生都要通过"做"得到一定的知识，然后将知识教给其他人或者用以改造生活。陶行知本人在教育实践中也这样做，并通过实践坚信"行是知之始，知是行之成"的正确性。他的教学做思想最初即是在南京高等师范学校和一些中等学校实行，然后于1922年产生思想，之后又将理论应用到南京中等学校以及师范学校中，并不断深入阐述这一思想。③ 学生只学课本不是真学，学生要多进行社会实践，将所学的理论与社会生活结合起来，来判断课本上的知识是否符合社会实际，如果唯书是举，势必会成为书呆子，就不是真学。学游泳不在水里练习是学不好的，学画画不在纸上实践也是学不好的，一定要亲自做。当然，"做"不是蛮干，要以实际生活为中心的做，是有目的的、有思维的做，通过做，师生获得直接经验，然后经过思维加工，从感性认识上升到理性认识，把握客观事物的发展规律，这样才能为社会生活创造价值。

因为具有一定的理论基础及理论实践，"行是知之始，知是行之成"理论指导下的"教学做合一"在当时中国产生了广泛的影响，演员洪深在创办电影演员养成所中甚至也主张行先知后，采用教学做方法。相比之下，杜威的从知行互动方面阐释的知行合一于行，阐释的做，因偏重于理论方面，其影响也更多停留在理论层面上，很少有人将"做中学"的实践加以推广和应用。

---

① 〔美〕杜威.民主主义与教育[M].王承绪，译.北京：人民教育出版社，2003：362-363.
② 华中师范学院教育科学研究所.陶行知全集（第二卷）[M].长沙：湖南教育出版社，1985：152.
③ 华中师范学院教育科学研究所.陶行知全集（第二卷）[M].长沙：湖南教育出版社，1985：152.

（2）"教学做合一"突破了"做中学"教育理念的束缚

杜威主张通过"做"来学习，他认为学校是社会的雏形，"做中学"要在校内通过模仿社会的生活实行。他不主张从社会的、实际的事上进行学习，因为那样社会上的不良事物将会步入学校，影响学生的发展。陶行知也以"做"为中心，但他主张的学习则是要在实际生活中，通过实际生活来做、来学、来发展。这样"教学做合一"涉及的范围要比"做中学"更广泛、更深远。

"做中学"的"做"是让儿童从事游戏、手工这样的活动，这是一种模仿现实的虚拟活动，不是社会实践，而陶行知的"做"既包含了校内的试验活动，也包括了真实的社会实践以及革命运动实践。按柏拉图在《理想国》中所描述的来分析，杜威"做中学"的"做"是现实生活的影像，而陶行知"教学做合一"的"做"是真实的生活，看到影像的人总是得不到真实的情况，甚至是虚假的，他们对世界的认识有偏颇、有局限，只有看到真实事物的人才能真正认识世界。

陶行知在《思想的母亲》中也提及"做中学"缺乏实际行动的弊病，他指出：

我拿杜威先生的道理体验了十几年，觉得他所叙述的过程好比是一个单极的电路，通不出电流。他没有提及那思想的母亲。这位母亲便是行动。路走不通，才觉有困难。走不通而不觉得困难，这是庸人。连脚都没有动而心理却虚造出万千困难，这是妄人。走不通而发现困难，便想出种种法子来解决困难，不到解决不止，这是科学家。所以我要提出的修正是在困难之前加一行动之步骤，于是整个科学的生活之过程便成了：行动生困难，困难生疑问，疑问生假设，假设生试验，试验生断语，断语又生了行动，如此演进于无穷。懒得动手去做，那里会有正确的思想产生，又何能算是科学生活？[①]

杜威"做中学"理论主要在学校及课堂描述了教师与学生的关系，强调教师与学生相互交往，其中教师在交往活动里扮演参与者和组织者的角色，但他几乎没有谈到学习之余的师生相处问题。而陶行知从"生活即教育"出发，更加重视教师与学生共同生活，在生活中共同发展，达到教学相长。他尤其强调师生共甘苦，师生平等和互相学习。陶行知结合时代的需要，认为学习不仅局限于课堂，认识到学习能冲破学校进入生活，这在当时乃至现在是难能可贵的思想。陶行知更加重视生活实际行动的思想、理念，符合了中国教育的现状，使得"教学做合一"在中国具有更大的实用性，成为中国教育家认识、改变中国教育现状的有力手段。

---

① 华中师范学院教育科学研究所.陶行知全集(第二卷)[M].长沙：湖南教育出版社,1985：404.

（3）"教学做合一"突破了"做中学""教"与"学"的限制

杜威主张"从做中学"，强调"做"的重要性。他强调在实践中获得知识，不是一味地在课堂上对学生灌输理论知识，而是引导他们在亲身"做"的过程中获得经验。对于中国传统教育时期的中小学来说，在教学过程中因只注重学生的学习成绩，过于关注理论知识的传授，束缚了儿童思维的发展。正如杜威所阐述的那样："这种不调动儿童内在动力而填鸭式的灌输知识，无异于强迫没有眼睛的盲人去观看万物，无异于将不思饮水的马匹牵到河边强迫它饮水。这种忽视天性和压迫天性的教育显然是愚蠢的。"①

陶行知曾将杜威的教育思想运用于中国基础教育改革之中，试图用杜威的教育思想来拯救落后的中国，但由于当时的特殊国情，在实践过程中多次碰壁，最后以失败告终。陶行知在学习杜威教育思想的基础上，根据中国的具体国情，并结合自身教育实践经验，从而提出了"生活教育"思想，于是，陶行知首先在教学手段上摒弃了杜威的"从做中学"的思想，提倡"教学做合一"的教学方法。陶行知的"教学做合一"不再是教师一味地只教课本，学生也不是单纯地只学课本；而是教师要在"做"上教，学生要在"做"上学。另外，陶行知的"教学做合一"与杜威的"做中学"虽然都强调以"做"为中心，但在陶行知这里，他的"做"是牵着"教"和"学"两端的，他希望通过做，教师和学生能共同完成属于自己的任务。② 但在杜威这里，"做中学"是以反对传统书本、课堂、教师为中心的被动式教育面目出现的。杜威认为被动式教育培养出来的学生在学校里只会服从教师的命令，在社会上只会服从长官的权威，这种教育"是与一个以创造和独立为原则以及每一个公民都应当投身于共同利益的事务之中的民主社会，是不协调的"③。他希望在民主社会里，学与做相结合的教育将取代由教师传授学问的被动式教育，因此在杜威的理论中，他更强调"做"和"学"，相对忽视了教师在教学过程中的主导作用。杜威曾说狭隘的课堂，繁重的功课，以及默然静坐吸收繁复的事物，都是对幼年儿童不适应的，他反对教师传授、儿童静听的传授知识形式，认为：

教师在学校中并不是要给儿童强加某种观念，或形成某种习惯，而是作为集

---

① 〔美〕约翰·杜威.学校与社会·明日之学校[M].赵祥麟，等译.北京：人民教育出版社，2005：311.

② 华中师范学院教育科学研究所.陶行知全集（第一卷）[M].长沙：湖南教育出版社，1984：500.

③ 袁刚，孙家祥，任丙强.民治主义与现代社会：杜威在华讲演集[M].北京：北京大学出版社，2004：384.

体的一个成员来选择对于儿童起着作用的影响,并帮助儿童对这些影响作出适当的反应。①

　　陶行知在教育实践活动中,更加重视教师的主导作用,"教学做合一"中教师的教和学生的学紧密联系,教师不仅传授知识,更重要的是教会学生学习的方法,学生学习不能蛮干,一定要掌握适合自身的学习方法,做到"教学相长"。并且将小先生看作是教师,让小先生担负起普及教育的责任。比如:中学数学教学,教师先不直接告知学生公式和定理,而是通过数学逻辑一步步推导,得出公式和定理,这就是实践的过程,使学生明白公式和定理的由来。然后由学生进行推导,得出正确的公式和定理,获得学习方法,最后进行实战演练,从而真正掌握公式和定理,并由会的学生教给不会的学生,解决师资不足问题。杜威也认为程度高的生徒可以教低能生徒,但他认为这只是学生间正当的互助,不是将程度高的生徒看作教师,"做中学"中,没有教师做主导。② 其次,陶行知认为教师的教和学生的学紧密联系,教师不仅传授知识,更重要的是教会学生学习的方法,学生学习不能蛮干,一定要掌握适合自身的学习方法,做到教学相长。教和学必须以"做"为基础,只有在实践中探索,才能找到教和学的方法,也只有实践,才能产生宝贵经验。他指出:

　　我们最注重师生接近,最注重以人教人。教职员和学生愿意共生活,共甘苦。要学生做的事,教职员躬亲共做;要学生学的知识,教职员躬亲共学;要学生守的规矩,教职员躬亲共守。我们深信这种共学、共事、共修养的方法,是真正的教育。③

　　通过上述有关"教学做合一"对"做中学"突破的几点阐述,作为生活教育理论的方法论,"教学做合一"在生活教育理论体系中居于重要位置。陶行知"教学做合一"与杜威"做中学"的不同点说明了"教学做合一"是对"做中学"思想的进一步创新与发展。

　　3."教学做合一"对"做中学"的继承

　　尽管"教学做合一"与"做中学"有着不同,但它源自"做中学",与"做中学"具有共性,说明了它与"做中学"始终有着紧密的联系,它的创新是在"做中学"基础

---

①　〔美〕约翰·杜威.学校与社会·明日之学校[M].赵祥麟,等译.北京:人民教育出版社,2005:8.
②　华中师范学院教育科学研究所.陶行知全集(第二卷)[M].长沙:湖南教育出版社,1985:152-153.
③　华中师范学院教育科学研究所.陶行知全集(第一卷)[M].长沙:湖南教育出版社,1984:500.

上的创新,"教学做合一"本质上是对"做中学"思想的继承。

(1)"教学做合一"与"做中学"思想基础的相近性

杜威"做中学"的理论来源是新的教育定义,即"教育是经验的持续不断的改造"。为了实现改造经验的教育,杜威提出了重视行动的"做中学"思想,认为"做中学"是实行新教育、实现改造个体与社会经验的方法论。[①] 陶行知也认可这一定义,指出教育不仅是社会经验的传递,更是社会经验之改造,对于经验,他如杜威一样将其分为个人经验与社会经验,并认为"教学做合一"是改造全社会经验、改造教育的有效方法。同时他还认为要改造社会经验,必要以个人的直接经验,以"行"为基础。他以"接知如接枝"来说明此道理,认为我们必须有从自己经验里发生出来的知识做根,才能接得上别人的相类经验,然后才能了解或运用人类全体的经验。[②] 这一思想与杜威很一致,杜威的"做中学"本身就是一种运用直接经验去获得更多社会经验的活动。学校组织学生走进大自然去郊游,这是让学生贴近大自然,获得直接的感官陶冶,培养学生的审美观和良好的情操,比教师在课堂上讲解大自然的效果要好很多;利用假期学校组织学生卖报体验生活,让学生体验现实生活,感受工作的艰辛,培养学生吃苦耐劳的品质,这是很好的实践。这些活动或做有利于学生接触社会,促其成长。

虽然二人的论点一致,但陶行知的论证过程却与杜威不一致。陶行知论证直接经验作用以及直接经验与间接经验关系,没有用杜威式言语论述这一命题,而是以中国墨家思想来论述。他根据《墨辩》将知识分为闻、说、亲三种,认为自己的直接经验,即"亲知"是教育的基础,在这基础上才能吸收人类全体的经验。他提出闻知、说知、亲知关系,认为闻知是别人传授进来的;说知是自己推想出来的;亲知是自己经验出来的。依据"教学做合一"理论,他归纳亲知是一些知识的基础,亲知即"教学做合一"中"做"的功夫。没有亲知做基础,闻知和说知皆不可能。可以说重视教育是经验的改造,重视直接经验是陶行知与杜威的一致之处。[③] 但共同之中也有不同,除论据不同外,他们的论点也略有不同。陶行知的"做""教育改造""亲知"已有实践的意思,这里经验改造的背景更

---

① 袁刚,孙家祥,任丙强.民治主义与现代社会:杜威在华讲演集[M].北京:北京大学出版社,2004:384.

② 华中师范学院教育科学研究所.陶行知全集(第二卷)[M].长沙:湖南教育出版社,1985:152-153.

③ 华中师范学院教育科学研究所.陶行知全集(第二卷)[M].长沙:湖南教育出版社,1985:152-153.

广阔,它是在整个生活中"做",而不仅仅是在学校中"做";杜威的"经验改造""做"是在学校中,在社会生活的缩影中来进行。他的"做"与陶行知相比,在很大程度上还是以间接经验为主,没有与学生自身生活中的直接经验相联系,可以说他们两人对直接经验、经验以及教育的理解是不同的,并且陶行知的"经验的改造""做"是让学生同农民交朋友,为农民子女办识字班,他的"做"以学生实际生活为出发点,其对象、范围要广。杜威的"做"是让儿童在"雏形社会"这种学校里做日常生活的事,在很大程度上,杜威的做是对实际生活的模仿,而陶行知的"做"本身就是在实际生活中做。

在重视"做"的经验即重视直接经验中,他们的论述模式、论证依据并不一致,陶行知是从中国传统思想角度来论述与杜威一致的观点,没有用杜威式话语作为立足点,这与中国杜威教育学派其他人以杜威式话语为主要指导思想,兼及中国文化恰好相反。这是中国杜威教育学派鲜有的脱离杜威式话语进行"经验"论述,它反映了陶行知立足于中国民族土壤,借鉴西方先进文化的思想特性,这点也辩证地体现了陶行知与杜威思想相同之外的不同处。

(2)"教学做合一"与"做中学"对"做"的理解的相近性

"做中学"强调"做",强调体力和脑力两方面活动的思想。陶行知的"教学做合一"理论也集中在"做"字上。陶行知指出:"做"字在晓庄有个特别定义。这定义便是在劳力上劳心。单纯的劳力,只是蛮干,不能算做,单纯的劳心,只是空想,也不能算做,真正的做只是在劳力上劳心。[①]

劳力上劳心要求手到心到,单一的手动、心动,劳心或劳力都不能算是做。"做"必须包括身体自动和精神自动,以往人们认为学习活动是属于精神方面的,与身体动作无关,陶行知认为这是错的,"教学做合一不但不忽视精神上的自动,而且因为有了在劳力上劳心,脚踏实地的'做'为它的中心,精神便随'做'而愈加奋发"[②]。"教学做合一"的"做"是劳力上劳心,身体与精神两方面都要活动。杜威也一再强调"做中学"对身体、对精神两方面发展的重要性。他指出:"理论和实际、思想和实行,两相分离,这是从前的人所深信的。……现在我们所注重的,是发动的、有精力的、有生气的性行。身体上的动作,分外应当注意。"[③]如此一

---

①　陶行知.陶行知教育论著选[M].董宝良,主编.北京:人民教育出版社,2015:263.

②　陶行知.陶行知教育论著选[M].董宝良,主编.北京:人民教育出版社,2015:271.

③　袁刚,孙家祥,任丙强.民治主义与现代社会:杜威在华讲演集[M].北京:北京大学出版社,2004:374.

来,于理智方面的训练,必定大有利益。没有身体的自动,只有死读书本的活动,这不是"学",只有"做中学"才是真正的学。强调"做"是"教学做合一"与"做中学"最本质的思想,这一指导思想的一致,说明了"教学做合一"对"做中学"的基本继承性,即二者对"做"的理解的相近性。

(3)"教学做合一"与"做中学"重视"创造性"思想的相近性

陶行知认为,"做"不仅是劳力上劳心,用心以制力,还要有所发明创造。为了怕人用"做"字当招牌而安于盲行盲动,陶行知明确指出:"'做'含有下列三种特征:(一)行动;(二)思想;(三)新价值之产生。"[①]随后他进一步指出:"做是发明,是创造,是试验,是建设,是生产,是破坏,是奋斗,是探寻出路。"[②]杜威"做中学"也很重视创造性,反对盲从,"做中学"本身就是创造性活动,杜威也要求在活动中具备创造性品质。他曾指出:"活动需要积极的品行——有活力、主动性、创造性——这些品质比在执行命令中哪怕是最完美的忠诚来说对世界更有价值。"[③]"做中学"的各种作业,都有培养学生创造性的一面,而与传统的书本知识的教学存在明显差异。在晓庄,陶行知各项"教学做合一"活动都培养创造性,这种创造性不仅针对学生,也针对教师,对晓庄所有人。陶行知曾以天热晓庄打井吃水为例,说明解决打井解决吃水不均问题是一项真正的"生活教育"活动,而这一活动的"教学做合一"培养了晓庄人创造性解决问题的能力。

杜威与陶行知二人强调的"做"不是蛮干,都是以实际生活为中心的做,是有目的的,有思维的做,通过做,师生获得直接经验,然后经过思维加工,从感性认识上升到理性认识。二人充分调动学生的积极性和主动性,要求教学方法多样化,陶行知在生活教育理论中指出课堂要用教学法取代教授法,其原因就在于重视创新人才培养。创造教育是陶行知生活教育思想的精髓,陶行知先生主张的生活教育思想把教育和社会生活、社会创造结合起来,他主张:创造不限时间和空间,任何人也都能创造。培养的人才要具有"健康的体魄,农人的身手,科学的头脑,艺术的兴味和改革社会的精神"[④]。改革社会就要有创新能力,可见,陶行知先生对于创新人才的培养有自己独到的见解,对中国创新人才

---

① 华中师范学院教育科学研究所.陶行知全集(第二卷)[M].长沙:湖南教育出版社,1985:289.

② 华中师范学院教育科学研究所.陶行知全集(第二卷)[M].长沙:湖南教育出版社,1985:290.

③ 〔美〕约翰·杜威.学校与社会·明日之学校[M].赵祥麟,等译.北京:人民教育出版社,2005:383-384.

④ 华中师范学院教育科学研究所.陶行知全集(第二卷)[M].长沙:湖南教育出版社,1985:291.

的培养有重要启示。

（4）"教学做合一"与"做中学"看待系统书本知识学习的相近性

陶行知认为教育的内容应该根据生活的需要。所以，高校应该变革死板的书本教育，采用以生活为中心的教育内容。首先，陶行知认为教材应从社会及自然中提取"活"的凝萃。教材的内容要源于自然及社会的生活，对其去粗取精，并充分考虑受教育者的需求，建议多以生活浓缩的案例形式展现。教育者应该充分认识到教材的作用，教材是一种教育工具。陶行知说："该给教员们以试验或选择书本之自由。"他指出：

> 生活教育指示我们说：过什么生活用什么书。教学做合一指示我们说：做什么事用什么书。这两句话只是一句话的两样说法。我们对于书的根本态度是：书是一种工具，一种生活的工具，一种"做"的工具。工具是给人用的；书也是给人用的。[1]

另外，陶行知与其师一样反对传统的脱离实际的书本教学，要求随着"作业"不同、生活不同而提供给学生不同的教材。杜威认为"做中学"中，没有儿童使用相同的教科书，没有儿童进行一样的系统知识的学习，儿童的教材根据"作业"不同而不同。各种符合儿童生活实际、体现人类优秀文化的内容都可成为儿童在学校使用的教材。[2] 杜威并不反对教学使用教材，而且认为书本和读书对于经验的阐明和扩充是重要的。但在他这里，教材已失去原本含义，成为一种宽泛的知识汇集册，"做中学"成为理论上存在教材，实际上却没有可操作性教材的状况，系统书本知识学习也随之化为乌有。[3]

陶行知强调我们要以生活为中心的教学做指导，不要以文字为中心的教科书，有什么样的生活就有什么样的教科书。在他的生活教育与"教学做合一"中，他归纳出七十种生活力，相应地提出了七十种教学做指导，他认为"教学做合一"的理论不是不要书；它要用的书的数目之大，比现在的教科书要多得多。虽然陶行知认为"教学做合一"也需要教科书，但这种根据生活而编制的指导，实在是泛之又泛，其中心已背离了我们通常所说的进行系统知识教学所需的教科书。[4] 其

---

① 华中师范学院教育科学研究所.陶行知全集(第二卷)[M].长沙：湖南教育出版社,1985：291.
② 〔美〕约翰·杜威.学校与社会·明日之学校[M].赵祥麟,等译.北京：人民教育出版社,2005：383-384.
③ 〔美〕杜威.杜威教育论著选[M].赵祥麟,王承绪,编译.上海：华东师范大学出版社,1981：324.
④ 华中师范学院教育科学研究所.陶行知全集(第二卷)[M].长沙：湖南教育出版社,1985：291.

在实际教学活动中,也很少给学生提供教材,除经济原因外,与他这种宽泛的教材理念、书本知识理念也分不开。从以上简要的分析中可以看出,陶行知先生的"教学做合一"主张,是针对传统教学的弊病,通过研究现实需要而提出的。他的这种极富独创性的主张,对我们今天的教学改革无疑是很有启发的。

整体而言,杜威和陶行知的生活教育观点,都是在特定的国家社会背景中产生的,体现了时代的特点。杜威的"教育生活"思想是为了解决美国工业化转型时期经济发展与传统教育之间的矛盾而提出的,他倡导生活与教育密切联系,主张儿童应主动参与到生活中、教育中,这种教育思想不仅对当时美国的社会发展起到了至关重要的作用,而且在今天看来仍然具有重要意义。陶行知的"生活教育"思想是在吸取杜威教育思想精华的基础上,经过长期的考察、实践,结合中国当时半殖民地半封建社会的具体国情提出来的,他提倡兴办平民教育、乡村教育、普及教育、国难教育和民主教育,其教育思想对 20 世纪的中国产生了深远影响。没有杜威的思想,就没有我们今天在讨论的陶行知的思想,但是陶行知并不是仅以拿来主义看待杜威的思想,他通过亲自实践,发现了不同于杜威的、适合中国国情的教育思想。陶行知作为中国近代著名的人民教育家,继承和发展杜威的教育思想,实践中西教育思想融合,体现先进性、时代性、民族性和现实性。陶行知揭示中国当时社会教育规律,提出中国教育改革的思想。陶行知教育思想对当前教育工作有重大指导意义。他一生致力于中国教育的研究,他的很多教育思想都具有一定的前瞻性,尤其是生活教育思想对现今中国教育的影响更是深远。

五、 陈鹤琴对杜威教育思想的秉持及践行(1921—1946 年)

1914 年,陈鹤琴赴美留学,先后就读于霍普金斯大学和哥伦比亚大学师范学院,专攻教育学和心理学,获霍普金斯大学文学学士、哥伦比亚大学教育硕士学位。1919 年 9 月起,先后担任南京高等师范学校教育科教授、国立东南大学教育部主任等职位。他研究儿童心理,致力于儿童教育。陈鹤琴于 1921 年加入中华教育改进社,与胡适、陶行知等杜威弟子一起从事教育教学的改革,在之后的日子里,他秉承着杜威教育思想的精华,开展了一系列的教育活动。1923 年秋,在南京鼓楼自己住宅内开办鼓楼幼稚园,试验科学化、中国化的幼稚教育,以儿童为中心,教人"做人",培养现代儿童,这符合杜威"儿童中心"的思想。1929 年 7 月创建中华儿童教育社,成为当时国内规模最大、人数最多的儿童教育学术团体,充分践行了杜威的儿童教育思想;1940 年提出了"活教育"理论,随后的 7 年间对这一思想进行了实践,最终形成了一套完整的"活教育"理论体系,其中,"活教育"的三大目标即"做人、做中国人、做现代中国人"的目的论、"做中学、做中教、做中求进步"的教学论、"大自然和大社会都是活教材"的课程论,是对杜威"教育即生活""学校即社会""教育无目的论""儿童中心"的继承。1946 年,陈鹤琴与陶行知一道成立生活教育社,筹办社会大学。陶行知逝世后,陈鹤琴主要致力于自己教育思想的实践和推广。

(一) 提倡"活教育"

1. "活教育"思想的诞生

陈鹤琴幼时在私塾读过书,对中国传统的私塾教育深有感悟,虽然私塾教育对中国传统文化的传承有着积极作用,但它压抑了儿童的童心,把活的教学内容变成了"死教育",以陈鹤琴为例,他曾这样描述自己的私塾生活:"读了十部书,大概认识了四千多块头字,书中的意思,可说茫然不知,块头字的意义也多半不了解。八股文章没有开过笔。一封信、一张字条也写得不通。"[①]因此,可以说"活教育"思想与他幼时所接受的私塾教育有着很大关系,他想要以一种新的教育方式将儿童从牢笼中真正地解放出来。与幼时私塾经历所不同的是,陈鹤琴在美国留学期间所接受的教育,在美国期间他曾先后就读于霍普金斯大学和哥伦比亚大学师范学院,霍普金斯大学中教师直观生动的教学方法,给他的思想造成了很大的冲击,他曾提到:"教授的教法又新颖又实际。他不是空讲的,每次讲演总有许多标本给我们看。"[②]在哥伦比亚大学师范学院读书期间,陈鹤琴师从杜威的学生克伯屈,也受到了杜威实用主义教育思想的影响。杜威的实用主义教育理论对 20 世纪前期世界范围内的教育改革运动有着极其重要的影响,对"活教育"思想的诞生也有一定影响,陈鹤琴自己也承认:"'活教育'并不是一项新的发明。它的理论曾被世界上不同的教育界权威创导过。当作者从 1914 年到 1919 年在美国接受教育时,最知名的教育家之一杜威博士提倡美国进步教育,对形成中国的'活教育'运动起了相当的影响。"[③]

---

① 陈鹤琴.我的半生[M].上海:三联书店,2014:88-89.
② 陈鹤琴.我的半生[M].上海:三联书店,2014:143.
③ 陈鹤琴.陈鹤琴全集(第六卷)[M].陈秀云,陈一飞,编.南京:江苏教育出版社,2008:239.

"活教育"思想首先应该是对杜威实用主义教育思想的继承,陈鹤琴说:"我提倡的活教育是和杜威的学说配合的,因为活教育和杜威学说,其出发点如所走的路子、所用的方法有相似之处。"①但同时,"活教育"思想又不单单是直接照搬,而是对杜威教育思想进一步的发展。"我们为什么要提出儿童教育思潮的趋势和杜威的学说呢?因为我们现在提倡的活教育是接受着世界新教育的思潮,并和杜威一样地在创造理论,也创造方法。"正如陈鹤琴所说,不只是继承,更多的是在创造,创造一种理论和方法,来改变当时中国的教育状况。② 综上可知,陈鹤琴"活教育"思想理论体系是内外因素综合作用的结果,自诞生以来,就结合杜威教育思想,对中国教育进行改造,成为教育史上的宝贵财富。

2."活教育"理论体系

陈鹤琴所提出的"活教育"理论是他长期从事中国教育改革和探索经验的概括和总结,这一理论充分吸收了杜威"尊重儿童,尊重实践"的思想,"活教育"思想体系包括目的论、教学论、课程论、德育论等。

(1)"活教育"的目的论

"活教育"的目的论包含三部分,即"做人,做中国人,做现代中国人"。生而为人,首先是万千同类中的一员,所以要有一种跨越种族、宗教、阶级的大爱,热爱人类;同时,还应该热爱真理,要不惜一切代价来捍卫真理,此为"活教育"的第一层目的,即"做人"。这一层目的与杜威的"教育即生长"相符合,杜威认为,教育除了其本身之外并无其他目的,人的生长和发展就是教育的本来目的。但是,人是社会性的动物,总是要生活在特定的环境中的,基于此,陈鹤琴提出了"活教育"的第二层目的,即"做中国人,做现代中国人"。他说:"今天我们生在中国,是一个中国人,做一个中国人与做一个别的国家的人不同。"作为中国人,必须要爱自己的祖国,爱自己的同胞,一个国家的人们应该团结起来,"尽力来提高中国在世界各国中的地位""为自己国家的兴旺发达而努力"。"活教育"理论产生的时期有着明显的时代背景:中华民族处于水深火热中,中国人民肩负着争取民族独立,实现民族复兴的历史使命。正如陈鹤琴所说:"中国还处于半封建半殖民地的境遇,人民生活的艰苦,有如水深火热,但亦正因为如此,每一个人都担负了一个历史任务,那便是对外反对帝国主义的干涉,争取民族独立;对内肃清封建残余,建树科

---

① 陈鹤琴.陈鹤琴文集[M].陈秀云,陈一飞,编.南京:江苏教育出版社,2007:380.
② 陈鹤琴.陈鹤琴文集[M].陈秀云,陈一飞,编.南京:江苏教育出版社,2007:378.

学民主,这便是中国人当前的生活内容与意向,而活教育就是要求做这样的中国人,现代的中国人。"①1942 年发表在《活教育》上的《活教育要怎样实施》中,他明确提出现代中国人应该具备以下五个条件：②

第一,"要有健全的身体";

第二,"要有建设的能力";

第三,"要有创造的能力";

第四,"要能够合作";

第五,"要服务"。

"活教育"的第二层目的和杜威的"教育即生活""学校即社会"有相似之处。杜威认为,儿童的学习要适应社会生活,学校所呈现出来的,一定是"对于儿童来说真实而生气勃勃的生活",学校应该是简化版的社会,是社会的雏形状态。杜威也曾论述过教育与社会的关系："我相信——教育是社会进步及社会改革的基本方法"③,这一论述充分肯定了教育之于社会的作用。在杜威看来,教育就是一种以"社会意识"为基础的个人活动,个人通过活动来适应社会改造。陈鹤琴在此基础上结合中国的国情,提出了更深层次的目的：教育不仅仅是要适应当前的社会,还需要培养人才以争取民族独立和富强。"活教育"目的论体现了人发展的基本规律,从"做人"出发,逐步赋予个体以国家意识、民族观念,直至胸怀天下,成为世界中的中国人。

（2）"活教育"的教学论

在教学原则和方法上,陈鹤琴主张"做中学,做中教,做中求进步"。他曾在文章中说道："杜威博士提出从做中来学。在这里,我们更近了一步。不但要从做中学,我们还提出从做中教,从做中求进步。正像杜威博士在芝加哥实验学校那样,我们强调儿童各类生活活动都要在户外……他们在做与教中取得的直接经验,则是求得进步的主要因素。"④"做中学,做中教,做中求进步"的思想包含了他对"学生主体"和"教师指导"关系的认识,在师生关系上,一改往日教师"专制"的局面,要求教师转变自己的身份,不再做发号施令者,而是要充当指导者和引路人,更重要的是,要将儿童看成是有思想、有灵魂的个体,尊重儿童的想法,在教学

---

① 陈鹤琴.陈鹤琴文集[M]. 陈秀云、陈一飞,编.南京：江苏教育出版社,2007：436.

② 陈鹤琴.陈鹤琴文集[M]. 陈秀云、陈一飞,编.南京：江苏教育出版社,2007：410-412.

③ 〔美〕杜威.杜威教育论著选[M].赵祥麟,王承绪,编译.上海：华东师范大学出版社,1981：11.

④ 陈鹤琴.陈鹤琴文集[M]. 陈秀云、陈一飞,编.南京：江苏教育出版社,2007：373.

的过程中与儿童共同进步。另外,我们也不难看出他对儿童身心发展规律的了解,以往的教学通常是注入式的,尤其是古代的私塾教育,整个教学过程呆板无趣,儿童的天性被牢牢的束缚住,教师只一味地传授知识,对儿童的要求也只是背会即可。"活教育"则恰恰相反,陈鹤琴指出要打破当前死气沉沉、毫无生机的教育现状,改变儿童在传统教育中一直处于被动的局面。在活教育中,儿童享有充分的权利,他们能够亲身参与到实践中去,在生活中、在自然中汲取知识。"活教育"把学习的过程分为以下四个步骤:①

① 试验与观察:这是学习的第一步,孩子们需要从试验和观察中获得知识;

② 广泛阅读和运用参考资料:在观察的基础上,孩子们需要阅读更多的书和参考资料,以便从中可以获得更多更有用的知识;

③ 发表与创造:基于上述两步所得到的知识,孩子们可以发表自己的看法,甚至可以有所发明创造;

④ 批评与研讨:孩子们的认知水平还不够高,其认识可能存在欠缺或偏差,这时就需要与同伴共同讨论和研究,必要时可以请老师讲解,使得知识的学习更加准确。

陈鹤琴以小孩子学习有关青蛙的知识为例来解释这四个步骤:在学习的开始,他需要观察和研究活的青蛙,这是第一个步骤,即"试验与观察";有了这个基础,他就可以去看参考书,无论是科学小品、故事还是儿歌均可,都是为了进一步了解青蛙,这是第二个步骤,即"阅读参考";有了实践获得的经验和参考的书本资料,他就可以写一篇观察报告或者编一个木偶戏,这是第三个步骤,即"发表与创造";有了前三步,孩子心中已经大概掌握了有关青蛙的知识,这时就需要和同伴或老师进行讨论,以达到准确无误、精益求精的效果,此之谓第四个步骤,即"批评与研讨"。为了更加具体地阐述自己的教学思想,陈鹤琴又提出了"活教育"的 17条教学原则:②

原则一:凡是儿童自己能够做的,应当让他自己做

原则二:凡是儿童自己能够想的,应当让他自己想

原则三:你要儿童怎样做,就应当教儿童怎样学

原则四:鼓励儿童去发现他自己的世界

原则五:积极的鼓励胜于消极的制裁

---

① 陈鹤琴.陈鹤琴文集[M].陈秀云,陈一飞,编.南京:江苏教育出版社,2007:374.
② 陈鹤琴.陈鹤琴文集[M].陈秀云,陈一飞,编.南京:江苏教育出版社,2007:444.

原则六：大自然大社会是我们的活教材

原则七：比较教学法

原则八：用比赛的方法来增进学习的效率

原则九：积极的暗示胜于消极的命令

原则十：替代教学法

原则十一：注意环境,利用环境

原则十二：分组学习,共同研究

原则十三：教学游戏化

原则十四：教学故事化

原则十五：教师教教师

原则十六：儿童教儿童

原则十七：精密观察

综合这 17 条教学原则,我们不难从中发现杜威教育思想的影子：首先,在教学中,陈鹤琴十分强调儿童要亲自去做,这与杜威的"从做中学"有着十分密切的关系；其次,他十分重视儿童直接经验的获取,这与杜威所推崇的"以活动为中心"和"以经验为中心"不谋而合；杜威曾说："儿童的社会生活是他的一切训练或生长的集中或相互关系的基础。"①因此,陈鹤琴提出教育过程中要注意利用环境。再次,"活教育"的教学论体现出了要尊重儿童的特点。陈鹤琴曾说道："儿童的活动组织我们依据两个原则来拟定。第一个原则是'根据儿童生活需要',第二个原则是'根据儿童的学习兴趣'。"②而杜威在其"儿童中心论"中也提出了要尊重儿童主体地位,认为"教育上的问题在于怎样抓住儿童的活动并予以指导"③,还提出,"兴趣是生长中的能力的信号和象征",认为作为教育者要时常关注儿童的兴趣,这些兴趣能够体现出儿童的发展状态,并以此来判断"儿童将进入哪个阶段"；作为成年人,要不断地对儿童的兴趣"予以同情的观察",只有这样才能够进入到儿童的生活中,才能真正读懂儿童。④

除以上几个特点,我们还能发现,"活教育"的教学论是陈鹤琴以心理学知识为依据,在了解儿童心理发展特点的基础上,结合中国的实际状况而提出的,是对

---

① 〔美〕杜威.杜威教育论著选[M]. 赵祥麟,王承绪,编译.上海：华东师范大学出版社,1981：6.

② 陈鹤琴.陈鹤琴文集[M]. 陈秀云,陈一飞,编.南京：江苏教育出版社,2007：415.

③ 〔美〕杜威.杜威教育论著选[M]. 赵祥麟,王承绪,编译.上海：华东师范大学出版社,1981：33.

④ 〔美〕杜威.杜威教育论著选[M]. 赵祥麟,王承绪,编译.上海：华东师范大学出版社,1981：10.

杜威教育思想的继承和发展。另外,陈鹤琴还提到了教学方法:他提出教育儿童要采用积极的鼓励,尽量避免"禁止做……"式的教育,要对儿童进行积极的暗示,其中包括父母师长要以身作则,通过自身的暗示来让儿童学会道理。在教学中还可以采用比较、替代的方法等等,这些方法均是建立在心理学基础上的,对变革教学方法具有里程碑的意义。

陈鹤琴"做中学,做中教,做中求进步"的思想继承了杜威的"儿童中心论""做中学"的思想,同时他还是将杜威的"儿童中心论"思想进行实践的先驱。在他的实践中,学校的一切设施和一切开展的活动都以儿童为中心,给儿童自由,并对儿童表现自己的兴趣进行了相应的指导。

(3)"活教育"的课程论

在课程方面,陈鹤琴主张"大自然、大社会都是活教材",反对以课程和教材为中心。在中国传统教育里,课程是固定的,在学校中,学生学习的内容被叫作"书",教师教授的内容也被称作"书",仿佛"书"就是"教育",严重束缚了儿童的思想,阻挡了儿童看世界的目光。陈鹤琴说:"把一本教科书摊开来,遮住了儿童的两只眼睛,儿童所看见的世界,不过是一本6寸高、8寸阔的书本世界而已。一天到晚要儿童在这个渺小的书本世界里面去求知识,去求学问,去学做人,岂不是等于梦想吗?"①在这样的教育环境中,儿童都很死板,毫无生气和创造力可言。在教学内容上,杜威提倡学校教育"应当采取儿童在家庭里已经熟悉的活动"②,要以"儿童自己的本能和能力"为教育的素材,以吸引儿童的注意力和兴趣,陈鹤琴亦是这样认为。在"活教育"中,课程和教材不再那么死板无趣,都是符合儿童的心理和社会的需要的,大自然、大社会都可以成为儿童学习的教材。陈鹤琴说道:"活教育的课程是把大自然、大社会作为出发点,让学生直接去向大自然、大社会学习",并将其看作是"活的知识宝库",是可供儿童学习的。③ 此处可以看出陈鹤琴对杜威教育思想的发展,杜威提倡的"做中学"还是在学校这个环境中进行的,而"活教育"则是跳出了学校这个圈子,认为儿童学习不仅仅要在学校中,更重要的是要去学习大自然和大社会中的"活"的知识。

杜威认为,课程的中心是"儿童本身的社会活动",儿童之所以对所学知识感到厌倦,是因为他们所学习的内容与实际生活之间的差距过大,往往不能学以致

---

① 陈鹤琴.陈鹤琴全集(第五卷)[M].陈秀云,陈一飞,编.南京:江苏教育出版社,2008:70.
② 〔美〕杜威.杜威教育论著选[M].赵祥麟,王承绪,编译.上海:华东师范大学出版社,1981:4.
③ 陈鹤琴.陈鹤琴文集[M].陈秀云,陈一飞,编.南京:江苏教育出版社,2007:416.

用,"学校必须呈现现在的生活——即对于儿童来说是真实而生气勃勃的生活"①。使儿童学习到的知识成为儿童经验的一部分。"活教育"亦是如此,陈鹤琴虽然反对传统的以书本为中心的教育,但是他并没有否定书本和教材所发挥出的价值,他认为,书本和教材要更有针对性,要适应不同学生的不同个性和需求。陈鹤琴说:"如果恰当地用作参考资料,书本是有用的,但不应像过去那样,把书本作为学校学习的唯一材料。"②另外,杜威反对分科教学,认为分科教学会使知识的统一性受到破坏,在文章和讲演中多次论述了分科教学的弊端:"儿童一到学校,多种多样的学科便把他的世界加以割裂和肢解。""已经归了类的各门科目,是许多年代的科学的产物,而不是儿童经验的产物。"在此基础上,杜威提出"教材心理学化"的主张:"因此,就需要把各门学科的教材或知识各部分恢复到原来的经验……它必须心理化。"③同样,陈鹤琴也不赞同分科教学,在学前和小学阶段的儿童还没有形成学科的概念,而传统的分科教学很明显不符合教育和心理学的原理,它将知识割裂开来,使得儿童所学到的都是碎片化的知识,很难统一起来,很难形成对世界的完整印象,因此,"活教育"提出了"五指活动"来代替传统的学科教学。"五指活动"具体包括儿童健康活动、社会活动、科学活动、艺术活动和文学活动。陈鹤琴指出:"它之所以称为五指活动是因为这'五种活动'正像一只手的五个指头,各个指头相互联结构成一个整体。五个中缺少一个就会破坏这个活动的目标。"④这说明了五种活动之间既相互关联,又相互独立,共同促进儿童身心的发展。这是对杜威教材"心理学化"的发展,"五指活动"寓教育于活动之中,将儿童从传统教育的束缚中解放了出来,让儿童在活动中学习,以适应儿童的心理发展特点。

（4）"活教育"的德育论

杜威认为,"家庭是社会生活的一种形式",在家庭当中儿童可以获得一定的教养和道德上的训练,而学校的任务是要将他在家庭中所获得的道德知识和教养进行扩展和加深,提出"社会机体以学校为它的器官,决定道德的效果"。⑤ 因此,学校具有对儿童进行道德教育的任务。在进行道德教育时,除了要教给学生一定

---

① 〔美〕杜威.杜威教育论著选[M].赵祥麟,王承绪,编译.上海:华东师范大学出版社,1981:4.
② 陈鹤琴.陈鹤琴全集(第六卷)[M].陈秀云,陈一飞,编.南京:江苏教育出版社,2008:243-244.
③ 〔美〕杜威.杜威教育论著选[M].赵祥麟,王承绪,编译.上海:华东师范大学出版社,1981:89.
④ 陈鹤琴.陈鹤琴文集[M].陈秀云,陈一飞,编.南京:江苏教育出版社,2007:374.
⑤ 〔美〕杜威.杜威教育论著选[M].赵祥麟,王承绪,编译.上海:华东师范大学出版社,1981:11.

的道德知识,还需要让学生在学校和社会中进行实践,认为最好的和最深刻的道德训练"是人们在工作和思想的统一中跟别人发生适当的关系而得来的"。陈鹤琴也十分重视学校的德育功能,他曾说:"训导工作在整个的教育工作上可说是最繁重最重要的。"①在《训育的基本问题——确立训导原则》中陈鹤琴提出了 13 条训育原则,具体论述了如何对儿童进行道德教育:

① 从小到大

② 从人治到法治

③ 从法治到心理

④ 从对立到一体

⑤ 从不觉到自觉

⑥ 从被动到自动

⑦ 从自我到互助

⑧ 从知到行

⑨ 从形式到精神

⑩ 从分家到合一

⑪ 从隔阂到联络

⑫ 从消极到积极

⑬ 从"空口说教"到"以身作则"

从这 13 条基本原则中可以看出陈鹤琴的某些德育思想,例如,他强调儿童的自觉,认为儿童身上存在潜在的力量,那么教师的作用就是要将儿童的自觉性唤醒,在唤醒自觉的基础上才可以产生"自动"。他也强调对儿童施行道德教育时,学校、家庭和社会要打破之前的隔阂,要对外保持一致,以保证学生所习得的德性是受用的;杜威曾说,在对学生进行道德教育时"不能有两套原则"②,在这一点上二人的观点是一致的。陈鹤琴还强调教师不能高高在上,要和学生处在同一水平线上,这有利于师生间的交流和沟通。另外,他还批判了传统教育中智育和德育"分家"的状况,提出全体教师都有对学生进行道德教育的责任和能力,以"润物细无声"的姿态对他的品格形成影响,另外负责德育的教师也要提升自己的文化修养,从而改善德育工作;杜威也提到了学校中智育和道德训练呈现了可悲的分离状态,不可否认的是,这对于学校德育工作来说是有害的。陈鹤琴还提出在对学

---

① 陈鹤琴.陈鹤琴文集[M].陈秀云,陈一飞,编.南京:江苏教育出版社,2007:488.

② 〔美〕杜威.杜威教育论著选[M].赵祥麟,王承绪,编译.上海:华东师范大学出版社,1981:99.

生进行道德教育时,要注重引导学生进行正确的活动,而不是对学生进行消极的防止和制裁,这一点我们可以从杜威的思想中找到源头,即"当把重点放在矫正错误行为,而不是养成积极服务的习惯时,训练是病理的"①。杜威还认为,学校的道德训练有形式主义的色彩,坚持学校所提倡的诸如"敏捷、整齐、不干扰别人的工作"等的良好习惯或多或少是"不真实的",儿童真正需要的是"发现一切有利于社会秩序和社会进步的事物,并实行这些原则的兴趣"②。陈鹤琴也认为,传统教育中的学校大多只注重对学生进行外部行为的约束和要求,反之,恰恰遗忘了其内部的动机,因此要注意引导学生形成对道德的内在认同,即转化为"自动自觉"的状态。

这些原则对当代的学校德育还有很大的借鉴意义,对形成学生的良好品德具有十分重要的作用。

3. "活教育"的实践

为了实践自己的教育思想,杜威开办了自己的试验学校,虽然最终因为内部人事问题而停办,但在世界范围内却产生了很大影响。在试验学校中,杜威坚持"教育即生长"的原则,主张不给儿童施以外界的压力,而是让他们在团体中自动生长;在课程上,杜威坚持课程的开办要适应儿童的心理条件,关注儿童的兴趣,以此来吸引儿童的注意力,让儿童能自动自发地学习;杜威还强调儿童在学习时要遵照"从做中学"的学习方法,因此试验学校开办了一些诸如烹饪、木工、缝纫等的课程来供儿童学习,但同时杜威又说,学校里的这些"作业"并不只是学习某种职业的手段和方法,也不是为了学生能获得某种技术,而是将它们作为"理解自然的原料和过程的活动中心",作为引导儿童"认识人类历史发展的起点"。③ 教学材料也不再是一成不变的书本,而是从儿童的日常生活出发,将学校看作家庭生活的延续,让儿童学习经验性的知识。陈鹤琴这样评价杜威的试验学校:"杜威建立自己的试验室——试验学校,是当他在哲学与心理学上已获得了特殊的理解之后,他迫切希望有这样一个场所,使他的理论和原则得以经受实践应用上的考验。""杜威创办试验学校,是准备以他们的努力来改造传统教育的积弊的。"④

---

① 〔美〕杜威.杜威教育论著选[M].赵祥麟,王承绪,编译.上海:华东师范大学出版社,1981:103.
② 〔美〕杜威.杜威教育论著选[M].赵祥麟,王承绪,编译.上海:华东师范大学出版社,1981:104.
③ 〔美〕杜威.杜威教育论著选[M].赵祥麟,王承绪,编译.上海:华东师范大学出版社,1981:20.
④ 陈鹤琴.陈鹤琴全集(第五卷)[M].陈秀云,陈一飞,编.南京:江苏教育出版社,2008:114-117.

与杜威一样，陈鹤琴在践行自己的"活教育"时，主要在自己创办的幼稚教育机构中进行。我们可以说，自"活教育"诞生以来，陈鹤琴就在持续不断地进行他的教育改革试验和实践，此处，我们只以江西试验幼师为例来看陈鹤琴"活教育"思想的实践。

1940 年 10 月在江西省泰和县文江村大岭山松林中，出现了一所幼稚师范学校——江西省立试验幼稚师范。为顺利开办学校，陈鹤琴亲自选定地点，画好图样，采办材料，条件虽然简陋，但校内教室、寝室、大礼堂、阅览室、诊疗室、练琴室等等一应俱全，并且陈鹤琴还带领教师发现了泉水，解决了学校和当地村民的饮水问题。此外，他还和师生一起开荒、筑路、辟操场、编草、种菜、养猪养鸡，开辟出了一个"荒山中的乐园"。在教学中，陈鹤琴始终坚持将"活教育"贯穿其中，教学目标首先是做人、做中国人、做现代的中国人，其次才是培养优良的幼稚教师；坚持"大自然大社会都是我们的活教材；活教法是在做中学，做中教，做中求进步；活教师用活教法，教活教材，才有活学生；活教师，活学生，集中力量，改造环境，才有活社会"①。在课程中，选用公民、体育及游戏、卫生、国语、自然、社会、美术、家事、音乐、教育概论、儿童心理、保育法、幼稚教育、时事研究、农艺、工艺、实习等共18 门，从生活教育、试验课程、活动课程方面来进行教学。另外，从校歌中也能发现当时学校教育的特点："做中教，做中学，随作随习。活教材，活学生，活的教师。大自然，大社会是我们的工作室。还要有手脑并用，文物合一。"自 1940 年成立到 1946 年撤并，在"活教育"思想的指引下，江西试验幼师共设立了专科部、师范部、小学部、幼稚园、婴儿园五部分，另设有国民教育试验区，形成了一个完整的儿童教育和幼稚师范教育体系，培养出了一批又一批的人才。

总之，杜威的实用主义教育思想对陈鹤琴"活教育"理论的提出和体系的构建具有深刻的影响，这种影响并不是简单的复制，而是有着陈鹤琴自己的思考和对当时中国国情的恰当认识。自诞生之日起，"活教育"思想就对中国的教育产生了深刻的影响，其中包含的教育理念值得我们深思。

（二）强调家庭教育

1914 年，陈鹤琴回国，在南京高等师范学校教授"儿童心理"一课，在教学过程中，他对于儿童心理有了深厚的了解。第二年，他的长子一鸣出生，他将自

---

① 陈鹤琴.陈鹤琴文集[M].陈秀云，陈一飞，编.南京：江苏教育出版社，2007：392.

己的儿子作为观察对象,对他的生活进行了密切的观察,特别是他的身心变化,并且在生活当中还进行了各种教育试验。在试验中,陈鹤琴认识到:"儿童之心理与学习之性质及原则,以为施行家庭教育之基础。"①但是在中国封建时代,由于受到封建宗法制儿童观的影响,家长习惯将子女当作自己的所有物来对待,对子女强调家长的支配地位和服从性。陈鹤琴批评某些家长以声色俱厉的言行去对待自己的孩子,好像专制时代的主人们对待他们的奴隶一样。家长对于孩子的心理并不了解的现状,让陈鹤琴不断研究儿童心理,并提出了家庭教育的思想。

陈鹤琴认为家庭教育不仅是父母与孩子之间亟待解决的问题,并且这同样是挽救中国所应该重视的问题,他说:"儿童是振兴中华的希望,儿童教育是整个教育的基础,关系到我们伟大祖国的命运。"②陈鹤琴认为:"小孩子的知识之丰富,思想之发展与否,良好习惯之养成与否,家庭教育实应负完全的责任。"③他还指出:"幼儿个性形成的最初基础,也是在家庭中奠定的。家庭对幼儿的思想和行为习惯的影响是极大的。家长是子女的第一个老师,父母应尽到教育好孩子的责任。"④在他研究家庭教育的过程中,受到了杜威实用主义教育思想的影响。杜威批判不顾儿童个性特点的行为,重视以儿童为中心,杜威指出:"如果对于个人的心理结构和活动缺乏深入的观察,教育的过程将会变成偶然性的、独断的。"⑤陈鹤琴同样是在研究儿童的心理的基础上提出了他的家庭教育思想,陈鹤琴让人们了解儿童的心理,提出了如何根据儿童的心理进行教育,在进行教育的过程中,最为重要的就是以儿童为中心。

1. 家庭教育的原则

(1) 只有了解儿童,才能教好儿童

陈鹤琴在《家庭教育》中提到儿童心理发展的特点,认为家庭教育必须根据儿童的心理始能行之得当,若不明儿童的心理而妄施以教育,那教育必定没有成效可言的。儿童心理特点是家庭教育的基础,只有了解儿童的心理才可以实施相对应的教育。他将儿童的心理总结为七个方面:

①　陈鹤琴.陈鹤琴全集(第三卷)[M].陈秀云,陈一飞,编.南京:江苏教育出版社,2008:12.
②　陈鹤琴.陈鹤琴教育文集(上卷)[M].北京:北京出版社,1983:587.
③　陈鹤琴.陈鹤琴全集(第三卷)[M].陈秀云,陈一飞,编.南京:江苏教育出版社,2008:2.
④　陈鹤琴.陈鹤琴教育文集(上卷)[M].北京:北京出版社,1983:216.
⑤　〔美〕杜威.杜威教育论著选[M].赵祥麟,王承绪,编译.上海:华东师范大学出版社,1981:2.

第一，小孩子是好游戏的；

第二，小孩子是好模仿的；

第三，小孩子是好奇的；

第四，小孩子是喜欢成功的；

第五，小孩子是喜欢野外生活的；

第六，小孩子是喜欢合群的；

第七，小孩子是喜欢称赞的。①

这七条是儿童心理的主要特点，根据这些特点，家长们应该做出相对应的措施，如"准备良好的设备使小孩子得着充分的运动""事事谨慎，务使己身堪有作则之价值"。②"赞许心，我们做父母的教育小孩子时应当利用，然而不可用的太滥，以滥就失掉它的效用，反不若不用为妙。"③陈鹤琴所提出的这些特点和应对的方法，都是帮助父母在保护孩子天性的基础上进行教育，杜威同样指出："教育必须从心理学上探索儿童的能量、兴趣和习惯开始。"④陈鹤琴说："儿童不是'小人'，儿童的心理成人的心理不同，儿童时期不仅作为成人之预备，亦具他的本身价值，我们应当尊敬儿童的人格，爱护他的烂漫天真。"⑤

（2）了解儿童的学习性质与原则

陈鹤琴认为，我们要想使孩子学习与成长，就应该知道儿童是怎么学的，他们的学习有什么原则。他认为："儿童生来就有三种基本能力，即感觉、联念和动作。"⑥学习就是先感觉外界的刺激，然后把所感觉到的事物与所有的感觉联合起来，再发生相当的动作去反应外界的刺激，并且刺激和反应是能看出来的，而联念是看不出来的。根据这些特点，他提出了学习的原则。第一，刺激的原则。小孩子的头脑简单，不能够用抽象的事实去教他，应该先具体后抽象，从父母的以身作则开始，从一个优秀的成长环境做起，使孩子获得良好的刺激。第二，联念的原则。陈鹤琴提出："凡能使小孩子快乐的刺激容易印刻在小孩子的脑筋里。""凡刺激发生的时间愈长次数愈多，那联念也愈坚固。"⑦所以想要使小孩子学习，就

---

① 陈鹤琴.陈鹤琴全集（第三卷）[M].陈秀云，陈一飞，编.南京：江苏教育出版社，2008：2-10.

② 陈鹤琴.陈鹤琴全集（第三卷）[M].陈秀云，陈一飞，编.南京：江苏教育出版社，2008：3.

③ 陈鹤琴.陈鹤琴全集（第三卷）[M].陈秀云，陈一飞，编.南京：江苏教育出版社，2008：9.

④ 〔美〕杜威.杜威教育论著选[M].赵祥麟，王承绪，编译.上海：华东师范大学出版社，1981：2.

⑤ 陈鹤琴.陈鹤琴全集（第一卷）[M].陈秀云，陈一飞，编.南京：江苏教育出版社，2008：7.

⑥ 陈鹤琴.陈鹤琴全集（第三卷）[M].陈秀云，陈一飞，编.南京：江苏教育出版社，2008：13.

⑦ 陈鹤琴.陈鹤琴教育文集（上卷）[M].北京：北京出版社，1983：607.

要让他们对于所学的知识产生兴趣,想要使小孩子的知识联系紧密,就要不断的巩固。第三,动作的原则。在这一原则中,陈鹤琴提出要重视小孩子开始的学习。"无论什么事,第一次做的好,就容易做的好,反之,第一次做错,第二次也容易做错。"①所以父母要对孩子的第一次格外注意。在养成习惯的问题上,他强调不能够有例外,而破坏养成了的习惯。在学习的问题上,要注意自己做,自己动手,父母要给予他学的机会。这些都是父母所应该了解的如何让自己的孩子进行学习的知识。杜威曾提出:"理想的家庭还要有一个小型的试验室,以指导儿童的研究探索。"②这也是强调了家庭当中的学习。

2. 家庭教育的原则和方法

陈鹤琴以他所总结的儿童心理规律为基础,提出了家庭教育当中应遵循的一系列原则。

(1)以身作则。家长在孩子面前树立良好的榜样,用自身的行为去影响和教育孩子。孩子的模仿能力很强,父母在家中的行为很自然地会被子女模仿,他们的一言一行都会对子女产生影响。为了正确地教育自己的子女,父母要时时注意给孩子正面的影响。陈鹤琴提出:"我们晓得小孩子生来是很好的,也是无知无识的,父母怎样做,他就怎样学。做父母的一举一动都直接或间接影响小孩子的。所以做父母的是怎样一种人,他们的小孩子大概也做怎样的一种人……总之,做父母的行为好,做小孩子的行为大概也是好的。反过来说,做父母的行为坏,他小孩子的行为大概也是坏的。"③陈鹤琴强调父母的行为对子女的影响,重视在生活的点滴小事中对孩子的暗示和以身作则,并且在对待子女的方式方法上,家长之间不要矛盾、对立,这样才能让孩子在生活中、行动中朝着正确的方向发展。

(2)养成教育。陈鹤琴认为在幼儿的时候没有养成良好的习惯,错过了培养时期的话,以后再进行补救是很困难的,所以孩子从幼年开始就应该进行训练和培养,在生活当中长期训练,多次重复加以巩固,养成良好的习惯,尤其是卫生习惯。

(3)宽严适度。陈鹤琴强调,父母要给孩子真正的爱,而不是溺爱。没有原则的爱,会损伤孩子的身心发展。尤其是当小孩子以哭来要挟的时候,做父母的

---

①　陈鹤琴.陈鹤琴全集(第三卷)[M].陈秀云,陈一飞,编.南京:江苏教育出版社,2008:18.
②　〔美〕杜威.杜威教育论著选[M].赵祥麟,王承绪,编译.上海:华东师范大学出版社,1981:32.
③　陈鹤琴.陈鹤琴教育文集(上卷)[M].北京:北京出版社,1983:750.

应当绝对的拒绝他。陈鹤琴提出："凡是小孩子能够自己做的事情,你千万不要替他代做。"[1]除了溺爱,陈鹤琴还提出了专制教育的危害,他认为这种管教方法,只能摧残儿童的创造力,束缚儿童的思想。两种教育"都失其平,不得谓之良教育"。教育孩子要从孩子的实际出发,由浅入深,针对孩子的情况提出合理的教育要求,才能够给予孩子积极的影响。

(4)教育一致。家长对待子女的态度要一致,家长之间不要矛盾、对立,不能"一个唱红脸,一个唱白脸"。这样会使孩子无所适从,引起轻视父母之心,只有步调一致,才能使儿童按着统一、正确的方向发展。这一原则还表现在家庭教育与幼稚园教育要有一致性这一方面。陈鹤琴提出："幼儿园的老师一定要和家长密切配合,共同教好儿童。"[2]因为幼儿教育不是家庭和幼儿园能够单独胜任的,需要双方的配合,即"家园共育"。

(5)责罚慎重。正确的批评惩罚,往往会收到良好的效果,但是进行惩罚,首先就要平心静气地考察他到底做错了没有,"做父母的不应当迁怒于子女",并且在惩罚的时候要顾及孩子也有羞恶之心,尊重他们的人格。

陈鹤琴还总结了家庭教育的方法,包括游戏教育法、积极暗示法、正面奖励法、环境熏陶法和实地施教法。这些方法包含了陈鹤琴多年总结的教育经验,并切实的影响着家庭教育的效果。在游戏式教育法这一方面,陈鹤琴认为在家庭教育阶段,儿童在生活当中接触最多的就是游戏,从游戏当中可以获得多种经验。陈鹤琴强调游戏式教育,他认为,游戏能够锻炼儿童的多种能力,提高生活技能。他提出："游戏就是工作,工作就是游戏。"[3]儿童通过阅读图画也可提高鉴赏美术的能力和陶冶情绪;通过剪图可以锻炼大脑;通过剪纸可以锻炼灵活的双手和表达自己的想法;还有讲话可以认识植物;锤击可以锻炼耐性和动作的发展;等等。可以看出孩子要有充分运动、充分游戏的机会,使孩子在游戏中快乐的成长,获得各方面的提高。杜威也强调了游戏的重要作用："任何时代的任何人,对于儿童的教育,无不在很大程度上依赖于游戏和娱乐。"[4]杜威认为："幼儿生活中的最主要时间,是消磨在游戏上的,不是从事他们从大点的儿童那里学来的游戏活动,就

---

① 陈鹤琴.陈鹤琴教育文集(上卷)[M].北京:北京出版社,1983:735.
② 陈鹤琴.陈鹤琴教育文集(上卷)[M].北京:北京出版社,1983:217.
③ 陈鹤琴.陈鹤琴全集(第三卷)[M].陈秀云,陈一飞,编.南京:江苏教育出版社,2008:107.
④ 〔美〕约翰·杜威.学校与社会·明日之学校[M].赵祥麟,等译.北京:人民教育出版社,2005:277.

是玩他们自己发明的游戏。这些发明的游戏通常也不外是对年长点的人的活动的模仿。"①杜威关于游戏方面的见解使陈鹤琴对于家庭教育当中的游戏式教育法尤为重视。

陈鹤琴的教育方法遵循儿童的心理发展阶段,适应儿童心理,与杜威的"儿童是中心,教育的措施便围绕着他们组织起来"②一样,他们都以儿童为中心组织教育活动。

3. 家庭教育的根本任务

陈鹤琴认为,家和幼儿园一样,同样需要培养儿童多方面的能力,家庭教育的内容也不是单一的,它承担了德智体美等多种任务。陈鹤琴在看到了中国人民身体状况之后,认为:"强国必先强种,强种必先强身,要强身先要注意幼年的儿童。"③所以陈鹤琴强调儿童良好生活习惯的培养,希望通过生活习惯的养成,改变中国人民体弱多病的现状。不仅是身体上的健康,他同样重视心理的健康,只有身心健康才是真正的健康。在德育方面,他强调要从小抓起,教育子女如何"做人"。要教育孩子有同情心,做诚实的人。在智育方面,陈鹤琴主张要让孩子多与外界社会多接触,大胆探索,这样也可以丰富儿童生活常识。只要是他们自己能够做的事情,父母千万不要代替他去做,要让他们充分发挥自己的探究心和好奇心,在与自然和社会的接触中获得直接经验。在美育方面,陈鹤琴希望能够创造一个好的家庭氛围,使孩子在与音乐、美术等的接触中,陶冶情操,增强审美意识,形成良好的审美习惯。

总之,从陈鹤琴家庭教育思想当中,我们从他对于儿童心理特点的研究和所提出的多种教育原则,可以看出他"儿童本位"的思想内核,他重视要顺应儿童心理特点进行教育,强调游戏式教育,他的思想和实践也可以看出杜威实用主义教育理论的深刻影响,这种影响不仅仅是简单的重复,而是在他的多种研究和实践,并结合中国国情上所进行的进一步发展,对家庭教育产生了深远的影响。

(三)重视学前教育

"五四"前后,杜威实用主义教育哲学,还有当时国外流行的种种教学方法,都

---

① 〔美〕约翰·杜威.学校与社会·明日之学校[M].赵祥麟,等译.北京:人民教育出版社,2005:279.

② 〔美〕杜威.杜威教育论著选[M].赵祥麟,王承绪,编译.上海:华东师范大学出版社,1981:32.

③ 陈鹤琴.陈鹤琴全集(第一卷)[M].陈秀云,陈一飞,编.南京:江苏教育出版社,2008:117.

被陈鹤琴加以借鉴和吸收，正如陈鹤琴所说："最近的教育思潮是注重试验，这是从美国试验主义派的哲学来的，杜威、米勒的主张最得力……幼稚教育是各种教育之一种，当然也应该依着试验的精神去研究。"[①]在这一背景下，陈鹤琴创办了鼓楼幼稚园，作为儿童教育的试验研究基地，对幼儿园课程、教材教学方法、玩具、设备、儿童习惯、幼儿园的日常管理等方面都进行了全面细致的研究。在鼓楼幼稚园开办以后，特别是1925年开始系列试验之后，陈鹤琴等人即注意试验成果的总结。1927年3月，他发表了《我们的主张》[②]一文，提出了关于学前教育发展的十五条主张，其中"幼稚园应与家庭密切合作""幼稚园的课程应以自然和社会为中心""应采用游戏式的教学法"等观点可以看出杜威等先进教育思想对陈鹤琴的影响。杜威提出"做中学"，而陈鹤琴的学前教育思想融合了他的"活教育"思想后在"做中学"的基础上更进一步提出，"我们要在做中教，在做中寻求进步"。陈鹤琴对于学前教育的研究有很多，主要表现在以下两个方面。

1. 对课程的研究

杜威重视儿童在教育和课程当中的作用，他说："儿童是起点，是中心，而且是目的，儿童的发展，儿童的生长，就是理想所在，只有儿童提供了标准，我们必须站在儿童的立场上，并且以儿童为自己的出发点，决定学习的质和量的是儿童，而不是教材。"[③]儿童是杜威课程理论的中心，组织课程要围绕着儿童的需要和经验，促进他们发展自我的本能，发挥主动性和创造性。

陈鹤琴也十分重视儿童在课程当中的地位，他提出，幼稚园课程有两个基本原则：重视生活和儿童的中心地位。从生活原则出发，幼稚园的课程要从儿童的实际生活与经验当中吸取，"用适应目前生活需要的方法，去达到将来生活中必会出现的事情"[④]。从儿童中心地位出发，他认为不仅课程要根据儿童的生活与经验，还要适应个别不同能力和兴趣的儿童，包容儿童的多样性。幼稚园的课程要富有弹性和灵活性，使他们的个性得到充分发展。陈鹤琴认为，幼稚园的儿童还没有学科分化的概念，不能将幼稚园的课程分开来教，而应该运用"整个教学法"，将儿童应该学习的东西整个的、系统的教给学生。从生活和儿童出发，不仅体现在课程上，还体现在教学方法上，陈鹤琴认为幼稚园的课程应

---

① 陈鹤琴.陈鹤琴全集（第二卷）[M].陈秀云，陈一飞，编.南京：江苏教育出版社，2008：20.
② 陈鹤琴.陈鹤琴全集（第二卷）[M].陈秀云，陈一飞，编.南京：江苏教育出版社，2008：75.
③ 〔美〕杜威.杜威教育论著选[M].赵祥麟，王承绪，编译.上海：华东师范大学出版社，1981：279.
④ 陈鹤琴.陈鹤琴全集（第二卷）[M].陈秀云，陈一飞，编.南京：江苏教育出版社，2008：27.

该游戏化,这一时期的儿童还不能将游戏和学习完全分开,他们感兴趣的是活动的过程而不是结果,如果在活动过程中一味地去强调活动结果,会使儿童缺乏兴趣和动力。要使学习过程吸引儿童,就要使活动过程游戏化,创设环境,提供材料使活动更加有趣。

从陈鹤琴的这两个基本原则可以看到杜威"教育即生活""以儿童为中心"的思想的痕迹,杜威认为,儿童的生长要素有游戏、讲故事、观察、手工等等,要从生活的各个方面入手对儿童进行教育,而不是专注于书本。同时对儿童的教育要尊重他们自己的意愿,引导他们发挥自己的天性,对知识进行探索,而不是强迫他们学习书本,这在陈鹤琴的两大基本原则当中都体现了出来。陈鹤琴还对故事、图画、读法、游戏、玩具等方面进行了试验研究,分析这些教学方法对儿童的影响,在这些方面的研究中,他坚持以儿童为中心,使教学方法与教学设计符合儿童心理,促进儿童积极、全面、自主发展。

2. 对幼稚园管理的研究

陈鹤琴认为,幼儿园的管理主要以受教育者为中心,顺应幼儿的身心发展特点。在幼稚园的目标要求上,应该表现为具体、明确、分化的特点,以便能够具体对照检查。并且尽量运用图片等方式,生动形象的让幼儿理解老师的要求。在幼稚园的管理中,有一项重要的目标就是养成良好的生活习惯。陈鹤琴建议在校园内贴出图画,如"纸屑入篓""关门要轻"等,图画应由人物及其动作形态和相关物件组成,具体明确,警示幼儿。

幼稚园管理除了要注意目标分化、方法生动形象以外,还应该注意与家庭之间的联系与合作。家庭和幼稚园之间的关系是相互联系、相互促进的,父母可以为孩子创造良好的家庭环境,对孩子产生潜移默化的影响,而幼儿园是向幼儿实施全面发展教育的专门机构,它可以通过专门的教育者,在专门组织的环境中对幼儿进行教育,所以幼稚园教育应该与家庭教育相互配合,并承担对幼儿教育的主导责任。幼稚园可以通过恳亲会、讨论会、报告家庭、探访家庭等方式,"了解幼儿在家的情况,借此与家长交流感情,便于在必要时间相互合作"①。陈鹤琴重视幼稚园的条件和资源,如设备、师资等等,他还特别强调了审美的环境与科学的环境对于儿童的重要影响。"在儿童日常的生活中,提倡为儿童创设有益的、游戏的、劳动的、科学的、艺术的以及阅读的环境,其中艺术的环境包含了音乐的、图画

---

① 陈鹤琴.陈鹤琴全集(第二卷)[M].陈秀云,陈一飞,编.南京:江苏教育出版社,2008:77.

的与审美的环境。"

对于当时的学前教育,陈鹤琴提出儿童、教材和教师是教育上的三大要素,三者的关系,儿童是主体,教师度量儿童的能力与个性,用种种最适宜的方法,把教材介绍给儿童。① 这与杜威强调经验的生长,强调儿童兴趣的观点相似。陈鹤琴同样提出,幼稚园课程的原则有很多,其中非常重要的两条就是:"所有的课程都要从人生实际生活与经验里选出来;富有弹性的课程,可以适应个别不同的兴趣与能力的儿童。"②陈鹤琴在学前教育中的种种观点受到了杜威的影响,并且结合中国学前教育情况,对杜威教育思想进行了发展,将它变成了适合中国国情的学前教育思想体系。

(四)研究小学教育

陈鹤琴自1927年6月出任教育局学校教育课课长到1939年为躲避汪精卫的迫害离开上海这一时期内除了研究学前教育,他还将目光投向了小学阶段的儿童,在小学教育理论和实践方面都有所贡献。他对小学教育的研究基于三个重要的前提:热爱教育事业与研究儿童心理是他开展研究的感情基础,丰富的游学经历是他开展研究的实践基础,对中国当时小学教育发展状况的判断是他开展研究的现实依据。不得不说,陈鹤琴的小学教育思想在一定程度上也受到了杜威的影响,他曾经说道:"真正建立小学教育的是美国的教育家杜威,他有理论,也有方法,有理想的假设,也有试验的园地。"③而杜威在中国的演讲中也曾经提到:"小学教育应比较高等教育特别注意""关于教育制度,要使小学自己能完成,不只是作高级的预备"。④ 陈鹤琴对小学教育的研究主要有以下几方面。

(1)对教师的研究

在提到传统教育的弊病时,杜威提到,由于忽视了学校与社会生活之间的联系,"来自教师的刺激和控制太多了",杜威认为教育要坚持以儿童为中心、以经验为中心。但这并不代表他反对教师这个群体,杜威认为教师是儿童成长中不可或缺的一环:"认为自由的原则使学生具有特权,而教师被划在圈外,必须放弃他所

---

① 陈鹤琴.陈鹤琴全集(第二卷)[M].陈秀云,陈一飞,编.南京:江苏教育出版社,2008:23.
② 陈鹤琴.陈鹤琴全集(第二卷)[M].陈秀云,陈一飞,编.南京:江苏教育出版社,2008:41.
③ 陈鹤琴.陈鹤琴文集[M].陈秀云,陈一飞,编.南京:江苏教育出版社,2007:378.
④ 袁刚,孙家祥,任丙强.民治主义与现代社会:杜威在华讲演集[M].北京:北京大学出版社,2004:627.

有的领导权力,这不过是一种愚蠢的念头。"教师的任务就是依照自己所获得的经验和知识来引导儿童,使其"得到生活的训练",他又进一步提出,"实际上,教师是一个社会团体的明智的领导者"。① 教师要成为真正的"领导者",首先应该有丰富的知识储备,教师所具备的知识,远要比教材中的多,这是因为教师上课除了教授知识,更多的注意力要放在学生身上,关注学生的反应,"学生的问题在教材中,而教师的问题却在于学生对待教材的心理活动内容"②。除此之外,教师还应该有专业知识,即教育学和心理学等相关知识,据此教师可以通过观察到的学生的反应,来解释学生的言行,并给予恰当的指导。

陈鹤琴也十分看重教师的影响,在研究中,他提出了做新时期的"新"教师应具备的条件:第一,教师要有强健的体魄和良好的心性。陈鹤琴曾写道:"一个理想的教师,体格要健全","怎样立,怎样走,小孩子看了你,都会模仿你的姿势,所以教师的立与走,都要做小孩子的榜样,不但在教室如此,就是平常也当这样。"③另外,他还以美国总统林肯为例,说明相貌的美丑无所谓,关键要有良好的心性,有积极乐观的态度,并将有强健的体魄和良好的心性看作是一名小学教师的基本素质。第二,他强调教师要有慈母的性情,要热爱儿童。他认为,作为一名小学教师,"一定要有慈母的态度,热烈的心肠,对待学生如儿女一样,那么教师与学生、儿童间自然会产生情感。而儿童对于教师,自有一种信仰心,在教学训练中,一些问题容易解决"④。好的师生关系有利于教学活动的顺利开展,这在今天的教育中也同样适用。他还提出,教师不应差别对待学生,对所有学生都要一视同仁,要尽力了解每一个儿童的心性,在此基础上开展教育活动。第三,教师要为人师表,以身作则。教师的言行举止本就会影响学生,对于年龄较小的孩子来说,教师更是他们模仿和学习的对象,因此他提出教师要规范自身举止和行为,为儿童树立一个好的榜样,"不能以身作则,示范儿童、感化儿童,也很难收到教学上的成效的"⑤。第四,教师要有怀疑的态度和研究的精神。社会在发展,时代在变换,教育也要随之发生改变。怀疑并不是盲目的否定,而是要在科学客观的分析基础之上而进行,教师还要有研究的精神,在教学

① 杜威.我们怎样思维? 经验与教育[M].姜文闵,译.北京:人民教育出版社,1991:227-228.
② 杜威.我们怎样思维? 经验与教育[M].姜文闵,译.北京:人民教育出版社,1991:228.
③ 陈鹤琴.陈鹤琴全集(第四卷)[M].陈秀云,陈一飞,编.南京:江苏教育出版社,2008:242.
④ 陈鹤琴.陈鹤琴全集(第四卷)[M].陈秀云,陈一飞,编.南京:江苏教育出版社,2008:32.
⑤ 陈鹤琴.陈鹤琴全集(第四卷)[M].陈秀云,陈一飞,编.南京:江苏教育出版社,2008:33.

中,不能只照搬书中的内容,还应该充分利用大自然大社会中的素材,使其转化为教材或教具。第五,教师之间要精诚协作。陈鹤琴指出,当时学校内存在一种很不好的现象,教师间形成了很多派别,特别是新旧教师间难以融合,教师作为一个团体,应该打破这种隔阂,相互团结起来,加强彼此间的联系和沟通,共同学习,共同进步。

(2) 在管理方面的研究

首先,陈鹤琴提出小学教育的管理应该学术化,学校应建立学术能力强的行政组织机构,以创设良好的学术氛围。其次,他还对学校的校长提出了要求,认为作为学校的管理者,校长不仅仅要善于管理,还应当精通"各种功课",能够指导教师的工作,"教员在教什么、教学法如何,全然不了解,那么对于这个教员的好坏,又从何去批评呢?"①另外,陈鹤琴发表了《调查小学之方法》,在文章中详细论述了小学教育调查的目的、范围、方法等,其中还包括详细的调查项目和标准的调查表。陈鹤琴还提出,小学教育管理应该从细微处入手,校园中的一草一木,均有其存在的价值,学校的布置、校工的训练、甚至对于纸篓痰盂的摆放都要注意到,争取能实现经济、适用,还能对儿童的学习成长产生积极影响。需要特别指出的是,陈鹤琴是较早研究学生桌椅的人。他认为,桌椅对于正处于生长发育阶段的儿童来说有很大影响,假如桌椅不合适,"势必至于驼其背,曲其腰,耸其肩"。② 基于此,他研究并提出了自幼稚园至小学六年级所适用的标准课桌椅尺寸。杜威也曾对儿童的课桌椅表示过关注,他提出,要想找到从"艺术、卫生和教育"上看完全合适儿童的课桌椅是很难的,他对传统教室的布置、课桌椅的摆放等进行了批判,认为在这样的环境中儿童只能"静听",会产生对别人的依赖性。③ 最后,陈鹤琴认为小学教育的管理要合乎规范。例如,在校工的管理上他提出:"许多事校工做的;但决不可听凭校工随便去做,即使有具体的规定,如甲做何事,乙做何事;甲事应何时做,乙事应何时做;但还是不够的,还要事务员随时去训练他们,督促他们。并须制成各种详细的具体表格,以便视察时记录,而作统计与考查之用。"除此之外,他还提出了教师培训等方面的具体要求,这一系列的规范化管理有利于学校教学和其他工作的稳步进行,对教育事业的发展有着重要作用。

---

① 陈鹤琴.陈鹤琴全集(第四卷)[M].陈秀云,陈一飞,编.南京:江苏教育出版社,2008:46.
② 陈鹤琴.陈鹤琴全集(第四卷)[M].陈秀云,陈一飞,编.南京:江苏教育出版社,2008:51.
③ 〔美〕杜威.杜威教育论著选[M]. 赵祥麟,王承绪,编译.上海:华东师范大学出版社,1981:30-31.

（3）在教学方面的研究

陈鹤琴贯彻了其"活教育"的思想，提出要从大自然和大社会中学习，在课程编制上，与杜威试验学校不同的是，他考虑到了中国的具体情况，以大单元的形式编制，贴合了中国的实际。此外，陈鹤琴还总结了小学教育的基本原则[①]，共8条，可供参考。

① 寓学于做，即在做中学，只有去做了，才能得到准确的知识，这也有利于教师教学和指导；

② 引发学生的动机，学生学习要有内发的动机，让其主动去做，而教师则要掌握和利用其动机；

③ 用眼的学习比用耳的学习准确，即直观的教学，客观事物本身最是生动形象，实际观察很重要；

④ 教学生相互的指导，即集体教育的原则，在道德教育上尤为显著；

⑤ 开始的学习，要特别留意，特别慎重，儿童习惯先入为主，要求注重一开始的教学；

⑥ 练习时要给予充分的注意和指导，在学习的过程中教师要注意指导，防止学生走偏；

⑦ 分类和比较，即在教学生时，要在儿童原有经验的基础上，联系所学的新事物，来帮助学生更好更快的学习；

⑧ 比赛和游戏，即注重儿童学习兴趣，儿童好胜，故要进行比赛，而游戏又是儿童所喜爱的，运用恰当有利于增进教学效果。

另外，陈鹤琴还对教材的编制提供了建议，例如，在国语教科书的编制上，他提出要采用一贯制或单元制，要使课文故事化，以吸引儿童的兴趣；内容要连贯，避免将儿童的生活割裂，内容的表现形式要多样化，还应当从儿童心理出发，兼顾社会需要，而非将其颠倒；教科书内还应该有许多彩色的插图和标准的封面，在内容上，还应该特别注意"做"。在教材上杜威也曾有过论述，他认为，正是由于分出了许多与儿童实际生活无关的科目，没有遵照儿童的心理和天性，所以不能吸引儿童的兴趣，也就达不到期望的效果。因此，他提出要想使儿童学到知识，唯一的方法就是"使他去实践"，在编制教材时要尊重儿童的心理，应该"根据一定时期活动的主要方面的适当需要"，不能根据"现成知识领域所剁碎的断片"[②]。陈鹤琴

① 陈鹤琴.陈鹤琴全集(第四卷)[M].陈秀云,陈一飞,编.南京：江苏教育出版社,2008：37.

② 〔美〕杜威.杜威教育论著选[M].赵祥麟,王承绪,编译.上海：华东师范大学出版社,1981：70.

还特别注重艺术类课程的教学,希望以此来促进儿童个性和创造力的发展。例如,在音乐教育上,他指出:"我们应当重视儿童音乐教育,用音乐来丰富儿童的生活,培养儿童的意志,陶冶儿童的情感,使儿童能够表现真实的自己,导向于创造性的发展。"[①]

　　以上通过对陈鹤琴教育思想的分析,我们可以发现,陈鹤琴作为接受了西方进步主义教育思想的优秀教育者,不仅吸收了杜威实用主义教育思想,而且根据中国的国情进行了进一步的试验研究,总结出了自己的教育方法、教育基本理论,他的"活教育"理论体系唤醒了中国的教育,与陶行知等人一起,为中国的教育事业注入了一股新生的力量;他的儿童教育思想则是解放了儿童的天性,尤其是学前教育思想,在理论和实践上为中国的学前教育开辟了道路;他的家庭教育思想也为我们后世的研究奠定了基础。

---

　　① 　陈鹤琴.陈鹤琴全集(第四卷)[M].陈秀云,陈一飞,编.南京:江苏教育出版社,2008:345.

第四章

《民主主义与教育》在中国的百年传播

涂诗万　张斌贤

杜威的名著《民主主义与教育》于 1916 年 3 月在美国出版,是一部堪与柏拉图的《理想国》、卢梭的《爱弥儿》比肩的巨著。此书甫一出版,即在美国国内广受好评。1918 年,它的第一个外文译本(日文版)问世,此后,它成为杜威作品中被翻译得最为频繁的著作之一。1917 年,中国杂志首次引介《民主主义与教育》。1919 年,杜威来华讲学,促进了其在中国的传播。此后一个世纪,《民主主义与教育》在中国备受关注,但也历经坎坷。

一、 杜威访华讲学推动《民主主义与教育》传播

1919 年 4 月底至 1921 年 8 月初,杜威在中国的 13 个省市访问讲学长达两年又三个多月。此时正值新文化运动的高潮时期,"德先生"(民主)和"赛先生"(科学)受到先进的中国人的积极欢迎。杜威的到来促进了《民主主义与教育》在中国的传播,也推动了新文化运动的深入发展。

在杜威来华前一个月,陶行知在报刊上发表文章介绍杜威的教育学说,为他来华做舆论准备。在这篇文章中,陶行知将《民主主义与教育》译成《平民主义的教育》,并说:"杜威先生素来所主张的,是要拿平民主义做教育目的,试验主义做教育方法。"[①]也即是说,杜威所主张的既有"德先生"也有"赛先生"。杜威在华讲演 200 多场,演讲的题目包括"平民主义的教育""教育哲学""美国之民治的发展""德谟克拉西的真义""科学与德谟克拉西"和"实验主义"等,多与民主、教育和科学方法有关。[②] 据当时媒体报道,杜威的演讲引起很大反响:"自从杜威到中国

---

① 陶知行.介绍杜威先生的教育学说[J].新中国,1919(3).
② 袁刚,等.民治主义与现代社会:杜威在华讲演集[M].北京:北京大学出版社,2004:783-787.

来,民治主义底声浪就日高一日,以至老顽固的官僚,猛兽似的军阀也知道民治主义之可畏,假冒民治招牌,而不敢如同往日一般,那么肆无忌惮。"①

1919年5月3日和4日,在江苏省教育会,杜威作了来华后第一场演讲,题目是《平民主义的教育》,由蒋梦麟口译,潘公展记录。杜威提出平民主义教育有两个重要条件:一是发展"个性的知能"。二是养成"共业"的习惯。②

蒋梦麟将它们阐释为"教育新精神"和"共和国教育的基本"。他是这样转述杜威的观点的。"第一件是养成智慧的个人,使个人能思,能行,能脚踏实地,不为陈言之奴隶,具独立创造的能力,能担当社会的事业;第二件是大家共同做事,是要做的人共同出意思,照这共同的意思做,不受专制的命令,不受仁政的爱护,用共和的方法,大家自动的做事。"③

1919年5月,胡适发表文章指出,杜威教育哲学中的两大支柱知识论和道德论中既含有实验主义的思想,又体现了民主的要求。"杜威的教育哲学,全在他的《平民主义与教育》(*Democracy and Education*)一部书里……杜威主张平民主义的教育须有两大条件:(甲)须养成智能的个性(intellectual individuality),(乙)须养成共同活动的观念和习惯(co-operation in activity)。'智能的个性'就是独立思想,独立观察,独立判断的能力。……'共同活动'就是对于社会事业和群众关系的兴趣。……杜威的教育哲学的大贡献,只是要把阶级社会遗传下来的教育理论和教育制度一齐改革,要使教育出的人才真能应平民主义的社会之用。"④

此后这两个民主主义教育的条件,在中国广为传播。如,1919年年底,安徽省督学刘著良也发表文章呼应杜威的观点。⑤ 1920年10月,江西省教育厅许季黻厅长在南昌青年会演讲时宣传杜威既强调尊重个性又推崇合作的教育主张。⑥

在杜威的200多场演讲中,担任口译次数最多的是刘伯明(28场),其次是胡适(22场)。⑦ 杜威演讲的听众包含哪些人?江苏省教育会的一份函件中透露了一些信息。1920年4月,杜威从北京南下演讲,江苏省教育会事先致函省教育

---

① 费觉天.评杜威底社会哲学与政治哲学[J].评论之评论,1921(2).

② 潘公展.记杜威博士演讲的大要:平民主义! 平民主义教育!! 平民教育主义的办法!!! [J].新教育,1919(3).

③ 蒋梦麟.杜威先生之教育演讲[J].教育周刊,1919(11).("时报附张随报奉赠",1919年5月5日)

④ 胡适.杜威的教育哲学[J].新教育,1919(3).

⑤ 刘著良.庶民主义与教育[J].安徽教育月刊,1919(23).

⑥ 许季黻.德谟克拉西与教育[J].青年进步,1920(29).

⑦ 据下书统计:袁刚,等.民治主义与现代社会:杜威在华讲演集[M].北京:北京大学出版社,2004:783-787.

厅,请其"通令各省立学校校长及管理员、各县教育行政人员"赴宁听杜威讲演。[①]

除了面向公众演讲外,杜威还在北京大学、北京师范高等学校和南京师范高等学校等高校授课。1920 年,杜威在北京大学指定给修教育学的本科生九本外文参考书,其中第一本就是他自己的《民主主义与教育》。[②]

杜威访华期间四次讲《教育哲学》。1919 年 9 月 21 日至 1920 年 2 月 22 日,杜威在北京教育部讲了一学期的《教育哲学》,共 16 讲,由胡适口译。1920 年 4 月 9 日至 5 月 16 日,杜威在南京高等师范学校讲《教育哲学》,共 10 讲,由刘伯明口译。此两次《教育哲学》的体例与《民主主义与教育》大致相似,只是侧重点不同。前者侧重"科学在教育上的影响"和"道德教育";后者侧重"知识的性质""语文、历史和科学等学科的教学"和"数种教育目的之讨论"。1920 年 10 月 26 日至 11 月 1 日,杜威在长沙遵道会讲《教育哲学》,共五讲,由刘树梅、曾约农等翻译。1920 年秋至1921 年夏,杜威在北京高等师范学校教育科直接以《民主主义与教育》为教本,讲授了一学年的《教育哲学》。这是此书在世界传播过程中的一个独特经历。

1921 年 9 月,杜威的支持者孟禄来华讲学;1927 年,杜威的学生克伯屈来华讲学;1924 年和 1930 年,孟宪承翻译的杜威学派教育学家博伊德·博德(Boyd H. Bode)的作品《教育哲学大意》和《现代教育学说》相继出版。这些都促进了《民主主义与教育》在中国的传播。

杜威回国后,仍然保持与中国的联系,国内学界也密切关注他在美国的活动。20 世纪 30 年代初,杜威积极参与美国社会政治活动,组织"第三党"。国内论者指出,杜威这个政治行动的理论基础是他的"民本主义"。"关于民本主义,以杜氏所著《民本主义与教育》一书为最详尽。"[③]

1949 年,哥伦比亚大学师范学院同学会中国分会成立,九秩高龄的杜威致信祝贺,并向中国教育界提出了教育管理民主化和用人文精神改造科学教育等真诚的建议。[④]

---

① 江苏省教育会.致教育厅请通令省立各学校校长及管理员各县教育行政人员赴宁听杜威讲演会[J].江苏省教育会月报,1920(4).

② 其他几本依次是:Dewey, *Schools of Tomorrow*;Dewey, *The School and Society*;Angelo Patri, A *Schoolmaster of the Great City*;William Carl Ruediger, *The Principles of Education*;Ernest Norton Henderson, *Principles of Education*;Rousseau, *Emile*;Froebel, *Education of Man*;Standiford, *Comparative Education*. 佚名.图书部典书课通告:兹经杜威博士陈衡哲教授指定伦理学教育学历史学三科考书籍[J].北京大学日刊,1920(711).

③ 一仌.杜威之民本主义与第三党[J].沪大月刊,1934(1-2).

④ 〔美〕约翰·杜威.杜威博士致哥伦比亚大学师范同学会中国分会函[J].朱炳干,译.教育通讯(复刊),1949(10).

可以看出,杜威访华讲学对民主主义教育的阐述中正平和,既强调"个性"教育,又强调"公共性"的培养。作为杜威讲学的两个主要口译者,激进派自由主义者胡适与持文化保守主义观点的学衡派核心人物刘伯明,能通力合作,估计也与杜威这种"中庸"态度有关。在杜威民主主义教育思想的众多阐释中,蒋梦麟的阐释较为深刻,他把民主主义教育思想的第一个要素"个性",理解为"独立创造的能力",把第二个要素"共同做事"理解为"共和的方法"——"既不受专制的命令,又不受仁政的爱护"。相比之下,胡适把"个性"阐释为"独立思想,独立观察,独立判断的能力",带上了他的自由主义思想特色,虽然这也是杜威想表达的,但少了"独立创造"这层更能体现实用主义哲学的含义。蒋梦麟和胡适阐释的共同点是指明了杜威倡导的新教育是与过去的阶级社会、专制社会不同的民主社会的教育。

二、 从"民本"到"民主":译本源流

自1921年至今,此书在中国已有《平民主义与教育》《民本主义与教育》《民主主义与教育》和《民主与教育》等八个汉语译本和一个维吾尔文译本。

(一)《平民主义与教育》

1917年,《教育杂志》社"天民"首次在中国撰文介绍杜威的《民主主义与教育》。他重点介绍了此书的如下观点:教育为图社会革新之事业;知识之本质为有目的而欲变易境遇之活动;民本主义破除了"自然"与"人"、"物"与"心"、"个人"与"社会"之间的二元分裂;民本主义教育的优点在于以儿童成长为本,依其经验施以教授;儿童经验与学校生活相结合,学校生活与社会生活相贯通等。总之,作者认识到杜威此书"全以民本哲学主义为基础而立论"。[1] 天民是朱元善主编《教育杂志》时杂志社内的一个公共笔名。据当时在商务印书馆工作的茅盾回忆,朱元善对教育学说并无研究,当时《教育杂志》中介绍欧美教育新潮的文章是从日文教育杂志翻译改编而来。[2]

1919年5月和6月,杜威开始来华访问讲学时,"真常"在《教育杂志》连续两期译介《民主主义与教育》第七章。他在译者导言中指出,此书"纯乎提倡民主主义教育者也"[3]。

---

[1] 天民.台威氏之教育哲学[J].教育杂志,1917(4).

[2] 茅盾.商务印书馆编译所生活之二[M]//人民文学出版社《新文学史料》丛刊编辑组.新文学史料·第2辑.北京:人民文学出版社,1979:47.

[3] 真常.教育上之民主主义[J].教育杂志,1919(5).

1920 年秋,杜威在北京高等师范学校开讲《民主主义与教育》,用英语口语讲授,无人翻译。听讲者中有一个非常勤奋的学生常道直,逐日记下了详细的英文笔记,课程结束后,他即将笔记译成中文,取名《平民主义与教育》,由商务印书馆列入共学社教育丛书,于 1922 年出版。此译本的理论要点与原书相同,只是比原书更加注重教育实践问题。杜威专为此译本写了序言。在序言中,他主要阐释了教育哲学的作用,他把教育哲学与教育工作者之间的关系比喻为地图与旅行者之间的关系。① 常道直认为,此书的根本观念是"谓行与知是相连的,而改变环境之行动,又是获得知识之主要的方法"②。

此书小六开本,368 页,定价一元二角。当时的广告中说,此书"因为从口语译出,尤为阐明透彻。师范生皆当购阅"③。

(二)《民本主义与教育》

1928 年,《民主主义与教育》的第一个中文全译本《民本主义与教育》由商务印书馆出版。它由邹恩润(即邹韬奋)翻译,陶知行(即陶行知)校对。1919 年,邹恩润译出了此书的前四章,此时他尚是上海圣约翰大学的学生。1920 年,此四章以《德谟克拉西与教育》为译名分载于《新中国》杂志 1 月、4 月、7 月和 8 月各期。1921 年,邹将全书初稿译毕,随后他将各章摘要集成一篇文章,以《民治与教育》为题发表于同年 12 月 15 日《时事新报·学灯》。1920 年,陶行知应邹韬奋之请,"校阅其翻译的杜威《民本主义与教育》一书,有部分改译,并介绍由商务印书馆作为'大学丛书'出版"④。可看出,此书从翻译到出版,历经九年,三易其名。

邹恩润在译者序言中写道:"本书的要旨是要打破从前的阶级教育,归到民本主义的教育。"⑤

吴俊升认为,这是一本忠实原著的译作,但他也指出了此书的十多处误译。⑥

在《进修半月刊》"乡村教学经验谈"栏目,有读者来信问道,杜威那部《平民主

① 〔美〕约翰·杜威.平民主义与教育[M].常道直,译.上海:商务印书馆,1922:1.
② 常道直.平民主义与教育[J].教育丛刊,1922(1).
③ 佚名.书报介绍:平民主义与教育[J].学生杂志,1923(1).
④ 朱泽甫.陶行知年谱[M].合肥:安徽教育出版社,1985:25.
⑤ 邹恩润.译者序言[M]//〔美〕约翰·杜威.民本主义与教育[M].邹恩润,译.上海:商务印书馆,1928:1-2.
⑥ 吴俊升.评邹恩润译杜威民本主义与教育(未完二期续登)[J].明日之教育,1932(1);吴俊升.评邹译杜威著民本主义与教育(续)[J].明日之教育,1932(2).

义与教育》是否就是邹恩润译的《民本主义与教育》。杂志编者答道,常译和邹译两书"同为杜威阐发平民主义真谛的专书,惟前者不及后者详备耳。足下如欲购读,用常译平民主义与教育本,已很可以领会杜氏对于教育的基本主张了"①。由此可以推断,杜威的《民主主义与教育》已影响到了当时的乡村教育界;由于常译本比邹译本便宜,可能常译本流传更广。

(三)《民主主义与教育》

1989年,由林宝山等12人合译的《民主主义与教育》由台湾五南图书出版公司出版。译者明确宣称此译本是采取意译的方式,并且认为将译本取名为《民主主义与教育》,比邹恩润所用译名更接近原著的精神。②

1990年,知名比较教育学者王承绪翻译的《民主主义与教育》由人民教育出版社列入"外国教育名著丛书"出版,2001年再版。2008年,人民教育出版社五卷本《杜威教育文集》收入了此译本。这个译本译文质量较高,是近二十多年流传最广的版本。

2011年,阿卜杜瓦依提·买提尼亚孜和艾敏的维吾尔文译本《民主主义与教育》出版。③ 2014年,陶志琼的新译本《民主主义与教育》出版。④

(四)《民主与教育》

1996年,林玉体的译本《民主与教育》在中国台湾出版。译者指出他之所以翻译这本书是因为"'民主'正是我国及东方国家所最欠缺,民主式的教育尤有必要加强"⑤。

2006年,薛绚的译本《民主与教育》出版。2012年,南京的译林出版社出版了此译本的简体字版,但删掉了原译本第二十六章"道德论",未作任何说明。⑥ 郝

---

① 朱时隆,彬.阅书问答(续第二卷第十期):乡村教学经验谈:一、杜威那部"平民主义与教育"[J].进修半月刊,1933(12).

② 林宝山.导读——代译序[M]//〔美〕约翰·杜威.民主主义与教育[M].林宝山,等译.台北:五南图书出版公司,1989:2-3.

③ 〔美〕约翰·杜威.民主主义与教育(维吾尔文)[M].阿卜杜瓦依提·买提尼亚孜,艾敏,译.乌鲁木齐:新疆教育出版社,2011.

④ 〔美〕约翰·杜威.民主主义与教育[M].陶志琼,译.北京:中国轻工业出版社,2014.

⑤ 林玉体.译者的话[M]//〔美〕约翰·杜威.民主与教育[M].林玉体,译.台北:师大书苑有限公司,1996:2.

⑥ 〔美〕约翰·杜威.民主与教育[M].薛绚,译.南京:译林出版社,2012.

明义为此译本写的导读颇有新意。他认为,近代以来随着"国家"概念不断被窄化,教育思想也不断被窄化,而在此背景下的中国教育思想甚至被"国家"绑架。这应该成为我们阅读杜威这本名著的问题意识。①

2012 年,《杜威全集》版《民主与教育》译本出版,两位译者是复旦大学哲学学者,他们是将这本书当作"杜威哲学思想的重要理论著作"来翻译的。②

《民主主义与教育》的九个中国译本中的七个是近三十年出现的,这反映出,中国近三十年来在建设现代化教育的过程中日益重视杜威的思想。中译本对书名中的关键词"democracy"的翻译,经历了从"平民主义""民本主义"到"民主主义"和"民主"的变化,体现了国人对杜威思想认识的逐渐深化。

三、 理论界的评论

以下是百年来中国理论界对《民主主义与教育》的几种典型评论。

(一)缪凤林等学者的批评

1922 年,"学衡派"大本营——东南大学学生缪凤林,为《民主主义与教育》撰写了长篇书评。他的文章论述深入,见解独到。他认为杜威的哲学是"以用为体","实至粗浅"。他指出,杜威的教育哲学的"不可磨灭之真价值"处,在于杜威将教育定义为"经验之改造,一方面增加经验之意义,另一方面增加个人指导彼此经验之能力",但是,杜威论述的经验忽略了两项重要的内容:艺术和宗教。除此之外,杜威此书还有下面"四点之失":一是杜威以环境解释人生一切行为,过于重视环境。二是以儿童为立论标准,属于矫枉过正,容易从成人专制变为儿童专制。三是杜威有时虚拟攻击对象,不合事实。比如杜威攻击赫尔巴特不重视学生学习的权利,及攻击无教材的教法等。四是杜威过于贬低贵族,这很容易导致平民政治走上暴民专制的道路。他对杜威这本书的总体评价是负面的,认为此书"距理想之教育哲学相差尤远。奈何今吾国之以新教育家自命者,既不能自创新说,又不能别择西说,唯奉是书为圣经,为最完满之教育学说"③。

---

① 郝明义.如何阅读《民主与教育》[M]//〔美〕约翰·杜威.民主与教育[M].薛绚,译.台北:英属盖曼群岛商网路与书股份有限公司台湾分公司,2006:10-11.

② 俞吾金.译后记[M]//〔美〕约翰·杜威.杜威全集·中期著作(第9卷).俞吾金,孔慧,译.上海:华东师范大学出版社,2012:325.

③ 缪凤林.评杜威平民与教育[J].学衡,1922(10).

缪凤林的评论反映了他的文化保守主义倾向,体现了学衡派所崇尚的"无偏无党,不激不随"的文化态度。

在20世纪30年代,一些学者从马克思主义的视角,批评《民主主义与教育》的思想。裴本初运用马克思辩证唯物主义,站在"革命"的观点上,反对杜威的改良主义。这种改良主义在教育上的表现就是"他认为教育是一种持续不断的重新组织,重新构造,重新形成的历程。因此,在这历程中,也就不能看出其中的矛盾,看出其中的飞跃"①。

龙德洽注意到了杜威在20世纪30年代初成立"独立政治行动同盟",组织"农工党"的活动。但他认为,这种基于自由主义和民主主义立场的政治行动,只是中产阶级试图"挽救自己没落的命运"。他一方面承认杜威的教育学说在中国深入人心,另一方面批判杜威的教育思想不是民主的教育思想,而是主观主义的、个人主义的教育思想。他认为杜威的"教育即生长"的教育本质观和兴趣教育论都是主观主义和个人主义的表现,这种教育只适合"金元大王"的资本生活,"我们要站在整个社会利益立场来主张我们的教育"。②

1940年,林青之站在类似的立场上指出,杜威的教育哲学是一种功利主义的个人主义哲学,不适合承担建立新民主主义社会的任务,但在某些方面也有进步性,"如他所主张的'教育即生活,教育即经验的重现与重造'等意义,是把教育推进了社会化、重生活、重经验的阶段"③。

(二)梁漱溟和孟宪承等学者的赞扬

1933年9月,梁漱溟对乡村建设研究院研究部学生,发表了演讲《杜威民本主义与教育的读法及其根本观念》。他运用柏格森的生命哲学和儒家思想来解读杜威的思想,认为生物进化观念是杜威学说的根本,《民本主义与教育》的中心观念是"生命",即"活"的观念。④

梁漱溟是立足于现实来解读杜威思想的。当时正是20世纪30年代初,西方自由民主世界正在空前的世界性经济大危机中煎熬,民主信念动摇了,法西斯极权主义趁势崛起,斯大林式社会主义如火如荼,人们左右彷徨,迷闷不已。他说,"现在人类正在迷闷中",学术界有否认生命的趋向,要解除人类迷闷的现状,必须

---

① 裴本初.杜威教育学说批判[J].教育论坛,1932(12).
② 龙德洽.杜威教育学说批判[J].师训,1935(3).
③ 林青之.杜威教育哲学在今日中国[J].学习,1940(10).
④ 梁漱溟.杜威教育哲学之根本观念[J].乡村建设,1934(6).以下四段中梁氏话语均出自此处。

打破反生命的风气,"我是袒护杜威的,这个难关,杜威自己打不破,……须东方来一支援兵才能杀出重围"。

"东方来的援兵"之一就是梁漱溟运用东方的"公天下"观念重新阐释过的民主观。他说,民本主义社会"总有两面:一是在小社会内有其公共利益,为此小社会中各分子所共同参与的(即公共兴趣、目的、利益),如此才成一个社会。同时此小社会必与其他群或他社会有许多交涉,有其合作关系",因此,"民本主义就是一个'公'字,对内公平,对外公开"。这是杜威在第七章中提出了两个著名的民主标准,梁漱溟漏掉了杜威在其中强调的个人自由观念,更加强调"公"的方面。

"东方来的援兵"之二是儒家的"人生"本体观。梁漱溟认为,杜威对"生命""生长"和"活"的强调,与儒家积极入世的观念有相近之处,但"他只对无穷而又变化不息的生命理会了然,他于不变的一面没有看见。……他讲来讲去是讲人生外面的事和用。杜威没有发现人生的真价值。"这个批评与"人生佛教"的提倡者太虚法师在1920年对杜威的批评类似。太虚法师读了《新教育》的杜威"专号"后写道:"杜威一派的学说是近世最令人绝望的现世主义。……是没有根本问题与根本解决的,是没有究竟问题与究竟解决的。"①他们批评杜威的教育哲学没有形而上学的视角,缺少本体论深度。杜威后来自己也意识到了这一点,所以在1924年的《经验与自然》和1929年《确定性的寻求》试图有所弥补,但梁漱溟没有注意到这些。

总的来说,梁漱溟认为:"这书的确是好书,研究教育者不可不读。"

知名教育学者孟宪承称杜威为"一代大师",②认为杜威的学说是"现代教育的中心思潮"。③

一般人不理解《民主主义与教育》中的"教育无目的论",孟宪承对此作了有力的辩护。他认为,首先,杜威所论的教育是民主社会中的进步教育;其次,杜威所反对的并非切近的目的,而是饰以崇高理想美名的高远玄虚的目的,成人往往借以掩护其偏见与独裁,而窒息儿童的自由生长;再次,杜威批评的是割裂手段与目的的密切联系,因为"高远目的之被利用、被曲解,史不绝书",所以"必须考核其手段之为如何,始可估定意义";最后,"杜威亦非无理想者,生长为人生之改进与向

---

① 太虚法师.评《实验主义》[M]//本书编委会.太虚大师全书(第28卷).北京:宗教文化出版社,2005:350.

② 孟宪承,陈学恂.教育通论[M].福州:福建教育出版社,2006:62.

③ 孟宪承.新中华教育史[M]//周谷平,等.孟宪承集(第三卷).杭州:浙江大学出版社,2010:125.

上，民主为人人平等与自由，不已崇高宏大而系人景仰乎?"①孟宪承所论可谓振聋发聩，可惜后人忽视了他的"史不绝书"的预警。

复旦大学教育科主任陈科美虽然比较认同霍恩(H. H. Horne)等外国学者认为杜威教育哲学缺少精神超越性，最终沦为一种"实用社会学"的批评，但他认为，杜威教育哲学代表作《民主主义与教育》中的"实用色彩、实验精神和平民态度"对中国教育有特殊价值。② 十多年后，在抗战胜利后求民主、争宪政的潮流中，陈科美又"抬出了"《民主主义与教育》。他运用此书第七章中的观点，指出，民主的生活有两个特点：一是团体内部权益的丰富和分享；二是团体外部交通的充分和自由。这两个特点都能促进个人的经验不断丰富和拓展，因而民主的生活本身就是教育，是民主的教育。而民主的教育虽不是实践民主生活的唯一的努力，但确是实践民主生活的根本的努力，认清这个关系，有助于整个国家走上民主的大路。③

在争宪政潮流中，"问微"也祭出了《民主主义与教育》这面旗。当时的左派知识分子指责杜威的教育思想是资本主义的教育思想，维护的是资产阶级的利益。"问微"不能认同这个观点，他指出，民主社会有两个精神：平等和自由。与此相应，民主教育的两个原则是：机会均等和实施自由。运用这几条原则考察杜威的《民主主义与教育》，他得出结论：杜威对于民主与教育的观点，是相当正确的，实在看不出资本主义的意味。他进一步指出，杜威的两大教育主张"教育即生活"和"学校即社会"，均以民主为基本精神。他对陶行知提出的"生活即教育"和"社会即学校"不是很热情，认为这种观点说得客气一点，与杜威的学说只是着眼点不同，说得不客气一点只是搬弄词句。最后"问微"指出，杜威的实用主义"是一种客观的科学实验方法，它是具有相当的意义和价值的"，不是所谓"布尔乔亚的哲学思想"。④

（三）"群众"的批判

1955 年 11 月 4 日，中共中央转发教育部党组《关于实用主义思想在中国教育的影响和批判实用主义教育思想的初步计划》。这个批判计划拟定了 11 个批判实用主义教育思想的选题，如"批判实用主义教育学的教育目的、性质和作用

---

① 孟宪承.教育哲学三论[J].华东师范大学学报：教育科学版,2007(3).

② 陈科美.杜威教育哲学批评之批评[J].教育季刊(上海),1931(3).

③ 陈科美.民主教育的理想与实施[J].申论,1948(9).

④ 问微.杜威：民本主义与教育之新的评价[J].广西教育,1946(1).

的理论""批判实用主义的个性论""批判杜威派的反动心理学"等。在中共中央正式转发这个文件前,对杜威的大批判已"有计划有领导地进行"。[①] 文件发布后,全国上下掀起了一股声势浩大的批判杜威教育思想的热潮。[②]

这些"群众"批判文章在语言和论证逻辑上大同小异。"杜威提倡所谓'教育无目的'的'教育即生长论',是来掩盖阶级斗争的,是有他卑鄙无耻的目的的。"[③] "实用主义教育学的创始人是杜威,这一个华尔街财阀豢养下的奴才……宣传阶级调和的谬论,毒化工人的意识。"[④] "杜威所以提倡'民主主义教育'原来就是反对革命。"[⑤] "杜威……常用一个好听的名词'民主主义'来掩饰他的思想的反动本质和唯心观点,并且以此对苏联进行恶毒的诬蔑。"[⑥]

在批判运动中,北京师范大学陈友松教授因抱怨"目前批评只准说坏,不准说好",而被中央文件点名批评。[⑦] 这场"一边倒"的全盘否定式"群众"大批判,历时30年,是意识形态化的,还带上了一些"民族主义政党在现代化建设上的反殖民主义情绪"。[⑧]

(四) 吴俊升的辩护和理性分析

吴俊升是中国最为理解杜威教育思想的少数专家之一。1960年,他在香港发表文章指出,在教育史上,杜威承继了一种长远的教育改革运动,这个运动起自文艺复兴时期,从蒙田(Michel De Montaigne),经过卢梭(Jean-Jacques Rousseau)、裴斯泰洛齐(Johann Heinrich Pestalozzi)、福禄培尔(Friedrich Fröebel),直到"新教育运动",是一脉相承的。"对于这一现代化、人道化和具有解放作用的教育运动,给予一个比较完整、严密的教育哲学的体系的,便是杜威。"[⑨]1971年,吴俊升

---

① 何东昌.中华人民共和国重要教育文献:1949—1975[M].海口:海南出版社,1998:535-536.

② 谢世国."杜威教育思想批判"的批判[D].广州:华南师范大学硕士学位论文,2007:46.

③ 陈鹤琴.我中了杜威实用主义反动教育思想的三枪——在江苏省第一届人民代表大会第二次会议上的发言摘要[J].江苏教育,1955(5).

④ 陈元晖.实用主义教育学批判[M].北京:人民教育出版社,1956:7.

⑤ 刘聿之.杜威提倡"民主主义教育"的阴谋[M]//湖北人民出版社.批判杜威的反动教育思想.武汉:湖北人民出版社,1955:29.

⑥ 刘付忱.批判杜威教育思想中的"民主主义"概念[M]//湖北人民出版社.批判杜威的反动教育思想.武汉:湖北人民出版社,1955:21.

⑦ 何东昌.中华人民共和国重要教育文献:1949—1975[M].海口:海南出版社,1998:535.

⑧ 谢世国."杜威教育思想批判"的批判[D].广州:华南师范大学硕士学位论文,2007:II.

⑨ 吴俊升.杜威教育思想的再评价[M]//吴俊升.教育与文化论文选集.台北:台湾商务印书馆,1972:291-292.

明确指出,《民主主义与教育》是"不朽之名著","全书以科学方法(即试验方法)与民主理想为两大脉络……由于科学方法之启示而建立工具主义,本工具主义以组织教材,规定教法,付诸实施以促进民主社会之实现:此乃《民主主义与教育》全书精神之所在也。"①

吴俊升也分析了《民主主义与教育》的三个缺点。其一是"杜威在教育上,似乎悬着一种太高的理想,不易圆满实现",对教师和教育设施等要求太高;其二是"教育无目的论"暧昧不明,"生长并不是教育的充足概念,也不能代替教育目的作为衡断教育经验的一种标准";其三是杜威的教材观和教法观存在其理论自身不能克服的弊端。作为一个在教育实践领域有卓越成就的教育家,杜威虽不至于犯极端忽视系统教材和偏重活动教学的愚蠢错误,但是,他的工具主义知识论使知识从属于经验,忽视了知识的独立性,以至于他左右为难。"他如其始终保持他的经验知识论的立场,他便不能主张任何系统提示教材之有效方法,而不致违犯其经验发展之连续原则。如其他要贯彻系统的提示教材之主张,以提高知识的水准,他便不能仍然维持其工具主义的知识论,把知识仍看作次要、仍看作只是解决实际问题的附产物。"他说,鉴于以上缺点,"杜威的教育思想体系是需要补充或改变其重点的","将来可能产生修正的杜威主义"。②

(五)滕大春等学者的肯定

1988 年,在乍暖还寒的时代,外国教育史学界元老——滕大春,为王承绪翻译的《民主主义与教育》写下了数万字的长篇导言《杜威和他的〈民主主义与教育〉》。他以深厚的学养、斐然的文采和过人的理论勇气,重新肯定了《民主主义与教育》。

在导言的开篇,滕大春鲜明地指出,西方学者称柏拉图的《理想国》、卢梭的《爱弥儿》和杜威的《民主主义与教育》为三部不朽的教育瑰宝。此后这个判断在中国教育学界广为流传,从而牢固地奠定了杜威的地位。

然后,滕大春追源溯流,分析了杜威的哲学和教育思想出现的历史和时代背景及杜威个人的经历。19 世纪,欧洲流行绝对主义哲学,波及美国,美国人最终

---

① 吴俊升.约翰·杜威教授年谱[M]//吴俊升.教育与文化论文选集.台北:台湾商务印书馆,1972:445-446.

② 吴俊升.杜威教育思想的再评价[M]//吴俊升.教育与文化论文选集.台北:台湾商务印书馆,1972:301,308,315-316,317.

冲破这种观点而对人类文化做出贡献,是植根于以生物进化论为范式的实用主义哲学。工业革命时代,人类需要敢于实验和革故鼎新,抱残守缺就是退化。"在这种形势下,皮尔斯、詹姆斯等时代喉舌才倡言真理不是上帝恩赐的神物,不是神的预制品,而是人类在披荆斩棘的开创过程中获得的理解;一旦时移势易,早时的定论就该让位于新获致的定论……杜威恰是接受到这种时代思潮的洗礼而建树起哲学理论的。"①

接着,他详细论述了杜威的"民主教育论",但他对杜威民主思想的把握,仍有时代局限。他说,杜威认为衡量民主的标准,"应以社会成员共享利益的多寡为尺度,还应以本社会和其他社会能否交流互惠为尺度"②。这种阐发漏掉了杜威原意中对"全面参与"和"充分的自由"的强调。他还有意回避了杜威在书中强调的人权高于主权的思想。杜威在第七章"教育中的民主概念"最后说:"就全体人类相互之间的更充分、更自由和更有成效地联合和交往而言,国家主权属于次要的和暂时性质的。"③而滕大春的转述是:"和人类进步比较起来,国家权势乃是次要的和第二义的。"④

滕大春对杜威"教育无目的论"的阐发非常深入。他抓住了王承绪在翻译中忽视的一个短语"end in view",王承绪把它一概译为"目的"或"目标",与"end"的译文无区别。然而,这个短语恰恰是理解杜威哲学的关键词,因为杜威哲学的核心是手段与目的统一,而统一的中介就是"end in view"。滕大春将它译为"能洞察的目的"或"所能预见的奋斗目标",把它理解为"活动中涌现的目的",⑤这是对杜威哲学精髓的精当把握。

滕大春的结论有一点微妙的变化。在1989年年初,这篇文章的下半部首发时,结论是:"杜威的教育理论,包括他在《民主主义与教育》中的教育理论,存在着大有可议的论点。"⑥在1990年,它作为《民主主义与教育》王承绪中译本前言时,结论是:"杜威的教育理论,包括他在《民主主义与教育》中的教育理论是进步

① 滕大春.杜威和他的《民主主义与教育》(上)[J].河北大学学报,1988(4).
② 滕大春.杜威和他的《民主主义与教育》(上)[J].河北大学学报,1988(4).
③ 〔美〕约翰·杜威.民主主义与教育[M].王承绪,译.北京:人民教育出版社,1990:104.
④ 滕大春.杜威和他的《民主主义与教育》(上)[J].河北大学学报,1988(4).
⑤ 滕大春.杜威和他的《民主主义与教育》(下)[J].河北大学学报,1989(1).
⑥ 滕大春.杜威和他的《民主主义与教育》(下)[J].河北大学学报,1989(1).

的,但也存在着可议的论点。"①前者含糊地说"大有可议",后者则旗帜鲜明地说,杜威的教育理论是"进步的"。在1990年的"小气候"中,面对逆境,滕大春先生不退反进,难能可贵。

在这方面,滕大春并不孤独。数年前,张法琨就以极大的理论勇气指出,杜威的《民主主义与教育》是批判继承教育历史遗产的典范。他认为,杜威正确地认识到,个人正当需要得到满足所引起的变化,也是个人对社会发展的可贵贡献;鼓励个人智慧自由和个人兴趣的发展,以及创造性个性特征的培养,这正是民主社会的本质。他指出,杜威心目中的学校教育的目的就是培养思想开放、富于创造精神和承担责任的个人和以这种个人为基础的民主主义社会。② 这种阐释的深度直追胡适,且与20世纪80年代的启蒙精神相呼应。

(六)涂又光等学者的阐发

涂又光是冯友兰的学生,是杜威的再传弟子。1997年,他受杜威的《民主主义与教育》启发,提出要创造人文社会主义。他指出,杜威一生写了两部《民主主义与教育》,第一部是1916年出版的《民主主义与教育》,第二部是1946年出版的《人的问题》。在《人的问题》中的《人文学院问题》一文中,杜威提出了一个后来影响很大的观点:人文使技术获得人道方向,即科学与人文不能分裂,人文要为科学启示方向。这是杜威思想的中心主题之一。涂又光指出,马克思只讲了"科学社会主义",没有来得及讲"人文社会主义",马克思晚年专攻"人学"(anthropology),要创造人文社会主义,可惜来不及完成。但是,近百年来,"中国人文,尤其是人文精神,被中国人(当然不是全部)'批判'、糟蹋、凌辱、摧残、横扫,没有与科学同步发展,而是濒于绝灭,沦为垃圾。于是人失灵魂,恶于癌瘤",鉴于此,要像杜威把"民主主义与教育"作为终身主题一样,把"人文社会主义与教育"作为终身主题,培育人文精神,是当今要务。③

涂又光从人文精神角度阐发《民主主义与教育》,另一位学者陆有铨则从自由角度诠释《民主主义与教育》。他认为,从杜威对民主和自由的描述来看,民主和

① 滕大春.杜威和他的《民主主义与教育》[M]//〔美〕约翰·杜威.民主主义与教育.王承绪,译.北京:人民教育出版社,1990:42.
② 张法琨.杜威《民主主义与教育》中的批判继承问题[J].教育研究与实验,1984(2).
③ 涂又光.论人文精神[J].中国哲学史,1997(1).

自由几乎是同义语,因而《民主主义与教育》也许本该题名为《自由与教育》。① 两位学者都是着眼于现代中国之失。从杜威角度看,这两个不同的视角其实是二而一、一而二的。杜威说:"知识具有人文主义的性质,不是因为它是关于过去人类的产物,而是因为它在解放人类智力和人类同情心方面做出了贡献。任何能达到这种结果的教材都是人文主义的,任何不能达到这种结果的教材就连教育意义也没有。"②也就是说,在杜威看来,人文精神就是以"解放人类智力和人类同情心"为标志的人类自由。

总之,百年来中国理论界对《民主主义与教育》的评论,在前六十年,褒贬参半,后四十年,以褒为主,几乎见不到对它的批评。评论的视角精彩纷呈,文化保守主义、马克思主义、生命哲学、"革命思维"、启蒙理想等轮番登场,烛幽见微,但缺乏对这本书的专门的、全面详细的研究。

四、 曲折的影响历程

《民主主义与教育》是杜威教育思想的代表作,因此它在中国教育中的实际影响的变迁与杜威教育思想的影响的变化是一致的。它在中国的影响可分为五个时期:1919—1925 年;1925—1927 年;1927—1949 年;1949—1980 年;1980 年之后。

1919—1925 年是《民主主义与教育》在中国影响的高潮时期。1919 年 4 月,教育部召集的教育调查会提议将教育宗旨改为"养成健全人格,发展共和精神"。③ 同年底,全国教育联合会第五次会议受杜威的"教育无目的论"影响,认为"施教育者,不应特定一种宗旨或主义,以束缚被教育者",因此建议废止民国元年的教育宗旨,明令宣布"养成健全人格,发展共和精神"为教育本义。④ 1922 年 11 月,教育部根据上述两团体的建议,在新学制令中,略去教育宗旨或教育目的,只规定"发挥平民教育精神、谋个性之发展"等七条教育标准。⑤ 吴俊升认为:"这一法令为中国教育划出一个新纪元,也充分表示了美国的特别是杜威的影响。"⑥胡

① 陆有铨.躁动的百年——20 世纪的教育历程[M].济南:山东教育出版社,1997:191.
② 〔美〕约翰·杜威.民主主义与教育[M].王承绪,译.北京:人民教育出版社,2001:247.
③ 舒新城.近代中国教育史料[M].北京:中国人民大学出版社,2012:255.
④ 舒新城.近代中国教育史料[M].北京:中国人民大学出版社,2012:257.
⑤ 朱有瓛.中国近代学制史料·第三辑(下册)[M].上海:华东师范大学出版社,1992:804-805.
⑥ 吴俊升.杜威在华的影响[M]//吴俊升.教育与文化论文选集.台北:台湾商务印书馆,1972:357.

适比较赞同这个看法,他说,1922年新学制规定"儿童是教育的中心。儿童个性的发展,在创立学制时,应予以特别注意",这明显反映了杜威教育哲学对中国教育的影响。他还认为,20世纪50年代大陆发起的对杜威的大批判,从反面证明了杜威思想对中国的较深刻的影响。①

1925年,五卅惨案发生后,国家主义教育思潮开始流行,杜威及其著作的影响已有开始降落的趋势。② 这是杜威思想在中国遭遇的第一次挫折。

1927年,中国国民党成立国民政府后,"党化"教育盛行,自此至1949年,全国教育以"三民主义"为最高准则。杜威及其著作在中国遭受到第二次挫折,然而伴随着邹恩润的译本《民本主义与教育》在1928年的出版,杜威仍然在中国教育理论和实践中有重要影响。甚至蒋介石也高唱:"教育之目的,在使受教育者扩展与生长。"③

在这一时期,一方面,《民本主义与教育》促进了中国教育学的学科建设。"大学中的教育学课程和师范学校的教育学教科书,几乎都是以《民本主义与教育》一书为蓝本。"④当时中国的教育理论著作,在体系结构和基本内容方面几乎都或多或少地受到杜威教育理论的影响。⑤ 孟宪承的著作就是一个例证。孟宪承1933年出版的《教育概论》和1948年出版的《教育通论》,都将杜威的《民主主义与教育》列为"最低限的参考书"或主要参考书。⑥ 在《教育通论》中,前三章是中外教育史,这很可能是受到了《民主主义与教育》中普遍采用的历史方法影响,后几章分别是"儿童的发展""文化的传演""国家的教育目的""教学"等,这与《民主主义与教育》也有类似之处。

另一方面,《民主主义与教育》对此时期的中国学校教育实践也有不可忽视的影响。

民主主义者陶行知和陈鹤琴的办学实践是受杜威教育思想影响的突出例子。陶行知创办的"晓庄学校""山海工学团"和"育才学校"都深受杜威教育思想的影响。1945年,陶行知在他创办的《民主教育》杂志中写道:"民主教育是教人做主

① 胡适.杜威在中国[M]//欧阳哲生.胡适文集(第12卷)[M].北京:北京大学出版社,2013:376-377.
② 吴俊升.杜威在华的影响[M]//吴俊升.教育与文化论文选集.台北:台湾商务印书馆,1972:360.
③ 曹孚.教育与民主[J].宪政,1944(7-8).
④ 陈元晖.中国教育学七十年[J].北京师范大学学报:社会科学,1991(6).
⑤ 周谷平.近代西方教育理论在中国的传播[M].广州:广东教育出版社,1996:184.
⑥ 周谷平,赵卫平,盛玲.孟宪承集(第三卷)[M].杭州:浙江大学出版社,2010:155,156,393.

人,做自己的主人,做国家的主人,做世界的主人。"①"民主教育一方面是教人争取民主,一方面是教人发展民主。"②陶行知的学生和同事戴伯韬认为,陶行知"手里拿的那个工具仍然是杜威给他的实验主义"③。尽管陶行知的民主观含有许多浪漫因素,④且缺少对西方自由主义的深刻理解,因而未能全面地理解杜威的教育思想,但是,陶行知的办学实践仍然受到了杜威思想的许多方面的重要影响,而且,他是杜威的教育思想在中国教育实践界产生影响的主要媒介。

陈鹤琴的"活教育"实践也深受杜威的影响。他被胡适称为"杜威派大教育家之一",对"上海学校的现代化曾负过责任"。⑤

当时还有一些中学校长服膺《民主主义与教育》。如民国知名基督教中学校长顾惠人 1946 年撰文指出,杜威在《民本主义与教育》中关于自由与权威、兴趣与训练的理论能弥补当时教育中的许多弱点。⑥

20 世纪 50 年代至 70 年代,杜威的思想在中国遭受第三次挫折。一方面,大陆彻底批判杜威,《民主主义与教育》的正面影响几乎销声匿迹。另一方面,台湾也有一部分人批评杜威因鼓励新文化运动,助长了马克思主义的传播,从而为共产党夺取大陆开了路,⑦因而《民主主义与教育》在台湾的影响也逐渐式微。

1980 年后,中国大陆已经改革开放,台湾也重启民主化进程,因而《民主主义与教育》的影响逐渐恢复。

在教育理论方面,21 世纪初,黄向阳的《德育原理》一书在教育学研究生和中青年教师中受到持久欢迎,这是杜威影响回归的表征,因为"这本书可以看作是杜

① 陶行知.民主与教育[M]//华中师范学院教育科学研究所.陶行知全集(第三卷).长沙:湖南教育出版社,1985:569.

② 陶行知.民主教育之普及[M]//华中师范学院教育科学研究所.陶行知全集(第三卷).长沙:湖南教育出版社,1985:571.

③ 戴伯韬.陶行知的生平及其学说[M].北京:人民教育出版社,1982:28.

④ 黄克武指出,20 世纪中国民主思想的主流是充满转化精神的中国式卢梭主义的民主观。在此观念下,近代中国知识分子多半将民主理想化(此即张灏所谓"德先生"变成了"德菩萨"的现象),且这种民主观不太强调作为民主的基础的个人自由。(参见:黄克武.近代中国的思潮与人物[M].北京:九州出版社,2013:80-85.)根据我对《陶行知全集》的阅读,陶行知的民主观与这种卢梭主义的转化式民主观比较吻合。

⑤ 胡适.杜威在中国[M]//欧阳哲生.胡适文集(第 12 卷)[M].北京:北京大学出版社,2013:377.

⑥ 顾惠人.民治与教育[J].教育与文化,1946(4-5).

⑦ 吴俊升.杜威在华的影响[M]//吴俊升.教育与文化论文选集[M].台北:台湾商务印书馆,1972:353.

威的《教育中的道德原理》的扩充版"①。《德育原理》也反复援引《民主主义与教育》,②且二者精神气质极为相似,因而它也可以说是《民主主义与教育》中"道德论"的扩充版。

20世纪80年代以来,中国许多中小学教师经由陶行知的媒介,受到了杜威《民主主义与教育》的影响,其中,四川省知名语文教师李镇西是一个典型的例子。③ 李镇西以倡导"语文民主教育"闻名,他指出:"杜威和他的《民主主义与教育》是一座丰碑","唯有以培养独立人格、公民意识、创新能力为己任的民主教育,才能真正使亲爱的祖国走向伟大的复兴,让中华民族傲然屹立于世界优秀民族之林!"④

21世纪以来,《民主主义与教育》开始影响中小学校长。北京大学附属中学王铮校长致力于建设民主生活共同体的教育改革,是民主主义教育在当代的重要尝试。⑤ 知名中学校长李希贵说,他在哥伦比亚大学师范学院访学期间,感觉看到的每一本书,都闪烁着《民主主义与教育》的光芒。⑥ 另一位教育工作者则指出,杜威的教育思想是目前中国的新课程改革的主要理论资源。他说:"我在学校教育与管理中推行的几次教育改革,其基本原理多与杜威和他的《民主主义与教育》一书有关。"⑦知名小学校长高峰初当校长时,是"怀揣着杜威的《民主主义与教育》走马上任"的。⑧ 难能可贵的是,在东南沿海一些省份,一些中小学教师已经组成民间"杜威读书小组",结伴阅读杜威的《民主主义与教育》等名著,并在日常教育教学中践行其中的原则和精神。他们"尊重学生发言的权利,耐心真诚地去与学生沟通",在难以体验社会公民行动力量的背景下,发起了学校"小公民行动",⑨并体悟到了"人,才是目的"的信念。⑩

---

① 2015年10月17日晚,黄向阳先生在全国德育学术委员会2015年学术年会的一个小型座谈会说了这句话。此次年会在河南师范大学(河南新乡市)举行。

② 黄向阳.德育原理[M].上海:华东师范大学出版社,2000:39,95,208.

③ 李镇西.李镇西:我的三位导师[M].北京:光明日报出版社,2013.

④ 教育部师范教育司.李镇西与语文民主教育[M].北京:北京师范大学出版社,2006:36.

⑤ 贺佳雯,向思琦,杨娇.《红楼梦》与高考可不可兼得?北大附中的"任性"教改[N].南方周末,2018-12-20(A3).

⑥ 李希贵.与杜威对话——对TC教育民主的感受和反思[J].内蒙古教育,2005(7).

⑦ 悟生.一本值得我读一生的书[J].上海教育,2007(18).

⑧ 高峰.我的教育生活与哲学[J].人民教育,2014(11).

⑨ 邱磊."偷师杜威":开启教育智慧的12把钥匙[M].北京:中国轻工业出版社,2014:254,245.

⑩ 邱磊,李达.用生命的母语做教育:陶行知与杜威教育思想对比研究[M].上海:上海社会科学院出版社,2018:137.

五、 结语

《民主主义与教育》的核心内容是研究现代民主社会应该培养什么样的人,以及怎样培养人,它是一本以"民主"为关键词的现代教育哲学导论,它的使命是发展民主主义的教育,捍卫民主和完善民主。杜威意义上的民主既与专制对立,也与狭隘的民族主义和国家主义不容,它代表的是一种人类更充分、更自由的交往的共同体理想。因此,我们就不难理解,它在中国的传播过程中起起落落的轨迹与中国政治民主曲折的发展历程大致吻合了。"五四"新文化运动时代,"人权、民主、科学"领风气之先,因而《民主主义与教育》一时洛阳纸贵;1925 年后,狭隘的民族主义抬头,《民主主义与教育》则因之小受挫折;1928 年后"党化教育"盛行,《民主主义与教育》再受打击,但仍然在顽强地传播,并发生巨大影响;1950—1980 年,民主在海峡两岸黯淡无光,相应地,《民主主义与教育》大受批判,但其影响还在,只不过转入潜流,等待着惊蛰春雷;20 世纪 80 年代及之后,中国改革开放,启蒙思潮再兴,从而《民主主义与教育》重新受到褒扬。这个曲折的历程给我们的启示是:民主与教育是交互作用的。一方面,中国学校教育要真正走上现代化轨道,必须以政治民主的健全、深入发展为前提,因为民主本身就是教育,没有这种"大教育"支撑,学校教育这种"小教育"既缺乏时代精神的滋养,又缺失现代制度的支持;另一方面,以人权为基础的现代民主之所以能在中国复兴,得益于"百年树人"的"人"。在现代社会,学校教育已在人的发展中起着主导作用,如果没有真正民主主义的学校教育,则培养不出具有共和品性的公民,没有理性、成熟的现代民主公民,那么民主就既不会"屡仆屡起,愈挫愈奋",更不能有序地深入发展完善。

第五章

行行重行行： 杜威教育思想研究在中国

涂诗万

中国学界研究杜威教育思想的百年历程,可分为"引进""深入""分化""复苏"四个时期。

一、引进

20 世纪最初 30 年,中国知识界开始翻译引入杜威教育著作,并对其作简单评介。其中,杜威来华访问的前后几年是中国传播杜威教育思想的高峰期。

(一)杜威著作中译

1906 年,张东荪在他和蓝公武创办于日本的《教育》杂志第二期上发表《真理论》一文,这是目前已知的中国学者第一篇较系统地介绍实用主义的文章。[①]1916 年,商务印书馆主办的《教育杂志》刊载的《实效教育之思潮》一文提到了杜威的实用主义教育思想。[②] 从其中可以看出,杜威教育思想最初被引入中国与清末民初的"尚实"或"实利教育"思潮有关。在杜威来华前两年,他的著作《明日之学校》和《我们怎样思维》已被陆续引入中国。从表 5-1 可以看出,20 世纪 20 年代和 30 年代是中国译介杜威著作的高潮时期,还可看出,20 世纪前半叶中国翻译引入的作品绝大部分是杜威的教育著作,其哲学著作很少被关注,如分别于 1925

---

① 袁伟时.中国现代哲学史稿(上卷):北洋军阀统治时期的中国哲学[M].广州:中山大学出版社,1987:482.日本和西班牙是世界上最早译介杜威著作的两个国家。1900 年和 1901 年,日本相继翻译了杜威的《批判的伦理学理论大纲》和《学校与社会》,前者是杜威著作首次被译为外文。参见:Boydston, Jo Ann. *John Dewey: A Checklist of Translations*, 1900—1967[M]. Carbondale and Edwardsville: South Illinois University Press, 1969.

② 太玄.实效教育之思潮[J].教育杂志,1916,8(2):24.

年和 1929 年出版的《经验与自然》和《确定性的寻求》，当时并没有被翻译引入。这在一定程度上影响了人们对杜威教育哲学的准确把握。

表 5-1　1949 年前中国译介杜威著作一览表①

书名	译者	出版地	出版社或刊物	出版年	备注
台威氏明日之学校	天民	上海	《教育杂志》	1917～1918	
思维术	刘经庶	南京	国立南京高等师范学校	1918	1922 年由中华书局再版
杜威氏之教育主义	郑宗海	上海	《新教育》	1919	《我的教育信条》
教育上之民主主义	真常	上海	《教育杂志》	1919	《民主与教育》第七章
美利阿谟教授之学校	太玄	上海	《教育杂志》	1920	译自《明日之学校》
德育原理	元尚仁	上海	中华书局	1921	第 2 版
平民主义与教育	常道直	上海	商务印书馆	1922	
明日之学校	朱经农 潘梓年	上海	商务印书馆	1923	
民本主义与教育	邹恩润	上海	商务印书馆	1928	
德育原理	张铭鼎	上海	商务印书馆	1930	
学校与社会	刘衡如	上海	中华书局	1930	第 5 版
教育上兴味与努力	张裕卿 杨伟文	上海	商务印书馆	1931	第 2 版
儿童与教材	郑宗海	上海	中华书局	1931	第 9 版
教育科学之源泉	张岱年 付继良	北京	人文书店	1932	
哲学之改造	许崇清	上海	商务印书馆	1933	
教育科学之资源	丘瑾璋	上海	商务印书馆	1935	
思想方法论	丘瑾璋	上海	世界书局	1935	
道德学	余家菊	上海	中华书局	1935	与塔夫茨合著
思维与教学	孟宪承 俞庆堂	上海	商务印书馆	1936	《我们怎样思维》1933 年版
科学的宗教观	吴耀宗	上海	青年协会书局	1936	《共同的信仰》
道德与辩证法	李书勋	上海	亚东图书馆	1939	杜威《手段与目的》和托洛茨基等人的文章
经验与教育	李相勖 阮春芳	贵阳	文通书局	1941	
经验与教育	李培囿	重庆	正中书局	1942	
今日之教育	董时光	上海	商务印书馆	1947	

---

①　资料来源：中国国家图书馆和北京大学图书馆馆藏目录及《教育杂志》台北 1975 年影印版。

1919—1921年,杜威在华讲学两年又三个多月,讲学内容以传播他的教育思想为主,大大促进了杜威教育思想在中国的传播。

(二)杜威教育思想评介

1917年,即杜威出版《民主主义与教育》(*Democracy and Education*)的后一年,天民就在《教育杂志》中评介了这本书。他说:"台威氏固全以民本哲学主义为基础而立论者,在现时之教育书如本书之饶有兴味者,殆未之有。"同时,他也指出了《民主主义与教育》的缺点:"虽然,犹有未尽善之点焉,盖儿童本性(广言之则为人性)自有营社会生活之性能,本书于此点之说明殊未充分,但言社会生活当为民本的,而其目的则未明示,教育之目的观念遂由是而不甚了然。又其于教育方法详于教授而轻于训练,亦其缺点也。"①天民论杜威的优点深中肯綮,论杜威的缺点则有很多误解成分。

1919—1922年间,胡适在多篇文章中用新兴的白话文较系统地介绍了杜威教育思想的哲学基础。他把杜威哲学概括为实验主义,并说实验主义由"历史的态度"(the genetic method)和"实验的方法"组成。胡适对"历史的态度"和"实验的方法"的理解有一个逐渐深化的过程。1919年,他认为,"历史的态度"就是要"研究事物如何发生,怎样来的,怎样变到现在的样子"。② 1921年,胡适把"历史的态度"改成了"历史的方法",并且形象地称之为"祖孙的方法",他说:"祖孙的方法""从来不把一个制度或学说看作一个孤立的东西,总把他看作一个中段:一头是他所以发生的原因,一头是他自己发生的效果;上头有他的祖父,下面有他的子孙。捉住了这两头,他再也逃不出去了! 这个方法的应用,一方面是很忠厚宽恕的,因为他处处指出一个制度或学说所以发生的原因,指出他的历史的背景,故能了解他在历史上占有的地位与价值,故不致有过分的苛责。一方面,这个方法又是最严厉的,最带有革命性质的,因为他处处拿一个学说或制度所发生的结果来评判他本身的价值,故最公平,又最厉害。这种方法是一切带有评判(critical)精神的运动的一个重要武器。"③这种理解显然比两年前的理解深入,但按现在的理解,杜威哲学中的"the genetic method"应该译为"发生学方法",且发生学方法与历史的方法相比有一个本质的区别:发生学方法深受达尔文生物进化论的影

---

① 天民.台威氏之教育哲学[J].教育杂志,1917,9(4):20.
② 胡适.实验主义[M]//欧阳哲生.胡适文集(2).北京:北京大学出版社,1998:212.
③ 胡适.杜威先生与中国[M]//欧阳哲生.胡适文集(2).北京:北京大学出版社,1998:280.

响,主张物种可演变,是反本质主义的,而胡适在介绍"历史的方法"时仍强调"背景""地位"和"价值"等,显然还带有本质主义的倾向。①

1919 年,胡适对"实验的方法"的理解是:"这种律例原不过是人造的假设用来解释事物现象的,解释的满意,就是真的;解释的不满人意,便不是真的,便该寻别种假设来代他了。"②这是用主观满意作检验假设的标准。1921 年,胡适说:"实验的方法至少注重三件事:(一)从具体的事实与境地下手。(二)一切学说理想,一切知识,都只是待证的假设,并非天经地义。(三)一切学说与理想都须用实行来试验过;实验是真理的唯一试金石。第一件,——注意具体的境地——使我们免去许多无谓的假问题,省去许多无意义的争论。第二件,——一切学理都看作假设——可以解放许多'古人的奴隶'。第三件,——实验——可以稍稍限制那上天下地的妄想冥思。实验主义只承认那一点一滴做到的进步,——步步有智慧的指导,步步有自动的实验——才是真进化。"③在这里,胡适用"具体的事实与境地""实行"和"实验"取代了主观的满意作为检验假设的标准,显然更符合杜威的原意。④

1919 年,胡适在《新教育》"杜威专号"发表专题文章介绍杜威教育思想。他首先指出杜威教育学说的两大要旨是:教育即生活;教育即经验的不断改组与改造。接着,他分别从知识论和道德论两方面阐明了杜威的实验主义哲学与教育思想的关系。在知识论方面,胡适指出,根据实验主义哲学,"第一,凡实验不出什么效果来的观念,不能算是真知识。因此,教育的方法和教材都该受这个标准的批评,经得住这种批评的,方才可以存在。第二,思想的作用不是死的,是活的;是要能根据过去的经验对付现在,根据过去与现在对付未来。因此,学校的生活须要能养成这种活动的思想力,养成杜威常说的'创造的智力'。"在道德论方面,实验主义哲学反对动机论与效果论、责任性与兴趣等种种二元分离,主张动机与效果、责任与兴趣都是统一于活动中的,因此,应该在活动中进行道德教育,"真正的道德教育在于使人对于正当的生活发生兴趣,在于养成对于所做的事发生兴趣的习

---

① 顾红亮.杜威的进化论思想与胡适、贺麟的阐发[M]//高瑞全.现代性视野中的思潮与观念.上海:上海古籍出版社,2010:60-64.

② 胡适.实验主义[M]//欧阳哲生.胡适文集(2).北京:北京大学出版社,1998:210.

③ 胡适.杜威先生与中国[M]//欧阳哲生.胡适文集(2).北京:北京大学出版社,1998:280.

④ 袁伟时.中国现代哲学史稿(上卷):北洋军阀统治时期的中国哲学[M].广州:中山大学出版社,1987:512-513.

惯"①。

关于杜威教育哲学的另一核心——民主主义,胡适也作了简略介绍。他说,根据杜威的名著《平民主义与教育》(*Democracy and Education*),平民主义教育要求必须做到以下两点:"(甲)须养成智能的个性(intellectual individuality),(乙)须养成共同活动的观念和习惯(co-operation in activity)。'智能的个性'就是独立思想,独立观察,独立判断的能力。……'共同活动'就是对于社会事业和群众关系的兴趣。"最后,他指出:"杜威的教育哲学的大贡献,只是要把阶级社会遗传下来的教育理论和教育制度一齐改革,要使教育出的人才真能应平民主义的社会之用。"②胡适终生都是杜威的自由民主政治思想在中国的忠实代表,也许正因为这一点,才使他对杜威教育思想的理解深得要领。

陶行知也认为杜威"素来所主张的是要拿平民主义做教育目的,试验主义做教育方法"③。这种划分很简明,有助于杜威思想的传播,但从学术上看稍嫌僵硬,因为民主主义在杜威教育思想中也是教育方法,实验主义也渗入了教育目的中,再说,在杜威的工具主义哲学看来,目的和方法是一个连续体,它们的区分只具有功能上的意义。

罗家伦、蒋梦麟主要介绍了杜威的道德教育思想。罗家伦的行文中充满了对中国传统和现状的批判,他认为杜威德育思想的精髓在于他主张"一方面能实行自动的活动,一方面能适应社会生活的人才,不但是一个道德家,并且是一个世界改造者"④。他重点关注的是杜威德育思想的社会方面。蒋梦麟依据杜威和塔夫茨(James H. Tufts)合著的《伦理学》评介杜威的德育思想。他将杜威的伦理思想与康德、功利主义学派和王阳明的伦理学进行纵横对比,很有学理意识。他更加关注杜威德育思想的个人方面。⑤

从中西对比的角度评论杜威教育思想的还有梁启超。1923 年和 1924 年,他在《近代学风之地理分布》等文章中认为杜威思想与明末清初颜李学派的思想相似。他说,颜元和李塨"以为凡有智识都从经验得来,所以除却实地练习外,没有

---

① 胡适.杜威的教育哲学[J].新教育,1919,1(3):304,307.

② 胡适.杜威的教育哲学[J].新教育,1919,1(3):307-308.

③ 陶知行.杜威先生的史略和著作[M]//[美]约翰·杜威.杜威在华演讲集[M].上海:新学社出版部,1919:1.

④ 志希.杜威博士的《德育原理》[M]//张宝贵.实用主义之我见——杜威在中国[M].南昌:江西高校出版社,2009:91.(志希是罗家伦的笔名)

⑤ 蒋梦麟.杜威之伦理学[J].新教育,1919,1(3).

法儿得着学问。他们对于学问的评价，专以有无效率为标准，凡无益于国家社会或个人修养的，一概不认为学问。他们的教育，专主张发展个性说，……总括起来，他们的学说和现代詹姆士、杜威等所倡之'唯用主义'十二分相像"①。梁启超并且特别解释，如此比较并不是妄自尊大的"西学中源"说。②

1923 年，日本杜威研究专家永野芳夫的《杜威教育学说之研究》也被译介到国内。1929 年，朱兆萃的著作《实验主义与教育》在商务印书馆出版。此书在日本学者已有研究的帮助下，比较中肯地介绍了杜威教育思想的哲学基础、价值论、方法论、教材论，及其优缺点，是该时期的一份总结性文献。

二、深入

1927 年，崔载阳在法国里昂大学以论文《涂尔干与杜威教育学说之比较研究》获博士学位。1931 年，吴俊升师从涂尔干（Émile Durkheim）的嫡传弟子、新教育联谊会（New Education Fellowship）法国分会会长福谷奈教授（Paul Fauconnet），以论文《杜威的教育学说》获巴黎大学博士学位。这两篇博士论文是中国的杜威教育思想研究进入深化开拓阶段的先声。

1933 年，吴俊升分析了以杜威教育思想为代表的欧美新教育重自由、重实行、重兴趣和重现实生活的四大原则。他的结论是："新教育的原则，就其救济旧教育的重权威，重理论，重训练，重将来生活的偏失而论，确有不可忽视的价值，……但是新旧教育的原则，仅是程度的差异，并非是非的绝对，应该随着教育的实况而互相折中，互相均衡。"通观这篇文章，吴俊升运用的理论视角是被他视为"常识的见解"的自由主义社会理论。③

然而，吴俊升对"教育即生活"的解读引起了姜琦的不满。吴俊升认为，从杜威的"教育即生活"中演绎出来的"做中学"原则有三种缺点：第一，行里求知是初民社会的学习方法，在文明开化的社会已完全不适用；第二，系统的知识可以执简驭繁，可以举一反三，但一面做一面学得的知识东鳞西爪，不系统，徒然使行动机

---

① 梁启超.明清之交中国思想界及其代表人物[M]//饮冰室合集(5)·饮冰室文集之四十一.北京：中华书局,1989：33.

② 梁启超.颜李学派与现代教育思潮[M]//饮冰室合集(5)·饮冰室文集之四十一.北京：中华书局,1989：3-4.

③ 吴俊升.重新估定新教育的理论和实施的价值[M]//吴俊升.教育与文化论文选集.台北：台湾商务印书馆,1972：95,79,80.

械化;第三,在做中求学,所学不出目前的需要,不出实用的范围,不能为知识而知识,不但阻碍知识的发展,而且限制知识对于实用的贡献。① 张君劢也很赞成吴俊升这个判断。② 但是姜琦不以为然。他说:"杜威'教育即生活'一语,……大半是指教育的本质而言,并非是指教育的终极目标而言的,就教育本质而论,教育是无论如何是逃不出行为或实际生活范围之外;就教育终极目标而论,杜威并不禁止人类去求超过实用境域的知识,去求有系统的知识及为知识而求知识。"③对于杜威也主张为知识而知识这一点,吴俊升也是承认的,但他又明确说"做中学"有以上三种缺点。吴俊升之所以前后矛盾、左右为难,归根结底是因为没有分清在这个问题上有教育本质和教育目的的区别。姜琦的解释更符合杜威的原意:"教育即生活"是教育本质论,而不是教育目的论,用教育目的论领域的东西去批评教育本质论,逻辑上就不通;"做中学"也不是通常人所认为的是一种教学方法,而是一种教育方法论或教育本质观。这种解释能回应对杜威的许多批评。

瞿菊农也分析了杜威教育思想的优缺点。他说:"实验主义的政治含义是民主政治,不是专政。"实验主义的大贡献在于使人知道,真理不是宰制人的教条,而是一种努力,是要通过活动得来的,是一种工具,通过它,人创造自身,也创造正在进行中的宇宙。人的一生是不断的努力和实验,但实验主义太注重努力的自身,忽略了努力的目标。若是在这一点上有所补足,实验主义是"行得通"的生活哲学。④ 瞿菊农提出,应融合儒家思想和西方观念论,作为未来中国教育哲学的基础,在新的中国教育哲学中,每个人都是一个人格,每个特殊的儿童的教育,都有机地与整个宇宙历程相关联,因而教育的理想是人格的实现,即自由的实现,而且不是少数人自由的实现,而是每个人人格自由的实现。他说,这与现代教育的民主化趋势也是相合的,民主不只是政府的形式,而且是一群自由人彼此关联在一起所产生的心理或精神历程,是对生命的态度,也是一种生活的模式。⑤ 可以看出,瞿菊农对教育目的建构,绕了一圈又回到了杜威在《民主主义与教育》中阐述的"教育中的民主概念"。难能可贵的是,瞿菊农不但这样思想,也这样行动,他几十年如一日地追随晏阳初从事乡村平民教育,正是奉行这一理念。

① 吴俊升.教育哲学大纲[M].上海:商务印书馆,1935:102.
② 张君劢.中国教育哲学之方向[J].东方杂志,1937,34(1):264.
③ 姜琦.中国教育哲学之方向的商榷[J].教育杂志,1937,27(4):19.
④ 瞿菊农.现代哲学思潮纲要[M].上海:中华书局,1934:142,145.
⑤ 刘蔚之.以教育实现人格自由:教育学者瞿世英在近代中国教育史上的意义(1917—1949)[J].教育研究集刊,2018,64(2):22-24.

当时正在从事乡村建设的思想家梁漱溟也对杜威教育思想研究做出了贡献。1934 年，梁漱溟在山东乡村建设研究院发表演讲《杜威〈民本主义与教育〉的读法及其根本观念》。他认为杜威的主要观念是"生命观念"，而教育恰好贯穿了人类的个体生命与社会生命，教育与社会是相通的，社会的理想是民主，而民主的理想则是"透出教育来"。在演讲的结尾，梁漱溟说，虽然他大体上不反对杜威教育思想，但认为杜威教育思想缺欠很大。然而，杜威教育思想的缺欠，是"明白有多大，糊涂就有多大"意义上的缺欠。梁漱溟指出，《民本主义与教育》（*Democracy and Education*）"全书所讲即是一个'活'字，他把生命的变化看得很透，生命即是活，人生即是活。……可是他只对无穷而又变化不息的生命理会了然，他于不变的一面没有看见。不变是根本是体，变是不变的用。……他讲来讲去是讲人生外面的事和用。杜威没有发现人生的真价值。如他说生命进步，故我们求进步。如问他何为生命进步？他说即效率高。再问效率高为何？效率高即是进步。他所说的差不多是循环的。所有他的主张中没有不合乎道德的地方，但他没有发现道德。"①梁漱溟运用柏格森的创造进化论诠释杜威的《民主主义与教育》，可谓别具一格，更兼梁漱溟当时正在从事以中华传统社会改造为目标的教育事业，因此，大教育家与大教育家之间的心灵共鸣，使得他对杜威教育思想的解读倍添神韵。

在 20 世纪 20 年代至 40 年代，陶行知是杜威教育思想最得力的践行者。1930 年，在《生活即教育》中，陶行知生动、深刻地阐明了杜威的"教育即生活"思想。他说，"教育即生活"中的"生活"是健康的生活、劳动的生活、科学的生活、艺术的生活和改造社会的生活，总之，"我们是现代的人，要过现代的生活，就是要受现代的教育"。他发现，杜威在 1928 年前主张"教育即生活"，而在 1928 年访苏之后，更加强调"生活即教育"。至于"教育即生活"与"生活即教育"的区别，陶行知通过"取水争端"的例子作了生动的阐明。他说由前者演绎出的"学校即社会"可能是专制命令式的，而由后者演绎出的"社会即学校"，则是民主的"共同议决"式的。② 以发展的眼光研究杜威教育思想，陶行知是先驱之一。正是这种眼光，使他抓住了杜威教育思想的两个核心：持续不断改造的精神和现代民主精神。

1935 年，欧阳子祥在《心物问题在杜威教育思想上的地位》一文中，以其良好的实用主义哲学功底，清晰地说明了心物的融合决定了杜威教育思想中做与学、

---

① 梁漱溟.杜威教育哲学之根本观念[J].乡村建设,1934,4(6)：10-11.
② 陶行知.生活即教育[M]//陶行知教育文集.成都：四川教育出版社,2007：229.

文化与功利、方法与教材、兴趣与努力的统一。①

1940年,国立武汉大学哲学教育系学生徐翔之写了一篇题为《杜威教育学说之研究》的毕业论文。这是一篇规范的学位论文,作者首先从历史角度探讨了杜威教育思想的地位、社会背景、哲学基础和主要内容,并指明了它的优缺点,然后指出,杜威的实验主义教育思想是注重科学方法的自然主义教育思想与注重人格实现和文化创造的唯心主义教育思想的理想综合,"杜威是真正承继近代教育学并把它发扬光大的一个人"。徐翔之认为,杜威教育学说有六大要点:教育即生活,学校即社会,学与做合一,文化与功利合一,教材与教法合一,兴趣与努力合一,前两点是基于杜威的社会理想,后四者是基于实验主义哲学。②

1947年,陈鹤琴等创办的《活教育》月刊出版了"杜威研究特辑",其中的文章主要是对杜威创办的"芝加哥大学实验学校"的介绍,对杜威教育思想持正面评价态度。

同年,刘佛年以笔名"林布"发表《杜威教育思想的再认识》,他利用马克思主义的阶级分析法探讨杜威教育思想,并对其持负面评价态度。他说:"要谈杜威的教育思想,必先谈他的社会思想。为什么呢?因为提倡新教育的人必定有新的社会理想。"新教育必然与新的社会理想相伴,林布的认识可谓一针见血。他指出,杜威社会理想不是过去那种停滞的和保守的社会,而是日新月异、不断创造革新的现代社会,但是杜威的社会理想归根结底是代表中产阶级利益的社会理想,因而他的教育思想是适应中产阶级需要的改良主义教育思想,因此他提醒有志于对社会进行根本改造的教育界同志,"决不要做杜威主义者"。③ 张文郁对此深表赞同,他在一年后的回应文章中说:"杜威的实验教育给予活教育极深的影响,至少在民主主义和儿童本位这主要观点上完全一致。但是,人类是在进步的,社会是在变革的,⋯⋯杜威主义代表中间阶级的改良主义者已经不适合现在中国的需要是非常明显的。"④张文郁既说"完全一致",又说"明显不适合",这是矛盾的。在1948年"中国正有一线进步的曙光"的特殊时代,这种矛盾是许多教育工作者内心彷徨的表现。"决不要做杜威主义者"已经为20世纪50年代中国大陆对杜威的大批判埋下了伏笔。

---

① 欧阳子祥.心物问题在杜威教育思想上的地位[J].中华教育界,1935,23(10).
② 徐翔之.杜威教育学说之研究[D].武汉:国立武汉大学,1940.
③ 林布.杜威教育思想的再认识[J].大学,1947,6(3-4):52,56.
④ 张文郁.论杜威主义者[J].活教育,1948,5(1):3.

1948 年,孟宪承评介了美国哈佛大学教授罗伯特·沃立(Robert Ulich)对杜威教育思想的最新研究。罗伯特·沃立在 1945 年初版的《教育思想史》中认为杜威哲学的发展分为两个时期,1894—1930 年为第一期,1930 年以后为第二期,前一个时期是彻底的实验主义,对 19 世纪的唯心主义作无妥协的抨击;后一个时期杜威开始谈信仰和理想,思想变温和了,有了折中的倾向。与此相应,杜威前期教育思想只言生长,不立目的,缺乏生长的理想型,重视理智,忽视了基督教信仰;而后期杜威教育思想具有了一种"内蕴的目的论"(intrinsic moral teleology)。孟宪承不同意这种看法,他认为杜威教育思想是一贯的,始终没有越出经验的范畴,罗伯特·沃立只不过把自己的思想投射到了杜威身上。罗伯特·沃立是一个民主主义者,20 世纪 30 年代由于对纳粹统治不满,从德国移民到了美国,他受到欧洲大陆深厚的基督教人文主义浸染,对美国教育思想中的自然主义的人文主义不满,想用理想主义调和实验主义,于是便一厢情愿地赋予了杜威后期教育思想一种"内蕴的目的论"。[①] 此文将杜威教育思想置于西方基督教人文主义的发展中研究,是深入研究杜威教育思想的一个好起点。

同年,阮雁鸣的文章《杜威思想与五四文化》从文化交流碰撞的视角切入了杜威教育思想研究。他说:民国八年至民国十七年这十年可以说是教育上的杜威时代,这是因为"五四"时代和杜威思想所主张的"变革、进步、科学、民主、个性"是根本相同的。[②]

从整体上看,这二十年的杜威教育思想研究,是一场没有设定绝对主义真理的实验主义探索。既有以自由主义为视角的持平之论(吴俊升),又有以马克思主义为视角的微言大义(林布);既有实践派的激情阐发(陶行知和活教育),又有学院派的条分缕析(徐翔之);既有实用主义者的坚定如一(欧阳子祥),又有民主主义者的左右彷徨(张文郁);既有创造进化论的豁然贯通(梁漱溟),又有基督教人文主义的烛幽照微(孟宪承)。

三、分化

进入 20 世纪 50 年代,由于政治原因,中国的杜威教育思想研究分化为大陆和香港、台湾两支。

---

① 孟宪承.沃立与杜威[J].浙江学报,1948,1(2).
② 阮雁鸣.杜威思想与五四文化[J].师声,1947,1(1):42.

（一）热闹与沉寂

20 世纪 50 年代，在美国大势攻击杜威教育思想的前几年，中国大陆开始狂热批判杜威的哲学和教育思想。这些批判绝大部分是绝对主义的、意识形态化的"一边倒"。1959 年，毛泽东坦承："杜威主义，不懂，太复杂。"①但是，曹孚的《杜威批判引论》不在此列。《杜威批判引论》尝试运用马列主义社会理论，从社会哲学和方法论两方面对杜威教育哲学进行剖析。曹孚认为，杜威的社会哲学包括"生长论""进步论""无定论"和"智慧论"；杜威的教育方法论包括"知识论"和"经验论"。社会哲学是杜威教育哲学之体，方法论是杜威教育哲学之用，体用结合，"六论"相通。曹孚对杜威的剖析之深，后学晚辈鲜有出其右者。然而，曹孚的"六论"独缺"民主论"，虽然他一针见血地指出了"杜威所贩卖的是社会民主主义的膏药"，杜威企图走"第三条道路"，但是社会民主主义毕竟不能见容于当时的中国式马列主义。② 因而曹孚的结论最终也难免染上了绝对主义的色彩。

然而，虽处于绝对主义的整体氛围中，20 世纪 60 年代中国大陆的杜威教育思想研究并非毫无亮点。傅统先于 1964 年和 1966 年先后译出了杜威晚年的两部力作《自由与文化》和《确定性的寻求》。1965 年傅统先和邱椿合译的杜威的重要教育论著《人的问题》出版。《自由与文化》的中心是批判极权主义；《确定性的寻求》是杜威重新思考宗教问题后的哲学代表作。曹孚在 1951 年就提醒人们，单就杜威的教育著作去研究杜威教育思想是不完全的。正是由于手头资料不足，他只能写一个"引论"。傅统先是学贯中西的教育学者和哥伦比亚大学哲学博士，他翻译的杜威作品可谓信、达兼备，难以超越。这两部译作当年虽是作为批判资料在内部出版，但为后来的研究打下了扎实的资料基础。况且，在当时的条件下，译什么书也隐晦地表达了译者的立场。

（二）繁荣与危机

20 世纪 50 年代，香港、台湾地区的杜威教育思想研究进入了繁荣期。吴俊升不仅是香港和台湾地区杜威教育思想研究的中心人物，而且是整个中国最重要的杜威教育思想研究专家。1953 年，他在台湾翻译出版了杜威的《自由与文化》。1960 年，在美国批判杜威教育思想的高潮中，他在香港发表了一篇为杜威教育思

---

① 李锐.庐山会议实录[M].北京：春秋出版社，长沙：湖南教育出版社，1989：229.
② 曹孚.杜威批判引论[M].北京：人民教育出版社，1951：17.

想辩护的论文《杜威教育思想的再评价》。1961 年，吴俊升出版了《约翰·杜威教授年谱》。1964 年，他还应邀与美国学者一起将杜威在中国的部分演讲译成英文。他还于 1930 年、1937 年和 1945 年三次拜访杜威。因此，吴俊升对杜威教育思想的研究是理论研究、传记研究、翻译和访谈相结合的、全面深入的研究。

1951 年，吴俊升在香港新亚书院发表演讲《从伦理学的观点论教育上之兴趣与努力问题》。此文视角独特，既有历史方面的追根溯源，也有逻辑方面的剥茧抽丝，非常令人信服。他指出，杜威所主张的兴趣与努力的统一，实际上是主张在自我活动的扩展中实现"以义为利"。①

吴俊升对杜威的知识论的解读也是卓越的。在 1953 年发表的文章《杜威的知识论》中，他首先指明了杜威知识论的民主品格，认为杜威在知识论中贯注了对社会改良的关心。然后，他从"知识的起源和功用"方面分析得出杜威的"知识"具有实用性和行动性。接着，吴俊升指出杜威的知识论以独到的方法调和了经验论和理性论，也调和了观念论和实在论。在分析杜威工具主义的真理论后，吴俊升指出，工具主义真理论认为"既然观念所赖以证明为真的，不是观念发生以前的事件而是它发生以后的结果，所以一切知识成为前瞻的而不是后顾的；成为假定的和暂时的，而不是绝对的和固定的；……在此等情况之下，个性独创和社会进步，便有其地位。这便是杜威的知识论的特色，这特色使杜威在知识界产生了真正的哥白尼式的革命"。最后，吴俊升指出杜威的知识论对教育的方方面面都有卓绝的贡献，尤其是对教育概念本身产生了深刻的影响，"无论是经验论或理性论，均容易把教育看作是对于现成知识的灌输。杜威本于他的工具主义，却把教育看作是经验的继续改造"②。

吴俊升对杜威教育思想的精神有深刻领会。1960 年，他指出，杜威教育思想与文艺复兴以来蒙田、卢梭、裴斯泰洛齐和福禄培尔的教育思想是一脉相承的，杜威为"现代化、人道化和具有解放作用的教育运动"创造了一个比较完整严密的教育哲学体系。在美国学校中，"比五十年前显然有较多的生趣和愉快的气氛，有较多的自由和独创的精神，学生间与师生间有较多的合作，有较多的实际的和创造的活动，有较多的反省的思维，在团体生活中有较多民主方式，这差不多都是杜威

① 吴俊升.从伦理学的观点论教育上之兴趣与努力问题[M]//吴俊升.教育与文化论文选集.台北：台湾商务印书馆，1972：104-105.

② 吴俊升.杜威的知识论[M]//吴俊升.教育与文化论文选集.台北：台湾商务印书馆，1972：273-274,281.

的贡献"①。吴俊升指明了杜威教育思想的启蒙品格。此文随后以英文在美国发表,既彰显了汉语杜威研究的话语权,又给当时中美两国的杜威研究者服了一剂清醒剂。②

然而,吴俊升对"教育即生长"的理解不如曹孚深刻。吴俊升认为,由"教育即生长"演绎出来的"教育无目的论"有内在困难。他说:"我们可以结论:生长不能作为衡断教育实施的标准,因此不能具有教育目的的作用。更有进者,不仅生长的概念不能代替教育目的概念,来作教育实施的指导而已,杜威并且自己曾经明白承认或默认教育是有目的的。"③这实质上混淆了教育本质论与教育目的论。杜威这句话虽然在字面上出现了"目的"一词,但是论述的还是他的教育本质观,教育目的问题必须从人与社会的关系角度论述,这是杜威一向强调的,也是教育学常识。不过,认为杜威持"教育无目的论",不只是吴俊升一人的误解,而几乎是当时整个中国教育学界的误解。④ 曹孚也批判杜威的"教育无目的论",但他在《杜威批判引论》中,联系杜威的名篇《达尔文对哲学的影响》来理解"教育即生长",无疑比吴俊升高出一筹。

从20世纪60年代开始,台湾学者陈峰津、高广孚和李园会相继出版了数部研究杜威教育思想的专著。但其研究结论也不过是"杜威之实验主义与民主主义相表里,同为杜威教育思想的两个中心要素"等老生常谈。⑤ 李园会的研究利用了许多日文杜威研究文献,如大浦猛的《实验主义教育思想的成立过程》等,为它增色不少。⑥ 1984年,郑世兴对颜习斋和杜威的哲学及教育思想进行了跨文化比较研究。然而,他的研究仅将二人的思想逐一进行罗列式对比,方法上略显单调,内容上也有牵强附会之嫌。⑦

20世纪后半叶,香港、台湾地区的杜威教育思想研究虽较繁荣,但也隐藏着

---

① 吴俊升.杜威教育思想的再评价[M]//吴俊升.教育与文化论文选集.台北:台湾商务印书馆,1972:291-292.

② Ou, Tsuin-Chen. A Re-Evaluation of the Educational Theory and Practice of John Dewey [J]. Educational Forum, 1961, 25(3):277-300.

③ 吴俊升.杜威教育思想的再评价[M]//吴俊升.教育与文化论文选集.台北:台湾商务印书馆,1972:306.

④ 1920年,全国教育联合会通过决议,建议教育部根据杜威的"教育无目的论"取消教育宗旨。参见:舒新城.近代中国教育史料[M].北京:中国人民大学出版社,2012:257.

⑤ 高广孚.杜威的教育思想[M].台北:水牛出版社,1984.

⑥ 李园会.杜威的教育思想研究[M].台北:文史哲出版社,1977:206-208.

⑦ 郑世兴.颜习斋和杜威哲学及教育思想的比较研究[M].台北:"中央"文物供应社,1984.

危机，其突出表现是，吴俊升之外的杜威研究许多都是老生常谈，缺乏深度和新意，老专家后继乏人。

四、　复苏

20 世纪 80 年代，中国大陆开始走出绝对主义的笼罩，重新评价杜威教育思想。此阶段的代表性研究者是赵祥麟和滕大春。1980 年，赵祥麟发表文章《重新评价实用主义教育思想》。1982 年，中国教育史研究会承认了杜威教育思想在教育史上的重要地位，肯定了它有许多进步的方面。[①] 1990 年，滕大春在王承绪翻译的《民主主义与教育》导论中比较全面地分析了杜威教育思想，指出了它的进步性。[②]

进入 20 世纪 90 年代后，中国大陆对杜威教育思想的研究进一步摆脱绝对主义的桎梏。1994 年，褚洪启的博士论文《教育观念的变革——对杜威教育理论中三个命题的分析》强调杜威教育思想是一场变革。[③] 2002 年，单中惠《现代教育的探索——杜威与实用主义教育思想》一书将杜威教育思想体系定位为"孜孜不倦地探索现代教育"。[④] 这与知名杜威研究专家艾伦·瑞安（Alan Ryan）的观点不谋而合。许多人认为杜威是一个典型的美国哲学家，是美国的代言人，艾伦·瑞安对此深表怀疑，在他看来杜威关切的是现代人和现代世界的困境，而不只是美国人和美国的困境。[⑤] 中西两位研究者对杜威思想特质的评价取得了共识，这在中国大陆是一件久违了半个世纪的学术喜事。这说明，中国的杜威教育思想研究已逐渐摆脱绝对主义，回归中国近现代史中以建设现代文明为主线索进行研究的实验主义阶段。

21 世纪头十年还有一些博士论文从不同角度对杜威教育思想进行了深入研究。向蓓莉的《自由主义视野中的杜威及其教育思想》，从杜威晚年对自由主义的反复强调入手，分析了杜威教育哲学中自由智慧和个性等概念。张云的研究认为，20 世纪的现代哲学有一个共同的主题：超越传统哲学的知识论路径，恢复生

①　中国教育史研究会.杜威、赫尔巴特教育思想研究[M].济南：山东教育出版社,1985.

②　滕大春.杜威和他的《民主主义与教育》[M]//〔美〕约翰·杜威.民主主义与教育[M].王承绪,译.北京：人民教育出版社,2001：39.

③　参见：褚洪启.杜威教育思想引论[M].长沙：湖南教育出版社,1997.

④　单中惠.现代教育的探索——杜威与实用主义教育思想[M].北京：人民教育出版社,2002：16.

⑤　Ryan, Alan. John Dewey and the High Tide of American Liberalism [M]. New York：W. W. Norton, 1995：12.

活世界的全部丰富性和连续性,因而,杜威教育哲学的意义就在于,"二元论的弥合,生活世界丰富性、连续性的恢复,教育向生活世界的回归"①。丁永为的《杜威关于民主与教育关系思想的演变》采用昆廷·斯金纳(Quentin Skinner)的语境——行动理论,分析了杜威教育哲学中从"教育中的民主"到"民主中的教育"的发展过程。王彦力的《走向对话——杜威与中国教育》和关松林的《杜威教育思想在日本》是从全球化时代文明对话的角度研究杜威教育思想。

郭法奇分析杜威与现代教育的关系,②唐斌探究杜威教育哲学的出场语境,③涂诗万考证杜威教育思想的形成过程、④蒋雅俊对《儿童与课程》的专题研究、⑤石中英考察杜威教育哲学的论述方法、⑥李志强的《杜威道德教育思想研究》和肖晓玛的《杜威美育思想研究》),都是杜威教育思想研究走向深入的重要尝试。

需要特别指出的是,从2010年至今,由复旦大学"杜威与美国哲学研究中心"组织翻译的37卷《杜威全集》及《杜威全集·补遗卷:非现代哲学与现代哲学》已全部出版,这是世界范围内第一个《杜威全集》的外文译本。这项泽被后世的汉译工程将大大促进中国的杜威教育思想研究。

近百年的杜威教育思想研究历程,既有光荣与梦想,又有曲折和辛酸。总的来说,前期的研究者多怀实践情结,如陶行知和吴俊升等人既是研究者又是杜威式教育家;后期的研究者虽不乏实践关怀,但多数是受学科规训的单纯学者。怀实践情结者,其研究往往透出思想的锋芒;受学科规训者,思想退隐,学术走上前台,但由于先天功力不足,后天学术环境欠佳等原因,学术性亦显单薄,其突出表现是有关杜威教育思想的观念史研究、断代史研究和比较研究鲜有人深入开拓。从研究的思想类型看,百年研究历程是一个从实验主义到绝对主义,再重回实验主义的历程,行行重行行,这个历程负载了几代中国学人对现代教育的艰辛求索。

① 张云.经验·民主·教育——杜威教育哲学[M].上海:上海社会科学院出版社,2007:9,195.

② 郭法奇.杜威与现代教育:几个基本问题的探讨[J].教育研究,2014(1).

③ 唐斌.杜威的探究性教学论:出场语境及其视域偏差[J].华东师范大学学报:教育科学版,2014(3).

④ 涂诗万.杜威教育思想的形成[M].杭州:浙江教育出版社,2015.

⑤ 蒋雅俊.杜威《儿童与课程》研究[M].福州:福建人民出版社,2017.

⑥ 石中英.杜威教育哲学论述的方法[J].教育学报,2017(1).

第六章

重新发现杜威：中国近二十年杜威研究新进展

涂诗万

杜威是美国古典实用主义的集大成者，著名教育家。"五四"新文化运动期间杜威曾访华讲学两年又三个月，对中国新文化运动产生了很大影响。但 1949 年后的三十年，杜威在中国被全面否定；20 世纪 80 年代中国教育界和学术界开始重新评价杜威，承认了杜威思想的重要价值。自此至 20 世纪 90 年代初，中国学界对杜威的研究逐渐增多，其中的代表作是邹铁军的专著《实用主义大师杜威》。它的结论是："他（杜威）以一个思想家的姿态宣传科学与民主，宣传教育的重要，主张中西文化合流，这都是应当引起我们重视的。但他鼓吹实用主义、主张走资本主义道路，反对马克思主义、反对社会革命，这是必须批判的。"[①]这个结论既反映了当时杜威研究的重要进展，也代表了国人对杜威认识的两个主要偏差：其一是不恰当地把实用主义哲学打上政治意识形态的烙印；其二是偏重从科学方面理解杜威，忽视了"人文杜威"。导致这种认识偏差的原因是多重的。

在这个阶段研究的基础上，从 20 世纪 90 年代中期至今，杜威研究在中国全面复兴，并取得了一批优秀成果。这些成果的总体特点是，对杜威的评价更加理性、全面，对杜威思想的认识更加深入，研究领域具有鲜明的时代特色，特别是在以下四个方面取得了较大的进展。

一、 沟通杜威与马克思

西方已有沟通杜威与马克思的研究。[②] 在中国，沟通杜威与马克思的努力是

---

① 邹铁军.实用主义大师杜威[M].长春：吉林教育出版社,1990：319.

② 例如：George Novack, *Pragmatism Versus Marxism：An Appraisal of John Dewey's Philosophy*. New York：Pathfinder Press, Inc. , 1975; William J. Gavin, ed. *Context over Foundation：Dewey and Marx*. Dordrecht and Boston：D. Reidel Publishing Company, 1988.

从李大钊开始的，①但是半个多世纪以来学界关注的多是杜威与马克思之间的冲突。十多年前，刘放桐发起重新沟通杜威与马克思的倡议。

刘放桐提出在西方哲学的现代变革和马克思的哲学变革这个大背景下，重新理解杜威等人的实用主义哲学的根本意义及其与马克思主义的关系。他指出，马克思的哲学变革是通过实践超越一切僵固和封闭的体系，回到现实的人及其所牵涉的世界。与此变革相应的西方哲学的转型，是从克尔凯郭尔（Soren Aabye Kierkegaard）和尼采（Friedrich Wilhelm Nietzsche）等人创始的非理性主义（人本主义）思潮及孔德（Auguste Comte）和密尔（John Stuart Mill）等人创始的实证主义（科学主义）思潮开始的。它们不同程度地超越了主客、心物二元对立的近代哲学，从抽象化的自在的自然界或绝对化的观念世界返回到人的现实生活世界。刘放桐特别指出："杜威的哲学及其相关的其他理论不仅是在西方哲学近现代转型的大背景下出现的，而且是体现这种转型的一种相当典型的形态。它兼有现代西方人本主义思潮和科学主义思潮的特征。"②

因此，刘放桐提出了三个基本观点：杜威哲学的根本意义是对现实生活和实践的强调；杜威的哲学改造适应了西方哲学现代变革的潮流；杜威的哲学改造与马克思的哲学变革殊途同归。③ 他认为，杜威哲学与马克思哲学虽有原则性区别，但在如下一些方面是非常相似的：二者都批判传统形而上学；都强调对现实生活和实践的关注在哲学中的决定作用；都强调真理要经得起实践的检验；都强调要通过"大胆假设，小心求证"的实验方式发展科学真理；都认为社会历史是一个不断改造与改组的过程，且都赞同历史的人道目标；都认同人的自由，且认为个人应对社会负责；都提出了人类大同的社会理想。此后，他进一步指出，实用主义是西方启蒙思想的自然发展，杜威哲学更是具有倡导科学和民主的特色。④ 刘放桐从正反两方面的历史实践论证了，简单否定实用主义将导致否定真正的马克思主义，从而给国家发展带来灾难性的后果。马克思主义与实用主义的对立统一是

① 张宝贵.后记：拂开尘迹话情缘[M]//张宝贵.实用主义之我见——杜威在中国.南昌：江西高校出版社,2009：233-234.

② 刘放桐.《实用主义之我见——杜威在中国》序[M]//张宝贵.实用主义之我见——杜威在中国.南昌：江西高校出版社,2009：7-8.

③ 刘放桐.杜威哲学的现代意义[J].复旦学报,2005(5).

④ 刘放桐.杜威哲学及其在中国的影响[J].天津社会科学,2010(2)：10.

当代哲学发展的主要趋势。①

　　刘放桐不但在理论上开风气之先，而且在杜威研究的资料建设上居功甚伟：他主持翻译了《杜威全集》（37 卷中文版），这是《杜威全集》第一个外文全译本。

　　孙有中在沟通杜威与马克思方面也做出了贡献。他认为，杜威与马克思有如下相同点：两人都否定了古典自由主义对资本主义国家实质的假设；用经济分析法解剖社会文化问题；强调主体与客体相互作用，肯定主体的历史与社会属性；两人都毫不留情地批判资本主义对人的异化和对民主的扭曲；两人都向往一个人人获得彻底解放与全面发展的自由王国。②

　　陈亚军对"实践"这个沟通杜威与马克思的桥梁，有独到的研究。马克思和杜威都强调改造传统的哲学，陈亚军指出杜威的改造思路和孔德有相近之处，但在根本点上，即如何解释"经验"上杜威与孔德有着本质的区别。③ 他认为，以杜威为代表的古典实用主义，又可称为实践主义，后期维特根斯坦（Ludwig Wittgenstein）、海德格尔（Martin Heidegger）和波兰尼（Michael Polanyi）的知识论都是属于这个传统，实践主义的基本主张是行先于知，它主要包含三层内容：第一，我们首先是实践者，知识是后来发生的事情；第二，实践中形成的能力，本身是一种非语言的知识，介于自然与规范之间；第三，这种能力之知是命题之知的基础和根据。杜威不太喜欢"知识"这个概念，更喜欢"经验"概念。经验首先是"做"，知识处于从属的地位。实践主义主张，"我"与世界的关系首先不是一种静态的认知关系，而是一种实践关系，一种杜威所说的"享有"关系，海德格尔所说的"在世"关系。除非某个环节出了问题，否则"我"不会对世界持一种知识的态度。知识一定产生于问题，产生于行动的断裂。而以布兰顿（R. Brandom）为代表的新实用主义却主张知先于行。为了缝合新老实用主义的冲突，陈亚军提出了"理性实践主义"的构想。④

　　另外，陈亚军指出，杜威的学生和亲密朋友胡克（Sidney Hook）是一个游走于马克思主义和实用主义之间的人物，胡克把马克思解释成与杜威相近的自然主义

---

　　① 刘放桐.再论重新评价实用主义——兼论杜威哲学与马克思哲学的同一和差异[J].天津社会科学,2014,(2)：11-12.

　　② 孙有中.美国精神的象征——杜威社会思想研究[M].上海：上海人民出版社,2002：150,237,238.

　　③ 陈亚军.杜威对于传统哲学的分析和改造[J].哲学研究,2004(8).

　　④ 陈亚军.知行之辨：实用主义内部理性主义与实践主义的分歧与互补[J].中国高校社会科学,2014(5)：34,41.

者,认为恩格斯偏离了这个方向,滑向了简单化的唯物主义的怀抱;并指出,胡克在马克思主义和实用主义的发展史上占有重要地位,但长期以来受到不应有的冷漠和误解。①

吴猛也分析了杜威的"经验"与马克思的"实践"的异同。杜威在《经验与自然》中提到,他的"经验自然主义"也可称为"自然主义的人文主义",而马克思在《1844 年经济学哲学手稿》中也有类似表述:"这种共产主义,作为完成了的自然主义=人道主义,而作为完成了的人道主义=自然主义"。杜威的"自然主义的人文主义"以他的"经验"概念为基础,马克思的"完成了的自然主义"和"完成了的人道主义"以他的"实践"概念为基础。杜威的"经验"和马克思的"实践"都是与生活、历史相同层次的概念,都体现了对近代主体性哲学毫不妥协的批判,这使得杜威和马克思共享实践哲学的基本立场,但前者是为了"增进福利",后者的主旨是"改变世界"。因此,马克思的名言"哲学家们只是用不同的方式解释世界,而问题在于改变世界",是对新实践运动的大声疾呼,"正是这一大声疾呼,使马克思和杜威彻底分道扬镳了"②。

蒋晓东认为,杜威的行动观与马克思的实践观的不同点,在于"改变世界"的向度不同,前者着重从个体出发改变世界,后者则从社会出发改变个体。③ 这种分析符合杜威的个人主义价值观,在杜威所属的西方主流价值看来,个人才是社会的发动机。

在教育学方面,毛泽东教育思想的某些方面被认为是融合杜威与马克思的产物。有学者指出,杜威的教育思想被吸收进毛泽东的教育思想,并成为其重要成分。具体来说,教育民主化、改革传统教育、关注学生的"生长"、培养合格公民是他们二人教育理想共同的核心理念;在教育自由理念方面,他们都有浓重的乌托邦色彩。二人的不同点是,杜威强调个体价值,而毛泽东则更强调社会价值和制度价值。④

沟通杜威与马克思的意义在于中国的现代化建设。杨文极指出,实用主义与马克思主义有许多共同点,如都强调行动、实践在哲学中的决定意义,都介于科学

---

① 陈亚军.胡克:马克思主义还是实用主义[J].广东社会科学,2003(3):139,143.
② 吴猛.杜威"经验"概念与马克思"实践"概念之比较[J].江苏行政学院学报,2009(4).
③ 蒋晓东."改变世界"的不同向度:马克思实践观与杜威行动观比较研究[M].北京:中国社会科学出版社,2017.
④ 刘克勤,王秀华.民主教育论稿[M].香港:炎黄文化出版社,2009:1-2,10.

主义与人本主义之间等。他认为实用主义是时代精神的精华,它的自由精神、科学精神和民主精神对推动中国的现代化建设和民主建设具有不可忽视的意义。①张定鑫指出,实用主义在理论思维上反映了美国人当年不迷信权威、不固守抽象原则、不拘泥于传统习俗的理性精神,显示了他们追求自由、竞争、实干、效率的观念或市场意识,但它后来在向外传播过程中,其真理精神、理性精神这个侧面在很大程度上被"屏蔽"了,其价值性(工具性)、趋利性的一面则因政治或意识形态需要被"放大",而生成一种"常识化的"实用主义。他认为,从改造世界的逻辑看,杜威的实用主义和马克思主义的"实事求是"在两个层次上存在相切相通之处:一是重实效、向前看的实践精神;二是实现"每个人的自由发展是一切人的自由发展的条件"这个"至善"的社会理想。在当代中国,所谓"至善"就是锲而不舍地追问中国人民朝思暮想的是什么,遵循世界文明发展的普遍规律去实现其所思所想,真正达到"以人为本"。②

二、 沟通杜威与中国传统

20 世纪 20 年代至 80 年代,中国学界沟通杜威与中国传统的研究零星可见,③如梁启超曾指出杜威的思想与颜李学派的思想相似,④郑世兴系统地比较了颜习斋和杜威的哲学及教育思想。⑤ 20 世纪 90 年代中期后,此类研究逐渐增多。

美国学者郝大维(David Hall)和安乐哲(Roger Ames)在中国学界力倡"儒家民主",其背景是西方近几十年来社群主义的兴起。他们认为,儒家重社群,杜威把民主看成"沟通的共同体"(communicating community),这使得二者具有了沟通点。"一个有活力的儒家民主必须提倡一种建立在个人的公共源头基础上的平等,而不是一种建立在原子式个人主义概念基础上的平等。"这种社群主义的民主模式与传统中国社会的最深层次的价值观相一致,它会推进对于保护人权的不懈

---

① 杨文极.实用主义研究的现代意义[J].社会科学辑刊,2010(1):25,27.

② 张定鑫.实用主义"另一面"[J].国外社会科学,2011(5):116,117.

③ 相比之下,有几份相关外文研究引人注目:Barry Keenan, The Dewey Experiment in China: Educational Reform and Political Power in the Early Republic. Cambridge: Harvard University Press, 1977; Jessica Ching-Sze Wang, John Dewey in China: To Teach and to Learn. Albany: State University of New York Press, 2007.

④ 梁启超.颜李学派与现代教育思潮[M]//饮冰室合集(5)·饮冰室文集之四十一.北京:中华书局,1989.

⑤ 郑世兴.颜习斋和杜威哲学及教育思想的比较研究[M].台北:"中央"文物供应社,1984.

关注,同时又避免只夸夸其谈个人权利,却无兴趣通过共同体的努力来实行具体的权利。[①] 安乐哲特别指出,面对西方以自治的个人主义为基础的自由主义的弊端,杜威的实用主义和儒家的角色伦理学提供了纠正弊端的理论资源。[②]"杜威在尝试整合'身体—意识'这一生命经验整体时,因为没有合适的话语模式而遭遇二元论的困境,中国传统哲学宇宙生成论语境下的概念规则能够解决这个问题。"[③] 安乐哲乐观地认为,儒家与杜威的沟通,有利于世界民主建设。他说,中国的传统更接近杜威的社群主义民主理想,在未来东西文化的交往过程中,很有可能是中国的影响使得美国与其他北大西洋民主国家更加接近杜威的民主观。[④]

台湾的杨贞德研究员对郝、安两位先生的观点提出了有力的批评。他认为,郝、安试图以儒家民主取代"植基于权利的自由主义",作为建立中国民主的目标,但他们的儒家民主说无法正面回应民主所应解决的政治性问题。他们强调民主的非政治性意义,强调社群中的参与和沟通,但不注重权利或人权的理念所衍生的政治制度与结构。从理论上看,将此建议行于缺乏美国既有条件下的中国,将会难以面对社会上当权者宰制的问题,他们以社群之名淡化了杜威对个人的强烈关怀,无以确保实用主义理想中的"相互沟通社群"(communicating community)的出现或存在。[⑤] 方钦也不赞同郝大维和安乐哲的观点,他认为,传统是可资利用的价值,但唯有在现代制度框架内,才能发挥其应有的作用。特别是"对于没有经过启蒙精神洗礼正处于现代化大潮之中的中国人来说,遽然终止这一进程,转而拥抱后现代,绝对不是一件好事"[⑥]。

以上两种对立的观点,孰是孰非,还有待于进一步研究。另一些学者也指出了儒家与杜威沟通的可能性。陈亚军指出,在杜威和米德(G. H. Mead)对心灵发生学的自然维度和社会维度的探讨中,可以看到中国传统哲学的某种现代共鸣。[⑦] 美国学者格兰奇(Joseph Grange)指出,杜威的"经验"等同于孔子的"道",

① 〔美〕郝大维,安乐哲.先贤的民主——杜威、孔子与中国民主之希望[M].何刚强,译.南京:江苏人民出版社,2004:13-14.

② 〔美〕安乐哲.儒家的角色伦理学与杜威的实用主义——对个人主义意识形态的挑战[J].东岳论丛,2013(11).

③ 〔美〕安乐哲.心:内在自我与外在世界在语言全息视角下的重构[J].社会科学战线,2015(2):1.

④ 〔美〕安乐哲.儒家式的民主主义[J].东方论坛,2006(6).

⑤ 杨贞德.实用主义、儒家与中国民主——郝大维与安乐哲"儒家民主说"的省思[J].国际汉学,2009(2):265,257.

⑥ 方钦.中国的"传统"与"现代"[J].读书,2010(8):32.

⑦ 陈亚军.心灵存在何以可能?——杜威—米德的心灵发生学探讨[J].文史哲,2006(6):132.

它们都是最能包容关于人类存在的最丰富观点的范畴，"经验""道""德"和"仁"建立了杜威和孔子之间初步联系的框架。[①] 徐陶比较了杜威和孔子在教育本质观和教育方法等方面的共同点。[②] 邹振环指出，"五四"期间江南地区的"杜威热"与江南的书院传统和求真务实的学风有内在关联。[③] 刘悦笛指出，杜威强调的审美经验的情感性和"一个经验"的完满观念与中国传统儒家的"情本体"生活美学是相通的。"情本体"是李泽厚提出的概念，刘悦笛发现李泽厚的《批判哲学的批判》受到了杜威哲学的影响，近年来李泽厚本人也厘清了他的"实用理性"与杜威实用主义的异同。[④] 涂诗万认为，儒家思想具有内在超越性，杜威的教育思想同样具有内在超越的特质。[⑤]

　　顾红亮的两个研究，在沟通杜威与中国传统方面，做出了重要贡献。他的第一个研究讨论杜威哲学对胡适和陶行知的影响，其结论是：在自然主义、知行关系、存疑的态度、历史的方法、群己关系等方面，杜威哲学与中国传统都存在可沟通点。在教育思想方面，明清以来反礼教反理学的启蒙思想、经世致用思想、儒家注重爱心教育的传统，与杜威的教育思想有可沟通之处。更为基本的可沟通点是，二者要回答的宇宙人生的根本性问题是共同的。[⑥] 他的第二个研究认为，杜威的实用主义哲学是一部分现代新儒家构思的一个重要思想资源，二者在"生存之境、生活之境与生命之境"等三个理论层面上，有交流和交锋，有吸收，也有批评。[⑦]

　　另一些学者也从沟通杜威与中国传统的角度，深入研究了陶行知的教育理论和实践。早在 20 世纪 70 年代，有欧美学者论述了陶行知所接受的杜威和王阳明影响的异同。[⑧] 近来，川尻文彦进一步指出，陶行知将杜威的"教育即生活"和"学校即社会"变为"生活即教育"和"社会即学校"并非简单的推翻，而是陶行知基于当时中国的现实和传统思想的改造。他认为，孟子的"深造自得"思想和戴震将天

　　① 〔美〕J.格兰奇.杜威与孔子——生态哲学家[J].李红霞，译.国外社会科学，2004(5).
　　② 徐陶.杜威与孔子的教育哲学：历史视野与当代意义[J].教育科学，2012(4).
　　③ 邹振环."五四"前后江浙地区的"杜威热"及其与江南文化的关联[J].社会科学研究，2009(6).
　　④ 刘悦笛.杜威的"哥白尼革命"与中国美学鼎新[J].文艺争鸣，2010(9)：20，24.
　　⑤ 涂诗万.内在超越：杜威教育思想被忽视的特质[J].中国人民大学教育学刊，2013(1).
　　⑥ 顾红亮.实用主义的误读——杜威哲学对中国现代哲学的影响[M].上海：华东师范大学出版社，2000.
　　⑦ 顾红亮.实用主义的儒化——现代新儒学与杜威[M].北京：社会科学文献出版社，2016.
　　⑧ 周洪宇.欧美陶行知研究概况[J].国外社会科学，1991(10)：59.

理和人欲打成一片的思想都影响了陶行知对杜威思想的创造性发展。① 周洪宇从文化的视角研究陶行知,指出陶行知从杜威思想中主要吸取了以下几个方面的内容:"一是重视发挥教育改造社会的功能;二是反对传统教育只重视以文字、书本为中心,忽略教育与生活、与社会相联系;三是强调'做',注重行动,加强知与行、理论同实际的联系,反对死读书本、手脑两分;四是注重科学实验,以科学方法办教育;五是提倡教育民主化,反对教育工作中的专制与独裁做法。"他认为,陶行知对中国传统教育"从来不是一笔抹杀、全盘否定的,而是有批判,有继承,有发展"②。另有学者指出,陶行知在沟通杜威与中国传统方面体现了高度的主体性。"陶行知以教育的创新实践参与到中国文化的现代转型中,以民主这一关键变量来理解和改造传统教育,力主通过民主教育改造传统文化,培养现代公民,建设民主国家。"这是一种融合东西文化精神的独特文化路线。③

在历史研究方面,元青的《杜威与中国》是本时期杜威研究的重要成果之一。元青在"五千年中外文化交流史"的背景下,运用文化传播和接收机制的相关理论,较为深入地探讨了杜威学说与中国文化的辩证关系。元青指出,杜威倡导知识、思想自由,认为这不仅是民主政治应有之义,也是人类文明进步之必需。杜威希望人们独立思考、独立评判,不迷信权威,不崇奉教条,不固执成见,用"存疑"的眼光"重估一切价值"。这些思想符合人类思想的发展趋势,也准确把握了一个现代人的内在世界应有的精神风貌。杜威提倡的"儿童中心""学生中心"观点,充分体现了教育教学中学生的主体地位,摒弃了传统教育把学生当作知识容器的弊端,对调动学生的潜能,尊重学生学习的积极性、主动性,大有裨益。元青特别强调,杜威本人提出将中西文化融合起来,创造一种新文明,认为这既是中国文化的出路,也是世界文化的前途。"这些见解充满了理性精神,对中国的文化建设有着积极的借鉴意义。"④

于伟和张敬威深入比较了杜威的《民主主义与教育》邹韬奋和王承绪译本一些关键术语汉译名的变迁,如"民本"与"民主"、"法式"与"形式",揭示了在传统文

---

① 川尻文彦.杜威来华与"五四"之后的教育界——以陶行知的杜威思想受容为中心[J].社会科学研究,2009(6):149,151.

② 周洪宇.开拓与创建——陶行知与中国现代文化[M].济南:山东教育出版社,2010:196-197,179,486-490.

③ 高洪波.民主教育:陶行知教育思想的内核[J].清华大学教育研究,2015(4):103.

④ 元青.杜威与中国[M].北京:人民出版社,2001:3-4,116.

化走向现代文化，本土文化对接外来文化的过程中，可能存在的误解、冲突或创造。[①] 这是中国杜威研究史上一篇新的里程碑式文献，标志着沟通杜威与中国传统方面研究范式的重要变化。

在资料建设方面，《民治主义与现代社会——杜威在华讲演集》、单中惠和王凤玉编辑的《杜威在华教育讲演》和沈益洪编辑的《杜威谈中国》、张宝贵编著的《杜威与中国》和《实用主义之我见——杜威在中国》功不可没。孙有中、安乐哲等主持翻译出版了一套"实用主义研究丛书"，含《杜威：宗教信仰与民主人本主义》和《杜威与美国民主》等八种当代美国杜威研究的经典著作。三位主编说："这个译丛更大的雄心是鼓舞人们接续实用主义和儒家哲学的对话。"他们还提出了三个很有价值的问题："我们目前的世界是否正在发生显著的改变，能够使杜威的实用主义和儒家哲学珠联璧合呢？杜威的归来需要什么条件呢？这一次不再遭遇'五四'运动的漩涡，杜威能成为一股助力去推动深深植根于中国本土的思想吗？"[②]

三、发现"民主杜威"

20 世纪 50 年代至 70 年代，杜威在中国被贬为"现代帝国主义反动派的侍卫"和"美国垄断资本主义的殷勤奴才"[③]。20 世纪 80 年代，学界虽然重新评价杜威，部分恢复了他作为教育家和哲学家的名誉，但对他的研究仍然小心翼翼。直到 20 世纪 90 年代中期后，作为"德先生"（民主）的杜威才逐渐重新得到学界的公认。

在这方面，教育研究学者领风气之先。1994 年，褚洪启在其博士论文中明确提出，"杜威是一个坚定的民主主义者，民主主义是其社会生活的理想"。他认为，杜威的民主有三个对立面：其一，对立于旧时代的专制；其二，对立于美国的农业民主；其三，对立于 20 世纪 30 年代的法西斯主义和极权主义。杜威的民主观的

---

① 于伟,张敬威.杜威《民主主义与教育》汉译本若干关键词译法比较论要[C]//教育哲学专业委员会.杜威与20世纪的中国教育——纪念杜威《民主主义与教育》出版100周年论文集.湖州：湖州师范学院,2016.

② 孙有中,彭国翔,安乐哲.杜威归来（丛书总序）——儒学与杜威的实用主义的再次对话[M]//〔美〕罗伯特·威斯布鲁克.杜威与美国民主.王红欣,译.北京：北京大学出版社,2010：1,3.

③ 〔俄〕弗·斯·谢夫金.为美国反动派服务的杜威教育学[M].陈友松,邵鹤亭,译.北京：大众出版社,1954：152；湖北人民出版社,编.批判杜威的反动教育思想[M].武汉：湖北人民出版社,1955.

基础是人道主义和科学方法。杜威要求,教育是为了民主的,同时教育也应是民主的。^① 1998 年,国家行政学院教授朱国仁旗帜鲜明地指出,民主主义教育思想是杜威整个教育思想的核心,应倡导教育为民主社会培养合格公民。^② 2002 年,单中惠的《现代教育的探索——杜威与实用主义教育思想》出版,这本书是中国近二十年杜威教育思想研究的代表作。单中惠明确指出,杜威是一个民主主义者,杜威的民主主义信念是其实用主义教育思想形成过程中的一个重要因素。^③

此后,越来越多的研究者从民主的角度阐发杜威的教育思想。李爱萍明确提出,杜威的教育思想是民主主义教育思想,它的一条主要线索是协调个人主义和社会主义。^④ 康永久认为,杜威的教育学是"民主教育学",它通过"教育即生活"的本体论、"学校即社会"的价值论、"做中学"的认识论、实验主义的和民主主义的方法论,促进教育知识的增长、传播和有效应用。^⑤ 李长伟和方展画指出,杜威的教育哲学是民主的教育哲学,它的始终如一的出发点和归宿是批判专制的教育和守护民主的教育。^⑥ 第一期"复旦—伊利诺伊教育哲学高级研讨班"的结论指出,柏拉图、卢梭和杜威的教育哲学是西方教育哲学中以"自治"为核心的三种不同范式。^⑦ 帕梅拉·克婷(Pamela J. Keating)指出,杜威所提倡的教育,是一种适合民主社会的、革新的、充满活力的自由主义者教育,它非常看重"深思熟虑的表达、交流、争论和理由充分的不同意见"。^⑧ 赵长林指出,杜威的探究思想与他的民主思想是一致的,这一点对于推进我们当前的新课程改革,解决教育"失范"问题,以及建设社会主义民主政治都有重要的启发意义。^⑨ 肖绍明从"言语行动"角度分析

---

① 褚洪启.杜威教育思想引论[M].长沙:湖南教育出版社,1998:40,43-58.

② 朱国仁.民主主义理想与教育——杜威的教育社会观[J].沈阳师范学院学报:社会科学版,1998(6).

③ 单中惠.现代教育的探索——杜威与实用主义教育思想[M].北京:人民教育出版社,2002:111-125.

④ 李爱萍.论杜威民主主义教育思想的"现代性"——兼论全球化背景下杜威民主主义教育思想的现实意义[J].华东师范大学学报:教育科学版,2004(4).

⑤ 康永久.超主体的教育认识论[J].教育研究与实验,2005(3).

⑥ 李长伟,方展画.民主的教育哲学[J].教育学报,2008(1).

⑦ 张奇峰.以"自治"为核心的西方教育哲学传统——第一期"复旦—伊利诺伊教育哲学高级研讨班"综述[J].复旦教育论坛,2009(1).

⑧ 〔美〕帕梅拉·克婷.素质教育在美国[C]//李新翠,译.纪念《教育史研究》创刊二十周年论文集.北京:《教育史研究》创刊二十周年暨中国教育史研究六十年学术研讨会,2009:1496.

⑨ 赵长林.科学探究与民主社会:解读杜威科学探究思想的深层结构[J].全球教育展望,2010(1).

了杜威关于"教育民主"的思想。① 丁永为从杜威思想中"教育"与"民主"两个核心概念及其相互关系入手，考察了它们从"教育中的民主"到"民主中的教育"的变迁过程。② 涂诗万的研究指出，杜威的教育思想是在捍卫民主和改善民主的双重背景下发展成熟的。③ 俞吾金指出："杜威一生在教育哲学中的理论诉求都是以民主的引导作为前提的。……杜威不仅是伟大的教育哲学家，而且是争取民主政治的卓越斗士。"④

关于杜威的"教育无目的论"的研究是一个热点。胡耀东认为，杜威"教育无目的论"背后的目的是建设真正的民主主义社会，使人自由而幸福地生长和生活，实现人和社会的和谐发展。⑤ 朱映雪也指出，杜威的"教育无目的论"实际上是主张教育的根本目的是为现代民主社会培养合格公民。⑥ 吴亚玲认为，杜威的教育目的观重视教育目的的内在性、主体性、发展性和灵活性，强调教育要为建设民主社会服务，对我国当前的教育现代化建设具有重要意义。⑦ 刘惠指出，杜威"教育无目的论"的真正含义是，"通过'更加民主'的教育实现'更加民主'的社会"。⑧ 王天琪认为，杜威的"教育无目的论"与"民主主义"在内在逻辑上是一致的，它实际上是强调将教育目的聚集于人本身、指向人的发展，尊重教育过程师生的自主性，发掘师生真实情境中的教育目的。⑨ 总之，许多研究者都认为，杜威"教育无目的论"反对的只是高远玄虚的目的，因为一方面，高远的外在目的容易成为掩盖成人偏见的面具，另一方面，在历史上屡屡有统治者以崇高理想之名利用和曲解高远的目的，造成种种不好的后果。因此杜威的真意是主张手段应与目的一致，且应以手段来考量目的的意义。杜威所主张的真正的教育目的，是永不停歇地改造和完善民主社会，实现个人与社会的和谐发展。

结合杜威的思想研究公民教育，是当前的另一个热点。郑富兴提出，根据杜

---

① 肖绍明.教育即言语行动——杜威语言意义理论及其教育意蕴[J].华东师范大学学报：教育科学版,2010(1).

② 丁永为.变化中的民主与教育——杜威教育政治哲学的历史研究[M].北京：教育科学出版社,2012.

③ 涂诗万.杜威教育思想的形成[M].杭州：浙江教育出版社,2014.

④ 俞吾金.教育是经验的传递——杜威教育哲学理论探要[J].天津社会科学,2014(2)：19.

⑤ 胡耀东."教育无目的论"之辩护[J].内蒙古师范大学学报：教育科学版,2006(6).

⑥ 朱映雪.民主教育与民主社会公民的塑造——杜威《民主主义与教育》的当代诠释[J].社会科学论坛：学术研究卷,2009(12).

⑦ 吴亚玲.杜威的教育目的观及其现实意义[J].汕头大学学报：人文社会科学版,2010(3).

⑧ 刘惠.从"教育家"到"社会改革家"——杜威"教育无目的论"新论[J].当代教育科学,2013(21)：6.

⑨ 王天琪.杜威"教育无目的论"的理论诠释与价值意蕴[J].国家教育行政学院学报,2014(3).

威的民主教育思想,学校公民道德教育的基础在于把学校改造为一个民主共同体,因此我们当前的学校改革应超越技术和科层制度的改革,致力于创造一个自由、平等和开放的公共空间。[1] 孔锴等研究了杜威的公民教育思想,他们指出,杜威将培养以独立思考能力和批判精神为特征的反省思维,作为造就民主公民的重要策略。[2] 刘长海认为,杜威德育思想的核心是"以道德的教育培养道德的人",即主张使教育成为培养"有用的好人"的道德事业。因而,他主张在中国德育改革中,应以民主社会的德性改造学校教育。[3] 迟艳杰指出,杜威式问题教学法的教育性价值是公民理性与公民态度的统一,这是对赫尔巴特式教学强调个人道德的教育性价值的超越。[4] 刘长海和王红霞指出,基于学习方式的变革和学校管理民主化两条路径,将学校建设成民主共同体,在此基础上方能实施有效的公民教育。这是杜威思想给我们当前教育的重要启示。[5] 从臣民(subject)教育走向公民(citizen)教育,是教育的古今之变的一个重要特征,而杜威正是推动这一历史性的变革的最重要的教育家和教育思想家之一。对杜威公民教育思想和实践的研究,还只是刚刚开了个头,还有巨大的研究空间。

徐贲的研究在历史比较中发现了一个更深刻的民主教育家杜威。他指出,杜威的教育思想与他的民主思想互为依存,杜威的积极民主观、社群构建理论和公民参与理念越来越受重视。徐贲认为,实验方法是杜威民主观的基础,"20世纪的政治生活中充满了关于社会正义和变革的全能意识形态,20世纪的哲学中也充满了号称具有终极发现价值的思想和方法。杜威一生都在反对这些全能意识形态和全能方法。他一生都在以一种不同的方式去探索人的集体性文化智慧与生存环境多彩多姿的互动。他所说的哲学的'实验方法',指的正是这样一种包容和多元的探索"[6]。徐贲在布迪厄(Pierre Bourdieu)和杜威的比较研究中指出,布迪厄从社会学的角度观察教育,关心的是教育在现有体制框架中能有何改善;杜威从政治哲学和哲学人类学的角度观察教育,关心的不仅是教育在现有体制中能

---

① 郑富兴.学校公民道德教育的组织困境[J].教育研究与实验,2008(3).
② 孔锴,孙启林.试论杜威的公民教育思想[J].外国教育研究,2008(9).
③ 刘长海.杜威德育思想与中国德育变革[M].武汉:华中科技大学出版社,2008:278.
④ 迟艳杰.在社会历史进程中理解杜威的教学价值思想[J].华东师范大学学报:教育科学版,2010(2).
⑤ 刘长海,王红霞.民主生活共同体是进行道德教育的最有效方式——来自杜威思想的启示[J].教育科学研究,2014(8).
⑥ 徐贲.民主社群和公共知识分子:五十年后说杜威[J].开放时代,2002(4):64,66,70.

有何改善，而且更是如何突破现有体制本身的限制，以追求一种更为深远、更面向未来的民主变革。[①]

　　在杜威政治哲学研究方面，陈怡指出，杜威从广度和深度等多个方面对经验概念和经验方法的重构，必然导致他把社会政治领域中的个人与社会关系的重构作为首要问题。重建的结果是"新个人主义"的出现，其目标则是真正的共同体的形式。在此基础上，我们才能理解杜威的民主理想。"艺术"的理念是杜威的经验哲学和民主理想的重要表达形式，而"教育"则是杜威实践其理想的一个真实的实验。杜威的民主理想是其哲学精神的根本表达。[②] 佟德志从主体论、价值论、制度论、方法论、态度论和发展论等六个方面解析了杜威的新自由主义。他指出，纯粹的民主只是一种个人偏好的表达工具，带有非理性、非科学的一面，而杜威通过强调自由理智的重要性来弥补了这个弊端。[③] 孔祥田认为，杜威政治哲学的出发点是个人主义，终点是"新个人主义"或"新自由主义"，其"新"表现在：公民的自由权利从形而上学的天赋自然权利变成了社会对公民的道德责任。社会在履行其责任过程中，可以诉诸以科学方法和民主方法为核心的权威。对科学方法和民主方法的自觉运用，要靠教育来实现。[④] 另外，他又指出，杜威将民主视作一种基于人性之上的道德理想，而不仅仅是一种政治工具。[⑤] 董山民也指出，尽管有人批评杜威的参与式民主忽视了参与的成本和人性的阴暗，低估了权力精英对社会的操控，但杜威将民主定义为参与、交流和合作性探究，仍然意义非凡，因为在理想经常遭遇挫败的危机四伏的世界里，杜威的"民主"是一种合理的规范性理想，它使民主政治被重新赋予了道德灵魂，这是美德传统的强势回归。[⑥] 张国清和刘腾指出，杜威对政治哲学至少有两点贡献：其一，杜威阐述了政治的首要问题是个人与社会的关系问题，而不是个人与政府的关系，社会民主是解决个人与社会问题的基本方式。杜威的这一见解后来被罗尔斯(John Rawls)全面继承。其二，杜威是多元社会条件下参与民主、协商民主和包容民主的倡导者。[⑦]

[①]　徐贲.教育场域和民主学堂[J].开放时代,2003(1)：96.

[②]　陈怡.经验与民主：杜威政治哲学基础研究[M].上海：复旦大学出版社,2002.

[③]　佟德志.新旧自由主义——杜威与自由主义的理论转型[J].浙江学刊,2005(5)：119.

[④]　孔祥田.经验、民主与生活——杜威政治哲学研究[D].北京：中国人民大学博士学位论文,2006：201.

[⑤]　孔祥田,王先林.杜威民主思想的伦理意蕴及其当代价值[J].江西社会科学,2009(12).

[⑥]　董山民.民主的改造——杜威政治哲学辨略[M].长沙：湖南大学出版社,2015.

[⑦]　张国清,刘腾.杜威实用主义政治哲学考察[J].华中师范大学学报：人文社会科学版,2015(4)：81.

在有关杜威的政治哲学比较研究方面,尤小立认为,陈独秀接受了杜威在华演讲时宣传的民主思想。但杜威在华时单方面强调民主,自由的理念只是被轻描淡写地提及。这一点也影响了陈独秀的民主观。直到晚年陈独秀才意识到,忽视了个人自由这个基础实际上就是放弃了民主本身。① 张国清和刘腾所作的杜威与罗尔斯比较研究很有深度。他们认为,罗尔斯关于原初状态和无知之幕的讨论与杜威的原初民主社会的见解有共通之处,罗尔斯只是简单地用"一切正义的本质"取代了"一切完善教育的本质",就完成了从杜威的民主社会理论向自己的正义社会理论的转变。他们指出,在社会改革的路径选择上,杜威沿着洛克—休谟—斯密的英美温和启蒙思想路线,选择了零碎的渐进改良路径;罗尔斯沿着霍布斯—卢梭—康德—马克思的欧洲大陆启蒙思想路线,选择了根本解决的激进变革路径。在二者理论的实践意义上,杜威面对的是基层的社会民主问题,罗尔斯面对的是顶层的社会基本制度设计问题。总之,两位政治和社会哲学家给我们的启示是,民主和民心相近,正义与人性相通,建设民主自由和公平正义的文明社会是人性要求和民心所向。② 张国清进一步指出,实用主义政治哲学是中华民族建立自由民主的基本政治制度,走出治乱循环,实现长治久安的重要思想资源。③

四、 发现"人文杜威"

在"五四"新文化运动高扬"民主"和"科学"的时期和"科玄论争"中,胡适等先贤非常看重杜威的"科学方法",很少从人文主义角度阐发杜威。在西方,1969年,美国学者宾克莱(Luther J. Binkley)提出,"注意到约翰·杜威是一个人本主义者,这是极其重要的"④。在中国台湾,1982年,李日章编辑出版了杜威文集《科学与人文的护法》,指出国人以前对杜威的介绍并不完整,遗漏了杜威的形而上学、美学和宗教思想等人文主义部分。⑤ 在大陆学界,1985年,童世骏发表《把事

---

① 尤小立.崇西和用西:陈独秀与杜威实用主义政治哲学[J].学术研究,2007(11):42.

② 张国清,刘腾.零碎的抑或整体的:杜威和罗尔斯社会治理理论比较研究[J].浙江大学学报:人文社会科学版,2013(4):66,73,75,76.

③ 张国清.实用主义政治哲学[M].北京:商务印书馆,2018:614.

④ 〔美〕宾克莱.理想的冲突——西方社会中变化着的价值观念[M].马元德,等译.北京:商务印书馆,1983:28.

⑤ 李日章.科学与人文的护法——杜威[M].台北:允晨文化实业股份有限公司,1982:13-16.

实与价值统一起来的一个尝试——杜威伦理学论析》，①这是从人文角度理解杜威的一个尝试。20世纪80年代末，潘光伟曾就杜威对胡适的影响作了比较精辟的分析，他指出杜威的民主观的深远背景是西方的个人主义的人本主义，而胡适的民主观中缺乏这种人本主义。② 在这些研究中，"人文杜威"呼之欲出。"人文杜威"在中国大规模"出场"是在20世纪90年代中期之后。

王玉樑的《追寻价值——重读杜威》是中国国内第一本从人文主义角度阐释杜威哲学的专著。他指出，"杜威的全部哲学都贯穿了人道主义思想和对人生价值的追求"。"人道主义就是关心人，尊重人的人格和尊严，重视人的价值的思潮，就是重视和追求人生价值。在这个意义上，可以说，杜威的经验自然主义，是一种追求人生价值的哲学"，"也可称之为自然主义的人道主义"。③ 刘放桐对此作出了呼应，他认为，杜威的根本性理论并非真理论，杜威等实用主义哲学家关注的根本问题是，"处于现实生活中、或者说处于一定自然环境和社会环境中的人的生存和命运。如何通过人本身的行为、行动和实践来妥善处理人与人之间，以及人与其所面对的世界（自然和社会环境）之间的关系，排除人所面对的种种困惑、疑难和障碍，由此使人不仅得以生存下去，而且求得发展"。因此，实用主义"是关于人的实践和行为的哲学"。④ 冯平进一步指出，杜威以"行动"为核心展开了一场价值哲学的革命。具体来说，杜威价值哲学完成了三大变革：变革之一是将价值哲学的核心概念和核心问题从"价值"转变为"价值判断"；变革之二是创立了实验经验主义的评价判断理论；变革之三是颠覆了价值哲学关于事实与价值、手段与目的二元对立的教条。在此基础上，杜威形成了实验经验主义价值哲学的核心理念：我们站在沼泽地里，没有也不需要坚如磐石的基础，但这正是前进的动力；价值判断的标准必须与实践一起发展。⑤

常宏在其颇具深度的专著中考察了杜威的意义论、本体论和信仰论，阐发了杜威哲学的信仰维度。他指出，杜威的认识论关注行动与效果、手段与目的之间的价值关系，而且更多关注的是意义问题；杜威在成熟期发展了自己的形而上学，杜威的本体论是经验的本体论，而不是传统哲学的存在本体论；杜威终生反对分

---

① 童世骏. 把事实与价值统一起来的一个尝试——杜威伦理学论析[J]. 华东师范大学学报：哲社版，1985(6).

② 潘光伟. 胡适思想三题[J]. 中国人民大学学报，1989(5).

③ 王玉樑. 追寻价值——重读杜威[M]. 成都：四川人民出版社，1997：38.

④ 刘放桐. 杜威哲学的现代意义[J]. 复旦学报，2005(5).

⑤ 冯平. 杜威价值哲学之要义[J]. 哲学研究，2006(12)：55-60.

割自然和精神、现实和可能的二元论,他认为哲学的高峰是彻底摆脱这种二元论方法,建立一种基于经验自然主义的共同的宗教信仰。[①] 陈亚军指出,心灵是一个非常重要的杜威哲学概念,从17世纪到19世纪,心灵被归结为精神(开始是个体精神,后来是先验精神),而在20世纪,心灵又在很大程度上被还原为大脑。而杜威则独辟蹊径,主张心灵不等于精神,心灵也不在大脑之中,心灵大于思维着的个体,心灵是在人与环境交互作用的过程中逐步形成的意义系统,这个意义系统受制于文化传统,是一个流动着的、制约着个体视界的地平线。陈亚军认为,杜威把康德的先验自我和黑格尔的绝对精神都自然主义化了,而在库恩(Thomas Sammual Kuhn)的范式概念与普特南(Hilary Putnam)和麦克道尔(J. Mc-Dowell)的哲学中都可以发现来自杜威心灵哲学的影响。[②] 张立成认为,杜威的心灵哲学唤起的是对具体人类经验及其潜能的自信和尊重。[③] 马荣则认为,杜威的实用主义并非要在理论上推出一种新的真理,而是要在实践中激发出一种新的希望,一种在西方的千禧年希望和无阶级社会希望破灭后的第三种希望。[④] 徐陶指出,杜威的探究型哲学思想提醒我们,不断开辟更美好未来的途径在于"探究",在一个不确定的世界中,探究精神是民主和道德的基石,是人与自然和谐的前提。[⑤]

在教育学界,王啸较早提出,杜威是一个坚持科学与人文相统一的、手段与目的相统一的人本主义者,他在高度重视社会对个人的意义的同时,坚持个人价值的根本性意义,他主张教育对促进民主社会的发展和人的解放具有首要意义。[⑥]蔡春和易凌云也认为,杜威的道德教育思想以人性为起点,重视日常生活情境中的人性光辉和需要,以民主为信念和方法,试图在科学人文化和社会智慧化的过程中实现人性的改善。[⑦] 张华军挖掘了杜威晚期宗教思想的人文教育价值。杜威晚期宗教思想的核心观念"整全的自我",提倡通过经验中新意义的不断创造,使得个体与人类共同体,甚至与宇宙之间,实现一种完全的、深入的调适,形成一种"生命的神秘整体性"。张华军指出,这是一种新的个性发展立场,有助于纠正

---

① 常宏.杜威的经验自然主义及其宗教观[M].北京:中央民族大学出版社,2011:329-330,350-351.
② 陈亚军.杜威心灵哲学的意义和效应[J].复旦学报:社会科学版,2006(1):43,44,45,47.
③ 张立成.杜威的心灵哲学[M].北京:中国社会科学出版社,2011:118,218-219.
④ 马荣.真理层面下的杜威实用主义[M].上海:复旦大学出版社,2018.
⑤ 徐陶.杜威探究型哲学思想研究[M].北京:社会科学文献出版社,2016:12.
⑥ 王啸.从杜威的价值论看:人·教育·社会[J].南京师范大学报:社会科学版,1999(3).
⑦ 蔡春.在"境遇"中"生长"——论杜威的伦理与道德教育思想[J].集美大学学报,2004(3).

当今教育中竞争性的个性发展观，进一步实现人的尊严。① 陈春莲也强调，杜威教育思想最显著的特点，是对个体生命的重视，以学生为中心，这恰恰是我们当今的道德教育及整个教育体系中比较稀缺的，也是值得我们思考和借鉴的地方。②

　　近二十年来，在发现"人文杜威"的过程中，学界对杜威的伦理学和美学的研究也取得了特别重要的进展。

　　在伦理学研究方面，马如俊在他的博士论文中指出，弗莱彻（Joseph F. Fletcher）的境遇伦理学引起了很大的反响，而事实上，杜威在弗莱彻之前已经提出了这种理论。更为重要的是，杜威的自然主义伦理学把道德置于科学和经验的范围内，使得道德成为公共的和可检验的，以避免道德成为主观的和超验的，它在两个方面超越了传统伦理学：一方面，杜威认为，伦理学家不是权威的代表，而是更多地关注问题和思考问题的人，他们的工作是批判性的或治疗性的，伦理学家并不承担发现不变的法则和永恒的善的义务；另一方面，伦理学的重要任务是培养一种道德精神。道德行为具有不确定性，我们不可能一劳永逸地解决道德问题。真正的工作是培养一种道德探究精神，通过和他人的合作去解决道德问题。③

　　李志强把杜威道德教育思想的特征概括为：尊重个体、统一知行、彰显理智和关注生活。他还指出，杜威将道德的目的定位于个体自身生长的思想，受到了康德"人是目的，不是手段"思想的影响，但杜威不仅肯定了道德的自律，而且肯定了道德的他律。④

　　汪堂家指出，杜威科学观的基调是科学地对待科学，伦理地对待科学。前者意味着要培养勇于探索、追求真理、忠于事实和自由探讨的科学精神；后者意味着科学活动应体现美的理想和善的价值，贯彻人文精神。⑤

　　高来源认为，从杜威哲学中可以梳理出一条从认识到生存、从行为实践到道德探究的整合性的实践哲学脉络。在此视域下，杜威的实用主义哲学就不能简单地理解为以"实用性"和"工具性"为核心的工具主义哲学或自然主义哲学，而是应

---

① 张华军.整全的自我：教育视角下杜威晚期思想中的宗教观解读[J].教育学报,2016(3).
② 陈春莲.杜威道德教育思想研究[M].北京：中国社会出版社,2017：49.
③ 马如俊.论杜威的自然主义伦理学[D].上海：复旦大学博士学位论文,2006.
④ 李志强.走进生活的道德教育——杜威道德教育思想研究[M].北京：中国社会科学出版社,2009：52-53.
⑤ 汪堂家.科学·科学精神·人文精神——杜威眼中的科学对精神生活之意义[J].学术月刊,2009(11).

该理解为以"人"之繁荣和成长为终极旨向的"实践哲学"。① 杜威把实验探究和科学判断延伸入价值判断领域,是对传统二元论思维模式的突破,是在人类生活的整体性维度上,从经验实践角度阐释康德的"人是目的,不是手段"这一命题。②

关于杜威美学的研究,自20世纪70年代以来就是英语学界的热点,30年后这波热潮传到了中国学术界。

1990年,《哲学译丛》发表的美国学者祖尼加(J. Zuniga)的文章指出,杜威的重要美学思想之一——普通人都是审美创造者——还没有受到学界的充分重视。③ 这篇文章是中国学界研究杜威美学的先导。此后,中国大陆出版了三本研究杜威美学的专著。

张宝贵的《世俗与尊严——杜威的艺术哲学》开拓了从形而上学的角度阐释杜威艺术哲学的路径,是近二十年杜威研究代表性专著之一。张宝贵抓住了杜威的经验范畴中的一个受人忽视的概念"质的思想"(qualitative thought)。他认为,"质的思想"也可译为"特质"或"基础特质",它是情境展开中统一的力量。以此为出发点,他经过系统论证后指出,杜威的"经验"其实就是"审美经验",这种审美经验具有形而上学的意蕴。张宝贵进一步指出,最重要的是,杜威"在庸庸碌碌的世俗中发现了人的尊严,也讲述了尊严的失落。艺术是人创造的,美是人享受的,一旦赋予艺术和美以特权,人就避不开奴婢的命运。人不是奴婢,所以艺术与美就没有特权,它们的尊严就是人的尊严,而不是神的,或者是神化的人的"④。

赵秀福的《杜威的实用主义美学思想研究》非常朴实。他指出,杜威在探讨宗教问题时迈出的创造性的一步,就是引入了"圆满的经验"(consummated experience)这个概念。在杜威的理论中,"圆满的经验"就是审美经验,也是宗教性经验。杜威的《艺术即经验》的主要结论之一是,艺术对于现代人而言,正如基督教对前人一样重要。"圆满的经验"在教育上的表现就是致力于把学生培养为能有效地解决问题的人(effective problem solvers)、慎思明辨的思想者(critical thinkers)和善于交流的人(effective communicators)。⑤

---

① 高来源.论人在经验世界中的超越——杜威实践哲学探究[D].哈尔滨:黑龙江大学博士学位论文,2011.

② 高来源.科学向价值领域的跨越:实践超越的可能——以杜威实践哲学为基点对科学与价值关系问题的分析[J].哲学动态,2011(7).

③ 〔美〕祖尼加.一种日常审美冲动:重新认识杜威[J].李海,译.哲学译丛,1990(4).

④ 张宝贵.世俗与尊严——杜威的艺术哲学[M].北京:社会科学文献出版社,2001:80,298.

⑤ 赵秀福.杜威的实用主义美学思想研究[M].济南:齐鲁书社,2006:122,132,152.

　　李媛媛在《杜威美学思想论纲》中指出，杜威的美学强调艺术与日常生活的连续性，但它最终是指向社会改造的，即致力于建设一个更民主、更公正和更人道的社会，这与当前中国的"日常生活审美化"趋势有本质的区别，当前这种趋势是用歌舞升平的繁荣景象掩盖一种严重的社会不平等。①

　　其他一些学者也有对杜威美学的深度研究。高建平认为，杜威哲学是从"活的创造物"(live creature)这个概念开始的，杜威美学同样如此。他分析了杜威美学中的"一个经验"思想及杜威恢复艺术与非艺术之间连续性的思想，最后指出，杜威继承了席勒(Friedrich Schiller)的审美教育思想，只是将席勒的贵族式教育理论转换成了民主主义教育理论。② 杜威强调"一个经验"是达到审美的桥梁，高建平提出，经验并不能从根本上避开认识化倾向，经验归根结底还是要还原为行动。泰初有道，泰初有言，泰初有爱，泰初有感，都不行，还是要还原为泰初有为。从这个意义上讲，我们也许可以把"一个经验"还原为"一个实践"。③ 国际美学协会前会长阿诺德·贝林特(Arnold Berleant)在中国杂志发表文章指出，杜威的"审美介入"努力对人类经验扩大了的范围和性质做出回应，它是欣赏的解放和欣赏理论的复兴。④ 张超等认为，阿诺德·贝林特的介入美学是对杜威经验美学的一种新发展。作为知觉经验的美学和身体化存在的审美，是他承续和发展杜威美学的两大理论基点。⑤ 汪堂家认为，世界美学的当代转向可以追溯到杜威在1934年撰写的《艺术即经验》，杜威美学的重要贡献在于颠覆了西方美学传统，确立了审美经验在美学中的重要地位，重建了艺术与生活经验在美学上的深刻联系。⑥

　　教育学界也出现了一批对杜威美学的有分量的研究。张晓剑指出，杜威的美学倡导艺术对个人生命完善和社群改造的现实功用，其中隐含着对民主理想和社会进步的追求。正是在这一点上，我们可以听到席勒教化理想的回响，然而，在对审美教育何以可能的解答方面，杜威与席勒存在尖锐的对立：席勒强调审美自主，杜威则主张审美经验与日常生活的连续。⑦ 游柱然的研究指出，杜威美学视

---

①　李媛媛.杜威美学思想论纲[M].北京：中国社会科学出版社,2010：171,201.

②　高建平.艺术：从文明的美容院到文明本身[J].文艺争鸣,2010(5).

③　高建平.论杜威对康德美学的批判[J].甘肃社会科学,2011(5)：30.

④　〔美〕阿诺德·贝林特.介入杜威——杜威美学的遗产[J].李媛媛,译.文艺争鸣,2010(5).

⑤　张超,崔秀芳.经验的美学与身体的经验——阿诺德·柏林特介入美学对约翰·杜威经验美学的承续与超越[J].山东大学学报：哲学社会科学版,2014(5)：94.

⑥　汪堂家.杜威的审美经验理论及其当代启示[J].中国高校社会科学,2014(5).

⑦　张晓剑.论杜威哲学中的审美经验与教化问题[J].美育学刊,2013(1)：42,43.

野下的课程观认为,课程的设计和实施应着眼于创造美的体验,因为只有充分展现美、创造美和享受美才最贴近真正的教育。① 张俊列和金心红指出,根据杜威的美学理论,介于现代的科学认识论和后现代的生活认识论之间的是审美认识论,它是课程与教学研究获得突破的方向所在。② 江笑指出,杜威的艺术理论对教育学有两方面的启示:其一在本体论方面,它可指导人们发展出一种艺术的教育;其二在方法论层面,它可指导人们开发种种教育的艺术。③

关于"人文杜威"的研究,学界也存在对杜威的批评。香港学者文洁华指出,杜威及其后学(如毕士利)对美感经验的体会,主要是人与环境或对象的主动性调适,追求身心与物交感的和谐与完整的经验。但这还主要是生物性的或感观性的,跟在人文维度上谈美感和艺术经验还有很大距离。而儒家心性或道德形而上学所蕴含的美学观直指事物圆满的本源本相,加上流露了道德心体之情,显然更能透彻地彰显美感经验中的意义与价值。④ 余泽娜在研究杜威的价值论时指出,杜威的经验自然主义价值论,站在文德尔班(Wilhelm Windelband)等人的超经验主义价值论和艾耶尔(Alfred Jules Ayer)等人的情感主义价值论的对立面,使价值论一方面实现了理论与实践的结合,另一方面从回顾过去变为瞻望未来,但是杜威并没有超越这两个对立点,因为杜威的价值论从价值理想主义倒向了价值实用主义,忽视了理想和范导的维度。⑤

张华从学生观、知识观和社会观角度详细分析了杜威的经验自然主义课程范式,并与以派纳(W. F. Pinar)为代表的"存在现象学"课程范式作了对比,指出了杜威教育思想上在人文维度上的不足之处。在学生观方面,虽然杜威经常被称为"学生中心论"者,但他的"学生"是作为"职能"而存在的,而派纳的"存在经验课程"则是把学生作为"完整的人"存在的,学生的价值、尊严、个性是作为本体而存在的,是教育与课程的出发点和归宿。在知识观方面,杜威强调知识的工具价值,而派纳则认为知识的价值在于主体意识的提升和个性解放。在社会观方面,杜威是社会有机论者,而派纳强调主体间性。⑥ 张华分析了"杜威学校"中的研究性学

---

① 游柱然,〔美〕Anthony G. Rud.杜威实用主义美学视野下的课程观[J].比较教育研究,2014(3).

② 张俊列,金心红.课程·经验·艺术——杜威课程思想的美学意蕴[J].教育学报,2015(5):70.

③ 江笑.杜威艺术理论的教育学意义——基于《艺术即经验》的解读[J].教育研究,2015(7).

④ 文洁华.美感经验的完结?——当代英美美学的基源问题与儒学的诠释[J].清华大学学报:哲学社会科学版,2007,(6):93.

⑤ 余泽娜.经验行动与效果的彰显——杜威价值论研究[M].广州:广东人民出版社,2013.

⑥ 张华.经验课程论[M].上海:上海教育出版社,2001:60-120,140-144.

习,指出杜威的研究性学习不仅是理智的,而且是道德的。① 然而,它也存在不足之处,今天我们可在如下两个方面继承和超越杜威的研究性学习思想:其一,把"疑难问题"和"意义问题"统一起来,走出"人类中心主义",确立生态伦理意识;其二,重新确立个人人格的独立性。②

刘铁芳则从古典人文主义角度批评杜威。他说,杜威把现代教育对儿童主体性的提升落实到儿童经验的获得与改造中,从儿童的生活中开出通往现代民主生活的途径,而且"教育即生活"理论关注了生活的审美超越维度,是对卢梭儿童自由思想的延伸与扩展,也将斯宾塞提出的教育回归生活的命题向前推进了一步,是现代教育向生活世界回归命题的完成。然而,"如果说柏拉图的教育即回忆是纵向的,那么杜威的教育即经验的获得与改造则是横向的,杜威不再眷顾教育的历史时间的维度,而是把教育当下化。这意味着教育中过去的时间之维已渐渐消失,转而成了空间化的实践"。因此,杜威虽颠覆了古典贵族教育,完成了民主制教育的建构,但也弱化了教育向古典经验的开放性,弱化了教育的精神性向度。刘铁芳进一步指出,这种"弱化"对民主生活本身的发展也是不利的,因为民主作为现代价值理想,是人类文明发展的结晶,包容于人类文化的整体中,无法单兵突进,只能整体发展。③

五、 结论

以上四个方面的进展有一个共同的价值取向,那就是对沟通与融合、交往与交流的认同,它们共同构成了国人在 20 世纪末重新发现杜威的序曲。重新发现杜威的学术契机主要有两个:当代西方哲学新的实践转向和 20 世纪 90 年代初东西两个集团"冷战"的结束。

在哲学方面,自 20 世纪 70 年代起,当代西方哲学出现了新的实践转向。由于实践是马克思主义哲学与杜威哲学的共同关键范畴,所以学界就有了沟通杜威与马克思的种种尝试。因为中国传统的儒家思想与杜威哲学同属实践哲学理路,且当代哲学的实践转向的一个重要特质是在全球化背景下注重跨文化对话研究,

---

① 张华.杜威研究性学习的思想与实践(上)[J].当代教育科学,2005(22).
② 张华.杜威研究性学习的思想与实践(下)[J].当代教育科学,2005(24):10.
③ 刘铁芳.从苏格拉底到杜威:教育的生活转向与现代教育的完成[J].北京大学教育评论,2010(2):105-108.

这也就促成了在沟通杜威与中国传统方面的学术进展。政治哲学的复兴是当代哲学新的实践转向的重要内容,相应地,中国学界有了对"民主杜威"的重新发现。哲学的实践转向推崇回归生活世界,重视价值哲学和伦理哲学的研究,于是"人文杜威"应运而生。

在意识形态方面,两大阵营对立趋缓,仇恨开始淡化,这就为沟通杜威与马克思及中国传统去除了阻力。在此背景下,中国改革开放进一步深化,市场经济建设顺利推进,以人为本的官方话语逐步形成,我们终于从急切地建设民族国家走向比较心平气和地建设民族国家,这促使学术界进一步理性地深入探索杜威的民主思想和人道主义思想。

当前的研究对杜威民主观和民主主义教育思想的探索较为丰富,但也有不足之处,表现在如下几点中:对杜威论民主的代表作《公众及其问题》和民主主义教育思想的代表作《民主主义与教育》《人的问题》,缺少专门细致的文本解读;缺少杜威与当代民主理论家思想的比较研究;杜威对现代民主思想的发展有重要影响,他在不同时期对民主有大量论述,亟待编一本《杜威论民主》文选。在"人文杜威"研究方面,国内对杜威宗教思想的研究太少,对杜威美学的研究也有待深入,对杜威的重要著作《人性与行为》和《逻辑:探究的理论》等重视不够,对杜威人文主义教育思想的研究非常不足,对杜威如何统一科学与人文的研究有待开拓。沟通杜威与马克思、杜威与中国传统的研究仍有巨大的研究空间。在研究方法方面,今后对杜威的研究既要拓宽多学科视野,又需重视细致的文本解读。

作为中西文化交流使者的杜威,至少有三个面相。"第一个杜威"是杜威本身;"第二个杜威"是胡适、陶行知等现代知识分子介绍的杜威;"第三个杜威"是20世纪末重新进入中国人的视野,其明晰尚需时日,更需要我们学人共同创造的杜威,即21世纪中国新文化建设中的杜威。中国仍然处于新文化运动中,期待中国学人沟通"中""西""马",共同发现和创造"第三个杜威"。

| 第七章 |

杜威教育哲学论述的方法①

石中英

作为百年来影响最大的教育哲学家,杜威是如何开展自己的教育哲学论述的? 尽管杜威在自己的著作中没有对教育哲学的研究方法问题进行过专门的论述,但是他在展开自己的教育哲学论述过程中,综合使用了现象学方法、发生学方法、概念分析法、辩证法以及反省思维等多种方法。现象学的方法帮助杜威摆脱了传统哲学二元论的纠缠,确立了有意识的行动在其教育哲学论述中的本体论地位。发生学的方法显示了杜威深受达尔文进化论思想的影响,关注到了各种事件的生成性、连续性和情境性,使得杜威的教育哲学论述更加贴近现实生活。各种概念分析方法的使用使得杜威逃脱了传统概念意义与用法的陷阱,并基于自己的实用主义立场赋予许多概念以崭新的意义。以上述方法为基础,杜威对辩证方法的应用也迥异于黑尔格的辩证方法,对许多概念关系的讨论不再囿于抽象的概念世界,而是深入到概念所指涉的行为及诱发这种行为的社会环境层面。至于反省思维方法更是直接地以人们行为中的困惑或问题为出发点,融科学的精神、哲学的精神与实践的精神为一体,消弭了科学与哲学的边界、理论与实践的隔阂、知识与行动的对立,形成了杜威教育哲学的独特风格。

杜威教育哲学的研究方法是什么,或者换句话说,杜威是如何开展教育哲学论述的,迄今为止学术界的探究并不是很多。1980 年,贾斯柏·哈特(Jasper Hunt)发表《杜威的哲学方法及其对于其教育哲学的影响》一文②,分析讨论杜威"选择性强调的错误"(the fallacy of selective emphasis)与"经验"(experience)这两个概念及其对教育哲学论述的影响,认为杜威用前一个概念对传统哲学中的二

---

① 本章内容曾发表于《教育学报》2017 年第一期。

② Jasper Hunt. Dewey's philosophical method and its influence on his philosophy of education[J]. The Journal of Experiential Education,1980,4(1):29-34.

元论进行批评,并通过后一个概念去纠正二元论所犯下的错误及其在教育哲学上所造成的不良影响。2001年,李春玲发表《相互倚赖和相互联系的统一的观念——杜威教育哲学方法论的核心》一文,提出"相互倚赖和相互联系的统一观念"是杜威阐释教育本质的出发点和落脚点,因而是杜威教育哲学方法论的核心。① 2014年,李玉馨所撰写的《二元调和:杜威的教育哲学研究方法》一文②,将杜威的教育哲学研究方法概括为"二元调和"。参照杜威对于思维活动中"判断"作用的阐述,李玉馨提出杜威"二元调和"研究方法的三个执行步骤:"争论的呈现""案件的审查""判决的提出",并将其应用到对杜威《民主主义与教育》第十九章"劳动与闲暇"内容的分析中来加以印证。以上就是目前我们检索到的关注杜威教育哲学研究方法的几篇论文。

有趣的是,这几篇文献均将对杜威教育哲学研究方法或方法论的探索聚焦在如何处理"二元对立"(dualism)上,只是彼此的着眼点和侧重点不同而已。贾斯柏·哈特关注的是杜威处理二元对立问题的概念工具,李春玲关注的是杜威处理二元对立的思维方式,而李玉馨关注的则是杜威进行二元调和的思维过程或步骤。他们的这些研究为本文进一步探究杜威是如何开展教育哲学论述的这个问题提供了启示,指明了方向,有助于寻找杜威教育哲学论述中解决二元对立问题所使用的具体路径、方法或论辩方式。

毫无疑问,杜威在写作《民主主义与教育》时是很下了一番功夫的,这从其丰富的内容和严谨的逻辑结构中可以看出来。在反复的阅读之后我们发现,整本书中,杜威在论述后一个主题时,总是不忘提醒读者去注意其前面所展开的讨论,并明确希望读者将其即将展开的论述看成是其之前某个论述的一个延续、展开或深化。有的时候,杜威也会在前一个论述中进行预告,说明有关该论述的某个观点会在下一章或后面某一章的什么部分有较充分的分析。这种瞻前顾后、彼此呼应的章节安排和论述结构就说明,杜威对于自己所论述的主题及其各部分之间的结构性关系是有着通盘考虑的,确保了著作的主要思想不断得到呈现、丰富和发展。就其在整本著作论述过程中所使用的论述方法而言,可以清晰分辨的主要有现象学方法、发生学方法、概念分析的方法、辩证法的方法以及反省思维的方法,而且,每一种方法的使用都带有鲜明的杜威特有的试验主义或工具主义的色彩。

---

① 李春玲.相互倚赖和相互联系的统一的观念:杜威教育哲学方法论的核心[J].华东师范大学学报:教育科学版,2001(2):10-21.

② 林逢祺,洪仁进.教育哲学:方法篇[M].台北:学富文化事业有限公司,2014:543-559.

一、现象学方法

　　杜威与胡塞尔虽同年出生,但没有证据表明,杜威在写作《民主主义与教育》之前阅读过胡塞尔现象学的著作,对现象学的态度与方法有过接触。可是,从《民主主义与教育》一书的许多地方论述来看,杜威非常明显地使用了后来人们所熟知的胡塞尔现象学方法,体现了"面向事实本身""本质直观"等的精神。

　　这种现象学方法的运用集中地反映在杜威对于直接经验的认识和把握上。他说:"我们的经验有很多是间接的。这种间接经验依靠介于事物和我们之间的符号,这些符号就代表事物。比如战争,有人亲自参加过战争,经受战争的危险和艰难,这是一回事情;有人听人讲过战争或读过有关战争的记载,那是另一回事情。一切语言,一切符号,都是间接经验的工具。"①对于这种借助于符号来表达的间接经验,杜威清醒地意识到:"总有一种危险,即我们所用的符号并不真正具有代表性,代表事物的语言媒介不能唤起不在目前的和遥远的事物,使之进入目前的经验,符号本身却将变成目的。正规的教育尤其面临这种危险,其结果是,因为有了文字,通常称之为学术的咬文嚼字的风气常常应运而生。"②杜威在这里对借助于符号而产生的间接经验的分析批评与胡塞尔在《欧洲科学的危机与先验现象学》一书中对于科学世界的批评如出一辙。在杜威看来,间接经验虽然也是我们认识世界的津梁,但若不了解其性质,极有可能成为阻碍我们认识世界的障碍。

　　相比较符号化的间接经验来说,杜威明确指出:"在俗语中,'现实的感觉'(realizing sense)这句话,是用来表示直接经验的紧迫性(urgency)、温暖性(warmth)和亲切性(intimacy)与间接经验的遥远性、无生气性和冷淡性对比的。'心理的现实感'(mental realization)和'欣赏'(appreciation)(或真正的欣赏)是表示对事物现实感的比较精致的说法。"③很显然,杜威这里对于直接经验特性的认识从方法上说,既不是来自经验主义的感官作用,也不是来自理性主义的概念分析,而是来自现象学的本质直观。因为,只有诉诸本质直观,才能够如此这般地谈论直接经验的紧迫性、温暖性和亲切性。杜威对于直接经验的这种把握非常让人惊奇,充满了现象学论述中浓郁的人文气息。"直接经验"在这里也不再是一种

---

① 〔美〕杜威.民主主义与教育[M].王承绪,译.北京:人民教育出版社,2001:249-250.
② 〔美〕杜威.民主主义与教育[M].王承绪,译.北京:人民教育出版社,2001:250.
③ 〔美〕杜威.民主主义与教育[M].王承绪,译.北京:人民教育出版社,2001:250.

表达感性认识结果的认识论或知识论范畴,而是一种描述人们与世界打交道过程中所产生的原初体验的存在论范畴。直接经验甚至也不是与间接经验相对立的一个范畴,而是人类的所有经验之母。正是基于这种现象学的视角,杜威才能够很生动地描述直接经验活动中所产生的"现实的感觉""心理的现实感"甚至由此带来的对经验主体对世界的"欣赏"。也正是由于直接经验丰富的现实性,杜威认为教育过程中"关于直接经验不仅有一个数量的问题,要有足够的直接经验,甚至更有一个质量的问题"①。杜威非常重视典型情境中的游戏和主动作业在学生发展中的地位和作用,因为它们提供的不单单是学习间接经验的材料,更是通过直接经验获取的现实的质感以及对世界的欣赏。

二、 发生学方法

阅读《民主主义与教育》全书,人们经常可以发现杜威在展开自己的教育哲学论述时喜欢从一些日常的、简单的事件分析开始,举一些小例子,或者讲一个小故事,然后,杜威对这些例子或故事进行合情合理的分析,并展望例子或故事中人的行为进一步发展的情形,逐渐显示当事人行为的结构以及影响行为的复杂因素,从而提出自己的理论主张。在呈现这些例子或讲述这些故事时,杜威似乎亲临其境,甚至就是例子或故事中的主人,从一种内在的、主体的立场与视角来对特定现象的发生、发展、变化、反馈、重新调整等进行细致入微的历史性(纵向的)与情境性(横向的)分析。杜威使用的这种论述方法是典型的发生学的方法(genetic method)。"发生学的方法用于一些长时间的研究,旨在发现和探究研究对象的起源、趋势、变化、方向以及发展模式等。……纵向的过程分析经常被看作是发生学方法的特征,与横向的分析有很大的不同。但事实上,发生学方法往往既包括了纵向的过程分析也包括了横向的分析。……发生学方法的实质在于它并不对生长、发展或行为的某个状态进行单独的研究,而在于努力去发现该状态与其他状态相关联时所体现的发展原则。"②

在《民主主义与教育》第八章第一节说明目的(aim)的性质部分,杜威非常娴熟地使用了这种发生学的方法。他先是举了风吹过沙漠导致沙子的位置得以改变以及蜜蜂酿蜜的例子,说明"结果"(result)与"结局"(end)的不同,前者叫结果,

---

① 〔美〕杜威.民主主义与教育[M].王承绪,译.北京:人民教育出版社,2001:251.

② Kai Jensen. Genetic Method[J]. Review of Educational Research,1939,9(5):491.

后者叫结局。两者之间的差别在于：前者的每一步变化并不影响或被整合到下一步变化中去，而后者则相反，前面的每一步变化直接影响到后面的变化，彼此之间有一种内在的连续性。"当蜜蜂采集花粉，制蜡和构筑蜂房时，每一步动作都为下一步动作做准备。蜂房筑成以后，蜂皇在蜂房内产卵；产好卵，就关起来孵化，把卵保持在孵化所需的温度。幼蜂孵出以后，蜜蜂喂幼蜂，到它们能照料自己为止。"①杜威指出，与风作为外力在沙漠里搬运沙子不同，蜜蜂酿蜜这件事情的主要特征是"事情的每一个要素的时间的地位和次序都有重要意义：前件事引出后件事，而后件事又接过所提供的东西，为另外一个阶段所用，直到我们达到终点。这个结局好像总结和结束整个过程"②。在对结果和结局这两个概念做出发生学意义上的区分之后，杜威说，尽管人的行动的目的总是指向某种结果和结局，但是又与外力作用下的机械的结果及毫无预见的结局不同，它是一开始就存在于行为主体的思想意识当中的，是"预期的结局"（ends in view）。基于这种认识，杜威说："如果蜜蜂预见到它们活动的结果，如果它们在想象的预见中看到它们的终点，它们就有了目的的主要成分。"③"不允许预见结果，不能使人事前注意特定活动的结局，谈什么教育的目的，或者任何其他事业的目的，都是废话。"④

关于这种方法的合理性，杜威自己说："在事物形成的过程中去研究它，可以使很多太复杂而不能直接理解的东西被人们所理解。发生法也许是19世纪后半叶的主要科学成果。发生法的原理是：洞察任何复杂的成果的方法是追溯成果制作的过程——追踪成果发展的连续各阶段。"⑤为了说明这种方法与传统意义上的历史方法的区别，杜威进一步指出："如果认为把这种方法应用于历史不过是一句不言而喻的话，指当前的社会情境不能和它的过去隔离开来，这种认识是片面的。它同样意味着过去的事件不能和活生生的现在隔离而保存其意义。历史的真正期待总是某种现在的情境和它的问题。"⑥所以，杜威在运用这种发生学方法展开论述时，非常强调横向的条件分析，也即对人的行为的社会情境的分析，强调身处其中的行动者本身的主体地位，小心翼翼地回避历史决定论与先验目的论的陷阱。

① 〔美〕杜威.民主主义与教育[M].王承绪,译.北京：人民教育出版社,2001：112.
② 〔美〕杜威.民主主义与教育[M].王承绪,译.北京：人民教育出版社,2001：112.
③ 〔美〕杜威.民主主义与教育[M].王承绪,译.北京：人民教育出版社,2001：113.
④ 〔美〕杜威.民主主义与教育[M].王承绪,译.北京：人民教育出版社,2001：113.
⑤ 〔美〕杜威.民主主义与教育[M].王承绪,译.北京：人民教育出版社,2001：231.
⑥ 〔美〕杜威.民主主义与教育[M].王承绪,译.北京：人民教育出版社,2001：231.

三、 概念分析的方法

比起上面两种方法的运用来说,杜威在《民主主义与教育》一书论述中最经常使用、也是给读者印象最深的方法就是概念分析的方法。从杜威分析的概念的数量来说,是惊人的。他几乎对他所使用到的基本概念都进行过分析,像"教育""环境""经验""指导""控制""疏导""心智""模仿""生长""儿童期""民主""社会""共同体""自然""目的""文化""兴趣""训练""反思""知识""科学""哲学""思维""反省思维""抽象""概括""方法"等等。从概念分析的类型来说,他也交替、综合使用了像词源分析、日常语言分析、隐喻分析等各种类型。从这方面来看,尽管杜威不属于后来人们所说的"分析教育哲学家",但是对教育概念及一些更加基础性的哲学概念进行分析,确实是杜威教育哲学论述的一个重要方法,构成杜威教育哲学的一个典型风格。

就词源分析而言,杜威对"兴趣"(interest)的词源分析最为引人入胜。在"兴趣与训练"一章,他谈道:"兴趣这个词,从英文词源上说,含有居间(between)的事物的意思——即把两个本来远离的东西联结起来的东西。……只有通过这种种居间的事物,开始的活动才能取得圆满的结果。"[①]在杜威看来,兴趣并非是行为主体自足的态度倾向,而是在活动之中产生的并影响活动的进一步展开的东西,是活动的一种中介变量。结合教育的过程来分析,"这些居间的情况所以饶有趣味,正是因为现有的活动要向前发展到我们所预见的结果和期待着的目的,全靠这种居间的情况。……如果我们所用的教材必须设法使人感到兴趣,这就意味着所提出的教材没有与目的和儿童现在的能力联系起来;或者即使有联系,并未被察觉。所以,通过使学生了解存在的联系,从而使材料有兴趣,这不过是一种常识;通过外部的和人为的诱因,使材料有兴趣,应该承担加在教育上的兴趣原理的所有败坏的名声"[②]。因此,在教材或教育活动之外,采取特殊的手段"激发"学生学习兴趣的主张,实际上是没有理解兴趣对于活动本身的这种居间性或中介性,将兴趣误以为是可以在活动之外孤立存在的东西。"兴趣就是一个人和他的对象融为一体。这种对象规定着他的活动,并对活动的实现提供手段和障碍。……要有兴趣,就是把事物放在这种继续不断发展的情境之中,而不是把它们看作孤立

---

① 〔美〕杜威.民主主义与教育[M].王承绪,译.北京:人民教育出版社,2001:140.
② 〔美〕杜威.民主主义与教育[M].王承绪,译.北京:人民教育出版社,2001:140-141.

的东西。"①

就日常语言分析来说,杜威似乎非常谙熟维特根斯坦后期的"语言游戏"以及"一个词的意义就是它在语言中的使用"②这样的观点与方法。可是事实上,杜威出版《民主主义与教育》的时候,维特根斯坦刚刚完成《逻辑哲学论》,还是一个不折不扣的逻辑实证主义者。维特根斯坦后期语言游戏理论的主要观点是:语言的述说乃是一种活动,是生活形式的一部分。在日常生活中,人们喊出一个词,就是要根据这个词而行动。词语的意义在其用法当中。维特根斯坦举的例子是"石板!"③杜威举的例子是"帽子"。杜威说:"当母亲带着婴儿出门时,她把一样东西戴在婴儿头上,同时说'帽子'。对孩子来说,被带出门变成一种兴趣;母亲和孩子不仅一同出门,两个人都出门有关系;他们喜欢一同出门。通过和活动中其他因素的联合,'帽子'的声音对孩子来说很快得到和对母亲来说同样的意义;'帽子'这个声音成为他所参与的活动的一个符号。语言由可以相互理解的声音构成,仅仅这一事实本身足以说明语言的意义依靠和共同经验的联系。"④在杜威看来,儿童之所以能够理解"帽子"这个声音所表示的意义并将其与帽子这个事物联系在一起,乃是由于它是至关重要的与母亲一同出门的生活形式的一部分。"帽子的读音,如果不和许多人参与的行动联系起来发音,会和发不清楚的呼噜声一样没有意义。"⑤杜威由此得出结论说,当词语并不明显地成为一个共同情境的因素时,它们只是纯物理的刺激,不具有意义或理智的价值。杜威进一步论述道:"一件东西所以有意义,使人认识它,乃是这件东西由于它的特性而被人特殊地使用。一把椅子有一种用法;一张桌子,为另一个目的所使用;一个橘子值那么多钱,生长在温暖的地方,是可以吃的,而且味美可口,令人精神倍添,如此等等。"⑥这些论述,与30年后维特根斯坦的观点如出一辙。

就隐喻分析来说,杜威在《民主主义与教育》一书中最为着力的就是对"生长"概念的分析。生长本来是一种生物现象,与教育这种社会活动没有什么关联。在教育思想史上,也从未见过有人用"生长"来喻指教育。生长隐喻的使用是杜威的

---

① 〔美〕杜威.民主主义与教育[M].王承绪,译.北京:人民教育出版社,2001:151.

② 〔英〕维特根斯坦.哲学研究[M].李步楼,译.北京:商务印书馆,1996:31.

③ 参见维特根斯坦有关"石板!"这个词语或句子的分析.〔英〕维特根斯坦.哲学研究[M].李步楼,译.北京:商务印书馆,1996:12-17.

④ 〔美〕杜威.民主主义与教育[M].王承绪,译.北京:人民教育出版社,2001:21.

⑤ 〔美〕杜威.民主主义与教育[M].王承绪,译.北京:人民教育出版社,2001:21.

⑥ 〔美〕杜威.民主主义与教育[M].王承绪,译.北京:人民教育出版社,2001:36.

一大创造,在其对于教育内涵的阐释中处于中心的位置。杜威的其他两个教育命题,"教育即生活""教育即经验的改组或改造",都是以"教育即生长"(education as growth)为内核的——生活的表现就是生长,生长的表现就是经验的改组与改造,经验的改组或改造就是具有了更强的生长的能力。通过用生长来喻指教育,杜威突出强调了教育对儿童未成熟性的尊重、对儿童身上所有具有的发展潜力的信任以及对促进儿童积累性、连续性发展的责任,赋予了教育活动无穷的生机与活力。在生长隐喻的论述过程中,杜威还特定说明了他所使用的生长隐喻与真正的动植物的生长的不同之处:一是人的生长并不指向一个静止的、固定的结果;二是生长并不是一个自然的或环境决定的过程,而是一个有机体主动选择和积极适应的过程。在此基础上,杜威提出:"因为生长是生活的特征,所以教育就是不断生长;在它自身以外,没有别的目的。学校教育的价值,它的标准,就看它的创造继续生长的愿望到什么程度,看它为实现这种愿望提供方法到什么程度。"①

四、 辩证的方法

无论在东方还是在西方哲学史上,辩证的方法都是哲学家们在开展哲学论述时所常用的方法之一。这种方法的基本特征是:通过一些成对的范畴关系及其变化来讨论问题,以便可以更好地理解问题的产生、变化、联系等,最后得到对该问题的整体性和真理性认识。作为一名哲学家,杜威在进行哲学和教育哲学的论述过程中,也经常娴熟地使用辩证法,这是很可以理解的事情。王俊斌就指出:"就教育问题的辩证研究而言,若从约翰·杜威早年思想被称为黑格尔时期来看,他的思维模式的矛盾辩证特色是极为鲜明的。"②王俊斌举的例子是杜威在《儿童与课程》中有关"儿童中心"或"课程中心"的讨论,认为杜威力图在两种极化的观点中间找到一条辩证综合的新出路,体现了鲜明的辩证研究特色。

这种辩证的论述风格贯穿杜威的所有著作当中,《民主主义与教育》也不例外。该书中大量有关教育问题及其二元对立的哲学基础的讨论都是秉持着辩证的立场与精神的。例如,杜威在二十一章讨论课程体系中自然科目(physical studies)与社会科目(social studies)的关系时,一开始便呈现这个冲突,并且指出它们的背后是自然与人的关系的冲突。接下来便是分别讨论人文主义学习的历

---

① 〔美〕杜威.民主主义与教育[M].王承绪,译.北京:人民教育出版社,2001:61-62.
② 林逢祺,洪仁进.教育哲学:方法篇[M].台北:学富文化事业有限公司,2014:479.

史背景以及近代以来人们对于自然的科学兴趣,历史地分析了自然与人文从融合到分离以至于陷入二元对立的成因。在此之后,他基于自己对于"经验"范畴的独到理解提供一个综合的主张,"事实上,经验并不知道在人类事务和纯粹机械的物质世界之间有什么区分。人的家乡是自然界;人要实现他的目的,就要依靠自然条件。离开这种条件,他的目的就要变成空想和没有根据的幻想。……人和自然是连续的,而不是从外部进入自然过程的外人"①。因此,在杜威看来,自然科学也是属人的,而一切人文的学科也需要利用科学的试验法,两者并不是截然分离甚至是对立的,这种现象都是人为的错误观念的产物。作为解决之策,杜威提出:"教育应从人文主义的科目和自然主义的科目这种密切的相互依存关系出发。教育不应把研究自然的科目和记录人类事业的文学隔离开来,而应把自然科学和历史、文学、经济学和政治学等各种人文学科进行杂交。"②这种辩证认识,恐怕对于我们今天正确认识和处理人文学科与自然学科之间的关系也具有相当的启示性。

不过,需要指出的是,尽管杜威在其教育哲学论述中经常性地使用这种辩证的方法,但是杜威自己却对这种方法尤其是其在历史上的既有表现表达不满。杜威自己曾经说过:"本质上,这种方法(指辩证法——引者注)不过是一种高度有效的系统化的教学方法和学习方法,适合于传授权威性的真理。如果所提供的学习材料是典籍文献,而不是当代的自然和社会,那么,所采取的方法必须适宜于界说、陈述和解释所接受的材料,而不是去探究、发现和发明。"③为了解决辩证方法历史上存在的这个问题,杜威在使用该方法时注重的是从真实的问题出发,并援引许多经验的材料,避免只是按照既有的思维套路在概念与概念之间、命题与命题之间进行一些简单地折中或妥协,力图使辩证法的应用能够对于问题的解释和解决提供明确的方向和可行的策略。

五、 反省思维的方法

比起以上四种论述的方法而言,反省思维的方法更加是杜威的独创,因而也有人将其命名为"杜威方法"(Dewey method),其命名方式如同哲学史上的"苏格拉底法"(Socratic method)和"笛卡儿方法"(Cartesian method)一样。比较而言,

---

① 〔美〕杜威.民主主义与教育[M].王承绪,译.北京:人民教育出版社,2001:303.
② 〔美〕杜威.民主主义与教育[M].王承绪,译.北京:人民教育出版社,2001:304.
③ 〔美〕杜威.民主主义与教育[M].王承绪,译.北京:人民教育出版社,2001:298.

杜威反省思维方法的明显特征在于：思维或认识既非从已有的观念开始（如苏格拉底），也非从确定无疑的命题开始（如笛卡儿），而是从行为情境中的问题或困惑开始，经由试验性探究的渠道，达到对假设性结论的检验，从而有益于未来的行动。因此，反省思维的方法既是一种科学的方法，也是一种哲学的方法，更是一种实践的方法。也许可以认为，反省思维的方法是这三种方法的合体，同时具有科学的向度、哲学的向度与实践的向度。

杜威自己将反省思维概括为五个阶段，有时也被形象地称为"思维五步法"："问题（problem）；资料的搜集与分析（collection and analysis of data）；暗示或观念的提出或说明（projection and elaboration of suggestions or ideas）；实验应用和检验（experimental application and testing）；结论或判断（resulting conclusion or judgment）"①。需要指出的是，这五个步骤并不是一个简单的线性关系，从最初的问题的提出到最后的结论的得出，而是一种循环往复、不断演化的过程，一个循环结束了，下一个循环又开始了。所谓的结论或判断并非是终结性、确定性的，而是过程性的、不确定的，有待于新一轮的验证或修订。其中，第三、第四步是反省思维的关键环节，人类思维在这两个环节所达到的广度和准确度，决定了反省思维在多大程度上可以将自己与比较粗糙的尝试错误法区别开来。

杜威拒绝从纯粹内省的角度来讨论人类的思维，而是将思维的进程与事件的进程联系起来讨论，以至于将思维看作是事件发生发展的一个部分。"任何思维过程的出发点都是正在进行中的事情，这种事情，就它的现状来看，是不完全的，或是未完成的。这种事情的要害、它的意义，全在于它将会是什么结果，怎样产生这种结果。"②正是这种事情的未完成性或未确定性提出了思维的对象——情境中的问题或疑惑。杜威认为："既然思维发生的情境是一个可疑的情境，所以，思维乃是一个探究的过程，一个观察事物的过程和一个调查研究的过程。在这个过程中，获得结果总是次要的，它是探究行动的手段。"③在这个过程中，行为者的思想状态位于已知和未知中间，能够提出一些基于情境暗示的假设性或试验性的观点、方法或策略，从而帮助行为者进一步指导自己未来的行动。在杜威看来，"如果人们认识到他们能为了探究的目的而利用怀疑，构成假设，进行试验性的探索，指导行动，这种试验的探索能够证实这个其主导作用的假设，推翻这个假设或修

---

① 〔美〕杜威.民主主义与教育[M].王承绪,译.北京：人民教育出版社,2001：189.

② 〔美〕杜威.民主主义与教育[M].王承绪,译.北京：人民教育出版社,2001：160.

③ 〔美〕杜威.民主主义与教育[M].王承绪,译.北京：人民教育出版社,2001：162.

改这个假设,科学的发明和发现就开始有了系统的进步"①。令人惊讶的是,杜威的这个观点与波普尔(Karl Popper)后来在《猜想与反驳》中所提出来的人类知识的进化路径——P_1-TT-EE-P_2——高度一致,以至于我们可以将杜威的反省思维方法看作是波普尔批判理性主义主张的早期版本。

六、 结语

除了上述这五种方法以外,杜威在其教育哲学论述中还使用了类比、列举、抽象、概括等多种方法。不论使用哪一种或综合使用哪几种方法,杜威在其教育哲学论述中特别注重对问题情境性、过程性和连续性的分析,从来不抽象地、静止地和孤立地去分析一个问题,这在整体上也构成了杜威教育哲学论述的风格。他在批评一种教学现象时说:"撇开作为一个器官的花去研究花的各个部分;撇开植物去研究花;撇开植物赖以生长的土壤、空气和阳光去研究植物。结果要学生注意的题目不可避免地呆板无趣,这些题目又各自孤立,不能培养学生的想象力。……而真正的补救方法在于使自然研究真正称为自然的研究,而不是研究许多没有意义的片段,因为它们完全脱离了它们产生和活动的情境。如果把自然作为一个整体来研究,好比从地球的种种关系来研究地球,那么自然界的种种现象就和人类生活发生自然的同情和联想的关系,这样,人为的替代物就不需要了。"②显然,在杜威看来,任何事物都是存在于历史和社会活动情境当中的,因此对于它们的教学和研究都不能够无视这种历史性、社会性、活动性,否则就不能够真正地认识它们,并使得这种认识有益于人们未来的行动。

总的来看,虽然杜威在自己的教学和研究中并未明确地阐明过所谓的哲学或教育哲学方法,但是他在自己的哲学与教育哲学论述中确实使用了上述一些可以区别的方法,它们构成了杜威教育哲学论述的方法论框架。现象学的方法帮助杜威摆脱了传统哲学二元论的纠缠,确立了有意识的行动在其教育哲学论述中的本体论地位。发生学的方法显示了杜威深受达尔文进化论思想的影响,关注到了各种事件的生成性、连续性和情境性,使得杜威的教育哲学论述更加贴近现实生活,摆脱教条主义的束缚。各种概念分析方法的使用使得杜威逃脱了传统概念意义与用法的陷阱,并基于自己的实用主义立场赋予许多概念以崭新的意义。以上述

---

① 〔美〕杜威.民主主义与教育[M].王承绪,译.北京:人民教育出版社,2001:163.
② 〔美〕杜威.民主主义与教育[M].王承绪,译.北京:人民教育出版社,2001:230.

方法为基础,杜威对辩证方法的应用也迥异于黑尔格的辩证方法,使得对许多概念关系的讨论不再囿于概念世界,而是深入到概念所指涉的行为及诱发这种行为的社会环境的层面。至于反省思维方法的提出,更是直接地以人们行为中的困惑或问题为出发点,融科学的精神、哲学的精神与实践的价值为一体,消弭了科学与哲学的边界、理论与实践的隔阂、知识与行动的对立。这是杜威教育哲学论述的风格,也是理解和把握杜威教育哲学思想的一把钥匙。

第八章

兴趣的限度： 基于杜威困惑的讨论①

刘云杉

兴趣论题是杜威与实用主义力求在旧教育的刻板教条与新教育的浪漫随意之间持守中道,将客观与主观、实践与思考、潜力与现实两方面融会在一起培养孩子品格的"居间"之道,然而进步教育的实践又陷入社会改良方法论上的"内在否定主义"。如何将抽象的二元对立的原则变为简单可行的教育? 这不仅是杜威的困惑,也是此后教育改革的困惑。本章将杜威的文本置放在其学术脉络、进步教育的思想渊源以及实践的来龙去脉之中,结合社会变革的背景进行仔细的考察辨析,挖掘呈现教育理论与教育实践、社会改良之间错综复杂的关系,讨论思想批判、科学实验、社会改造,及其落实于教育之中的可能与限度。

一、 小引： 儿童中心——教育中的"哥白尼革命"

1899 年,杜威发表《学校与社会》,他清楚地勾勒出新旧教育的特征及其后的变革:

(旧教育)消极地对待儿童,机械地使儿童集合在一起,课程和教学法的划一。概括地说,重点是在儿童以外。重心在教师,在教科书以及在你所喜欢的任何地方和一切地方,唯独不在儿童自己的直接的本能和活动。……现在我们的教育中正在发生一种变革是重心的转移。这是一种变革,一场革命,一场和哥白尼把天体的中心从地球转到太阳那样的革命。在这种情况下,儿童变成了太阳,教育的各种措施围绕这个中心旋转,儿童是中心,教育的各种措施围绕着他们而组织起来。②

---

① 本章内容曾发表于华东师范大学学报(教育科学版)2019 年第二期,略有改动。
② 〔美〕杜威. 学校与社会·明日之学校[M]. 赵祥麟,等译. 北京: 人民教育出版社,1994: 43-44.

在这场哥白尼式的革命中,新中心是被喻为太阳的"儿童",而光源正是儿童生长的能力——兴趣正是其信号。早在1897年发表的《我的教育信条》,他这样界定"方法的性质":

我认为兴趣是生长中的能力的信号和象征。我相信,兴趣显示着最初出现的能力。经常而细心地观察儿童的兴趣,对于教育者是最重要的……我认为这些兴趣不应予以放任,也不应予以压抑。压抑兴趣等于以成年人代替儿童,这就减弱了心智的好奇性和灵敏性,压抑了创造性,并使兴趣僵化。放任兴趣等于以暂时的东西代替永久的东西。兴趣总是一些隐藏着的能力的信号,重要的事情是发现这种能力。放任兴趣就不能从表面深入下去,它的必然结果是以任性和好奇代替了真正的兴趣。①

兴趣在杜威的思想体系中占有重要的位置,它也是进步教育运动中最有吸引力的内容。杜威于1896年发表的《与意志有关的兴趣》,1913年就上文加以改写为《教育中的兴趣与努力》,对这一问题做了专门的论述,并提出了重要的教育原理。1916年出版的《民主主义与教育》中有"兴趣与训练"一章。②③ 据克伯屈的说法,杜威的兴趣学说既是"划时代",更是对教育理论的特殊贡献。④

然而,这并不单单是杜威的独特贡献。这"划时代"后的推手正是这时代的潮汐,它是多种支流汇合、涌动而成的一波又一波的浪潮。在美国,这一洪流渊源于两大支流:其一是浪漫的自然主义,它始于1762年卢梭《爱弥儿》的发表,经由裴斯泰洛奇和福禄培尔传到美国;另一分支是杜威的实用主义。而早在杜威去芝加哥从事教育理论探究之前,浪漫自然主义在美国的中小学教师中就有广泛而深远的影响。杜威将兴趣与自由放在认识论上,当然,实用主义的杜威并不太重视认识论,在其思想体系中,认识论是从属于经验论;浪漫主义者们则将进步教育的信

---

① 〔美〕杜威.学校与社会·明日之学校[M].赵祥麟,等译.北京:人民教育出版社,1994:13-14.

② 杜威的写作顺序:我的教育信条(1897),学校与社会(1899),儿童与课程(1902),我们怎样思维(1910),教育中的兴趣与努力(1913),明日之学校(1915),民主主义与教育(1916),经验与教育(1938),人的问题(1942)。

③ 就兴趣的中文研究而言,郭戈先生用功良多,他先后发表:郭戈.关于兴趣若干基本问题的研究[J].中国教育科学,2016(2);郭戈.论教育的兴趣[J].中国教育科学,2014(3);郭戈.西方兴趣教育思想之演进史[J].中国教育科学,2013(1);他还主持翻译"外国兴趣教育名著译丛",正在陆续出版之中。

④ 〔美〕克伯屈.杜威在教育上的影响[M]//〔美〕杜威.学校与社会·明日之学校.赵祥麟,等译.北京:人民教育出版社,1994:前言,16.

条放在人性论上，基于儿童的自我主动性，兴趣和自由是他们自我表达的主要工具。①

杜威称帕克（Parker）为"进步教育之父"，帕克无疑是进步教育运动的第一个勇士。他致力于将儿童移到教育过程的中心，"儿童自发倾向是先天的神性，我们在这里为了一个目的，那就是理解这些倾向，并从遵循自然的各个方面使它们继续下去"。他的实践带有浓郁的卢梭气质。被誉为"心理学的达尔文"的霍尔（Hall），曾经每年都去参观帕克主持的库克县师范学校，他给帕克的信中写道："我要到库克去拨准我的教育钟表。"②——这个"教育钟表"以《基于儿童研究的理想学校》（1901）为题发表，明确地提出区别于教师中心学校的儿童中心学校："人在童年时期就像刚从上帝那边来的一样，具有活力，是世上最完美的东西的象征；没有什么东西像正在生长中的儿童身心那样值得去爱，值得去尊重，值得去为其服务。"霍尔将卢梭于《爱弥儿》中第一次提出的自由主义教育学落地生根于儿童中心的学校，学校课程要迎合儿童的天性、生长和发展的特点。③

杜威1915年出版的《明日之学校》开篇就指出：卢梭关于教育根据受教育者的能力和根据研究儿童的需要以便发现什么是天赋的能力的主张，听起来是现代一切为教育进步所做的努力的基调。教育不是从外部强加给儿童和年轻人的某些东西，而是人类天赋能力的生长。从卢梭那时以来的教育改革家们所强调的种种主张，都源于这个概念。④

1912年，约翰逊（Marietta Johnson）夫人的"有机学校"（Organic School）就是教育即自然发展的一个实验，这一实验的针对性与意义，杜威如此阐述：

自然没有让幼年儿童去适应那狭窄的课桌、繁重的课程，静静地聆听各种复杂的基本知识。他的真正的生活和生长全靠活动，可是学校每次强迫他几个小时束缚在固定的座位上，以便教师确实认为他是在静听和学习书本。……把幼年儿童束缚在狭小的范围，使他忧郁地静默着，他的身心都受到压迫，在遇到陌生的事物以前，他的好奇心迟钝得不会感到吃惊了，他的身体厌倦工作，对他提出的琐细的工作以及因而对于他刚才还是那么诱人的新世界，失去了兴趣。在他很好地开

---

① 〔美〕乔·R.伯内特.如何评价杜威？[M]//陈友松.当代西方教育哲学.北京：教育科学出版社，1982：183-184.

② 〔美〕劳伦斯·阿瑟·克雷明.学校的变革[M].单中惠，译.济南：山东教育出版社，2013：120.

③ 〔美〕劳伦斯·阿瑟·克雷明.学校的变革[M].单中惠，译.济南：山东教育出版社，2013：92-93.

④ 〔美〕杜威.学校与社会·明日之学校[M].赵祥麟，等译.北京：人民教育出版社，1994：221.

始踏上知识的道路以前,冷漠的疾病已经击中他的敏感的灵魂。①

约翰逊女士试图寻求一个给予个人发展最大限度自由的计划,她说,我们必须等待儿童的愿望,等待自觉的需要,然而必须迅速地提出满足儿童愿望的方法。她所遵循的教育方法是"有机的"——即遵循学生的自然生长。没有强迫的作业、指定的课文和通常的考试,儿童不会学习不喜欢学的东西,也不会不相信教师和教科书上说的东西,他们运用他们的本能自然地学习,没有那种来自被迫专心于考试和升级的自我意识。② 克雷明(Cremin)评价:在这所学校,没有考试、没有测验、没有失败、没有奖励、没有不自然,儿童间真诚交往,生活自由,这完全是一个教育乌托邦!③

1914年,普拉特(Caroline Pratt)小姐设立了游戏学校(Play School),所有的工作都围绕幼儿的游戏活动组织起来,儿童被视为艺术家,每个儿童都能表达他所看到、听到和感觉到的东西,创造性的冲动就在儿童身上,重要的是激发儿童的创造力!《儿童中心的学校》宣称:儿童生来就有创造力,学校的任务是为儿童提供一个激发这种创造力的环境。④

1919年,进步教育协会应运而生,协会声明:"进步教育的目的是以对人的心理、生理和精神,以及社会的特性和需要进行科学研究为基础,促使个人得到最自由和最充分的发展。"

学生有自然发展的自由,这不意味着自由应该成为放纵,而是说应该为培养学生的主动性和提高他们的自我表现力而为学生提供充分的机会,并且为每个学生提供一个良好的环境,让他们自由地利用周围环境中丰富多彩和令人感兴趣的材料。

兴趣是全部活动的动机,让学生直接或间接地接触现实世界,并从活动中得到有用的经验;要求学生学以致用,并比较不同事物之间的相互联系,培养学生的成就感。⑤

---

① 〔美〕杜威.学校与社会·明日之学校[M].赵祥麟,等译.北京:人民教育出版社,1994:231-232.

② 〔美〕杜威.学校与社会·明日之学校[M].赵祥麟,等译.北京:人民教育出版社,1994:233.

③ 〔美〕劳伦斯·阿瑟·克雷明.学校的变革[M].单中惠,译.济南:山东教育出版社,2013:133-134.

④ 〔美〕劳伦斯·阿瑟·克雷明.学校的变革[M].单中惠,译.济南:山东教育出版社,2013:182-186.

⑤ 〔美〕劳伦斯·阿瑟·克雷明.学校的变革[M].单中惠,译.济南:山东教育出版社,2013:216-219.

　　进步教育的基本原则被教育哲学家提炼为以下几点：教育应当是主动的，并且要与儿童的兴趣联系起来；儿童通过解决问题来学习，而不是通过教材来进行学习；教育就是经验的明智的改造，教育是生活本身，而不是生活的准备；儿童应当按照自己的需要和兴趣来学习，所以教师应该更多地像一个向导或劝告者，而不应该完全凭权威行事；学校应该培养合作的精神而不是竞争的精神；教育意味着民主，民主意味着教育，应该以民主的方式来管理学校。① 此后的十年间，"进步教育"迅速成为一个时代的风尚，任何有悖于"进步教育"的东西已经完全过时了，没有人再愿意被说成是保守主义者。②

　　"从一开始，我们的目标中就没有'谦虚'这个词，我们的目标可以说是要改革美国整个教育制度"——将传统教育从死记硬背、昏睡和机械的常规中唤醒，新学校自由的氛围与孩子们身上洋溢的自主精神具有迷人的魅力。③ 在这迷人图景召唤下，一个反对传统形式主义教育的松散联盟迅速形成，其积极性在于：将注意力集中在儿童身上；认识到学习兴趣的重要性；强调活动是所有真实的教育的根本；认为学习是个性的发展；维护作为一个自由个性的儿童应有的权利。④ 然而，这迷人的图景在教育改革家的笔下又迅速成为一幅夸张的漫画：

　　吊诡的构图来自信奉弗洛伊德（Sigmund Freud）的心理分析师们，"敢于创造一个儿童的世界，然后就站在一旁，看着儿童在真正自由的环境中生长"。这大胆的构想后隐含着危险，弗洛伊德学说对现代文明批判，对文明创伤的慰藉在教育中却转译为释放与舒缓，富有讽刺意味的是，一些重要的观念发生了微妙但又彻底的变化：反压制变成了否定权威，承认感情变成了对合理性的否定，放纵被当作是自由！学校的中心几乎完全放置于非智力甚至反智力的事情上！⑤在这幅漫画中，表现主义又以轻佻的笔法时常挑衅必要的尺度，创造性自我表现风靡一时，在许多教室里，没有计划被视为自发性，固执被当作是个性，模糊被当作艺术，混乱被当作教育——所有这一切都用表现主义的华丽辞藻来说明其合理性。在这

　　① 〔美〕乔治·F.奈勒.教育哲学导论［M］//陈友松.当代西方教育哲学.北京：教育科学出版社，1982：72.
　　② 〔美〕劳伦斯·阿瑟·克雷明.学校的变革［M］.单中惠，译.济南：山东教育出版社，2013：224.
　　③ 〔美〕劳伦斯·阿瑟·克雷明.学校的变革［M］.单中惠，译.济南：山东教育出版社，2013：217.
　　④ 〔美〕劳伦斯·阿瑟·克雷明.学校的变革［M］.单中惠，译.济南：山东教育出版社，2013：233.
　　⑤ 〔美〕劳伦斯·阿瑟·克雷明.学校的变革［M］.单中惠，译.济南：山东教育出版社，2013：186-193.

幅有关进步教育的漫画上,漫画师们与至少一代人在狂欢作乐,浪费时间。①

"二战"以后,进步教育一直在走下坡路,书写这段历史的克雷明不禁感叹:令人吃惊的并不是进步教育的失败,而是它竟然失败得如此之快!"进步教育"这个词不再受到教育家们的欢迎。② 笔者的疑问是:作为一场运动的进步教育虽早已衰落,但进步教育中的基本命题却有如此蓬勃的生命力! 准确地说,此后教育改革的基本命题一直无出其右!

进步教育的漫画师至少包括以下两大阵营,他们不断以新的面孔、新的主张与实践出现:其一,浪漫自然主义,在这一旗帜下,既有早期对清教徒式的管束的反抗者,也有高扬情感的人本主义者及表现主义者,还有信奉弗洛伊德的心理分析师——现代文明创伤的"治疗师";其二,改造主义乃至激进主义者,他们中有反抗资本主义制度的反叛者,有基于社会平等的政治改造者,有基于科学的实验主义者,还有信奉达尔文的进化论者。他们凭借不同的思想传统、政治诉求与进步力量,或借助对人的自然神性的崇尚,或借助对社会的政治批判,或借助对科学与技术的迷思,以新的面孔不断重返教育的舞台中心。

其中,儿童中心、兴趣与动机不断转换成不同的提法,譬如学生中心、学生需要与学生选择;在教学方法上,设计教学法、个别教学法、道尔顿制、活动的课程演变为基于问题的学习、项目学习制,新近又风靡 STEM〔科学(Science)、技术(Technology)、工程(Engineering)、数学(Mathematics)四门学科英文首字母的缩写〕;科学主义不仅表现为对智商的推崇、心理与行为主义对教学的再造,也表现为今天对脑科学的迷思,以及未来已至——互联网和人工智能带来的惊恐与幻象。因此这远不是一桩过去的疑案,要去侦探还原其中具体的人与事、功与过、是与非③;重要的是探究这段"史实"之后的"史论"与"史识"——事实之后的逻辑,逻辑之后利益主体,即借用这桩案例透析思想批判、科学实验、社会改造,及其落实于教育之中的可能与限度。

在研究的具体方法上,我们需要厘清教育实践、教育理论与经典理论三者之间的关系。这既涉及如何理解卢梭与新教育的渊源,也涉及如何理解杜威与进步

---

① 〔美〕劳伦斯·阿瑟·克雷明.学校的变革[M].单中惠,译.济南:山东教育出版社,2013:186.
② 〔美〕劳伦斯·阿瑟·克雷明.学校的变革[M].单中惠,译.济南:山东教育出版社,2013:307.
③ 在晚近的中文研究中,张斌贤教授对进步教育研究贡献突出,参见:张斌贤,王慧敏."儿童中心"论在美国的兴起[J].北京大学教育评论,2014(1);张斌贤.超越"克雷明定义":重新理解进步主义教育的出发点[J].清华大学教育研究,2018(4).

教育的实践。经典理论常充当教育实践批判的武器，心热手快的实践家们并非出自对理论审慎的思考，而是举起大旗，为其实践寻找理论的武器，理论甚至成为实践的变质的化妆品。讽刺的是，《爱弥儿》被不断解读成实践中的教育手册与教师工作手册！

进步教育与杜威的关系更为复杂一些，甚至成为学界的疑案。乔·R.伯内特(Joe R. Burnett)指出，将杜威尊为进步教育之"父"，之"祖父"，认为进步教育是杜威思想的解释与运用，这是对杜威的严重歪曲。[①] 1927年，进步教育执行委员会邀请杜威担任名誉主席时称：您比任何人更能够代表我们协会所主张的哲学思想。杜威虽接受这一职务，自1928年就职至1952年去世，他在协会从来没有积极的工作。[②] 其实，20世纪20年代以后杜威就不再是进步教育运动的解释者和综合者，渐渐变成它的批判者，1926年，他以尖锐的语气批判"儿童中心学校"缺乏成人指导，尝试不可能的事情，它误解了独立思考的条件，自由既不是与生俱来的，也不是指没有计划。[③]

帕特里夏·格雷厄姆(Patricia Graham)在《进步教育运动》指出，进步教育家们总是认为自己是按照杜威的指示去行事的，但他们又应用杜威的折中主义的、含糊不清的和多重含义的格言去解决他们感兴趣的问题。[④] 克雷明感叹：历史学家的困难在于怎样确定那些不可避免的曲解的责任者。后世学者或归因于其写作中晦涩、多变、含混不明的文风，或者归因于信徒的误解。这是未能理解教育理论与教育实践、教育实践与社会运动之间的错综复杂的关系。准确地说，在进步教育的实践中，杜威是一个教育理论工作者[⑤]，与其说门徒在追随实践他的思想，

① 〔美〕乔·R.伯内特.如何评价杜威？[M]//陈友松.当代西方教育哲学.北京：教育科学出版社，1982：182.

② 〔美〕劳伦斯·阿瑟·克雷明.学校的变革[M].单中惠，译.济南：山东教育出版社，2013：224.

③ 〔美〕劳伦斯·阿瑟·克雷明.学校的变革[M].单中惠，译.济南：山东教育出版社，2013：211.

④ 〔美〕乔·R.伯内特.如何评价杜威？[M]//陈友松.当代西方教育哲学.北京：教育科学出版社，1982：186.

⑤ 虽然杜威的位置被抬得很高，美国教育家协会将这个长满黑胡子的文静小子看成是最后引领他们到希望之地的摩西(Mooses)。杜威70岁的自序中自我评论：有一个人，这个人对他身边情况的变化多少有点敏感。他对什么东西在消失和死亡，什么东西在出生和生长，有着某种正确的评价。因此，凭借这种反应，他预言未来将要发生的一些事情。在他70岁生日时，人们为他举行生日庆祝会，并称赞他促进了一些他预见可能会发生的事情。克雷明评价杜威，进步教育的主要发言人，他的著作既是对那个时代的反映，又是对那个时代的批判。它把进步教育许多不同的方面和谐地结合到一种范围广泛的理论之中，并使它们统一，为它们指出方向。它的出版，又为教育革新运动带来了新的活力。参见：〔美〕劳伦斯·阿瑟·克雷明.学校的变革[M].单中惠，译.济南：山东教育出版社，2013：89,105,109.

毋宁说他是运动与实验的观察者、思考者,当然是有理论素养的参与者。他既是记录者,也是热情的导师,还是冷静的批判者。遗憾的是,杜威的教育哲学很少被应用,也很少被理解,他常被供奉起来,按照运动所需要扮演的角色出场,至于他真正在想什么、在说什么,运动中欢呼的喧嚣里没人仔细听,运动后批判的愤怒中也不容他辩解了。

在对杜威文本的解读中,需要注意作为哲学家的杜威与作为教育学家的杜威的区别,他的著作更似考察与思考的报告,对多重旨趣主导下的教育实践的辨析与应对,既是梳理,也是指导,充分体现了教育学的实践取向。他的著作既不是先知的语录,也不是导师的既定路线,甚至都难称其为一个逻辑严密、一以贯之的理论体系。因此,他将自己的哲学称为实用主义,有时也称为工具主义。

亚伯拉罕·弗莱克斯纳(Abraham Flexner)指出:所谓教育家之流有一些怪毛病,其原因肯定在于他们背离最初的意图以及与各种各样人的混乱接触,他们丧失了真实感。[1] 本章借杜威文本解读,既辨析他的思想,辨析他与那些理智不完全的、既是教育浪潮的起因又是其后果的教育观念的区别,更借他的眼睛,还原教育实践的真实感。这真实感,正是一波又一波、前赴后继的教育浪潮所匮乏的。

二、 兴趣说与努力说: 诉讼之真伪

杜威理解教育时,有两个基本维度——社会因素与心理因素:

如果从儿童身上舍去了社会的因素,只剩下一个抽象的东西;如果舍去了个人的心理因素,只剩下一个死板的、没有生命力的集体。故此教育必须从心理学上探索儿童的能量、兴趣和习惯开始。他相信,"儿童自己的本能和能力为一切教育提供了素材,并指出了起点"。如果对于个人的心理结构和活动缺乏深入的观察,教育的过程将会变成偶然性的、独断的。如果它碰巧能与儿童的活动相一致,便可以起作用;如果不是,那么它将会碰到阻力,不协调,或者束缚了儿童的天性。[2]

然而,在一些儿童中心学校里,"儿童本能与能力"不仅是起点,还左右着教育的过程,甚至成为教育的结果。一些自称"杜威的追随者"抓住他的"兴趣学说",并将其施行到杜威本人没有想到的程度。在欧洲思想家那里,在儿童的天性与自

---

[1] 〔美〕劳伦斯·阿瑟·克雷明.学校的变革[M].单中惠,译.济南:山东教育出版社,2013:142.
[2] 〔美〕杜威.学校与社会·明日之学校[M].赵祥麟,等译.北京:人民教育出版社,1994:4-5.

然后有上帝的神意①，神意与理性既奠定了人在万物中的秩序，也奠定了童年在生命中的位置。要知道，福禄培尔在为儿童天性的自由进行辩解时，他心中有一个绝对的目的——这就是在教师热情引导但非指示下，让儿童自己自愿地和自发地与上帝相结合。启蒙以降的"儿童发现"到了新大陆，在进步教育的道德相对主义中，没有神意作为定锚的儿童天性却发生根本变化：儿童活动能很好地说明生长，但生长导致更多生长，这种无目的的循环往复并不能证明自身的合理性。②

欧洲的新教育移植到新大陆的美国，变成了"哥白尼式"的兴趣学说，它又如何在教育中落地？这就不仅要看它的宣称与实践，也要看它的批评者、替代者的修正与坚持，进步教育之后，要素主义与永恒主义对其进行了严肃的审判与矫正。与进步教育主张儿童自由相比，要素主义坚持纪律的重要性；与进步主义强调个人兴趣相反，要素主义者强调努力这个概念，认为较高和较持久的兴趣并不是一开始就能感觉到的，而是通过大量刻苦用功才能产生的，如果不鼓励儿童培养克服眼前欲望的能力，就会妨碍他去充分使用他的才智。实现任何有价值的目的，都需要一种自我约束和自我控制能力。③ 永恒主义者指出，取悦学生，俯就学生，按照学生自己的速度，以容易接受的东西来教他们，的确要容易得多；如果让儿童明显的懒散和肤浅来决定他们学习什么，实际上却妨碍了他们去发展他们真正的才能。大多数美国青年人的头脑从来没有真正受过学习理智教材的锻炼，就是因为教师们过度地漠不关心并且没有抓紧这种锻炼。自我实现要求有自制力，如果没有外铄的纪律就不能养成自制力。④

这并非后见之明，杜威提出兴趣说之初，他就在思想实验中预演过这场论辩，他所针对的就是这二元分离。在1913年发表的《教育中的兴趣与努力》中，他开篇就导演了一场讼案，在分裂的活动——即以往的旧教育的形式训练说中，作为对抗的双方，兴趣与努力是如何相互责问、质疑的？它们之间有价值的理性对话

---

① 夸美纽斯在《大教学论》中定义人的位置，是以上帝为参照的。"啊，人们，要知道你自己，要知道我。""我是永生、智慧与幸福的根源；你自己是我的造物，我的形似，我的爱物。"（夸美纽斯：大教学论）福禄培尔的游戏与恩物后有浓郁的泛神论，用他的话说，就是"石头中体现出训诫，溪流中体现出圣经"。（博伊德，西方教育史，347）

② 〔美〕乔治·F.奈勒. 教育哲学导论［M］//陈友松. 当代西方教育哲学. 北京：教育科学出版社，1982：74-75.

③ 〔美〕乔治·F.奈勒. 教育哲学导论［M］//陈友松. 当代西方教育哲学. 北京：教育科学出版社，1982：88.

④ 〔美〕乔治·F.奈勒. 教育哲学导论［M］//陈友松. 当代西方教育哲学. 北京：教育科学出版社，1982：69.

体现在哪里？

作为一辨的兴趣——有趣的是，杜威的兴趣是新教育的兴趣，首先立论：

兴趣是注意力的唯一保证，如果事实与观念引起兴趣，我们就能完全确信，儿童将运用其能力去把握这些事实或观念；如果能在某种道德训练或行为方式上引起兴趣，同样可以确信，儿童的活动能符合那个方向。

兴趣在此究竟是充分条件，还是必要条件呢？充分的条件并没有那么强，但作为必要条件是可以确定的，如果我们不能引起兴趣，"我们应该做什么就没有保障"。在认知上如此，在道德行为中也是如此吗？

进而，新教育的"兴趣说"嘲弄旧教育（形式训练说中）的"训练说"：

训练说假定儿童在从事一件他所不愿意从事的工作较之心甘情愿从事的工作能得到更多智力的和精神上的训练，努力理论强调非自愿的注意（去做令其讨厌的事）应该比自发性的注意更重要，这是愚蠢可笑的。徒有努力的孩子所习得的不过是惊人的技巧，表面上似乎是专心致志于没有兴趣的功课，他的重心是在别的事情上。

继而，借新教育的"兴趣说"之口，不仅带出来了旧教育的努力说，还推出了旧教育中的兴趣：用外在的奖励、功利的目的这类"不纯"的兴趣取代了学习材料与学习过程中的"纯粹"的兴趣，如此，只能培育出"自发兴趣的生命之汁"被榨干的两种类型：或者是固执、不负责任、狭隘与执拗的人，或者是一个呆滞、机械、笨拙的角色。[①]

这"不纯的"兴趣，他在"教育即预备"中有更详细的分析，用"外来的快乐"和"痛苦的动机"——即威逼利诱的方法，或者以奖赏为诺言，或者以痛苦作为威胁；如果学生讨厌这种既严厉苛刻又软弱无能的制度，他们又摇摆到另一极端，给知识包上糖衣，哄骗学生吃本不想吃的东西。[②] 此种兴趣可谓"补偿型的兴趣"——形式训练说所扭曲的兴趣。

作为被告的努力又是如何辩护的呢？首先，需要正视的前提是兴趣的不充分性：

生活中充满了不得不面对的没有兴趣的事情，各种毫无兴趣特征的情况必须对付。除非一个人事先已经受到专心致志于枯燥工作的训练，除非已经习惯于注意某种事情只是因为必须注意它而不管它是否给个人提供满足，（否则）当他面临

---

① 〔美〕杜威.学校与社会·明日之学校[M].赵祥麟，等译.北京：人民教育出版社，1994：169-171.
② 〔美〕杜威.民主主义与教育[M].王承绪，译.北京：人民教育出版社，2001：59.

生活中严肃的问题时，他就会却步不前，或回避问题。生活不仅仅是一件愉快的事情，或者不断满足个人兴趣的事。在完成任务时必须继续不断地运用努力以养成应付生活中实际劳动的习惯。舍此，只会蚀尽人的力量，只剩下一个苍白无力、暗淡无光的人；处于一种不断要求娱乐与消遣的道德依附状态。

"努力说"勾勒出第二种兴趣类型——"糖衣型兴趣"，一切事情都为儿童裹上了糖衣，依靠外部的吸引力和娱乐，事事成为游戏、娱乐，分散儿童的注意力，活动的连续性被打断、事物的内在意义被遮蔽，其必然结果是造就只做他所喜爱的事情的、被宠坏了的孩子。

进而，"努力说"指出，（这种"糖衣型"的兴趣说）在智力上、道德上都是有害的，虚构的、装饰的兴趣，不过是用快乐来行贿，使儿童的注意永远不是指向基本的、重要的事实。

最后，"努力说"坚持正确且务实的态度：

一开始就得承认有些事实很少或没有兴趣又必须学习，而对付它的唯一办法就是通过努力，通过不管任何外来诱惑的影响而独立地进行活动的能力。按照这种办法所养成的只是摆在儿童面前的生活所必需的训练，即养成对严肃问题做出反应的习惯。[①]

有意思的是，新教育的兴趣说所嘲讽的"补偿型的兴趣"——虽是旧教育中"努力说"的补偿；"努力说"所批评的"糖衣型兴趣"却也是儿童中心学校的常态。遗憾的是，无论形式训练中的威逼利诱的所着眼的"补偿型的兴趣"，还是儿童中心学校里"用快乐去行贿"的"糖衣型兴趣"，都是"外部刺激"。那么，有别于"外部刺激"的"兴趣"是什么？新教育乐观地援引"引出"（drawing out）的隐喻，教育能被比喻为引发一个潜藏的、处于休眠状态的幼芽吗？新教育的难题正在于：

如果你从儿童的观念、冲动和兴趣出发，一切都是如此粗率，如此不规则，如此散乱，如此没有经过提炼、没有精神上的意义，他将怎样获得必要的训练、陶冶和知识呢？……如果你放任这种兴趣，让儿童漫无目的地去做，那就没有生长，而生长不是出于偶然。[②]

杜威强调教育性，他严格区分"引起或满足一种兴趣"和"通过对兴趣的指导实现它"之间的区别，教育就是要抓住他的活动并给予活动以指导，通过指导，通过有组织的运用，它们就会朝着有价值的结果前进而不至于成为散乱的，或听任

---

①　〔美〕杜威.学校与社会·明日之学校[M].赵祥麟，等译.北京：人民教育出版社，1994：168-171.

②　〔美〕杜威.学校与社会·明日之学校[M].赵祥麟，等译.北京：人民教育出版社，1994：45-47.

其流于仅仅是冲动性的表现。①

杜威在《民主主义与教育》中进一步指出：

天赋活动与偶然的和随意的练习相反，它们是通过运用发展的。社会环境的职责在于通过充分利用这些能力来指导发展。本能的活动，用比喻的说法，可以称它们是自发的；但是如果以为这些活动是自发的、正常的发展，纯粹是神话。自然的或天赋的能力，提供一切教育中的起发动作用和限制作用的力量；但是它们并不提供教育目的。除了从不学而能的能力开始学习以外，便没有学习，但是学习并不是不学而能的能力的自发的溢流。②

杜威批评卢梭的错误正在于把上帝和自然等同起来。将兴趣与自由置放于认识论上的杜威，在此与新教育中自称卢梭弟子的浪漫自然主义③狭路相逢，他们将兴趣与自由寄托于人性，儿童的自我主动性被放在最重要的位置。他们在反旧教育的斗争中结盟，但他们来路不同，色彩不一，却时常被混淆，既有社会与历史情境带来的误置，也有彼此的误解。

在这或左或右的实践困境中，杜威如何化解？杜威既不同于其对手——旧教育威逼利诱的"补偿兴趣说"，也不同意其盟友——新教育用快乐行贿的"糖衣兴趣说"。他在这新与旧的正与反之中，试图走出辩证统一——杜威用实验主义的"统一活动"再定义了他的"新"兴趣说。"inter-esse"意指"在两者之间"——把两个原本远离的事物联系在一起，兴趣标志着在个人与他的行动材料和结果之间没有距离，兴趣是它们的有机统一的标志。感兴趣就意味着与那个事物发生关联，保持警觉、关注与注意。感兴趣意味着能专心致志，全神贯注于某个对象，或者说自己陷入某件事了，或者是被某事迷住了。④ 杜威的"兴趣"强调的是一个状态，一种积极关切、能动的心理状态。

因此，兴趣首先是统一的活动，指自我与世界在一个向前发展的情境中是彼此交织在一起的。⑤ 兴趣是一种黏合剂，它标志着在行动、欲望、努力和思想上自

---

① 〔美〕杜威.学校与社会·明日之学校［M］.赵祥麟，等译.北京：人民教育出版社，1994：45-47.

② 〔美〕杜威.民主主义与教育［M］.王承绪，译.北京：人民教育出版社，2001：126.

③ 浪漫主义自然派将渊源追踪至其祖师爷卢梭，可是卢梭未必同意进步教育中的种种实践。卢梭起笔于"受之于自然的教育"，人的自然是教育的起点，而非教育的终点，他借自然讲述了一个不当社会教育所可能导致奴役的"寓言"；爱弥儿漫长的教育历程的终点是走入社会生活与政治社会。卢梭从来没有否定教育，爱弥儿的教育是极为严格的，他的导师让·雅克是其统治者，具有高的权威，他为爱弥儿制定的学习具有严格的秩序。爱弥儿的成长提供了既充分尊重儿童天性，又严格指导，既艰难又快乐地成长的典范。

④ 〔美〕杜威.学校与社会·明日之学校［M］.赵祥麟，等译.北京：人民教育出版社，1994：176.

⑤ 〔美〕杜威.民主主义与教育［M］.王承绪，译.北京：人民教育出版社，2001：139.

我与客体融为一体,与活动赖以向目的前进的客体(方法)融为一体,与活动所终止的客体(目的)融为一体。由此可推论,兴趣并非学习的前提,而是存在于主动的活动中：即所学习的事实或所建议的行动和正在成长的自我之间取得一致。①杜威借助愉快的类型来区分,一种愉快来源于活动本身,是活动的伴随物,这种愉快是聚精会神于活动本身而带来的完整的、合理的、朴素的愉快；另一种愉快来源于活动之外,它的刺激属于外部,用来填补自我与某种本身没有兴趣的事与物之间的鸿沟。外部刺激常被用来当作引发"兴趣"的手段,但它不是兴趣,它更可能干扰兴趣的自然生成,它常导致自我与活动的分离,本应专心致志、全神贯注的认识活动变得注意力分散、能量分裂。

杜威特别指出"外部刺激"的危害,这表现在活动的过程中用快乐来行贿,忙于赋予事物以趣味,将兴趣等同于有趣,用人为的外部刺激和虚构的诱惑力不断分散学习者的注意力,事事都变成游戏与娱乐,一切事物都为儿童裹上了糖衣,"糖衣"与"趣味"离间了他与事物可能的直接联系。对"小诱饵"的成瘾,只会加重外部刺激的强度,意志永远不能发挥作用,获得锻炼,注意力永远不是指向基本的、重要的事实。对兴趣的误解与滥用正在于外部的刺激中止了活动的连续性,将连续不断的生长割裂成一串静止的横切面。在这被中止的"横切面"中,兴趣好似客体引起自我的瞬间兴奋,自我沉浸于客体之中,"融入感"与"统一性"被异化为取悦的消费关系。杜威指出,这类客体与自我之间的关系不仅没有教育性,而且比没有教育性更坏。它浪费精力,养成依赖于这种毫无意义的兴奋的习惯,这是一种对持续的思想和努力最有害的习惯。以兴趣的名义娇宠这种习惯,恰是在败坏兴趣的声誉。因为仅仅引起注意是不够的,必须掌握它。激起活力是不够的,活力发展的方向,活力所产生的结果才是重要的事情。②

杜威方法论上的"居间"体现在指出"兴趣"与"努力"之间的内在张力：

"如果愿望等于现实,乞丐也会发财",由于愿望不等于事实,由于真正满足一个冲动或兴趣就是要努力工作,要努力工作就会遇到障碍,就要熟悉材料,运用独创性、忍耐性、坚持性、机智,它必然包含有训练——力量的安排——并提供知识。③

努力指克服阻力和通过障碍的忍耐力,它支撑活动的持久性和连贯性。如果

---

① 〔美〕杜威.学校与社会·明日之学校[M].赵祥麟,等译.北京：人民教育出版社,1994：210.
② 〔美〕杜威.学校与社会·明日之学校[M].赵祥麟,等译.北京：人民教育出版社,1994：177,211.
③ 〔美〕杜威.学校与社会·明日之学校[M].赵祥麟,等译.北京：人民教育出版社,1994：46.

说兴趣的精神体验为全神贯注的沉浸感,相应,作为一种精神体验的努力,则是在"离开"与"趋前"、在厌恶与渴望这两种相互矛盾的倾向上的特殊结合。① 一定的阻力与障碍既是成长的必需,也是不可回避的"营养"。人的成长需要有一定的有待克服的困难,使他对所做的事情能有充分的强烈意识,因而对他所做的事具有炽烈的兴趣。努力使个人更加认清他的行为的目的和宗旨,使他的精力从盲目的或不加思考的挣扎变成经过思考的判断。② 这关联到人的意志,一个有坚强意志的人,在他努力达到所选择的目的时,面对困难和诱惑,能够坚持和忍耐,既不变化无常,又不苟且敷衍;他有执行的能力,这种能力使他即使在外诱、迷乱和困难面前,也能深思熟虑地行动。这样的努力与坚定的意志,都不是天生的,这是训练的精髓,这是教育中所需要完成的任务。杜威肯定训练的积极性,它"威胁人的精神,克制人的爱好,强迫人的服从,抑制人的情欲"。③

兴趣与自我的努力、严格的训练绝不是对立的,而是彼此"你中有我,我中有你"地嵌套在一起,兴趣必须经由努力与积极的训练,进而成为动机与责任——即"志趣"。富有教育性的任务,既能唤起他行动的意愿,又有能力支撑他行动,这个任务既有理智的努力,又有选择与判断。教育中最缺乏的恰是精心设计的合宜的教育性教学。如果任务过于容易——没有充分的阻力唤起学习者的精力,特别是唤起他思维的精力;或者分配的工作过于困难以致没有必要的办法——工作的难度完全超出他的经验,以致他不知从何处着手,也不知如何控制,④他自然会寻找捷径,精心地选择阻力最小的事情,或者马虎地选择毫不费力的事情,懒散且倦怠,回避对自己的心智和能力提出任何挑战。

杜威对兴趣、努力与训练之间的内在张力,解析不可谓不清楚;然而,新教育的实践者们——高扬杜威思想的旗帜,却步步走入杜威的担忧之中。

三、 教育改进: 一条更艰难的路

很不幸,杜威受到两面的批评:一方面保守主义认为,他的概念使学校陷入一种站不住脚的直觉主义之中;另一方面进步主义批评,任何成人的指导都是没有

---

① 〔美〕杜威.学校与社会·明日之学校[M].赵祥麟,等译.北京:人民教育出版社,1994:192.
② 〔美〕杜威.学校与社会·明日之学校[M].赵祥麟,等译.北京:人民教育出版社,1994:193.
③ 〔美〕杜威.民主主义与教育[M].王承绪,译.北京:人民教育出版社,2001:142.
④ 〔美〕杜威.学校与社会·明日之学校[M].赵祥麟,等译.北京:人民教育出版社,1994:195.

根据的，是强加给儿童的。① 1938 年，杜威发表《经验与教育》，这是他在 20 多年被批评、歪曲和误解的过程中形成的认识，既是对新教育运动的反思，更是批评：

新教育的道路并不是一条比老路容易走的道路，相反，新教育的道路是一条更艰辛和更困难的道路。新教育的未来最大的危险是由于人们认为新教育是一条容易走的道路。②

新教育起因于对旧教育的批评，假如以为抛弃旧教育的观念和实践就足够了，并且走到对立的极端上去，那么，这些问题不仅谈不上解决，甚至还没有被认识到。③ 他指出：

任何一种以"主义"为思想和行动依据的运动，都会陷入被其他"主义"所控制的运动的对立面。这样一来，它的各项原理的形成只是由于对方的非难，而不是由于对各种实际需要、问题和可能性加以综合的建设性的探讨。④

社会改良与教育实验容易患上一种病症——内在否定主义——知道反对什么比知道应该赞成什么更为清楚。⑤

人类喜欢用极端对立的方式去思考，他们惯用"非此即彼"(either-ors)的公式来阐述他们的信念，认为在两个极端之间没有种种调和的可能性。⑥

教育理论的历史上"教育内发说"与"教育外铄说"两种观念对立：前者认为教育以自然禀赋为基础，后者认为教育是克服自然的倾向，通过外力强制而获得习惯的过程。⑦ 要素主义教育理论家巴格莱(Bagley)指出：两种对立的理论很明显地贯穿在漫长的教育史中，可用相反的概念概括出成对的对立物，把这两种教育理论加以对照，例如个人与社会、自由与纪律、兴趣与努力、游戏与工作、目前需要与长远目标、个人经验与种族经验、心理组织与逻辑组织、学生主动性与教师主动性。⑧

新教育以此种"非此即彼"的立场重塑进步学校的实践：

一种新的运动往往有种危险，即当它抛弃了它将取而代之的一些目标和方法

---

① 〔美〕劳伦斯·阿瑟·克雷明.学校的变革[M].单中惠，译.济南：山东教育出版社，2013：213.
② 〔美〕杜威.我们怎样思维·经验与教育[M].姜文闵，译.北京：人民教育出版社，1991：305.
③ 〔美〕杜威.我们怎样思维·经验与教育[M].姜文闵，译.北京：人民教育出版社，1991：252.
④ 〔美〕杜威.我们怎样思维·经验与教育[M].姜文闵，译.北京：人民教育出版社，1991：246.
⑤ 〔美〕劳伦斯·阿瑟·克雷明.学校的变革[M].单中惠，译.济南：山东教育出版社，2013：307.
⑥ 〔美〕杜威.我们怎样思维·经验与教育[M].姜文闵，译.北京：人民教育出版社，1991：248.
⑦ 〔美〕杜威.我们怎样思维·经验与教育[M].姜文闵，译.北京：人民教育出版社，1991：248.
⑧ 〔美〕巴格莱.要素主义者的纲领[M]//王承绪，等.西方现代教育论著选.北京：人民教育出版社，2001：154.

时，它可能只是消极地而不是积极地、建设性地提出它的原则，在实践中，它是从被它抛弃的东西里获得解决问题的启示。①

对传统教育的批评是新教育的起点，而非新教育的目的；如果说新教育仅是传统教育的反面，凡是旧教育的原则，新教育都反对，都用相反的方式演绎出来，这只是第一重否定，这是简单的背弃，新的一切限度都是由旧教育所奠定。

我们可以在各种进步学校中发现一些共同的原则：反对从上面的灌输，主张表现个性和培养个性；反对外部纪律，主张自由活动；反对向教科书和教师学习，主张从经验中学习；反对通过训练获得孤立的技能和技术，主张把技能和技术当作达到直接的切身需要的手段；反对或多或少地为遥远的未来做准备，主张尽量利用现实生活中的各种机会；反对固定的目的和教材，主张熟悉变化着的世界。②

"内在否定主义"所主张的原则都是抽象的，抽象的原则进入实践时又常陷入简单的二元对立：在教材与儿童生活之间、在成人指导与儿童探索之间、在过去的知识与现在的能力之间"非此即彼"。杜威忧虑地指出：

一种教育理论和实践，只是消极地反对曾在教育中流行的东西，而不是以经验的理论及其教育的潜在能力为基础，去积极地建设性地发展目标、方法和教材，这将意味着什么？③

进步教育宣称，我们教儿童而不教科目，珍视儿童创造性的自我表现，尊重学习者的需要与内在驱动力——支撑这炫目的宣言的仍然是二元论的思维：

（进步教育）"我们并不教历史，我们教儿童"，将儿童与学科隔离开来，把儿童的经验与学科所承载的传统智慧隔离开来，可是如何教儿童？没有一间教室是位于空无所有的沙漠之中的；否定学科与传统智慧的价值，反智主义威胁着学校，"满足于废弃智力的价值而在智力和文化的真空中为教学技术而发展教学技术"，这无异于将教育的大厦置于一片荒地。④

否定了学科之后"人类"的经验，个体经验所支撑的探索能走多远？技术允诺未来，但失去了传统的未来将是什么？问题学习法或许确保个人的生计与职业，但人与人的连带呢？代与代之间的传承呢？在看似迷人的实验之后，反智主义兴

① 〔美〕杜威.我们怎样思维·经验与教育[M].姜文闵,译.北京：人民教育出版社,1991：250.
② 〔美〕杜威.我们怎样思维·经验与教育[M].姜文闵,译.北京：人民教育出版社,1991：250.
③ 〔美〕杜威.我们怎样思维·经验与教育[M].姜文闵,译.北京：人民教育出版社,1991：252.
④ 〔美〕贝斯特.教育的荒地[M]//王承绪,等.西方现代教育论著选.北京：人民教育出版社,2001：184-185.

起，它将教育侵蚀为荒地。

这样二元对立的思维危险，杜威及其弟子不是没有清晰认识到，实践仍难免落入其陷阱。譬如活动与教材之间，活动论的支持者热诚地相信各种活动几乎都具有魔力般的教育效能，只要不是被动地吸收学术性和纯理论的教材，那么，什么活动都是好的。有关游戏、自我表现和自然生长等各种概念，几乎都被援引，似乎是为了说明各种自发的活动都意味着必然能够训练思维的能力。甚至援引神话般的脑生理学，用来证明任何筋肉的锻炼都能训练思维能力。① 活动论的反对者认为开放性活动多是混乱的、无定向的，只是借助儿童心中暂时的未定型的爱好和任性，来消闲取乐；或者是对成人生活中高度专业化或具有商业性的活动的令人讨厌的模仿；这类活动顶多能缓解一下由于长久的智力活动所引起的疲劳，或者是外界功利主义提出的挑战。②

杜威基于活动的教育性指出：新教育的难点是如何在儿童的活动中给予指导，不是简单地抛弃教材与规则，让儿童活动起来，儿童的各种活动已经太多、太充足了，儿童已经十分积极，难点正在于教育性的活动究竟是什么形态？杜威提醒过，学校中的大多数活动，时间过于短暂，不容许把活动彻底展开，也不容许把一项活动引导到另一项活动。③ 杜威寄希望于富有教育性的经验，教育应是一种在经验中、由于经验和为着经验的一种发展过程。④ 具有教育性的经验有两条原则构成其经纬，经线为经验的连续性，纬线为经验的关联性。舍此，经验就是分裂的，经验的过程就是紊乱。非教育性的经验不能持续地连贯起来，每个经验都是新鲜的、富有活力的和"有兴趣的"，但其不连贯性可能使人产生不自然、分散的、割裂的和离心的习惯。⑤ 这是一种能量分散的活动，是教育中的浪费，人的精力浪费了，一个人也就变得粗率浮躁了。

在方法与知识的对立中，克伯屈强调方法是进步教育的精髓，以其设计教学法最为典范。⑥ 克伯屈批评传统学校选择一些唯智主义的工具进行分科教学，他坚持学会过好生活的唯一方法就是参与实际生活，设计教学法就是为了设计尽可

---

① 〔美〕杜威.我们怎样思维·经验与教育[M].姜文闵，译.北京：人民教育出版社，1991：43.
② 〔美〕杜威.我们怎样思维·经验与教育[M].姜文闵，译.北京：人民教育出版社，1991：42-43.
③ 〔美〕杜威.我们怎样思维·经验与教育[M].姜文闵，译.北京：人民教育出版社，1991：43.
④ 〔美〕杜威.我们怎样思维·经验与教育[M].姜文闵，译.北京：人民教育出版社，1991：253.
⑤ 〔美〕杜威.我们怎样思维·经验与教育[M].姜文闵，译.北京：人民教育出版社，1991：254.
⑥ 这是当下活动教学、项目制学习的缘起先驱。同时，"授之以渔，而非授之以鱼"，简单地把方法与知识对立，片面强调能力迁移说也需要警惕。

能"像生活的教育",教育的实质是"在社会环境中进行全神贯注、有目的的活动",以发展敏锐的智力和提高道德评判能力,因此学校应该教一些调查和证实的方法,即教授方法,而非真理本身,学校教儿童怎样想,而不是想什么。

杜威虽称克伯屈为"我有生以来最好的学生",在根本的细节上却大相径庭,杜威虽然承认解决问题是教育的中心,但也指出过多的"设计"极为琐细,以致起了错误的教育作用。他在芝加哥实验学校的工作是建立了一种代替旧课程的新课程——一批安排和设计得更好的新教材,从学习者的经验开始,以代表种族积累的经验的有组织的科目而结束,即始于儿童经验,终于学科。克伯屈则强调将来不能预测,坚决抨击"预先固定的"教材,怀疑有组织的科目。克伯屈长于演讲、富有热情,泰然自若地称自己是杜威的门徒和解释者,最后写就的却是与原著完全不同的改写本。①

博德(Boyd H. Bode)称自己是一个受惠于杜威但又独立地通过"毕生的个人思考过程"得出许多杜威观点——进步教育的进步主义批判者。他批评,如果教育要建设一个更美好的世界,就必须有清楚、明确的方向,在决定方向上,再多的统计方法也不能代替艰苦的哲学思考,否则进步大多只是表面的,仅仅依靠发布解放的宣言,我们摆脱不了过去的束缚。博德在辨析设计教学法时,既充分肯定其价值——区别于敷衍了事、机械和没有意义的形式主义教学,设计教学强调全神贯注、有目的的活动是有意义的,但若把设计教学法作为制定课程的指导,却是另一回事,博德指出:

强调主动和有目的的全部活动,会使人经常神秘地相信"内部发展"过程。这种过程不需要从环境中得到什么,这种教育上的自然主义,由于天真地相信智力发展是自发的,因而误解了思考的真正含义。②

不论进步教育热情的"教师"——克伯屈,还是进步教育进步主义的批判者——博德,都坚持自己是杜威思想与精神的真传。杜威究竟是如何论述的?

如果"旧教育"倾向于轻视能动的素质和儿童现在经验固有的那种发展的力量,那么,"新教育"的危险就在于把发展的观念全然是形式地和空洞地来理解。我们希望儿童从他自己心中"发展"出这个或那个事实或真理,我们叫他自己思维,自己创造,而不提供发动并指导思想所必需的任何周围环境的条件。没有任何一个东西能够从无中生有发展出来,从粗糙的东西发展出来的只能是粗糙的东

---

① 〔美〕劳伦斯·阿瑟·克雷明.学校的变革[M].单中惠,译.济南:山东教育出版社,2013:199.
② 〔美〕劳伦斯·阿瑟·克雷明.学校的变革[M].单中惠,译.济南:山东教育出版社,2013:200.

西，希望一个儿童从他自己小小的心灵发展到一个宇宙，是不会有效果的。①

教育的过程是在未成熟的人与社会的目的、价值与意义之间，在个人的天性与社会的文化，在儿童与课程之间建立联系。如果仅将儿童视为未成熟而有待成熟的人——知识浅薄而有待加深，经验狭窄而有待扩大，他的本分是被动地容纳或接受，这是旧教育的立场。新教育则将儿童不仅视为起点，是中心，而且也会是目的，对于儿童的生长来说，一切科目只是处于从属的地位。"个性、性格比教材更为重要，不是知识和传闻的知识，而是自我实现，才是目标。"②新教育与旧教育之间又对立起来：

"训练"是夸大学科作用的人的口号，"兴趣"是大肆宣扬儿童的人的口号，前者的观点是逻辑的，后者的观点是心理的，"指导与控制"是这一学派的口号，"自由和主动性"是另一学派的口号，一个学派强调规律所维护的旧的、宝贵的东西，宣扬自发性的则喜爱那些新的、变动的和进步的东西，死气沉沉和墨守成规、乱作一团和无政府主义，是两个学派反复来回的指控。一方面关于无视神圣权威的职责的指控，只能遭到另一方面的残暴的专制压制个性的反击。③

在两派热闹的拉锯战中，教育的常识感呢？儿童既有的经验，即便是混乱、模糊和不稳定的，但这是他生长的起点，站在儿童的立场上，以儿童为出发点，不意味着只强调儿童的自由和主动性，儿童需要进入对客观真理、法则和秩序的世界的认知和体察之中。学生的能力是始点，教师的目的代表遥远的终点，在材料与儿童的经验、儿童现在的能力、儿童发展的目的之间建立内在联系，这是教育者需要用心之处。从儿童经验寻找态度、动机和兴趣，以发展到学科的水平，以儿童生活中起着作用的各种力量解释它们，发现介于儿童的现在经验和科目之间更为丰富和成熟的东西之间的各个步骤：

儿童现在的观点和构成各种科目的事实和真理，构成了教学。从儿童现在的经验进展到有组织体系的真理，即学科所代表的东西，是继续改造的过程。④

杜威最后认识：

我经常使用"进步"教育和"新"教育这些名称。然而，在本文结束时，我仍然要表明我的坚定的信念，我坚信，根本的问题并不在于新教育与旧教育的对立，也

---

① 〔美〕杜威.学校与社会·明日之学校[M].赵祥麟，等译.北京：人民教育出版社，1994：124-125.
② 〔美〕杜威.学校与社会·明日之学校[M].赵祥麟，等译.北京：人民教育出版社，1994：118.
③ 〔美〕杜威.学校与社会·明日之学校[M].赵祥麟，等译.北京：人民教育出版社，1994：119.
④ 〔美〕杜威.学校与社会·明日之学校[M].赵祥麟，等译.北京：人民教育出版社，1994：120.

不在于进步教育与传统教育的对立,而在于究竟什么东西才有资格配得上教育这一名称……我们所缺少的而又必需的是纯粹的和简单的教育。①

简单与容易并非一回事,发现什么是真正简单的并且依据这种发现去行动,是一件非常困难的工作。旧教育虽然复杂,但它已经制度化并根深蒂固地体现在习俗和惯例中,人们沿着这条道路行走,感到更顺当。② 举凡教育改进之新,大致有两种:其一为批判性的"新",其二为建设性的"新",在抽象原则上背弃传统是容易的,但要建立可靠的新实践是相当困难的;根据新的概念来管理学校,比之因循守旧,则更为困难的。③

四、 进步的悖论: 事的法则还是人的法则?

杜威不得不承认进步教育是失败了,并认为这是一场彻底破坏传统教育,但又很快放弃了更艰难的任务,即建设更好的教育体系替代被废除的教育体系任务的运动。④ 1953 年,历史学家贝斯特(Arthur Eugene Bestor)用"教育的荒地"来定位进步教育:

把教育仅仅看作是经验,对受教育者或许是令人愉快的,但对社会却没有价值,学校成为奢侈行业的一部分而已。好像火车上的休息车厢,给出差外地去办正经事的人一些生活的享受。⑤

对美国教育最严厉的批评恰是来自最坚信教育的价值和重要性的人,丹尼尔·贝尔(Daniel Bell)的《教育的危机》控诉:

小学没有传统民族的基本智慧;中学似乎对过于娇养青年更感兴趣,而不是去激励他们的智慧;大学屈从于含糊不清的功利主义,而被剥夺了"注重文雅教育"的领导地位。学校完全没有传授最基本的技能,教育已被故意去掉了道德和知识方面的内容。⑥

---

① 〔美〕杜威.我们怎样思维·经验与教育[M].姜文闵,译.北京:人民教育出版社,1991:305.

② 〔美〕杜威.我们怎样思维·经验与教育[M].姜文闵,译.北京:人民教育出版社,1991:257.

③ 〔美〕杜威.我们怎样思维·经验与教育[M].姜文闵,译.北京:人民教育出版社,1991:246.

④ 〔美〕劳伦斯·阿瑟·克雷明.学校的变革[M].单中惠,译.济南:山东教育出版社,2013:126.

⑤ 〔美〕贝斯特.教育的荒地[M]//王承绪,等.西方现代教育论著选.北京:人民教育出版社,2001:176.

⑥ 〔美〕劳伦斯·阿瑟·克雷明.学校的变革[M].单中惠,译.济南:山东教育出版社,2013:299-300.

支撑进步教育的两大传统均需接受拷问：其一，科学人道主义，以及它所汇聚的实证主义、功利主义、实用主义等分支，它们把目光热切地投向外部世界，过分追求对事物的控制(law for thing)，而忽略了对自身的控制；其二，浪漫自然主义虽将教育的信条放在人性论的基础上，却将人性(human)等同于自然(nature)，将人的法则(law for man)混同于自身不加约束的性情，即人的需要。在对天性与独特的需要的推崇下，一切历史的智慧、时代的精神都成为毫无价值的东西，一切制约都成为不合理的限制。浪漫主义把"我"放大，"有些灵魂因为得天独厚而无法走常规道路"，在这个"我"面前，陈腐的权威、惯例和传统，一切都滚开吧，它们阻碍了人类及其自发性，使他无法和"自然"直接交流。让他扔掉书本，就像是"在他以前没有存在过任何人"那样来生活吧。①

道尔顿制是进步教育中的一个典范，它宣称：每一个体都不是一个翻版而是全新的创造，"即使我不比别人更优秀，那么我至少是与众不同的"。"难道我们不能让人们成为自己并以他们自己的方式享受人生吗？你要把他变成另一个你吗？一个你就够了。"难道我们还要"在未受教育的身体上长了一双受过教育的眼睛"吗？② 帕克赫斯特写下这一句话时，一定是在愤怒地质问赫尔巴特，赫尔巴特在"通过教学进行的教育"中有这样阐述：

假如学生在惩罚自己的教育者的情绪中看出对于自己失德的憎恶，对于自己爱好的不满，对于自己一切恶作剧的反感，那么他就会转向其教育者的观点，不知不觉地用这种观点来看待一切，而且这种思想将变成为一种对付自己倾向的内在力量。这种力量只需得到足够的加强就能战胜自己的倾向。③

"一双受过教育的眼睛"——这双来自教师、来自教育权威的眼睛，又借"不朽的赫尔巴特"回到教育的中心。1948 年的格廷根的赫尔曼·诺尔（Herman Nohl)这样说：

改革教学大会议纪念赫尔巴特开幕，这也许自相矛盾，他 1806 年出版了《普通教育学》，于 1835 年出版了《教育学讲授纲要》……赫尔巴特还活着，恰恰在我们探讨教育学新问题时必须研究他。④

赫尔巴特还活着，赫尔巴特被请出来，对教育学再做一场"哥白尼式的拨乱反

---

① 〔美〕白璧德.美学与美国大学[M].张沛等，译.北京：北京大学出版社，2004：137.
② 〔美〕帕克赫斯特.道尔顿教育计划[M].北京：北京大学出版社，2005：18-19.
③ 〔德〕赫尔巴特.普通教育学[M].李其龙，译.北京：人民教育出版社，2015：8.
④ 〔德〕赫尔巴特.普通教育学[M].李其龙，译.北京：人民教育出版社，2015：169.

正",这是对杜威的"哥白尼革命"的"再革命"吗?①　还是"后进步教育时代"诸派力量运用赫尔巴特的思想资源对进步教育的一场"拨乱反正"?

赫尔巴特的"兴趣直指一个人内在的和明显表露出来的活动力与积极性的总和"。人的精神活动被称为兴趣,人直接感受到这种兴趣,这是人精神活动的源泉。"相当广泛地开拓这些源泉,使它们变得丰富起来并无阻碍地流动,这是加强人的活力的一种艺术。"他的着眼点是人——人的精神性和人性的培植。他说:

人们要求青少年对学习与认识产生兴趣,仿佛学习是目的,而兴趣是手段。我把这种关系颠倒过来,学习应当为从中产生兴趣服务,学习将过去,而兴趣应在整个一生中保持下来。②

杜威与赫尔巴特在进步教育中被视为新(经验、探究、学生)与旧(学科、教学、教师)之间对立,两者虽有差异,但远不是对立。③　在兴趣议题上,杜威与赫尔巴特的差别在于"事的法则"与"人的法则"之间的区别:

杜威将兴趣定义为"居间性"——客观对象与心智状态的枢纽,兴趣与外在吸引、与有趣、与诱惑之间的边界,杜威虽在论文中反复且烦琐地辨析,但"信徒们"的实践却总忽视甚至无视其区别。杜威及其追随者的哲学是实用主义,实用主义坚持真正的知识乃是科学的知识,进步教育奉行的是事物的法则(law for thing)——向外部世界的积极拓展,心智对客观文化的占用;它没有提供使人可以理解关于善与恶的标准。曾任芝加哥大学的校长、永恒主义教育哲学的主要代表赫钦斯(Hutchins)指出,实用主义与实证主义都是非哲学(unphilosophies),甚至是反哲学的(anti-philosophies)④,甚至批评"一种不讲价值的教育制度与'教育'这个名词是矛盾的"⑤。

赫尔巴特明确提出教育的目的在于培养有美德的人,他所奉行的正是"人的

---

①　赫尔曼·诺尔指出,教育学派在其下几代渐渐地变得僵化起来,丧失了其缔造者所具有的强烈的冲动,埋没在技术和纯粹的陈规俗套之中,这是所有教育学派的命运。

②　〔德〕赫尔巴特.普通教育学[M].李其龙,译.北京:人民教育出版社,2015:171.

③　杜威如何评价赫尔巴特?他认为赫尔巴特为外部塑造的代表,依靠外部的教材,通过内容的种种联系或联结而塑造心灵,教育是通过严格意义上的教学进行,从外部构筑心灵。(民主主义与教育,79)他肯定赫尔巴特的伟大贡献在于使教学工作脱离了陈规陋习和全凭偶然的领域,把教学带进了有意识的方法的范围,使它成为具有特定目的和过程的有意识的事情,而不是一种偶然的灵感和屈从传统的混合物。他也批评这一理论的缺陷在于忽视生物具有许多主动性和特殊的机能,教师得到了其名分应得的荣誉,它夸大了形成和运用方法的可能性,低估了充满活力的、无意识的态度的作用。赫尔巴特考虑了教育中的一切事情,唯独没有考虑教育的本质,没有注意青年具有充满活力的、寻求有效地起作用的机会的能量。

④　〔美〕赫钦斯.民主社会中的教育上的冲突[M].陆有铨,译.台北:桂冠图书股份有限公司,1997:45.

⑤　〔美〕赫钦斯.民主社会中的教育上的冲突[M].陆有铨,译.台北:桂冠图书股份有限公司,1997:19.

法则"——教育的任务，不仅是认识外在的世界，改造世界，更重要的是在我们身上建设一个新的教育的世界，需要不断提升人性，人性的磨砺是一个艰苦磨砺、蜕变的过程，这其后所奉行的是人的法则（law for man）——对人来说，重要的不是他作用于世界的力量，而是他作用于自己的力量，人们认识一个人不但看他做了什么，还要看他克制自己没有去做什么。① 人的法则要求用一种强悍的力量来协调散乱的知识片段，与理性、意志和性格联合起来的努力，这是一个神奇的化合作用。② 赫尔巴特明确指出教育的目的正在于形成性格——即决意做什么与不做什么的坚定性，意志支撑坚定性，坚定性就是性格。③ 一个人的价值不是用他的才智来衡量的，而是用他的意志来衡量的。④

　　侵扰学生的感受，将其束缚起来，不断动摇着青年的心灵，致使其不了解其自身。这样，怎能形成一种性格呢？ 性格是一种内在的坚定性；但假如你们并不使他有可能信赖什么，永远不允许他坚信自己的意志，那么他怎么能扎根于自身之中成长起来呢？⑤

　　他提出"教育性的教学"，教学形成思想内容，而教育则形成性格。支撑他教育性教学有三个因素：智力活动的强度、范围和统一性。首先，在知识能以任何形式影响性格之前，必须有兴趣，通过个人活动去处理事物，并使之在头脑里据为己有，这要求智力活动的强度与深度；其次，智力活动的范围要求不只对特别的事物感兴趣，还要对广泛的事物发生各种各样多方面的兴趣（many-sided interest）；进而，这多方面的兴趣要形成一个紧密的心灵整体（a proportionate many-sided-ness of interest），即智力活动的统一性。

　　他用"精神的呼吸"来做比喻：一方面献身于经验，深入事物的深处，即吸收（absorption）；另一方面是思考（reflection），使被吸收的东西与头脑贮存的东西发生联系，使它与人的心灵联系起来，"吸收与思考，像理智的呼吸动作，两者永远相互交替"。⑥ 在这一呼一吸的精神活动的节奏中，专心地投身外部世界，思考（审思）同化于内在系统，人格的统一不能因为倾心于多种兴趣及其对象而丧失，由此每一种认识并不是对虚构力量的死板的占有，而是我们具有的力量本身。赫尔巴

---

①　〔美〕白璧德.美学与美国大学［M］.张沛，等译.北京：北京大学出版社，2004：37.
②　〔美〕白璧德.美学与美国大学［M］.张沛，等译.北京：北京大学出版社，2004：65.
③　〔德〕赫尔巴特.普通教育学［M］.李其龙，译.北京：人民教育出版社，2015：37.
④　〔英〕博伊德，等.西方教育史［M］.任宝祥，等译.北京：人民教育出版社，1985：336.
⑤　〔德〕赫尔巴特.普通教育学［M］.李其龙，译.北京：人民教育出版社，2015：8.
⑥　〔英〕博伊德，等.西方教育史［M］.任宝祥，等译.北京：人民教育出版社，1985：342.

特甚至把它称为"新的器官"——这是教育所欲培育的心智品质,也是道德性格——借此我们可以获得经验,观察更深刻,感觉更正确,意志更坚定。这样我们心中渐渐地建立起一个世界来——这是赫尔巴特称之为"思想的范围"——在他看来也不只是知识的东西,而是包括感情经验、我们的价值和目的体系的东西。我们并不始终意识到这种业已获得的思想联系,但它作为一种力量在我们身上起着作用,调节着我们的思想、感情和志向,它是精神生活获得并按照其创造世界的一种形态。

我们的一切教育努力都会像音乐那样渐渐轻下来,并没有什么效果留下来,假如我们不在这音乐过后把砖头垒成城墙,以便给性格在明确的思想范围这个坚固城堡中提供一座安全住宅的话。①

由此,兴趣首先是限制。

从纷繁杂乱的涉猎限制到多方面的兴趣上来,以使专心的活动永远不可能脱离正在使各种观念联合起来的审思太远。正是因为人的专心能力太弱,不能在许多地方仓促逗留而有许多成就,所以必须防止草率的逗留,想时而在这里,时而在那里有所作为,这样的分心将使人格黯然失色。②

进而,兴趣不同于欲望,具有耐心的兴趣绝不可能会过分丰富,最丰富的兴趣最易于保持耐心。再次,不要在有趣的事情中忘记了兴趣,兴趣是专心所追随的对象,也是审思所积聚拢的对象。③

通过教学来培养多方面的兴趣④,多方面的兴趣既形成思想的范围,又奠定美德的基础,其后是心灵能力的多方面性与各种能力的和谐发展。同时,他批评地指出分散的兴趣和片面的兴趣,其后是教育实践中两种常见的错误倾向:其一过分强调兴趣的多方面性,在许多事情上都浅尝辄止;其二,突出某一特长,而舍弃能力的和谐发展。亲手从事教学的赫尔巴特独具教育的实践感与常识感,他指出不能为某种特长的培植而牺牲多方面兴趣的均衡发展:

绝不可以在可塑的年龄阶段把儿童偶然突出的表现看作通过教育能更大发挥出来的标志。这种保护畸形者的做法是从宠爱发展到放任的产物,是低级趣味

---

① 〔德〕赫尔巴特.普通教育学[M].李其龙,译.北京:人民教育出版社,2015:174.
② 〔德〕赫尔巴特.普通教育学[M].李其龙,译.北京:人民教育出版社,2015:47.
③ 〔德〕赫尔巴特.普通教育学[M].李其龙,译.北京:人民教育出版社,2015:49-50.
④ 赫尔巴特阐述多方面的兴趣主要包括六种类型:经验的兴趣、同情的兴趣、思辨的兴趣、社会的兴趣、审美的兴趣与宗教的兴趣。

所推崇的。自然，光怪陆离与荒诞无稽的爱好者准会欣赏一群驼背的人与各种残疾人发狂地相互嬉闹，而不愿观看发育良好与匀称的人步调一致地行动。这就好像发生在这样一个社会中，这个社会由那些具有彼此不同的思想方式的人组成，这些人中每一个都以他的个性来炫耀自己，而且没有一个人能理解别人。①

赫尔巴特仔细地辨析了个性与性格的区别，我们应该从道德性格上去认识一个人，而道德性格在于其意志的坚定性。性格比个性更高，儿童即使没有性格，却也会有很明显的个性。在个性与性格之间，教育需要谨慎地平衡，因为多方面性怎能接受道德的严格限制呢？道德的谦恭所具有的庄严质朴怎么能容忍五光十色的多方面兴趣来文饰呢？② 教育中流行的印象主义，完全任由学习者随着自己独特的性情与需要随意地学习，一个极端可能会陷入片面的兴趣，甚至成为片面的人；另一个极端，兴趣的各个方向形形色色地分布开去，它的对象多得使人眼花缭乱，这就有了轻浮者：

轻浮者每时每刻都是另外一种人，至少他每时每刻都染上了别的色彩，因为他本来就根本不是固定的。他热衷于表面印象与幻想，从不把握自己，也从不把握他感兴趣的对象。③

赫尔巴特所勾画的"轻浮者"不局限在偶然的个体上，而是与社会结构、政治制度，乃至教育风尚紧密勾连。进步教育致力于建设一个民主的社会，来自旧大陆的托克维尔对美国的民主有深刻的洞察和担忧，他指出：在民主社会，有一种无知是由于知之过多而造成的：

他们的生活被即兴的力量所支配，他们往往在这种力量的支配下去做他们没有学会的事情，去说他们根本没有理解的话，去从事他们没有经过长期学习的工作。民主国家人们的生活是极为复杂的，同一个人往往同时怀有几个目的，而且各个目的之间经常没有联系。因为他们不能对每个目的都有清晰的认识，所以容易安于一知半解。他们的好奇心既永无止境，又容易得到满足，因为他们所热望的是尽快知道很多东西，而不是深刻地认识这些东西。他们没有时间，而且主要是没有兴趣去深入研究事物。注意力不集中的习惯，应该被视为民主精神的最大缺陷。④

① 〔德〕赫尔巴特.普通教育学[M].李其龙，译.北京：人民教育出版社，2015：59.
② 〔德〕赫尔巴特.普通教育学[M].李其龙，译.北京：人民教育出版社，2015：35.
③ 〔德〕赫尔巴特.普通教育学[M].李其龙，译.北京：人民教育出版社，2015：42.
④ 〔法〕托克维尔.论美国国民主（下）[M].董果良，译.北京：商务印书馆，1997：768.

托克维尔用"身在幸福之中还心神不安"来概括民主时代人的心理特征：在民主时代，享乐的机会更多，爱好享乐的人也特别多；但另一方面，在民主时代，人们的希望和欲望更容易落空，精神更容易激动和不安，忧郁感更为深重。① 赫钦斯则明确地指出：潜伏于美国人性格之中浓厚而持久的忧郁症，必须（至少是部分地）归之于无休止地寻求消遣最终造成的厌倦。②

准确地说，美国的民主社会正是"轻浮的兴趣"的制度土壤，也是进步教育的制度土壤。旨在改造社会的进步教育，何以受限于此呢？

五、余论： 教育的限度

苏联的第一颗人造卫星发射之后，人们对于进步主义所主张的儿童中心产生了深刻的反感，检讨美国姑息儿童的日子太久了，国家变得懦弱无力了。③ 为什么"伊凡"能做到的事情，而富裕、民主且自由下的"汤姆"却做不到？

海军中将里科弗（Hyman George Rickover）细致地分析：伊凡的生活没有那么多有吸引力的东西，没有舒适的家庭游戏室和供玩耍的后院，没有舞会、约会……假如伊凡碰上这些有趣的东西，他们同样会很快乐，就很难再去挑战艰深的课程了。在美国，不用受很多严格的教育，很容易就能生活得很好，汤姆们宁愿选择走向实业成就和乡村俱乐部生活的轻松愉快的道路，而不选择走向科学的艰苦的学术工作道路。④ 哈佛大学校长科南特（J. B. Conant）1956年出版的《知识的堡垒》写道：非常多的美国家庭（甚至高薪家庭）责问校长，为什么约翰必须继续学习对他来说是那么困难的数学？毕竟我们不要他成为一个爱因斯坦！欧洲的孩子们"不管愿意不愿意"，都被强制学习他们不一定喜欢的功课，美国的孩子在幼年时期就已经学会问：为什么我必须那样做？而且要求对这个问题有一个合理的回答。⑤

里科弗写道：

苏联人造卫星发射装置的有力冲击不仅深入到星际空间，它也穿破了包着我

---

① 〔法〕托克维尔.论美国民主（下）[M].董果良，译.北京：商务印书馆,1997：667-670.

② 〔美〕赫钦斯.民主社会中教育上的冲突[M].陆有铨，译.台北：桂冠图书股份有限公司,1997：15.

③ 〔美〕乔治·F.奈勒.教育哲学导论[M]//陈友松.当代西方教育哲学.北京：教育科学出版社,1982：85.

④ 〔美〕里科弗.教育与自由[M]//王承绪，等.西方现代教育论著选.北京：人民教育出版社,2001：187-197.

⑤ 〔美〕科南特.知识的堡垒[M]//王承绪，等.西方现代教育论著选.北京：人民教育出版社,2001：173.

们对美国现在和将来技术优势的自满信念的厚甲。它炸毁了认为只有在个人独立和政治自由的气氛中科学家才能繁荣昌盛的舒适信心，它动摇了长时期来视为当然的认为高标准的物质福利乃是技术进步的外部表征和必要基础的信念。它极大地损害了我们对于美国教育制度的信赖——直到现在我们几乎把美国教育制度和母性一样当作神圣不可侵犯的东西。[①]

在教育与技术、物质的进步之间，在教育与社会、政治的民主之间，教育既非简单、积极的动力机制，也非明确、可靠的结果，而是呈现出复杂、混沌、甚至幽暗的历史图景——其间交织着热望与想象、力量与利益，也呈现出具体且细微的连续与断裂、共识与歧异、甚至悖论……这困惑不仅是杜威的，也是杜威之后的教育学者的困惑，还是当下中国教育的困惑。

其一，教育应该如何开放？进步教育与义务普及教育直接相关。1852 年马萨诸塞州第一个通过州义务教育法，1918 年密西西比州最后一个通过州义务教育立法。[②③] 教育机会的普及带来了教育内容与教育过程中的复杂性，下层社会儿童甚至身心有缺陷的儿童都能进入学校，学校如何尊重众多在智力、背景、家境、兴趣与期望等方面有差异的学生，无论其愿望和天分如何？[④]

（义务教育使）美国教育面临着不得不放宽标准和降低严格要求，强调兴趣、自由、目前需要、个人经验、心理组织和学生主动性的理论，以及随之而来轻蔑甚至谴责它们的对立物——努力、纪律、长远目标、种族经验、逻辑联系和教师主动性——就很自然地投合了人们的心意。[⑤]

贺拉斯·曼基于"天赋人权"提出教育权利：

我相信，存在着一种伟大的、永恒的和不变的自然法则或自然伦理观，这个法则先于人类所有制度而存在，而且不以人的意志为转移。这个神授的原则，在天意方面是清晰可辨的，就如同表现在自然秩序和人种历史方面一样。这个原则表明，给来到世界上的每一个人提供教育机会，乃是人的绝对权利。[⑥]

① 〔美〕里科弗.教育与自由[M]//王承绪，等.西方现代教育论著选.北京：人民教育出版社,2001：187.

② 〔美〕劳伦斯·阿瑟·克雷明.学校的变革[M].单中惠,译.济南：山东教育出版社,2013：114.

③ 以 1870 年为分界线，从 1870 年到 1940 年这 70 年间，人口数只增加了 3 倍，而中学在校生增加了 90 倍，大学生增加了 30 倍。1870 年中学生有 3/4 的人上大学，学生家境好，希望且能升入大学，从事学术职业或者社会精英职业。普及教育的结果，20 世纪 40 年代，3/4 的高中生不再期待接受高等教育，而是直接工作，高中的预备性不再是高等学府的预备，而是为生活做准备。

④ 〔美〕哈佛委员会.哈佛通识教育红皮书[M].李曼丽,译.北京：北京大学出版社,2010：4-5.

⑤ 〔美〕巴格莱.要素主义者的纲领[M]//王承绪，等.西方现代教育论著选.北京：人民教育出版社,2001：155.

⑥ 〔美〕约翰·布鲁贝克.教育问题史[M].单中惠,等译.济南：山东教育出版社,2012：565.

民主思想家们梦寐以求的义务教育法落地生根时怎么会变成被称为"黑板丛林"的秩序混乱、无法无天的城市学校？民主教育的实验家们躬行的尊重儿童，却如何在活力与混乱、天性与人性之间平衡？

民主制度应该发现并为有天赋的学生提供机会，还是应该照顾每一个学生，提高学生的平均水平？美国的教育制度中存在这两种相互矛盾的力量，分别被称为杰斐逊主义与杰克逊主义（The Jeffersonian and the Jacksonian）：《独立宣言》的撰写者杰斐逊没有幻想儿童的天资才能是相同的，他认为学校要有筛选制度，强调教育需要资格，方可培育出有才能者，教育机会的内涵应被视为优秀者的保育员。美国向西部开疆拓土中，平等主义达到了顶峰，其时的社会心理乐观地相信经济政治领域是平等的，人们的心理天赋方面也是相同的，第一位来自开拓地区的美国总统杰克逊认为没有必要设置教育的资格条件，强调教育是每个人的权利，教育机会应被视为是平等的卫兵。这两股力量既相互对立，也相互纠正补充。前一股力量主导下学校常是严格的中产阶级标准，会使约一半的高中生感到失望和痛苦；而后一种力量则易放任一种平淡乏味的平等主义，不能发现和促进有能力的年轻人的成长。①

不讲资格，仅强调权利的平等主义常导致教育中劣币驱逐良币的"格雷欣法则"，坚持人人享受成功，让过去不能、不会呆在学校的人也能在学校中有所成功。他们相信，一种真正的民主教育必须通过排除障碍使教育机会均等，因此，手工训练、商业训练、保健类课程和家政学替代了传统课程，普通数学代替了代数与几何，讨论课代替了作文和文学，美国工作和政府研究代替了传统的历史课。② 附带学习的理论被提高到至高无上的地位，活动运动流行，甚至活动代替系统的学习，把活动本身当作自足的目的，而不问通过活动能学到什么东西；似乎学校只要为学习者提供大量的"丰富的经验"，别的问题将会奇迹地自己处理好。③

美国的教育理论很久以来，已经把"训练"这个词从它的词汇中摒弃了。今天最有影响的发言人正主张未成年的初学者有选择自己需要学习什么的权利，他们谴责一切学习作业由教师所强加是权威主义，他们不承认系统和连贯地掌握各门课程的任何价值，他们宽容初学者拒绝从事于不投合他兴趣的作业，他们为采取

---

① 〔美〕哈佛委员会.哈佛通识教育红皮书［M］.李曼丽，译.北京：北京大学出版社，2010：20-26.

② 〔美〕哈佛委员会.哈佛通识教育红皮书［M］.李曼丽，译.北京：北京大学出版社，2010：7.

③ 〔美〕巴格莱.要素主义者的纲领［M］//王承绪，等.西方现代教育论著选.北京：人民教育出版社，2001：156-157.

最容易的方法和付出最低限度的努力大开门路。他们诋毁服从是怯弱的标志。这一切他们都是用"民主"和"自由"这些迷惑人的名称来鼓吹的。①

其二，教育如何促进社会进步？进步思想家们对其时盛行的心理学充满着想象，好像有点石成金的魔力！"教育能通过改善儿童个人的性格来建设美好的社会"——这奇妙的心理学对爱默生（Ralph Waldo Emerson）及其同时代的教育改革家具有极大的魅力！贺拉斯·曼着力把学校变成建设美国这个共和国的火车头，教育被视为实现美国希望的工具，"进步教育"成为更宽泛的社会和政治改革计划的重要组成部分，实业家和工会坚决主张学校要承担传统学徒训练的职责，社会服务者和城市改造者主张卫生学、家政学、手工艺的教学，农民新闻工作者迫切要求一种新的农村生活训练，以便给年轻的农民一种快乐感和前景感。学校被期待如同大力神阿特拉斯（Atlas）一样背负天地，无所不包，成功的学校领导，被希望能够用完美的技巧同时照顾到工人受伤害的自尊心、富人经济上的活力、穷人的地位抱负以及文化人在文盲大众的冲击面前的羞怯防卫。②

杜威在其教育信条中，确信教育是社会改革的基本方法。学校自成一个雏形社会，以此为中心，改善大社会，使它更有价值、更可爱、更和谐。然而，教育理论成为政治理论，教育家就会卷入社会改革之中。准确地说，进步教育把教育看作是政治的附属物。③

当家庭、街区、车间这些传统上具有教育功能的场所不再起作用时，学校如同这些教化教养、职业培训的遗产继承人，学校被视为社区的服务站，以学校为中心来改造社会以使社会"更可爱""更和谐"，却不可避免地让学校落入"混乱的教育计划"之中：社会存在许许多多转瞬即逝的需要，许许多多教育制度无法有效地妥善处理的需要④⑤，在服务社会的同时如何避免成为各种"压力集团"实现其欲望的工具呢？

康茨（George Counts）的宣言《学校敢于建立一种新的社会秩序吗》，学校能

---

① 〔美〕巴格莱.要素主义者的纲领[M]//王承绪，等.西方现代教育论著选.北京：人民教育出版社，2001：161.

② 〔美〕劳伦斯·阿瑟·克雷明.学校的变革[M].单中惠，译.济南：山东教育出版社，2013：11.

③ 〔美〕劳伦斯·阿瑟·克雷明.学校的变革[M].单中惠，译.济南：山东教育出版社，2013：105-106，78-79.

④ 〔美〕赫钦斯.民主社会中教育上的冲突[M].陆有铨，译.台北：桂冠图书股份有限公司，1997：26.

⑤ 直接需要berthat学校像过时的废家具的堆积场，社会问题不断变化，它教会的一代人去解决那些已经不再存在的问题，并教育另一代人去解决学生们离开学校以后可能就不存在的那些问题。在肤浅、碎片且无效的服务中失去教育最基本的职责：共同人性的塑造。

成为社会改造的杠杆吗？进步教育从气宇轩昂、飘在云端的社会改造论，迅速蜕变为谨小慎微、趴在地上的社会适应说。赫钦斯指出，把教育看作是社会改造的工具，既不明智，也是危险的。① 一方面，教育如果沦为社会各种利益集团博弈争斗的战场，在高度服务社会需要的同时，教育变成各种社会问题、社会矛盾的"垃圾场"，以斯宾塞对"什么知识最有价值"的提问为典范，功利主义知识终结了教育的价值，是为教育无能论；另一方面，教育如果变成各种观念的试验场，将教育视为克服所有社会弊端的"万应灵药"，是为教育万能论。绝对的平等主义者迷信潜力的同时，不再正视教育的限度。适应论者没有认识到教育的可能性，而改造论者没有恰当地尊重教育的局限性。

赫钦斯批判现代社会有两个迷思：所有的问题都能够通过生产来解决，通过教育来解决，遗憾的是，这两个伟大的信条再一次显示出是错误的观念，我们同样看到，生产能加剧贫困，教育能够助长愚昧。②

进步教育的逻辑使他们陷入一种离奇的自相矛盾的境地：一方面他们提倡真实的生活情景，另一方面，他们又热望各种宽容与自由——已经超出实际生活的严峻、紧张所能容许的限度。将改造的理想与教育的实验放在新人的培养上，但新人的塑造来自严格的训练，而不是放任的结果，是进入社会谨慎磨砺中担当，而不是虚妄的想象。在现实的生活与应然的生活之间，教育如何坚持内在的限度，既避免为利益所绑架，又避免为妄想所迷惑，这并非易事。

赫钦斯富有深意地写道：

当柏拉图计划他的理想国时，他并没有提出着手透过教育来实现它，而是提出透过教育来使理想国永存不朽。他的乌托邦（utopia）是透过奇迹来实现的，而对于这种奇迹究竟能否实现，他是正当地加以怀疑的。③

---

① 〔美〕赫钦斯.民主社会中教育上的冲突[M].陆有铨，译.台北：桂冠图书股份有限公司，1997：45.
② 〔美〕赫钦斯.民主社会中教育上的冲突[M].陆有铨，译.台北：桂冠图书股份有限公司，1997：15，38.
③ 〔美〕赫钦斯.民主社会中教育上的冲突[M].陆有铨，译.台北：桂冠图书股份有限公司，1997：42.

第九章

品格如何培植？ 北大附中"书院制"的探索[①]

刘周岩

当下的中国教育处于以下张力中：高度功利主义的现实和对创新人才培养的迫切需求。在这一背景下，2010 年起北大附中进行的新一轮教育改革尤其具有广泛的参考意义。这也是对其自身传统的接续：新时代中，一所以探索基础教育革新为使命而创建的中学如何承担起引领而非迎合社会的教育价值。

在这场改革中，学生在校期间的"学业"与"生活"均发生巨大变化。本章探讨这一改革案例中涉及学生生活的方面，聚焦取代了传统班级制度的书院制，从书院设置、学长传承、学生自治、活动赛事、师生关系等方面展开，讨论其制度逻辑、实践情况与可能隐患。尽管面临诸多挑战，北大附中的教育实践体现出对学生品格培植的真诚努力，这既是"创新"，也是对教育本质与常识的回归。

一、 问题背景

只有可以陶冶品格的教育才是真正完全的教育。这一层近来很少人了解，连教育家自己都不大理会。[②]

这是潘光旦 1940 年对中国教育提出的警醒。让学生通过群体生活的锻炼，辨识自我与他人的"通性"和"个性"、确立"明"与"恕"的行为标准、培植个人修养，最终成为"以独则足，以群则和"之人，这本是学校教育的主要责任。至于其他的许多内容，如"一般知识的灌输、技能的训练、职业的准备、专家的造就"，在潘光

———————

① 致谢：本文为合作的产物，北京大学教育学院副院长刘云杉教授提供了全面的帮助，北京大学教育学院博士研究生王利利做了大量必要的前期工作，北京大学附属中学的老师、同学们慷慨地分享了他们在学校生活中的体验和思考，在此一并表示感谢。

② 潘乃和，等.潘光旦文集（第五卷）[M].北京：北京大学出版社，1997：365.

旦看来，"都是末节，都是边际，有时还不大着边际"①。

近八十年过去，如今的许多学校里却仍发生着这样的咄咄怪事：虽然"育人为本，德育为先"一类的标语被贴在最醒目的位置，实际的教育实践却整个颠倒了过来。对于学业成绩，做最高标准的要求，倘如数学考60分，一定是"不努力不上进"；对于品格，则只做底线的要求，只要遵纪守法即可，至于是否具备了认识与控制自我的能力、是否善于与他人共事，许多学校不甚关心，要么把责任推脱给家庭教育，要么口头强调而无切实有效的教育行为的保障。这其中也有较为真诚而让学生大读圣贤书的——寄希望于仅靠这种格竹七日般的方式就可以获得品格上的发展。不少教育者掩耳盗铃，忽视了"知易行难"这一基本教育常识。杜威早有提醒："只要学和做分离，智力和道德的分离就必定不可避免地在我们的学校中继续下去。"②

在今日中国，更有直面困境，勇敢探索的教育家及其办学实践。其中一所，就显示出强烈的品格教育色彩，其培养目标主要是关于各类品格的描述：

"本校致力于培养：个性鲜明、充满自信、敢于负责，具有思想力、领导力、创新力的杰出公民。他们无论身在何处，都能热忱服务社会，并在其中表现出对自然的尊重和对他人的关爱。"③

行比知更难，没有停留于纸面，这所学校正在尝试通过一系列变革，使这些目标转化为学生日常经历的教育活动。这便是今日中国基础教育改革最引人瞩目的案例之一——北京大学附属中学。

改革及其背景

2010年，北大附中启动了新一轮教育改革，其力度与涉及的层面在附中历史上也是突出的，被称作是"自我革命"般的变化。按照校长王铮的概括，改革的主导思想是为了进一步深化北大附中教育的特质：学生的自主发展。

由课程改革出发，北大附中对各类课程进行模块化建设，并利用社会资源使之极大丰富化，允许学生在满足学分制毕业要求的情况下充分自由地选择课程，实行相当彻底的选课走班。一系列深刻的变化相应发生：学校的组织架构变了，因为学生不再被按照"班级"为单位进行统一管理，书院制度应运而生；校内的人际关系变了，教师不再"包产到户"地负责一个学生三年，学生则"流动"了起来，学

① 潘乃和，等.潘光旦文集(第五卷)[M].北京：北京大学出版社,1997：231.
② 〔美〕约翰·杜威.杜威全集·早期著作(第5卷)[M].上海：华东师范大学出版社,2010：41-62.
③ 北大附中[EB/OL].http://www.pkuschool.edu.cn/

生每学段面对不同的教师、每堂课面对不同的选课同学，师生关系、生生关系都产生深刻变化；学校的管理与评估体系变了，基于信息化手段，评价从单一考试到形成性评估为主，评价的作用从判断走向诊断；校园的空间变了，因为学生日常活动范围的扩大、时间安排上的灵活性，空间不再是沉闷的、封闭的……一位家长讲述访校感受："我发现在北大附中，一个学生可以自在地走到任意地方去，这所学校里没有什么地方是不属于他的。"午后阳光下的公共区域里，一位同学和校园里的一只小猫依偎在一起睡着的场景，让她决定送儿子来这里上学。

学校内部所发生的结构性的整体变革，却并不容易为外界所认知，更不容易得到社会舆论的认同，一点"水面以上的冰山"般的表象已经引起舆论的称奇：例如来访者看到课间时学生们匆匆掏出手机查看课表，抱起电脑奔往下一个教室；校园内一家独立媒体决定为同学们撰写一篇实用的文章，题目定为《北大附中最适合情侣拍照的地方》。许多传统教育视如大敌的"禁忌"，在这里不过是寻常。

虽然这所学校也被冠以"京城名校""海淀六强"一类的标签，但它的异质性在当今功利主义盛行的中国基础教育界如此明显，更像是一块进步教育（progressive education）的"飞地"。

这些剧烈的变化发生在此时、此地都不是偶然的。首先是新世纪开始的国家课程改革与对创新人才培养的急迫需求，如何办人民满意的教育？学校如何不被功利主义的考试所绑架，做教育真正应该做的事情？"高中三年不能只做高考一件事"——这是王铮校长最质朴的动机，这也接续 2018 年的全教会的精神：真正以学生为本，为人的终身发展奠定可靠的基础。

近十余年来，美国和世界各地，也涌现出一批"新教育学校"，这些学校意图重组学校模式，强调个性化学习、项目制学习、学生的社会情感培养（social emotional learning）等，它们是对已经迫在眉睫并将产生颠覆性变化的"未来"的回应。杜威的名言在今日尤为紧迫："以昨日之法教我们今天的孩子，将使他们失去明天。"

理念与愿景如何落地生根？我们需要仔细考察变革发生的土壤：自成立之初就有着与众不同背景的北大附中——它是一所大学创办的中学。1960 年，北京大学按照"附属小学、附属中学、大学、研究生院"的"四级火箭"人才培养思路改组成立北大附中，抽调 40 余位北京大学各院系的优秀青年教师作为创校骨干教师，时任北京大学副教务长的尹企卓出任首任校长。由大学教师直接担任创校教师的中学在世界范围内亦属罕见，探索与高等教育的内在密切联系，教学教育的实验性,对北大教育精神的自觉体悟与践行成为这所学校的生命基因。近六十年来,北大附中承担或自主开展了一系列重要的教育实验项目,尽管结果各不相同,作为中国最重要的一所肩负学术、教育创新使命的大学为实验目的而设立的附属学校,教育创新一直是它的精神和使命。蔡元培校长确立的"思想自由、兼容并包"的原则,以及鲁迅先生"北大是常为新的"的期许,在学校已成为其自觉追求的内在要求。限于现实条件,无论在附中还是北大,这两句话自然并非总是对客观现状的描述,却始终是常存在于人们心底的追求,这是变革得以发生的观念基础。

这一轮改革的主要发动者,北大附中现任校长王铮是北大附中 1982 届校友、北京大学物理学系 1986 届校友,长期在北大附中工作,自 1994 年起任北大附中副校长,北京大学、北大附中的教育传统是其重要思想资源。2002—2009 年调任深圳中学校长,王铮在深圳中学引人注目的改革,既激励着他,也挑战着他:平地起楼容易,在这"高水位"的北大附中,一所精英中学,如何自我变革?从形式上看,学校教育活动的变化是巨大的;但从教育的本质来看,探索的内在精神仍是北大附中自主、自由的校风一以贯之的延续,不过是在新的时期、新的情境下,带有教育家浓厚个人色彩的更鲜明表达。

书院制度

传统赋予了北大附中"自由"的内核。不过以"自由"之名进行的教育,也产生了对北大附中改革的一个常见质疑,即这是一种强调"个人主义"的教育。品格的培养只有在集体中才能实现,真正的自由也不仅是个人的自由。对自由的过分强调,是否会反噬北大附中的品格教育追求?

潘光旦对品格教育有三点告诫:

集体主义失诸不明,个人主义失诸不恕,而浪漫主义失诸不知裁制。①

打破了传统教育过分压抑自我的集体主义后,北大附中的教育是否又会滑向肤浅的个人主义与浪漫主义?自主选课是否会以差异性替代了共同性的培植,走班制是否会变为"集体之外"的成长?这是北大附中的教育者要回答的关键问题。

附中对这一系列挑战给出的回应是学校的"书院制",它是取消传统班级后作为替代出现的"新集体"。在学校的诸多变化中,书院制是一个特色和枢纽,成为重塑学生"共同生活"进而实现品格教育的核心制度安排,对学生在校期间内心秩序的建立影响尤为深远。

---

① 潘乃和,等.潘光旦文集(第五卷)[M].北京:北京大学出版社,1997:373.

《普通高中课程方案》指出,学校应探索行政班与教学班并存的管理制度,为选择性课程走班实施提供保障条件。但书院制并非课改的必然结果,有的课改走在前列的学校仍在尽力保持行政班、教学班的统一,只是学生在上部分选修课时才出现二者的分离。北大附中是有意地使行政班、教学班彻底脱钩,"行政班"在北大附中高中部已经完全不存在。

北大附中的教育者认为高中教育应当把学生从班级中"松绑",其根本原因在于学生发展阶段的变化。校长王铮如此解释:

我们的教育很大的特点就是,从横向看,千篇一律;从纵向看,模式化,一成不变。小学一年级和高三没什么差别,都是四五十人一个班……一个班主任把所有的事都管起来。其实在这个过程中,学生是一个发展变化的人,他的能力,他的交往方式,他的自主性,都应该发展,你全把它局限在班里,他发展不了了……所以,不同的教育阶段,应该有层次性,有成长性。[①]

而适应高中教育"成长性""层次性"的产物,在附中表现为书院制。通过扩大学生交往规模、学生自治等,学校尝试塑造一种"新集体"。书院制的发展大致分为两个阶段。

(1)过渡期(2010—2014年)

2010年改革之初,"书院"的名称还未被使用,横向的行政班被取消后,整个高中部的学生被组织为六个跨年级的"单元",简单地命名为"一单元"至"六单元",它们分属于四个学院。四个学院开设不同类型的课程,行知学院开设国家课程,下辖一至四单元,参加理科高考的同学进入一至三单元,参加文科高考的同学进入四单元;元培学院开设荣誉课程,下辖五单元,学生为理科高考及竞赛方向;博雅学院主要开设通识与人文类课程,下辖六单元,学生为校本部出国方向,道尔顿学院借鉴道尔顿教育计划(Dalton Plan),开设外语及中外比较课程,学生为国际部同学,后组建为七单元。单元制下,学生的学业集体与生活集体还未分离,每个单元由一位资深教师出任单元长,例如六单元的首任单元长由校长王铮兼任。尽管处于过渡阶段,但单元制在诸多方面已经具备了今日书院制的关键要素,例如班级的瓦解、学生的自治管理、年级隔离的打破等。

(2)成熟期(2014年至今)

原本属于某学院的单元与学院脱离关系,成为独立的书院,7个单元扩展为8

---

① 余慧娟."我没想像大学,只是希望它别像小学"——访北大附中校长王铮[J].人民教育,2013(7):40.

个书院。4 个学院和 8 个书院成为平行的两大结构,互相脱钩。制度架构至此清晰:学院仅由教师构成,负责提供课程;书院仅由学生构成,是他们在学业以外的日常生活的共同体。书院长(单元长)也被取消,仅由成长与实践体验中心的专职指导教师提供事务性支持。四大学院的课程开设分工也进一步明确,学生可在不同学院间通选课程。

8 个书院从中国典籍中取名:格物、致知、诚意、正心、明德、至善、新民、熙敬,但与中国古代传统文化的实质性关系较弱,"书院"这个词本身的选用也有一定偶然性[①],相比于中国古代书院,北大附中书院制更重要的思想来源是英国的传统学院制及西方中学普遍采用的 House 制度。

相比之下,北大附中四个学院的命名渊源更深,"行知"是为致敬教育家、杜威的学生陶行知先生,元培、博雅二词提示了这所学校是北京大学的一部分,又双关地体现出对拔尖创新人才培养(北京大学的"元培计划"实验项目)与通识教育(Liberal Arts Education)的关注。兴起于 20 世纪初进步教育勃兴时期、强调学生自主的道尔顿教育计划,更是附中整体教育改革、校风传统的重要思想资源与"知音",该计划在 20 世纪 80 年代的中文译者是曾任北大附中校长、北京大学教授的赵钰琳,可见渊源之深、认同之强。

短短数年,变化的历史已颇显复杂,这表明书院制既是预先设计的,也是逐渐生成的,是在教育改革的过程中面对各种挑战顽强"长"出来的。书院"生长"的特征,表明它并非仅是一个精致的蓝图移植到学校的"理念产物",在试错、修正中,抽象、空洞的观念和制度一步步变成具体的实践,逐渐成形。"先做出来试试"是附中改革的口头禅,体现出的是教育者的创新者气质,也是这所学校希望培育学生的最重要的品质。

以"教育需要稳定"进行批评是容易的,政策与制度的快速迭代(夸张的形容则是"朝令夕改")给学生造成的困扰也是真实的,但其中并非没有教育的价值。直面"不确定性",求新求变成为一种主动塑造的精神气质,附中的改革历程也在为学生于生命成长的关键期——15、16 岁刻意注入这样的精神基因。书院的历史也并不仅仅是学校的教育改革家们的顶层设计的"重演",书院内部还有自己的探索历程,是一代代学生卷入其中完成的自我实验,得到的"成果"也不只是日臻完善的书院制度,而是"常为新""敢担当"的"书院人"。

---

① 刘周岩.内部访谈.

框架搭好之后，这一套制度逻辑如何发挥作用？ 普通学生在其中将走过怎样的心灵成长历程？ 知易行难，品格究竟是如何培植的？ "新集体"的教育相比于"旧集体"，其优劣何在？ 这是本章尝试探讨的问题。正因为北大附中的教育制度，学生的"生活"在这里得以被一定程度上独立于"学业"问题来探讨，不过这自然也意味着某种隐患。

相信什么

1938 年，杜威在《经验与教育》中总结当时已进行 20 余年的进步主义教育实践，提出了如下告诫：

> 新教育的道路并不是一条比老路容易走的道路，相反，新教育的道路是一条更艰辛和更困难的道路。新教育的未来最大的危险是由于人们认为新教育是一条容易走的道路。[1]

1957 年，随着《进步教育》的停刊和苏联卫星上天重挫美国教育界两个标志性事件，进步主义教育运动宣告"失败"。获胜的一方，"传统"教育主导着为我们今日所熟悉的学校：秩序、努力、学科教育、成人权威。

北大附中的改革措施，与进步教育和杜威思想产生强烈的共鸣。"以学生成长为中心""从做中学""教育即生活"均是贯穿性的原则，学生每天踏入校门，未必会觉得是来"上学"的，但一定是来"生活"的，那些选择、犯错、思考、迷惘，在这里不被看作是浪费时间，而是得到鼓励，并被视作教育发生的核心部分。"自主发展"的自我宣称更使人联想起杜威在《明日之学校》的开篇对卢梭的引用：教育不是从外部强加给儿童和年轻人的某些东西，而是人类天赋能力的生长，从卢梭那时以来的教育改革家们所强调的种种主张，都源于这个概念。

有百年前进步教育的"覆辙"在先与现实的高压在上，为何还有如此无畏的尝试？

因为这是一个信念问题。只要教育指向未来，对新教育的各种探索不断，对旧教育的挑战就不会停止。教育改革者们相信，教育从根本上不该是"从外而内"的过程，而是"从内而外"。他们的理论基础可被称之为"内发说"。

教育理论的历史上"教育内发说"与"教育外铄说"两种观念对立：前者认为教育以自然禀赋为基础，后者认为教育是克服自然的倾向，通过外力强制而获得习惯的过程。要素主义教育理论家巴格莱指出：两种对立的理论很明显地贯穿

---

① 〔美〕杜威.我们怎样思维・经验与教育[M].姜文闵，译.北京：人民教育出版社，1991：305.

在漫长的教育史中,可用相反的概念概括出成对的对立物,把这两种教育理论加以对照,例如个人与社会、自由与纪律、兴趣与努力、游戏与工作、目前需要与长远目标、个人经验与种族经验、心理组织与逻辑组织、学生主动性与教师主动性。[①]

教育的历史犹如钟摆,在内发与外铄两种观念的纠缠间来回摇摆。这从根本上不是一个可以用史实、数据进行说服的问题,而是关于一个人究竟"相信什么"。只要得到机会——不只是指微观环境的条件,也是指"未来"的到来可能造成的对人的全新要求,内发说一派的教育家们总要做一次尝试。因为他们相信,学生无论在学习上的主动性还是共同生活中的优良品性,都已经内在于他们身心之中,种子已经具备,需要的无非是一个合适的土壤使之开花结果。

二、 步入"共同生活"

告别过去:新秩序的前奏

"我的第一学段就是每一个北大附中人经历的那样啊,很普通。有时感到迷茫,有时是好奇。经常在做事情的时候手忙脚乱、不知所措之类的。"[②]

初入北大附中的新生,无论此前对附中的改革是否有了解和心理准备,都会经历一番生活上的"冲击"与心理上的"涤荡"。这些14、15岁,生长于"传统"中国教育制度的孩子,面临的是一个他们此前从未经历过的陌生世界:大量的自由时间,在"学业"与"活动"中不断地做出选择,没有人强迫他们做什么或不做什么,一切需要根据自己的目标做出安排与规划。那个"听老师话就能拿到小红花"的世界不复存在了,他们犹如游戏中不慎拿到"清空"牌的玩家,辛苦积攒的为数不多的生活经验被一夜清零,必须"白手起家"。

秩序的打破是全方位的。例如一位打算以理科竞赛为主要目标的同学,为自己如何平衡各科学业而苦恼:

"附中的制度我一开始特别不能接受,就还是时间安排的问题,相比较初中,所有时间都被安排好的那种制度来说,现在时间安排上有了许多冲突,我就感觉

---

① 刘云杉.兴趣的限度:基于杜威困惑的讨论[J].华东师范大学学报:教育科学版,2019(2):8.
② 王艺霖,等.北大附中高一第一学段[EB/OL].[2019-01-21].https://mp.weixin.qq.com/s/J—vQ91I—E4i0AhcTuvZZ—w

不能找到自己的方向,有种手足无措的感觉……"①

因为取消了班级制,生活交往上也有巨大变化:

"W 初中有一个很好的朋友,她们座位挨着,天天一起吃饭、回家,形影不离,干什么都在一起。但是来了北大附中,她发现没有人陪她了。"②

"迷茫",是多数北大附中学生对自己入学第一个学段总结的关键词。纵观学生的三年在校时光,学生内心秩序的形塑是一个"打破—重建"的过程。如同费正清将近代以来西方文明对中国的影响总结为"冲击—回应"模式,外力强制性地打破了原本稳固的平静,这种冲击过于强烈以至于没有人可以视而不见。有些抱着"天下苦秦久矣"心态的学生为改变的到来欢呼雀跃,教育改革如同"机械降神"一般将他们从应试教育的苦海中解救;可是一旦进入学校生活的日常状态,他们渴望的仍然是有序且有意义的、有成效的学习生活,过多选择与自由给他们带来无序、焦虑,在无所事事与碎片般忙碌间摇摆,有人甚至怀疑这不过是以"进步"为名义的闹剧。如何让纷繁的事件之间建立联系与意义,对这些 14、15 岁的孩子是极大的挑战。但所有人都清楚的是,这趟冒险一经开始就无法按下暂停键,当一切结束时,你终将被它改变。

走班选课、大量的自由时间……因为这样复杂乃至于带有混乱意味的境地对绝大多数的初中毕业生们的震荡过于剧烈,始终有家长和老师、学生等批评附中的改革是否"过激"了,有没有可能采取一种循序渐进的方式进行。但学校始终坚持,一方面受限于时间,一个要参加高考的学生只能在"改革的北大附中""自由探索"度过两年——学校从应试模式中抢夺出来的时光;出国也不过三年,他们必须在一个相对短的时间内迅速完成转变,只此一个时间窗口,"蜕变"的机遇稍纵即逝,没有时间可以犹豫。另一方面,他们认为这样的内心"重组"正是教育发生的关键一环,这一剂猛药是非下不可的。王铮说:"一个孩子,他碰到的困惑越多,他自己要去解决的问题就越多,成长得也就越快。"③

"乱""折腾"是许多学生、家长谈到附中改革给他们带来的感受,但附中的教育改革家们从未将这些词看作是只有负面意义,例如在谈到学生自我组织、自我

---

① 王艺霖,等.北大附中高一第一学段[EB/OL].[2019-01-21].https://mp.weixin.qq.com/s/J—vQ91I—E4i0AhcTuvZZ—w

② 王艺霖,等.北大附中高一第一学段[EB/OL].[2019-01-21].https://mp.weixin.qq.com/s/J—vQ91I—E4i0AhcTuvZZ—w

③ 余慧娟."我没想像大学,只是希望它别像小学"——访北大附中校长王铮[J].人民教育,2013(7):40.

管理进行活动时：

记者：那不是挺混乱的吗？

王铮："就要经常给他们制造一些混乱的东西，让他们自己去选择，他们就会去想，我到底要干什么，我到底是个什么样的人。"

又如临时调整选课系统，让学生、老师不得不在过年期间重新操作，北大附中教育集团研发总监刘慈航解释：

"但是我偏偏折腾着选择了这么一个最傻的做法，让老师和同学们一起商量，根据每个人真正的愿望和需求，试图最合理地计算并分配这个学校有限的资源，并将这个过程作为整个教育活动的一部分……导致每个人需要学会表达和争取自己需要的东西，规划自己的学习生活，从主观上来看，也许这就是折腾……但是这是我选择相信的东西。"①

可想而知，这些举措都面临着压力，因为它们让学生更为劳神和焦虑，也让家长产生更多质疑，还让教师增加更多的工作量与不确定。不少新教育学校通常被认为是讨好学生的，竭力让学生和家长满意，从这个意义上，北大附中从不讨好自己的"服务对象"，常做一些"费力未必讨好"，甚至是"虐"的事情，这正是它和一些打着类似教育理念旗号的教育产品和服务提供商的区别。它用特有的方式教育学生，也在选择家长，引导社会。

学校并非将学生放置在荒原之中任其自生自灭，而是发出了一份勇敢者的邀请函。这是它对学生品格要求的重要一步：精神逐渐强悍，并从自主探索开始。学校引导学生重新安顿自己的身心——他们要参与其中，在跌跌撞撞中蹒跚学步。北大附中的学生要做的第一步，从选择书院开始，这是他们在强调"选择"的北大附中做出的第一个重大选择。

选择书院：一种新集体

"橘子和苹果有什么不同？"

"如果你能够从人类的历史中抹去一项发明，会是哪项？会导致怎样的后果？请打开你的脑洞，不要局限你的思维，同时详细、全面解释你的选择。"

"一群陌生的人在一个无纸无笔不能说话的环境中，你会怎样融入这个

---

① 刘慈航.我为啥要在除夕前"折腾"你选课[EB/OL].[2019-02-01].https://mp.weixin.qq.com/s/MeHxy9oEcxY4DTg81ADINg

集体？"①

如果你想进入至善书院，需要回答这些试题。至善书院自治会主席、2020届学生刘同学解释，他们希望录取一些思维活跃、愿意融入集体的新同学。

没有了行政班，每一位学生都要进入八大书院之一，作为日常学业之外的生活组织单位。书院并非随机分配，而是双向选择。这是新生们进入附中的第一项工作，而且将影响未来三年的生活，他们颇为严肃地进行这项工作，充满神圣性。同时，整个活动又处处充满着孩子气——一切都是同学们自己组织进行的，学校制定基本规则后便不进行干涉，试题和流程时常天马行空，从书院招新制度建立之初就如此。一位校友的回忆：

2013年8月，刚入学的2016届新生要选单元（注：书院前身），我和另外两位同样是那年刚毕业的同学组织六单元的招新，这大概是书院自主招新制度的初次实验。记得我们三个和当时负责六单元的时任单元长纪科、前任单元长孙玉磊还有铮哥（注：校长王铮）一起开了个会，他们没有对流程作出任何具体要求，只留下一句话：这事就交给你们负责了！我们给30多名有意加入六单元的同学设计了连续数天的十余项活动：单独面试、群体面试、集体观影、各类分组活动……每位同学需要回答的试题长达十多页，上面还煞有介事地标明"中英文作答皆可"。现在回想起来，好多地方都傻乎乎的，却尽了自己最大的心力。其实也根本不算"选拔"，因为当时的名额是富余的，最终自愿报名加入六单元的同学全部被录取了。这次活动，更是对我们双方的一次教育。②

现在，书院招新虽然制度化且更为规范，但实验性中仍有少年特有的严肃、认真与幼稚。每个书院都会提前成立一个招新项目组，主持招新事宜，由书院内的高年级学生组成，向新生宣传书院、答疑解惑，组织选拔。新生可以填报两个志愿，书院根据报名人数和招新试题回答情况进行录取。

相比于班级，北大附中的八个书院寄托着许多新的期望。它们被视作八个独立的生命体，彼此之间相互平等。它们有类似的人数，平等地参与学校各项事务，与学生的来路（是否为北大子弟、初中是否在附中、中考成绩）等无关，与学生去向无关，例如在至善书院，本部出国、本部高考、国际部学生各占三分之一。学生们被赋予完全根据自己的个性与意愿进行选择的权利。每个书院都被期待构建起各自的文化，有自己的旗帜、徽章、代表色、特色活动以及有点模糊却又真实存在

①　刘周岩.内部访谈.

②　刘周岩.内部访谈.

的"气质",这些都会被一届届学生传递下去。

图 9-1　教学西楼一层的书院墙，带有八大书院书院盾并简要说明了附中书院制的发展

例如"活泼欢乐"的至善书院，至善书院自治会主席刘同学有意地塑造着这样的书院气氛：

"书院这边没法帮大家学习，只能帮大家放松（笑）。我觉得这个思想没毛病啊，学习、开课，那都是学院负责的事，我们就是举办更多活动、给大家服务，这多好，何乐而不为，两全其美！"①

又比如"追求卓越"的明德书院，因其前身是聚集了理科竞赛学生的五单元，直至今天也有众多对理科感兴趣的学生，以及北大附中初中部衔接班的同学偏好这个书院，会刻意营造学业上"卓越"的气氛。有同学戏称，明德书院的招新试题要求是"回答请限制在 500 字以内"，至善书院则是"回答请限制在 50 字之内"，这就能看出这两个书院的气质不同。这些都没有"好""坏"之分，只是风格的不同，又如格物书院，近年来的主题是"温暖"。

新生们要根据自己的感受作出选择：喜欢哪个书院宣传片的风格、特色活动，与哪个书院的学长学姐打交道最舒服，以及同学之间口耳相传的书院口碑，等等。他们必须思考的是，我想从高中生活中得到什么？

书院招新也并不是简单的"正反馈"式地汇聚越来越多同质的人，例如致知书

---

① 刘周岩.内部访谈.

院招新试题的第一道："请用五个词形容你的暑假生活"。评分标准中，凡出现游戏相关名词的，都会被扣分。致知书院内喜欢打游戏的同学比较多，书院内部反思后"痛定思痛"决定要有意减少游戏爱好者的比例。

当一名北大附中新生选定书院后，他/她便拥有了一百余名的书院同学，这是其开展社交的基础，也拥有了自己的身份："某届某书院同学"。他们进入了一个通过自主选择而产生的新集体。

集体构成的新基础

班级授课制最早由夸美纽斯提出，在他的"泛智学校"中，班级教学有以下特征：结合的原则是年龄而非兴趣；每个学生有固定的位置，在其中与外界的喧闹隔绝；团体学习及同伴督促等。而如何将一个班级建设成一个既能温暖人的心灵又能鼓舞人的意志的集体，一直都是学校教育，尤其是道德教育的重要内容，也是新中国教育的宝贵传统。①

但北大附中着力构建自己所认为的更合理的集体基础。

首先是规模的扩大，学生不再被局限在四五十人的班级中，而是以一百多人的书院为基础，进而整个高中部一千余人都成为可能的社交范围。王铮解释：

以前的学生交往能力是很差的。一般的学生，在自己的班级，他很自如，跟在自己家一样，你要他到另外一个班去办点事，他都很难进那个教室。单元制（注：书院制前身），就是给他们一个大的社会群体。②

随着孩子年龄的增长，学习方式以及交往方式都发生了变化，到了高中看起来更像一个小社会，学生的交往不受班级的限制，学生的学习可以由自己选择，学生的生活是在一个学校的范围里面，而不是在一个班级的范围里面。所以我们更希望进了高中之后他是一个学校人，不是一个班级人。③

除此之外，北大附中的教育改革家们看到了班级制的如下缺陷：构成的基础是被动的，毫无个性，这种方式从管理上是高效的，但并不能实现学生参与建设的主体性，是某种临时性的组合。学生是随机分配进入的，班与班之间面目模糊、没有差别。唯一能够塑造所谓班级"风格"的是班主任，这在强调"学生中心"的北大附中显然也不会是解决之道，因为学生在其中仍然是被动的。而且学生一旦毕业

---

① 刘云杉. 自由的限度：再认识教育的正当性[J]. 北京大学教育评论，2016，14(2)：27-62.

② 余慧娟."我没想像大学，只是希望它别像小学"——访北大附中校长王铮[J]. 人民教育，2013(7)：40.

③ 王铮. 谈北大附中教改：打破行政班之后，我们怎么做？[EB/OL]. (2017-05-03)[2019-02-01]. http://www.sohu.com/a/137883315_177272

则清零,王铮认为:

> 以前我们也有很多的班级是做得不错的,比如学校的优秀班集体,市区的优秀班集体,我们也做过这样的评比。但这个班毕业之后就不存在了,好的东西不能传承下来。单元(书院)就不一样了。不同年级间始终有互相的传承,是可以积累的。①

原有的班级制度又常有"三六九等"的划分,例如根据入学成绩好坏分为"实验班""普通班",甚至单列出来"后门班""体育生班"。从这个意义上,班级内部又拒绝多元。

书院并不仅仅是新课程实施中行政班与教学班脱离后一种权宜性的替代方案,背后是对"人"的理解的不同,尝试体现出对学生更平等、更尊重其个性与自主选择的教育理念。

但制度设计的美好愿景与学生身处其中的内心感受不会完全重合,喜欢书院制或怀念班级制的都有。学生们有着自己的思考:

> 书院相对于原来的班级,一方面好像是这个班级在扩大,扩大成一个书院,这对有些人来说可能孤独感增加了,但另一方面来讲,它也在缩小,最后会成为有那么几个同学的一个小团体。②

另一位同学的看法:

> 如果相处时间够长的话,我会更喜欢书院制度。圈子够大,认识的人更多,还有高一高二两个年级的交流。圈子不固定是件挺好的事,初中我们都遇到过打架、排挤这类事情,现在就不太会,以前看到大家冷落某几个人时,也挺难过的。③

但无论喜欢与否,他们都对自身身处的这场实验及其用意有着相当充分的认识:

> "进入社会后,没有很多人是你认识的,所以你必须要走出自己的舒适区,更勇敢地和大家 say hi,所以在高中我们就已经被提前演习,这也会便于自己在社会上的融入速度更快。"④

专属空间

在校园的空间设计上,北大附中也走在探索的前列,力图实现结构与功能的统一。拥有书院身份后,学生同时拥有的是一个真实的物理空间,这是学校在改

---

① 王铮. 内部讲话.

② 泥湾儿邦 的六个人[EB/OL]. (2017-09-05)[2019-02-01]. https://mp. weixin. qq. com/s/sCOVXw0iYUpM5mLRGT8t1Q

③ 泥湾儿邦 的六个人[EB/OL]. (2017-09-05)[2019-02-01]. https://mp. weixin. qq. com/s/sCOVXw0iYUpM5mLRGT8t1Q

④ 余颖函,等. BDFZ六年旅行团——从初中到高中[EB/OL]. (2018-07-02)[2019-02-01]. https://mp. weixin. A8L4d7nEj4CJw

革之初花了大力气对教学西楼进行装修改造创造出的属于学生的活动空间。例如，同学们对诚意书院活动室的记述，这些是他们自己装修设计的成果：

因为诚意书院的主题颜色是绿色，所以一走进诚意书院活动室就能看见许多绿色元素，墙上有绿色蝴蝶和蒲公英图案，一个由几个六边形组成的"3"闪耀着金属的光泽，证明着这里是北京大学附属中学高中部曾经第三单元的聚集地。几张白色的拇指课桌摆在 3 的下面。有两张桌子摆在靠北的两面，形成一个 L 的形状……

图 9-2　以绿色为主题色的诚意书院活动室内场景

行政班已经不存在，各教室只是专业教室，仅用作上课，自习则可到图书馆，同学们的日常休息就在活动室开展，这是他们在"流动学习"的校园里的固定空间场域，形成着自己的生态：

"我现在在书院活动室吃饭的时候，其他人有一些在打游戏吧，打自己的游戏，我觉得挺好的，有的人在聊天，工作，然后那边在学习，在写作业，有人在看视频，我觉得这其实是一个挺好的氛围，还有人在睡觉，我觉得挺好的。"回答完我们的采访，他走回原来的位置，将手机还给了我们，回到那个绿白相间的桌子处，吃起了他的泡面。①

---

① 张骋，等. 诚意书活生态调查[EB/OL]. (2018-07-13)[2019-02-01]. https://mp. weixin. qq. com/s/tvTumzVEtBaaiHLYcZlAQQ

身体的位置得到了初步的安顿,接下来需要的是心灵的安顿。

以大带小:带有责任感的朋辈师友

TOP1 守候的白衣天使

北大附中最温暖最独特的存在了。

学长团。

喜欢每一瓶被悄悄灌满的水,

喜欢每一句早安和晚安。

喜欢各种迷彩服中独一无二的白色,

喜欢每天的查寝和每一句嘱咐。

喜欢每一个在需要的时候出现的身影,

喜欢礼堂后面的点点光芒。

的确是白衣天使,的确。

但请你不要飞走啊。①

这是校内媒体对新生们做的问卷调查,大家对军训中印象最深刻的五件事。学长团毫无争议地位列第一。因为团服是白色的,学长团成员被称作"白衣天使"。在新生入学教育中,学长团成功地担负起"朋辈师友"的职责——亦师亦友的优秀学长。

一名新生进入附中,无论是自感如同惶惑地漂浮在大海之上,或是饶有兴味地看着这一出出活剧在眼前上映,他们会发现,首先出场的不是老师,而是学长和学姐们。

军训是新生入学的第一个集体活动,早于入学教育的一周,在其中陪伴他们的正是学长团成员。学长团的性质属于社团,在校内中心社团、注册社团、自发社团三类中属于由学校设立和管理的中心社团,是跨书院的组织,由高年级的优秀同学组成,其职责是为学弟学妹们提供帮助。

学长团致学弟学妹的一封信:

在军训基地我们当过保安团、保姆团、清洁工、灭虫大队和送水车夫。虽然很累,但我们心中是幸福的……进入高中,我们就离独立更近了一步,也许自己还没有意识到,但它就是来了。在高中会更频繁地面对各种问题,我相信大家已经做

---

① 一场调查|我们的北大附中——TOP5[EB/OL]. (2017-11-04)[2019-02-01]. https://mp. weixin. qq. com/s/Tjd7Q7I_yrhQ−NB3Xuq−nQ

好了准备,请记住,学长团永远都在,是你们最强大的后援团![1]

图 9-3 第九届学长团成员在女神像前的合影

除了军训外,学长团也参与到在校生方方面面的生活中。例如举办话题为"如何在北大附中平衡学业与活动"的沙龙、接受倾诉的"解忧杂货店"、高考分享会、心智训练营助教等。

学长团的自我介绍高度概括了宗旨:"北大附中学长团,一个阳光、正面、亲密的同辈群体,本着纯粹的爱,为学弟学妹提供适时适度的帮助。"这是一个严格选拔的荣誉性组织,对绩点等均有要求,内部的格言则是"除了优秀,你别无选择"。从成立之初,学长团就自定规矩:学长团成员不能和学弟学妹谈恋爱,以确保加入者的动机无瑕,并被严格遵守至今。曾有确实和学弟学妹产生感情的,只得选择退出学长团。

这自然使人想到陶行知的"小先生制"。"小"者何以为"先生"?

"生是生活,先过那一种生活的便是那一种生活的先生,后过那一种生活的便是那一种生活的后生,学生便是学过生活的人,先生的职务是教人过生活。小孩子先过了这种生活,又肯教导前辈和同辈的人去过同样的生活,就是一名名实相

---

① 北大附中学长团.送给学弟学妹们的祝福[EB/OL].(2017-09-04)[2019-02-01]. https://mp. weix-in. qq. com/s/2ROfCR8daNOIatLdCphxog

符的小先生了。"①

"小先生制"背后,是"生活教育"的观念,相信"到处是生活,到处是教育",更相信小孩子的本领无可怀疑,他们同样可以做"先生"。这同是北大附中教育改革的基调。所以密切的跨年级交往成为北大附中的特色并非偶然,改革之初学长团即宣告成立,这一制度在改革历史中有着"元老"地位,宣告其核心意义。而学长团又只是一种表现形式,学校内部有着多维度的跨年级交往。

混龄制学校

校内存在着各类要求没有这么严苛、参与程度更为广泛的学长组织,例如各书院内部的群众性更强的制度 BBS(Big Brothers and Sisters)。这一制度由正心书院与致知书院联合首创,每位新生会在军训、入学教育及开学前两周中找到属于自己的高二同学。在高一整一年里,"BBS"都会辅导学习上的问题,聊天、参谋,成为稳固的朋友。每个书院 BBS 制度的名称不同,有的书院称为 JS(Junior and Senior),有的书院称为 FG(Family Group),但出发点和宗旨一样。

北大附中的教育家们公开地宣称,附中在一定意义上可以被称作是一所混龄制学校。②

"二一分段"是北大附中年级结构的特点,其目的在于"高中前两年做教育该做的事,高三一年专注备战高考"。在"二"也就是高中部(高三被单独称作预科部)之内,除了学科课程通常还是按照年级选修,学校的一切活动都不刻意区分年级,无论是各类学生组织如书院、社团,或是活动如各类赛事,均为跨年级进行,混龄交往得以自然发生。值得注意的是,这同样并非课改的必然结果,在其他一些被当作教育改革样本的学校,仍存在着年级作为"独立王国"的现象。

混龄交往的益处对新同学显而易见。一位新同学的叙述中,"天使"学长(学姐)对低落时的自己起了重要作用:

"最近其实很不开心呢……也许是还没有找到好朋友,也许是很累很烦,也许是变差变衰讨厌自己各种难过……好在事情出现转机……当然也有这些从头到尾都没有离我远去过的傻傻的天使。"③

在一切都显得陌生的高中环境里,家长已鞭长莫及,同年级同学和自己一样

---

① 方明.陶行知教育名篇[M].北京:教育科学出版社,2005:217.
② 徐丹.在 2018 北大基础教育论坛上的讲话.
③ 北大附中学长团."聊完学长团之后"[EB/OL].(2018-10-28)[2019-02-01].https://mp.weixin.qq.com/s/BEb973LrnnTBAXNJ3NVlkg

困惑，老师们还显得有些距离感，学长学姐们伸出的援手给他们的心灵以最初的定锚。不仅让他们获得了入校之后人际交往的"原始积累"，也在未来的学习生活中有了可以效仿、参照甚至求助的具体的"BBS"。

当然，也有另一种解释，Big Black Society——有同辈就不愁没有江湖，有江湖就有老大、有小弟，有代代沿传的规则，有潜移默化的风气，这是他们的青春成长史。

责任感

事实上，混龄制对高年级同学的教育意义可能更大，助人更是助己。如一位参加学长团的学生，在同学笔下的变化：

"一年前那个看人苛刻，有一些妄自菲薄的自己，在和学长团的每一个人相处的过程中渐渐地走了……就像她提笔为解忧信箱里面投放的信件解忧的时候，也慢慢地，治愈了自己。"①

今天的年轻人如何构造自己的人际关系？他们看似被"众星捧月"，不缺父母的关爱，亦有志同道合的友谊，让人心跳加速的爱情，但似乎总还少点什么。一位同学从多年好友写给自己的信中发现了那缺失一环的奥秘，信中如此写道：

"不管是否出于必要，我想，你已然是我一定要按时分享生活中各种问题或莫名之事的人。或许有一天分享会成为对彼此的叨扰，但我当然想要拥抱这些，一如过去的人必须负起对兄弟姐妹的责任。"②

"责任"，这是与普通友谊进行区分的关键。在强调权利与自我的风尚中，"责任"如何落实？"责任"一定是负担吗？以兴趣志向为基础的友情并不要求"责任"，和时则聚，异时则散。兄弟姐妹般的情谊，也就是带有责任感的同辈关系，是这些多为独生子女、成长于高度竞争性环境的少年们人生里真正缺失的一环，许多的孤独、迷惘都和这一层缺失有关。这位收到信的同学通过历久弥新的友谊到达此种关系，是幸运的极少数，学校教育中的跨年级交往提供了制度性的保障。学长学姐与学弟学妹们间的情感，实质并非在于获得多少具体的指导或帮助，其核心即在于体验并收获此种"责任感"。如果一个朋友每天打游戏，或许不必和这位不上进的同学做朋友了，但如果是一位学弟学妹打游戏，则学长负有责任去帮助他、与他共克难关。"体验教育"，会在人心中留下久久的印痕，这是关于爱、温

---

① 李雅琪，等. 学长团的故事[EB/OL]. [2019-01-27]. https://mp. weixin. qq. com/s/HsXGcVfyr2Dj6Flu R8uf1g

② 刘周岩. 内部访谈.

暖、责任的印痕。出于天然的情感,受助者会把这种行动与情感传承下去。例如学长团成员回忆自己为何来到此处:

"一年前的今天我暗自发誓,一定要将附中的关爱传递下去。穿上白衣的那一刻,我更加坚定这份信念。"

"那是我忘掉整个世界都忘不掉的时光。"①

此种教育设计的结果可从侧面得到印证:北大附中的改革中几乎每一项措施都引起争议,唯独学长制度,受到学生、家长、教师的一致认可。

当一位新生经历了最初的"破碎",会在选择书院的过程中确立自己的位置,在学长学姐的引导下抚平惶恐,拥有人际关系的最初纽带。此时,一幅"共同生活"的图景正向他/她展开。这段冒险正式开始第二季,他/她要在书院的共同生活之中,重构自我与他人的关系,最终诞生的,是一个全新的自我。

三、 在"共同生活"之中

书院自治与校内舆论场:民主政治演练

当学生们以书院制度组织起来的时候,马上面临:谁来管理书院事务,如何管理?

北大附中的选择是让学生自治,各书院内部通过民主协商的方式,产生学生自治机构。原有的学生会在改革之初即被撤销,代之以各书院自治会,这些自治会彼此独立,可以制定各自的章程。教师基本不参与书院治理过程,成长与实践体验中心设有"书院指导教师"的职位,但仅提供咨询性帮助,必要时进行校内事务协调,不存在对特定书院的负责教师。但一切行为都要符合北大附中的《行为规范》,教师在必要时也会介入。

从形式上看,学生们的自治已经有模有样。例如格物书院对自治会的说明:

主席是自治会的领军者,带领各个部门处理书院内部的相关事宜,同时负有相关责任,并且是连接书院与学校的一座重要桥梁;副主席协助主席及其他自治会成员的工作;议事会负责人负责安排组织书院人员开展议事会,组织成员们针对书院有关事宜进行讨论;宣传负责人负责书院赛事、活动等的各项宣传工作;另

---

① 北大附中学长团. 有些话,我们想对你说[EB/OL]. (2018-03-20)[2019-02-01]. https://mp.weix-in.qq.com/s/GMHCuSCEANMfCN3NwGwv2A

外还有卫生负责人、书院文化建设负责人、财务负责人、后勤负责人和宣传负责人，它们所负责的工作内容也都顾名思义。各个部门相互配合、协调，维持书院的正常运转，进行书院建设。[①]

每个书院繁重的事务，从书院活动室、财产的管理，各类活动及重大事项例如招新、换届的组织，竟靠着这些学生们自我管理完成了，而且形成了规章制度和各自的特色。当然，这样的民主"过家家"中，也无时无刻不发生着许多趣事。例如在明德书院自治会的一次换届选举上，没有人愿意竞选生活部长，当届自治会主席当场任命一位同学为下届自治会生活部长，理由是她以前在初中时是班级里的生活委员，该同学坚决不当，即刻辞职，主席拒绝了她的辞职请求，双方相持不下，换届选举在争吵中不了了之地收场。某书院为了解决老大难的书院活动室卫生问题，曾制定过长达十余页的"值日制度成文法"，一度被称为自治会法典之最。

陶行知先生于1919年发表了《学生自治问题之研究》，这篇文章也是在北大附中校内不断被教师、同学引述的文本。陶行知在文章中提出学生自治的需要有三点：

今日的学生，就是将来的公民……共和国所需要的公民，是要他们有共同自治的能力；

当今平民主义的潮流，来势至为猛烈，受过他的影响的人，都想将一切的束缚尽行解脱。这固然有他的好处；不过也有他的危险……非学校中提倡自治，不足以除自乱的病源；

从学习的原则看起来，事怎样做，就须怎样学。譬如游泳要在水里游，学游泳，就须在水里学。若不下水，只管在岸上读游泳的书籍，做游泳的动作，纵然学了一世，到了下水的时候，还是要沉下去的。[②]

为日后的自治而培养公民，为避免自乱而预防学生变为暴民，此种知识又只能"从做中学"，故需要在学校中"练习自治"。附中的学生自治的制度设计也向着这两个方向努力：带有某种游戏性质的实验，尽量让学生获得实践的经验。从他治到自治，是一种重要的民主锻炼。

论及学生民主实验，通常未必给人以好的印象，倒像是过早地开启了潘多拉魔盒。纪录片《请为我投票》中的小学生班长选举，因家长的参与而变为贿选闹

---

① 刘彤羽，等. 格物自治会的这两年[EB/OL].（2018-07-13）[2019-02-01]. https://mp. weixin. qq. com/s/9ICb97GgYkieAJoUHkAj4g

② 陶行知. 中国教育改造[M]. 北京：商务印书馆，2014：23.

剧,某大学的教师撰文称学生会为"大学最阴暗的一角",奉劝学生不要参与这类校园政治,否则是"浪费美好的青春,得到的是堕落、世故、少年老成、不学无术"[①]。但这些实验所以"失败"的原因,则在于它们是假"自治"而真"他治",成为家长、官僚系统的提线木偶,于是迅速"堕落"。

在北大附中的民主政治实验场里,学校在尽力让渡权力,同时提供一些辅导,以期如此能抵消一些负面因素,培养出所期待的"具有思想力、领导力、创新力的杰出公民"。

博弈中的引导

学生们对自治有着充分的意识,他们很在意自己的"联邦"与"中央"的关系,如正心书院自治会主席杨同学对自己的认识:

"学校和书院的关系,不应当是上级和下级,他们怎么说我们就怎么做。学校有要求,书院也有自己的情况,而主席的责任就是平衡,要把他们拧成一股绳,劲往一处使。"[②]

至善书院的自治会主席刘同学则对与学校的数次"斗争"感到骄傲:

学校要求一年一换自治会,我们就是一年两换,我们觉得通过半年的任期如果有同学表现不好他是应该被换掉的,学校找我谈了得有七、八次了,让我们取消这个制度,我一直咬住没放,因为我觉得这个制度应该给更多人机会……因为会考需求,需要给楼道装监控,学校就想顺带把书活(指书院活动室)的监控也装了,但我们就说不想装,因为我们觉得书活是给大家创造一个休息的环境,应该建立在相对隐私的基础上,从上一届自治会开始抗争到现在两三年,反正现在还没装……

在"无伤大雅"的非原则性问题上,学校负责书院事务的成长与实践体验中心通常都不会强迫书院,老师们在一些问题上会表明自己的立场,但仍颇有耐心地和各自治会进行着"拉锯战"。显然,这是教育过程的一部分。

又如北大附中一个经年累月的问题:书院活动室内能否打游戏?从北大附中改革之初设立单元活动室,聚众打牌、打电脑游戏的现象就存在,受到一部分同学、教师的强烈抗议,除了影响他人外,还有人认为"书院活动室的玻璃都是透明

---

① 陈伟.学生会:大学最阴暗的一角[EB/OL].(2014-03-19)[2019-02-01].https://mp.weixin.qq.com/s/JOBQUZG0BxQ-9WDiiAqehg

② 冯嘉隆,等.鸣鹿大泥湾[EB/OL].(2018-07-04)[2019-02-01].https://mp.weixin.qq.com/s/gHg0rxB_RWgauvQ8ggPAKg

的,许多来访者参观北大附中看到的第一个场景,就是活动室里的学生七扭八歪躺在沙发上,大声叫嚷着打游戏,影响极坏"。校方的指导意见是不宜聚众打游戏,但并未以强硬手段介入,"一劳永逸"地"解决"问题,在原则上视其为书院内部事务,任一届又一届的学生们为这个问题争吵了近十年之久。例如致知书院,最近一次在反对聚众打游戏的自治会主席和打游戏的同学发生冲突之后:

主席和打游戏的人从晚上10点吵到凌晨1点,话题也从"为什么议事会上没有说过聚众打游戏会封书活",变到了"在书活打游戏的底线是什么",又转到"劝架的J同学有没有发言权",最后在无数人的"我困了,明天再说"中草草结束。"感觉他们吵了一晚上,也没吵出个啥。只是打游戏的打得更有理,主席也整治地更有理。"①

这一次争吵之后,致知书院自治会煞有介事地将此后一学段开始施行的规则细化为"书院活动室内禁止打FPS和MOBA游戏"。FPS是指第一人称射击游戏(First Person Shooting Game),MOBA是指多人在线战术竞技游戏(Multiplayer Online Battle Arena),这实际是在禁止会造成聚众及大声喧哗的大部分游戏,而放过其他自己可以安静玩的游戏,算是一种折中。

正是在充分的实践中,同学们开始体会这些道理:共同生活必须容忍、妥协,规则的制定是必要的,但凡是有规则的地方便有钻规则空子的人,他们开始认识到人生百态。北大附中的教育者们认为,共同生活的知识是无法从书本上得到的,只有让大家在真实的矛盾与冲突中去体悟。"以群则和",在群体生活中,他们真实地体验着老校长胡适的告诫:容忍比自由更重要。

在水中学游泳

那些"浪费时间"的消耗,从管理和规范学生行为的角度讲当然是低效的,每每有人看到原本学校一声令下就可以"解决"的问题,任一届届学生耗费光阴吵了一年又一年,常"痛心疾首"地感叹:"这些事情可以以后再做啊!"——高中生们此时则应当坐在教室里,"高效"地开展学习才对。

但显然这不会成为说服北大附中的改革家们的理由。因为在他们的理解中,教育并不只是要高效地让学生做好某种准备,而是让他们在当下就开展生活,正如杜威所谓"教育是生活的过程,而不是将来生活的预备":

我认为现在教育上许多方面的失败,是由于它忽视了把学校作为社会生活的

① 肖冰,等. 网吧书活［EB/OL］.（2018-07-15）［2019-02-01］. https://mp. weixin. qq. com/s/XC0ydvZ0—YpEqE0Jm4DlA

一种形式这个基本原则。现代教育把学校当作一个传授某些知识，学习某些课业，或养成某些习惯的场所。这些东西的价值被认为多半要取决于遥远的将来；儿童所以必须做这些事情，是为了他将来要做某些别的事情；而这些事情只是预备而已。结果是，它们并不成为儿童的生活经验的一部分，因而并不真正具有教育作用。①

高中阶段，学生心智已经相对成熟，他们在这里，重要的是认识自己，认识自己的所长所短，他们将在这里，发现自己的志趣与热爱，寻找自己的友伴，结社、自治；他们在这里，还要敢于犯错误，在错误中学习，探索自己做事的风格，形成自己做人的准则，这时间窗又如此之短暂，甚至带有某种急迫性。如陶行知所说：

若在学校里不注意练习，将来到了社会当中，切磋无人，辅导无人，有了错处，只管向那错路上走，小而害己，大而害国。这都是因为做学生的时候，没有练习自治所致的。所以学生自治如果举行，可以收现在之益；纵小有失败，正可以免将来更大的失败。②

民主的技艺

不仅书院自治，整个校园正是一个民主生活的实验场。学校不仅有"公共说理"等人文项目，同时还有多元、便捷的校内舆论平台：北大附中的学生、教师使用 Office 365 进行日常工作管理，其中的 Yammer 社区是一个内部论坛，作用类似于以往的"贴吧"，不过是实名制的，而且有部分教师积极参与到各类辩论中来。同时校内还存在数家由学生自发组织的"校园媒体"。在这些相对正规化、公开化的舆论平台上，同学们在遵守国家法律法规和一般道德规范的前提下，可以对校内事务进行相当自由的评论与批评，例如对高考成绩下滑的担忧、学校政策的"朝令夕改"、对不稳定的选课系统和技术平台的抱怨等。

开展这样的实验对学校提出了极高的挑战。因为自治不等于放任，如何引导同样重要。毫无引导的"自治"失控的著名寓言是《蝇王》：故事发生于设想中的第三次世界大战，一群六岁至十二岁的儿童因飞机失事被困在一座荒岛上，起先尚能和睦相处，后来由于恶的本性膨胀起来，发生悲剧性的互相残杀的结果。

《蝇王》仅是寓言，但对教育实验的分寸需要谨慎地把握。例如 Yammer 平台上最热闹的南门开放时间问题，成为一个集中表现。北大附中的管理相对宽松，

---

① 〔美〕约翰·杜威.我的教育信条[M]//华东师范大学教育系，杭州大学教育系，编译.现代西方资产阶级教育思想流派论著选.北京：人民教育出版社，1980：6.

② 陶行知.中国教育改造[M].北京：商务印书馆，2014：27.

学生根据自己每天的选课和活动安排，并不需要在全部的上学时间出现在学校里，但是南门仍有开放时间限制，学生对此意见较大，希望放宽出入限制。在应对这一"民主诉求"时，校内不同相关部门已然出现不同态度和应对策略——贸然迎合学生请求，不仅不可持续，而且这使得民主实验成为纯粹的过家家，丧失真实意义；而不予理睬，则打击学生积极性，使更多人成为消极分子。怎样在这一锅"民主粥"里面放入合适配比的调料、控制火候，是北大附中的教育者们小心平衡的技艺。

民主教育的过程中，学校也做着努力，通过公民说理课程、模拟法庭等项目的建设，将公共演讲、辩论、法制等民主知识提供给学生。例如模拟法庭项目由海淀区法院、海淀区检察院、北京大学法学院三方提供专业支持，以学生们日常生活里的议题为案例。不过这些"技艺"有多少能够影响"人心"？公共生活归根结底应是伦理教育。陶行知在《学生自治问题之研究》中将学生自治视作自动主义在德育的体现，杜威也认为：

我认为道德教育集中在把学校作为一种社会生活的方式这个概念上，最好的和最深刻的道德训练，恰恰是人们在工作和思想的统一中跟别人发生适当的关系而得来的。[①]

认识自己

这样的教育最终的结果，也绝非将所有人都培养成公共生活中的"活跃分子"，有的人恰恰因此不再"活跃"，却也有其价值。从他治到自治，整齐划一变为众生百态，每一位同学也有机会更好地认识着自己，民主游戏给了大家充分的机会"试错"，发现着自己在公共生活里的位置。可以成为"领袖"，但也需明白背后使人"心累"的责任，亦可成为"旁观者"，并自愿付出旁观的代价。

例如一位曾负责自治会的同学自述其经历：

那是改革之初，单元的第一届自治会，我竞选的动机十分简单，认为优秀的学生便要承担职务。后来却明白了我不适合做"领袖"，日常的琐事、利益平衡以及身份带来的束缚令我痛苦。许多实际的问题也无从解决，我体会到的是鲁迅先生在《呐喊·自序》中的描述："见过辛亥革命，见过二次革命，见过袁世凯称帝，张勋复辟，看来看去，就看得怀疑起来，于是失望，颓唐得很了。"因为还算能够团结同学，升入高二时让我连任主席的支持者还有不少，我却坚辞不就，"躲进小楼成

---

① 〔美〕约翰·杜威.学校与社会·明日之学校［M］.赵祥麟，等译.北京：人民教育出版社，2005：7.

一统",学习、和朋友玩、捣鼓自己的爱好,内心安定许多。我认清了,在政治生活里适合我的角色是"群众",我可以以其他方式贡献社会。到了大学,我没有参加任何学生组织,节省出许多时间专心于自己的兴趣,我感谢北大附中的教育让我提前认识到这一点。①

就是在这有宏大也有琐碎、有喜悦也有失望且无比真实的民主生活演习中,学生们开始对自己、对公共生活、对人性有所认识,并在其中明白至少要尊重的一些底线。他们被抛入这样一个实验场,被期待着锻炼出真正的民主精神以及适应民主社会的品格。

四大赛事:合作中的历练

以往学校里的"哭",几乎都是为个人的,北大附中的学生有许多为集体而哭的机会。

开心的哭:

开始几秒钟全场很安静,大家都没有反应过来,小 A 感到鼻子一酸,掉下眼泪,虽然不敢相信进球的事实,但眼泪从脸颊流下的瞬间,内心已经激动到崩裂。之后全场开始尖叫沸腾……②

伤心的哭:

这是我自初中以来第一次哭,哭得还那么伤心。我看到他的脸,那种失望、自责,然而击溃我最后一道防线的是那种遗憾……无法接受高中最大的遗憾……如果那时我拦住了他,我截住了直塞,哪怕我干扰了球路,我们就赢了!……为什么要给那么多人留下如此大的遗憾,这不公平啊!倾盆的泪水中,不理性侵蚀了我,我只想回到开始前,拯救这场比赛。③

除了学习和恋爱,北大附中学生最放肆的笑与最悲伤的哭,几乎都和集体活动有关。这是因为投入了大量的时间、心血以及和伙伴之间的情感,不再是简单的"玩玩",或是学习之余可有可无的换换脑子。这些情感体验,对少年们的内心冲击极大。

---

① 刘周岩.内部访谈.

② 周昱霖,等.情绪崩裂的瞬间(终篇)[EB/OL].(2019-01-29)[2019-02-01]. https://mp. weixin. qq. com/s/bWYM6X1K5jVt—I1huikChQ

③ 何昕阳,等.情绪崩裂的瞬间(一)[EB/OL].(2019-01-23)[2019-02-01]. https://mp. weixin. qq. com/s/SOI_wCwrghAf0D3xnFEDlQ

认真的"玩耍"

本尼迪特·安德森(Benedict Richard O'Gorman Anderson)将民族定义为一种"想象的政治共同体"，即使是有着血缘、地域、文化的成百上千年纽带的民族，其作为共同体的基础也不得不在相当大的程度上通过诸种媒介进行"想象"。相比之下，存续仅数年、完全人为建构的"书院"，更是一种彻底的基于想象的共同体。仅靠其中的政治生活，虽然可以培育初步的公民意识，但并不足够提供"集体"的锻炼。在北大附中，这种集体教育被寄托在与学业并行的"活动"之上，在共事之中，人的品性得到锻炼。

在附中，四个以书院为单位、带有竞争性质的赛事最为重要：足球赛、篮球赛、戏剧节、舞蹈节。戏剧节和舞蹈节由每个书院展演一个剧目，进行评奖，足球赛和篮球赛则由每个书院为单位，分别派出男、女两队，进行锦标赛。这四项赛事分布在一学年的四个学段之中，秋季学期为篮球赛和戏剧节，春季学期为足球赛和舞蹈节。这四大赛事构成了最大的公共事件，圈定了校内的时间结构。

改革之初，学校即取消了艺术和体育特长生的招生，但目的正在于将艺、体教育普及化，让每一位同学都有充分参与的机会。经过数年的发展，这四大赛事无论从组织形式还是学生水准均已达到了相当高的水准。在没有任何一名队员是体育特长生的情况下，由各书院足球队优秀队员组成的北大附中校队获得北京市高中足球联赛冠军。而戏剧节、舞蹈节的展演节目达到的水准往往使观众惊叹，难以相信这是"普通同学"们的创作。

传统学校中，美育与体育常被挤到"边角旮旯"，多数同学缺席，少数特长生做"仪式性展示"，"四大赛事"绝非校运动会、新年文艺会演等的简单替换，而是居于北大附中教育实践的中心。学校以大力气提供了如下诸多制度层面保障：(1)在空间上的保障。占地仅70亩的校园内有五个功能各异的剧场——黑匣子剧场、南楼小剧场、下沉剧场、致蕙礼堂、中庭露天舞台，以及设施齐全的欣健体育馆。(2)在时间上的保障。学校规定除课堂时间之外，各学科教师一律不得占用学生其他时间(留作业等软性方式除外)，曾有教师在改革初期依照先例组织学生集体进行课外"统练"，被校领导严厉批评并在薪资上予以处罚。(3)在辅导上的保障。利用社会资源，邀请北京体育大学、北京舞蹈学院、中央戏剧学院的青年教师担任各书院赛事指导教师，以课程方式协助学生在一学段的时间内进行准备。(4)在仪式上的保障。戏剧节等会组织全校性的观剧、评选，并举办盛大的颁奖典礼，网红"Papi酱"曾担任附中戏剧节指导老师，球星马布里作为名誉教练参与篮球赛并命名了"马布里队",男足国家队队员们为足球赛录制了祝福视频,这些都是为了激起同学们参与活动的兴趣,鼓励他们把这些"玩"的事情以一种认真的心态对待。

指向德育的体育美育

北大附中把"活动"——尤其是集体性的活动提高到如此重要的位置,有如此严肃的态度,因为这在事实上是一种重要的德育措施。德智体美四维中,四大赛事看似是体、美教育,实则是指向德育。

蔡元培校长曾提出"健全人格,首在体育",体育活动对"人格"的形塑已是不必赘述的共识,集体的艺术活动有着同样的功效。同学们投注的心力与获得的品性磨砺,最好的说明是他们自己的讲述,以下是一些第六届戏剧节的幕后故事:

徐佳欣(正心书院):第一个困难就是关于选剧本的时候……第二就是角色方面的。我们剧将很多角色的性别和性格做了替换,这些很大程度上提升了这部剧实施的难度……其实她们最开始都是很拒绝,我们沟通了很多,包括导演组、老师、同学之间都沟通了多次,虽然有时候也会争吵,但都是为了这个剧能够更好地呈现。

图9-4　第八届书院戏剧节熙敬书院剧目《Fragile》演出现场

曹祎凝(致知书院):另外还有由于我们的剧要将犀牛这个比较难以表现的动物呈现出来,也进行了多次头脑风暴,最终决定用抽象的箱子来表现出犀牛的角色。在剧中吊箱子的场景，我们的舞美组、道具组都煞费苦心，思考如何才能美观结实的吊好箱子，大家进行了多次商讨与尝试。

张莫凝（新民书院）：最大的争执应该是在时间安排上。因为老师、演员、舞美、灯光、音效的时间都需要协调……最感动的时刻应该是开演之前场灯一关掉的刹那，感觉脸都烫了，特别激动。觉得大家付出了那么久，那些喜怒哀乐都马上要证明它们的意义了，所以特别感动，有一种梦想成真的感觉。①

四大赛事最主要的特征是团体项目，要求的是合作。足球、篮球是最为普及的集体运动，戏剧、舞蹈则也是有意挑选的团体活动，且大家通常都无过多基础，进入门槛相似。相比之下，传统学校教育中常进行的音乐活动则稍显欠缺，或是要求专业基础如管乐团，或是容易"滥竽充数"如合唱比赛。赛事活动与传统的学科学习形成了显著的区别：学习伙伴之间不再是原子化的竞争，而是"有福同享、有难同当"，共同经历荣誉、挫败。责任感、合作精神正是在其中培养，这是学科教育不易实现的。一定程度上，赛事活动是有情感投入的、强任务取向的项目制学习，这也是传统学校教育一贯缺失的环节。

附中目前的书院，更似一个活动的群体，一个"共事"的聚合，学生们因事而来，所以这四大赛事构成了书院制的支柱。四大赛事并非是简单的"减负""对外名片"，或是通俗意义上的"素质教育"。它们是附中品格培养的支柱，培养目标中的"个性鲜明、充满自信、敢于负责"等品质，正寄托于此。正是："凡我所做，皆成性格"。

"我也想为集体做些事情"

有活动就有积极、消极之分，学校无论创造再怎样丰富的条件，吸引大家参加活动，这终究是自愿选择，如果有"更重要"的目标需要专注，自然也可不必参加。但它们或许在每一个人身上都会发生潜移默化的影响：

2013年校友日筹备期间，项目组同学收到了一份最令他们意外的申请——刚刚毕业的2013届五单元的王同学希望参与其中。王同学在校期间从不参加任何活动，以惊人的专注和意志力向着他的目标物理竞赛前进，为此甚至放弃了其他科目的学习，很少去上课，大家都以为附中热闹的改革在他心中没有引起任何波澜。苦行僧般的修行获得了回报，在接连获得北京市和国家级竞赛极优成绩并被保送至北京大学物理学院后，他又作为国家队成员获得国际物理奥林匹克竞赛

---

① 戏剧节｜舞台背后的故事［EB/OL］.（2016-01-12）［2019-02-01］. https：//mp. weixin. qq. com/s/ncd_BRqZR99YgunN9SVKhQ

（IPhO）金牌。所有人都不曾期待他参加任何集体活动，没想到此时他却回来，说也曾受到学校中许多活动的感染，想来弥补遗憾："我也想为集体做些事情。"大家当然表示欢迎，却一时不知该让他干点什么好。最终他参与到"告别老体育馆"部分，整个十一假期都和大家一起为在北大附中老体育馆举办的最后一次活动忙前忙后——校友日当天的演出和展览的布置。①

也许以后的日子里这位物理学家不会再去布置一个展览，但在这所学校，无论志在何方，每个人都有机会去体验在集体中共事的欣悦瞬间，并被它们所改变——例如校友日当晚老体育馆所有灯光开启的一刻。

师生关系：制度育人与尊师重道

"学生爱死、老师恨死、家长愁死"

这是外界对北大附中教育改革的一个戏谑总结。事实自然并非如此，但并非空穴来风的一个状况是，教师的权威被大大削弱了。

最显著的变化是"班主任"不存在了，这一角色是传统学校中扮演最重要角色的学生生活管理者。在北大附中的教育者们看来，班主任承担着以下各项职责，但并非不可取代：

了解每一位学生，与学生沟通思想道德；班级的日常管理，秩序、规则、责任、集体荣誉感、民主和谐、团结互助，指导班委会；班会、文体、社会实践等班级活动；综合素质评价，奖惩及评定学生操行；与任课教师沟通，和家长联系，形成教育合力。

以上五项，在一个（预想中的）学生充分自治、公民与品格教育制度化的北大附中，表现为以下形式：

扩大交往范围，学生社区的自治与民主管理实践；品德教育与公民教育课程化，实践活动的专业化设计和组织；学校文体活动的多样性、选择性、自发参与性；老师与学生、家长沟通交流指导的充分性、针对性，变约束管理为辅导帮助；纵向传承，朋辈师友，独具特色，专属空间。②

学科课程的教师也不在学生生活中发挥主导作用，他们被"固定"在自己的课程模块上，迎接着每个学段不同的选课同学。"流动"起来的学生们则对老师有了充分的"选择权"，主动权易手了。

---

① 刘周岩.内部访谈.
② 王铮,何道明.内部讲话.

制度与权威

这样的制度设计,体现出附中教育改革的两个特性。第一是对成人权威与干涉的有意削弱,以期让学生真正能够获得自身的成长。一个象征性的例子是,西楼四层的教师办公室一度被压缩,学校计划改为学生讨论室,进行公民说理课程和自治活动,后来因教师办公空间过分缩小带来的不便而未能实行。在一向重视空间的结构与教育功能相联系的北大附中,这个改造计划体现了由教师中心向学生中心的转变。

这是为了预防这样一种危险,即陶行知所说的"有的时候,我们为学生做的事体越多,越是害学生"。在"以学生成长为中心"教育观下,教师的角色必须被重新思考,如杜威曾提到:

我认为在现在的情况下,由于忽视了把学校作为社会生活的一种方式这个概念,来自教师的刺激和控制是太多了。我认为教师在学校中的地位和工作必须按同样的基本观点来加以阐明。教师在学校中并不是要给儿童强加某种概念,或形成某种习惯,而是作为集体的一个成员来选择对于儿童起作用的影响,并帮助儿童对这些影响作出适当的反应。[1]

北大附中的教育者认为,以往的学校制度中成人的干涉过多了,"班主任事无巨细地把所有事管起来"(王铮语),不仅需要让渡职责,也要转变自身定位,从"约束管理"变为"辅导帮助",变为"接生婆",才真正可能实现学生作为人的自主发展。

第二点则体现出附中"制度育人"的特点,这也是争议最大之处。无论是"改革派"还是"保守派",一个基本共识是,自主发展不等于放任学生任意发展。这不仅指底线的管控,如行为规范和国家法律法规中的"禁区",更需要提出一个"高"的指引,在把学生的主动性如泉眼般唤醒后,引导它向着其自身应所是的方向凝聚地流淌,而不是随意流散掉。

问题在于,用什么来规范和引导?传统教育自然认为这主要是教师的职责,在北大附中,引导的职责被指向了制度。附中非常注重制度的完善与建设,教育家们对制度的意义也有着清醒的认识:

记者:您怎么知道这种教育的效果是好的?

王铮:你不个性化,你就不能在这里生活。以前是我每天坐在教室里等,哪

---

[1]　〔美〕约翰·杜威.我的教育信条[M]//华东师范大学教育系,杭州大学教育系,编译.现代西方资产阶级教育思想流派论著选.北京:人民教育出版社,1980:8.

个老师来,就上什么课。现在是选班走课,人家去那儿了,你去哪儿?你不自主,你就没法生活了。这种体制的变化逼迫着他要做这些事。所以,不用问,这些能力必然会得到锻炼。[①]

学校里一系列的变革都可以由此得到解释。例如为什么非要"折腾"大家搞信息化办公和管理,推行"给老师造成无数麻烦"的过程性评价?这是为了以制度、技术的力量,把以往教师的"人治"职能替代过来,学业与生活均如此。暂以学业方面的课程模块化带来的管理挑战为例,王铮的解释如下:

让一个老师包一个班,从高一带到高三这是一个很好(评估)的管理,就是包产到户的管理。因为他的责任最明确,他带这些学生,最后评价也清楚,如果高考做评价,考得好坏是你的责任。老师非常清楚,也逃不掉。是自己的成绩,也会有非常大的成就感。但现在如果建成一个模块,一个学生整个学科下来之后会经历很多的老师。不同模块学习,最后是好是坏,到底归到谁负责,不能说得很清楚……所以这个会给管理带来很大的压力。如果要实现这样的管理,就必须每一个模块有非常明确的评价标准。而且要一个模块、一个模块地去评价,进行过程性评价。而不是就一个终点裁判,中间可以不管。进行过程的评价,也应该是现在工业社会的一个全面质量管理的要求……在组织管理里面,要用到很多信息化的手段。[②]

教师与课程,或者更普遍的,人与制度,谁更值得相信?相比于其他学校,北大附中的教育实践明显地偏向于"制度"一侧。学校并不承认所有教师都具备"教育力"。

这并非是在抽象地否定教师,而是有着现实层面的困境。谈及教师问题的时候,一位校领导曾说"做一条新裤子比改一条旧裤子容易得多",传统意义上的"好老师",因为不能认同教育改革理念而或主动或被动地边缘化的情况,在附中并不鲜见。例如导师制的更替:

在改革初期,学校曾设立导师制,即由各位任课教师负责10—15名学生组成的导师组,负责学生的品德教育以及和家长沟通。后来导师制被取消了,学生在校的生活不再由任何一位特定的老师"负责",这直观地体现在家长们的抱怨中:家长来开家长会时,虽然可以找到孩子的各学科教师,但无法找到一位老师可以全面了解自己孩子的情况。为什么发生这样的变化?一方面是随着改革的

---

① 余慧娟.“我没想像大学,只是希望它别像小学”——访北大附中校长王铮[J].人民教育,2013(7):40.

② 王铮.内部讲话.

推进,各项制度的完善,以往班主任的德育功能被认为已经逐渐可以取代;另一方面也是因为曾经的导师制度的执行效果不好,部分教师自身并不完全理解或认同改革,导师见面会成了"学校吐槽会",反而起到了反作用。

不可缺的身教与师道

教师问题体现出北大附中教育改革的一个根本性困境,即改革与内、外环境的契合度。且不论外部如家长、社会期待等与改革产生的紧张;仅是内部,在教师的支持与配合上,就体现出一定的困难。不同于一些新兴的小型创新学校是一群志同道合者的共同体,北大附中非常特殊的地方是在已有的学校基础上进行改革,而且在理念和现实利益分配层面均产生重大变化,摩擦在所难免。为了改革的整体性的推进,附中牺牲了许多东西,师生关系的变化或许暗含隐患。

一方面学生真切感受到了与教师的平等和友谊:

"和别的学校相比没那么严格吧,感觉老师学生可以做朋友,可以比较亲密……优点是可以交流更多的问题,建立价值观什么的也会比较方便。"

"我觉得更像是朋友间的关系,不是像老师和同学上下级的关系……好处就是能更好地交流,更好地学习知识,不像一些传统教育,让你在问老师问题的时候感觉很抵触。"

另一方面对一部分人而言也意味着疏离:

"其实我和咱们学校老师接触很少,都是上课,上完课就走……咱们学校因为是走班,就没有班主任,我们学习生活中没有太多老师的关注和介入,老师就是传授知识,没有太多的接触。"①

或平等或疏远,成为附中师生关系的主流。平等的一脉意味着严厉的权威型教师不再受到欢迎,这里新的疑问是,权威是否有其教育价值,当教师的权威被抽离形成真空后,是否会有其他东西"乘虚而入"? 疏离的一脉提出的疑问则是:是否会出现教书与育人的断裂——无教育价值的学习、无教学根基的育人?

钱穆在反思中西教育之别时指出:

新学校兴起,则皆承西化来。皆重知识传授……师不亲,亦不尊,则在校学生自亦不见尊。所尊仅在知识,不在人。人不尊,则转而尊器物。人之为学,则唯学

---

① 魏玉麒,等.附中的校园秘密——与老师的爱恨情仇[EB/OL].(2018-07-09)[2019-02-01]. https://mp.weixin.qq.com/s/ptaOoOnlf5hky1HNsEz9tA

于器物,而技能乃更尊于知识。此今日之教育风气则然。①

中国之学则重在学做一人,为师者即其所学之典范与榜样,学者即学其师之为人为学,而知识则仅为学之一部分而已。②

中国教育,以为师者之亲身为教,此乃谓之"师教"。……故中国之教育,非人生中一事一业,乃教育者在其全人生中交融为一之一种生命表现,始得谓之教育。故在中国有师道,而无教育家之称。③

尊师是中国教育的传统。"受之于自然的教育是好的,受之于事物的教育是合宜的,受之于人的教育就如此不堪,因此要格外限制且约束吗?"④

这些疑问,是附中后续的改革中亟须回应的。不同于其他疑问,它们无法被新的制度方案解决,而必须回归到人与人的关系发生之中。这也正是杜威的乌托邦畅想中教育发生的关键,不在于学校的有无,而是孩子与长辈的聚集:

在乌托邦中,最为乌托邦的事情是根本没有学校。教育的运作没有任何学校的性质,或者更加极端地说,我们根本不能将它设想为教育;然后我们可能说,在目前我们所知道的事物中,根本没有学校那样的事情。但是,孩子们与指导他们活动的长辈和较为成熟的人聚集在一起。⑤

在著名的《我的教育信条》的结尾,杜威如此赞扬教师的崇高:

我认为每个教师应当认识到他的职业的尊严;他是社会的公仆,专门从事于维持正常的社会秩序并谋求正确的社会生长的事业。这样,我认为教师总是真正上帝的代言者、真正天国的引路人。⑥

正是长幼间的接力,最终实现涂尔干对教育的定义:

教育是年长的一代对尚未为社会生活做好准备的一代所施加的影响。教育的目的就是在儿童身上唤起和培养一定数量的身体、智识和道德状态,以便适应整个政治社会的要求,以及他将来注定所处的特定环境的要求⑦

教师仍然应当发挥积极作用,这一论断不需过多的推理,从孩子们的只言片

---

① 钱穆.现代中国学术论衡[M].北京:九州出版社,2012:169.
② 钱穆.现代中国学术论衡[M].北京:九州出版社,2012:179.
③ 钱穆.现代中国学术论衡[M].北京:九州出版社,2012:169.
④ 刘云杉.自由的限度:再认识教育的正当性[J].北京大学教育评论,2016,14(2):27-62.
⑤ 〔美〕约翰·杜威.杜威全集·晚期著作(第9卷)[M].上海:华东师范大学出版社,2015:108-111.
⑥ 〔美〕约翰·杜威.我的教育信条[M]//华东师范大学教育系,杭州大学教育系,编译.现代西方资产阶级教育思想流派论著选.北京:人民教育出版社,1980:14.
⑦ 〔法〕涂尔干.道德教育[M].渠敬东,译.上海:上海人民出版社,2001:309.

语的感受中即可直觉得见。现实证明，一群富有经验、思想开明、传承附中传统的教师群体是附中最宝贵的教育资源。

如学生对写作李韧老师的印象：

带笑的眼睛在你说话的时候一眨不眨地看着你，她说"要爱自己"。非洲大草原变成四川少林寺。①

对生物吴蔚老师的印象：

妈妈一样的关怀。在讲段子和撸鱿鱼的过程中享受人生。圆圆的节老师和圆圆的我。

老师的言传身教是品格养成的关键，也是应当从中国教育中继承的传统。否则潘光旦的担忧可能成为现实：

以道先人者谓之教，最有效的教育方法是所谓身教，一切教育如此，明恕的品格尤其是如此。这一点貌若简单，其实并不，至少近代教育在这方面的努力，反倒赶不上前代的努力，并且似乎根本上还不很了解。②

四、 意义与挑战

学校是什么，又不该是什么？现实的情况是，可见的效率与"成绩"（不仅指学生的学业成绩，也指学校向外界展示的数据成绩），成为主导性学校建设逻辑。这是所有教育阶段面临的共同问题，小学、中学、大学，没有哪一个环节可以"独善其身"。

例如北京大学的李零教授对高等教育提出的"养鸡场"反思：

我理解，学校是培养人才的地方，是做学问的地方，千变万化，说破天，它也不是养鸡场。现代建筑朝养鸡场发展，我们无可奈何；办公室朝养鸡场发展，我们也无可奈何；但一流大学办成养鸡场，我是坚决反对。

但养鸡场的道理不是这样，它要的不是口感，而是效率。因为你养一年的土鸡，下一年的土蛋，也顶不上它一天的产量。它的老板说，我的可行性，我的优越

---

① 一场调查|我们的北大附中——TOP5[EB/OL]. (2017-11-04)[2019-02-01]. https://mp. weixin. qq. com/s/Tjd7Q7I_yrhQ－NB3Xuq－nQ

② 潘乃和，等. 潘光旦文集（第五卷）[M]. 北京：北京大学出版社，1997：368.

性,那是被事实证明了的。①

另一位基础教育改革者,一土学校创始人李一诺的判断有殊途同归之处:

今天的中国教育不缺如何教学生学好数学这类东西,我们缺的是那些不那么容易被看见的东西。学校更应该关注如何善待儿童,回归常识和本质。人是一个冰山,学术能力这些都是水面之上的,水面之下还需要有很多基石,有了那些才有可能去发展上面的。②

学校不能只顾养鸡,学校要重视"水面之下"那部分的冰山,而不是只求"看得见"的成果。这是中国教育重要且急迫的任务,是不同阶段教育者的共识。而北大附中通过书院制对学生共同生活的重塑,正是一次在高中阶段的尝试。

品格教育,或类似的"设辞",说起来容易且绝对正确,可真正以"壮士断腕"的勇气自我变革,花大力气提供时间、空间、辅导等一系列制度性保障,并且使之成为学校教育活动的重心,仍是少见的。书院自治、学长引导、活动赛事……这些未必就是完善的解决方案,但至少是一种真实、诚恳的教育努力。否则的话,对学生的责任感、爱心等品质的培养,难道能够仅通过小测、统练、月考,或是班会、升旗仪式、政治课来实现吗?如果品格教育不是学校教育的责任,在孩子理论上可以在一栋大楼的培训班里上完学前到高三全部学科知识内容的今天,什么是学校教育的责任呢?

将北大附中的教育简单归纳为所谓"素质教育",是另一种常见的误解,因为许多人对"素质"的理解不过是吹拉弹唱、写满简历的各种高大上经历。那不过是另一些和奥数、英文没有本质区别的奇淫巧技,仍然是精致利己的个人主义的追求,与共同生活中的品格无关。

在对作为理念型的"博放教育"的批评中,强调自主的博放教育似乎有着以下的制度逻辑:以差异性替代共同性培植、以自主之名提出集体之外成长。③ 这些根本性的矛盾,北大附中并未完全解决。然而在对书院制度的考察中,人们发现改革的方向不是"取消"集体,而是用新集体替代了旧集体,恰因为原来的集体教育被改革派教育家们认作是虚假的与无效的。即使是对改革持反对意见的相关

---

① 李零. 大学不是养鸡场[EB/OL]. [2019-02-01]. https://site. douban. com/162358/widget/notes/8717941/note/387368132/

② 刘周岩. 内部访谈.

③ 刘云杉. 自由的限度:再认识教育的正当性[J]. 北京大学教育评论,2016,14(2):27-28.

方,也不得不对这种教育的诚恳和努力给予承认,例如一位北大附中家长的戏谑性表达:在这儿孩子除了学习之外的能力都得到了极大的锻炼。

在具体地塑造"新人"的过程中,学校的指导性原则是尽可能削弱成人干涉,让学生自我成长,"内发说"是其理论基础,正如一位教师的形容:"鸡蛋,从外打破,是食物,从内打破,是生命。"

现实的挑战

教育学不是物理学,不能假想"真空里的球形鸡",再先锋的实验也必须在现实制约中推行,实践与理想之间的变形在所难免。北大附中的书院制同样是重建共同生活理想与有限的现实资源的杂交产物。例如相比于书院制的三个思想资源——英国传统的学院制、道尔顿 House 制、中国古代书院制,北大附中与它们的最大分歧在于,师生生活共同体变为学生生活共同体。事实上,北大附中也一度朝那样的方向努力过,甚至有过改造宿舍楼使书院长与书院学生同住的计划。但最终受制于多种现实条件无疾而终。

内外环境的摩擦,体现在制度上是其变形与妥协,作用于具体的学生身上,则是一种带有痛感的成长体验。

附中对学生的内心秩序的整体影响是"打破—重建",基本上所有人都被打破了,但非每个人都能顺利重建。原本像火柴棍般以捆绑的方式聚合的集体被松绑,大家被邀请再度主动聚合,如同磁铁的吸引。有些"磁性"不匹配或磁力不够的,就在这一松一收的过程中游离出去了,例如那些书院里的"小透明":

"书院小透明"在书院中就如同透明一般,有时甚至难以察觉到他们的存在,或者说是默默的存在于我们身边,如同不存在一样。他们在书院的活动中与积极参与者的最大区别在于他们参与感极低,即便是加入集体活动也可能只是默默地做事。可能是因为兴趣的原因不愿意参与进来,或者是因为不乐意表达而被忽略掉。[1]

自愿的小透明还好,非自愿而边缘化的,需要更多的帮助,学校会通过心理辅导和教师的额外关注等方式尽力帮助,但难免有"漏网之鱼"。

即使最终重建成功的,也绝不容易。外人往往会羡慕附中学生的自由生活,但深入生活的细节,他们会觉得自己"痛苦"得多,远不如传统的学校"什么都不用想"来得容易。"头秃",是他们对自身生活状态的调侃。

---

[1]　尹晓邦,等. 书院"小透明"的日常［EB/OL］. (2018-07-12)［2019-02-01］. https://mp.weixin.qq.com/s/M4o7K8j6ci87HULpp4weaw

有些是必要的烦恼,他们本来就被期待着通过这些磨砺成长:目标的设定与执行、学业与活动的平衡、人际关系……有些则是来源于改革的微观环境与教育大环境的结构性矛盾,作为同时置身于两种环境的人,他们被不断撕扯。

一名北大附中学生可能经历一种离奇的生活。象征性的时刻是他们站在黄庄路口中间时,这是中国教育生机与矛盾的交汇之处。这里同时存在着两个"疯狂的黄庄",马路东侧,他们的母校北大附中,在以破釜沉舟之决心进行着教育变革,马路西侧,他们放学后与周末的第二母校们——聚集在此的一些最著名的培训机构和留学中介。这既是他所面对的多元、充裕的教育资源,也是他必须承受的功利主义和市场力量共谋的学业军备竞赛。当他们站在黄庄路口的漩涡之中时,犹如一个人在急速狂奔,可是两条腿跑向不同的方向。没有人能够幸免,高考如此,自主招生如此,出国留学同样如此。对过程性评价的看重以及部分人更强的活动功利性,精神的高度紧张反而贯穿整个中学生活,他们忙碌极了。

在这样的"精神分裂"的两种生活逻辑中,附中学生必须回答的问题是,谁是大逻辑,哪种逻辑笼罩另一种逻辑?如果附中的逻辑能够将功利教育的逻辑消化进来,则那些课外班、高三备考、SAT 只不过是一场插曲般的"游戏",是必须耽误的一些时间和付出的一些辛苦,最终他们仍将获得真实的成长,幸运者可以同时收获世俗意义的成功。但若是后者笼罩了前者,则附中的教育将沦为一种拖累和折磨。这种逻辑的抉择,不仅来自于家庭的影响,很多时候需要学生自己做出主要努力进行判断、选择、实践。对于 15、16 岁的孩子,这是极大的挑战。他们单薄的身躯、稚嫩的心灵所承担的,是整个变革与社会间的张力。日后视之,他们会意识到这其实是一场伟大的旅程,一个生命破茧成蝶。

引领而非迎合

五四的血脉,时代的风采,绿树成荫多少载。

这是北大附中校歌歌词第一句,其自我定位与使命已不言而喻。

这是一所高度精英化的学校,这里发生的教育,无论六十年以来的历史,还是近十年的改革,都像是一场"社会之上"与"社会之外"的实验。教育通常被视作是被动的,在解决社会问题的同时迎合社会,而北大附中尝试以最前沿的探索,引领而非迎合社会,它以特立独行的姿态实现它的社会担当,接续这所学校的"敢为天下先"的精神传统。

实验的成果也对中国社会有着重要的意义。仅举一例,附中的书院制相比于班级制,不再是传统的"初级群体",人与人之间的交往并不只靠长年的交情;它用自由选择、自主探索、自治责任着力重建"社会",其中重要的是在共事中靠规则与共识形成信任。对"信任"的培育,是一种全新的教育探索,已不再是一个学生的个人素养,而是这一批学生作为一个共同体的一种性质。关于信任的意义,格奥尔格·齐美尔(Georg Simmel)说:

"信任是社会中最重要的综合力量之一。没有人们相互间享有的普遍信任,社会本身将瓦解。现代生活远比通常了解的更大程度上建立在对他人诚实的信任之上。"①

社会学家郑也夫认为这是关系到中国社会发展的关键问题:

在中国社会中,社会中间组织一直处于缺位状态。中国社会的信任依然停留在家族信任阶段……由于信任只是局限于家庭之中,使得人们在社会交往中不得不付出巨大的成本来与陌生人之间达成某种形式的"信任"——这不仅对经济的良性运行造成了显著的伤害,也在很大程度上伤害着社会的进步和发展。②

在 15 岁就成长于"陌生人社会"的附中学生,可以说是教育实验诞生的一代新人,他们在若干年后会有怎样的表现,是否会对中国社会产生正向的意义？ 相比于一些可以"得奖"的教育探索而言,这样的成果显然不易评估,但就实验本身的意义,重要且必要。

外部条件也已在变化,逼得附中在不断调试中进行自己的教育实验。2010年改革之初,学校给上级主管部门的文件中对招生提出的要求是控制在每届不超过 270 人。改革历程的后半,附中也经历了重大变化:规模扩大(目前招生人数每届近 500 人,生源更为多样)和集团化过程。一所"小而精"的学校要回答:当它变"大"时,如何维持自己原有的品格？ 集团化是挑战也是机遇,类似的制度已经借此机会开始在不同的培养皿中进行实验,例如同样实行书院制的北大附中朝阳未来学校。对照组的增加,将更好地看出实验的结果,带来更真实的检验。

没有一个地方可以是乌托邦,尤其是这样一所引人注目的公办学校,必定成为多方博弈的交点。它不是一个观念的乌托邦,不是杜威思想的简单移植,而是根植于自己的历史传统,回应现实的种种困难与挑战,它用艰苦且真实的成长、勇

---

① 郑也夫. 中国人的信任从未超出家庭[EB/OL]. [2019-02-01]. https://mp. weixin. qq. com/s/jF_S376QPxw2im0SVhAfqg

② 郑也夫. 中国人的信任从未超出家庭[EB/OL]. [2019-02-01]. https://mp. weixin. qq. com/s/jF_S376QPxw2im0SVhAfqg

敢且真诚的努力,书写着当下中国版的"新教育"故事。

在其中生活过的人,回首校园时光,还是愿意这样称呼她:

这里离社会既近又远,像个自由乌托邦。①

---

① 泥湾儿邦的六个人[EB/OL].(2017-09-05)[2019-02-01]. https://mp. weixin. qq. com/s/sCOVXw0iYUpM5mLRGT8t1Q

怎样建设教与学的"实验室"

——北大附小的"生命课堂"实践

尹 超

在一定意义上,教育是直面人的生命、通过人的生命、为了人的生命质量的提高而进行的社会活动,是以人为本的社会中最体现生命关怀的一种事业。[①] 北京大学附属小学传承北京大学百年文化基因,立志于不断促进教育理念实践创新,面向传统教育观念和实践积弊,以生命为教育价值导向,探索建设教与学的"实验室",构建了以儿童自由生长为教育追求的"生命课堂"实践模式。通过"生命课堂"实践探索,学校有效促进了课堂内外教育教学实践发展,切实提升了课程教学质量和育人成效,成为我国基础教育教学改革的典型案例。

一、 让儿童自由地生长——中国大学附属小学的"实验"逻辑

人的自由发展与教育是教育领域长盛不衰的议题。一项对日本诺贝尔科学奖获奖者的研究表明,在这些获奖科学家身上有一个共同特点,他们大都拥有一个自由宽松的童年。为儿童创设一个充分自由探索的教育环境是学校教育的重要价值追求,也是提高育人质量的有效途径。北京大学附属小学,多年来不断致力于探索适合中国儿童、具有示范意义、高水平的基础教育育人模式。面对小学生个性发展不充分、课内外学习负担不均衡、培养模式相对滞后等问题,学校以整体育人观为指导,确立了"让儿童自由地生长"这一整体育人目标和实验逻辑,构建了以"爱、包容、自由、尊重"为价值导向的儿童生命发展课程,希望以此撬动学校整体变革。学校期待,通过多元、开放、立体、自主的课程,让每个学生得到不同

---

① 叶澜.教育理论与学校实践[M].北京:高等教育出版社,2000:136.

课程的滋养,获得更多自主选择机会和自由成长空间。①

(一)瞄准破解当代中国小学生的"三无"难题

1. 个性发展不充分(无生命观)

从教育理论演进的视角看,从"目中无人"到"以人为本",教育的人本化思想是经过漫长的演变和斗争才得以确立起来的。以德国著名教育家赫尔巴特为代表,传统教育观提出并强调教学过程的"三中心论",即教师中心、教材中心、课堂中心,注重学科的知识体系和教师的主导地位。"三中心论"以教师为中心、以课堂为中心、以教材为中心,学生是被动进行学习的,强调课堂上知识的单向传授。与这一教育思想形成鲜明对比,美国著名教育学家、实用主义教育学代表人物杜威,在批判教育"三中心论"的基础上,提出了教学过程的"新三中心论",即学生中心、活动中心和经验中心,主张在教学过程中要以学生的需要和经验出发组织教学。由此形成现代西方两种教育学派——传统教育学派(赫尔巴特)、现代教育学派(杜威)。与"三中心论"截然相反,"新三中心论"主张以学生为中心,强调知识是基于学生自身已有的经验主动构建的,是以学生为中心和主体的关系,教学方法是探究、自主、合作式的,更为注重个体个性在教育过程中的充分发展。

从目前我国基础教育实践状况看,滞后于现代教育理论的发展进程,如何促进个体在教育过程中的个性充分发展至今仍然是一个充满挑战性的现实问题。在目前不少学校实践中,经常可以感受到的是对事务和学生考分、评比、获奖等可见成果的关注,忽视的、淡漠的恰恰是学生在学校中的生命存在状态和质量。②"世上没有两片完全相同的叶子",个体的发展充满差异性和多样性。教育使个性充分发展,意味着每一位学生都能在教育过程中充分施展自己的个性特点,找到最适合自己的发展路径。就目前的学校教育实践来看,小学教育还没有做到充分地尊重每一位学生的成长差异,满足每一位学生的个性化成长需求。用"一套标准""一把尺子"来衡量和要求大部分乃至所有学生的成长和成才仍然是当前教育活动中的普遍现象。

---

① 庄严.北大附小:为生命发展创造课程[N].中国教师报,2018-04-25(6).
② 叶澜.教育理论与学校实践[M].北京:高等教育出版社,2000:136.

2.课内外学习负担不均衡(无儿童观)

学业负担是促进小学生全面发展、实现个体社会化和个性化的必要手段和物质载体,以及个体在学习过程中对学习任务难度、深度与广度的个体认知和情绪体验以及在此过程中产生的行为反应。主要包括课内学习负担和课外学习负担。小学生的社会角色和身心发展需要决定了他们必须承受一定的、有时甚至是很重的成长和发展的负荷,而很重要的一个方面就是学校里的课业要素以及由此形成的课业负担。目前,课内外学习负担不均衡成为基础教育中的普遍现象,大量教育辅导、培训机构为学生提供了多样选择,事实上这类机构多以学生成绩提高为噱头,不断增加辅导时长和学习任务,最终学生课内减负校外增负。① 过重的学业负担往往抑制了学生的学习兴趣与创造性,扭曲了教育的目的与功能,阻碍了基础教育课程改革的深化进程。

美国著名教育学家杜威对传统教育忽视儿童的做法进行了尖锐批评。他指出,传统学校的重心是在儿童之外,在教师、在教科书以及在其他你所高兴的任何地方,唯独不在儿童自己即时的本能活动之中。在他看来,传统学校教育的一切主要是为教师的,而不是为儿童的。因此,他提出要进行根本性的变革,"我们教育中将引起的改变是重心的转移。这里,儿童变成了太阳,而教育的一切措施则围绕着他们转动,儿童是中心,教育的措施便围绕他们而组织起来"②。标志着一种全新的教育理念以及以儿童为中心的现代儿童观的正式确立。在 2018 年全国"两会"上,教育部部长提出从"学校、校外、考试评价、教师教学、家长和社会"五方面减负,意味着学业负担问题解决转入攻坚期。究其原因,传统教学中,学生负担始终降不下来的一个核心原因,是社会大众对于课堂教学质量的不自信。为此,改革课堂结构、重组课堂流程、提升课堂教学效果,成为当前我国基础教育改革实践中的迫切现实问题。

3.培养模式相对滞后(无教育观)

我国著名教育学家顾明远先生曾指出,"我们在基础教育中出现的很多问题,是教育培养模式与观念的落后"。2017 年 9 月,教育部党组书记、部长陈宝生在《人民日报》撰文指出,目前中国基础教育存在的许多问题与我们的课堂培养模式的落后密切相关。可以说,基础教育的所有问题最终都会反映到课堂上,目前我

---

① 罗生全,赵佳丽.学业负担调查:问题表征与消解策略[J].课程・教材・教法,2018(8):62-67.
② 〔美〕杜威.杜威教育论著选[M].赵祥麟,王承绪,编译.上海:华东师范大学出版社,1981:31-32.

们的课堂模式根本不能实现让学生真正发展。在此基础上,他提出要坚持内涵发展,加快教育由量的增长向质的提升转变。把质量作为教育的生命线,坚持回归常识、回归本分、回归初心、回归梦想。深化基础教育人才培养模式改革,掀起"课堂革命",努力培养学生的创新精神和实践能力。他认为,课堂教学改革需要坚持"一个中心,两个基本点",即以学生为中心、坚持素质教育在课堂以及坚持为教与学服务。在不少专家看来,课程结构和教育理念的调整是目前基础教育改革的核心。传统教育观以知识为本位,忽视了以人的发展为宗旨的教育目标。传统课程也将目标定位于认知领域,并未将理解、尊重、信任和关爱学生作为课程设计和教学活动的重要目标。然而,如何促进每一位学生的平衡和充分发展是现代教育的重要观念,这要求在教育过程中将孩子的健康快乐成长放在首位,关注学生再教育情境中的投入状况,为学生个性充分发展流出足够自由的空间。从这个意义上说,生命课堂实践的意旨正是突破传统教育实践中的观念窠臼和现实沉疴,使每一位学生的个性都能获得充分发展。

(二)追寻爱与自由的世界——大学与小学的联结

在研究学习经验的组织时,我们往往通过"纵的关系"和"横的关系"来探讨学习经验彼此之间的关系。大学与小学的联结,是高校附属学校在学习经验组织过程中的非常重要的一种"纵的关系"。通过大学与小学的联结,大学和小学能够互相增强,为各自提供更具有意义、更为有效的教育方案,与学习者有关的种种概念、技能、素养等方面的发展,也具有了更大的深度和广度。北京大学附属小学以"追寻爱与自由的世界"这一教育理念和共同追求,致力于为儿童创造自由成长的充足空间,顺应儿童的成长规律和发展天性,尊重儿童的个体发展意愿和选择。以此为北京大学与附属小学的重要联结点,使大学教育和基础教育达成了教育追求、理念观念和经验层面的高度一致,为创造教与学的实验室提供了更为宽阔的实验场域和更为宽厚的经验基础。关于如何使大学与小学建立起良好的联结关系,我们认为,有效的联结应该具有共同的教育追求和目标并建立起有意义的真实协作。因此,大学与小学有效联结的主要原则可以概括为四个要点,即要在教育观念上有对话,在经验上有联结,在活动上有合作,在发展上能协同。此外,如何避免经验冲突或抵消,以有效的方式使彼此发生关联,促成双方经验的真实联结等,也是大学与小学联结过程中的重要议题。

（三）创造生命发展的"实验室"——儿童起点的教与学逻辑

儿童立场是教育的基本立场,儿童起点是教育的根本起点,站在儿童的立场是教育的实践哲学和逻辑起点。苏霍姆林斯基说过:"在每一个孩子心灵最隐蔽处的一角,都有一根独特的琴弦,拨动它就会发出特有的音响。要想使孩子的心同我讲的话发生共鸣,那么我们自身就必须同孩子的心弦对准音调。"①

今天,在一个社会急剧变动的时代,基础教育已成为终身教育的基础性构成。立足于未来发展需要来勾勒今日基础教育的任务,即确立教育的未来性观念,为学生的终身学习和主动实现自己的发展目标奠定基础,为未来社会需要的新人奠定基础,是新基础教育观的第一个重要理念。它把以往对教育意义认识的时间观念由过去转向未来,且是转向一个不确定性很强的未来。唯有具有主动发展意识和能力的人,才能在一个不断变化的世界中找到随便而生的、各种不同的、有利于实现个人生命社会价值和自身发展的位置。② 我们只有了解学生,与学生对话、沟通和交流,才能走进孩子的内心世界。走进孩子内心,触动和唤醒,让每个孩子动起来,是实现生命课堂理想追求的主要方向。只有关注孩子的生命发展,激励和点燃孩子的内在活力和对成长进步的期待,才能引导孩子体验、感知并收获学习之外更美好的东西。

二、 教的"实验"——生命课堂的知识与群落

课程是育人的载体,其价值不仅在于向学生传递知识和能力,更在于向学生传递做人的核心价值和教育的核心价值。生命发展课程(Life Development Curriculum),简称 L-D 课程。以生命发展为课堂构建的价值取向,北大附小构建了生命发展课程体系。在具体释义中,将 LIFE 重点加以阐释并赋予新的教育含义,代表了生命发展课程的核心理念,即 L——love(爱),I——inclusion(包容),F——freedom(自由),E——esteem(尊重)。这四个词,既是北大附小的育人理念和核心,也是北大附小进行课程建构的核心。

---

① 刘守旗,等.教育的艺术:苏霍姆林斯基 100 教育案例评析[M].广州:中山大学出版社,2003:78.
② 叶澜.教育理论与学校实践[M].北京:高等教育出版社,2000:10.

（一）生命课堂的知识结构

生命课堂是指学校、教师和学生把课堂生活作为自己人生生命的一段重要的构成部分，师生在课堂的教与学过程中，既学习并生成知识，又获得与提高智能，最根本的是师生生命价值得到了充分体现、心灵得到了充分丰富与健全发展，课堂生活成为师生共同学习与探究知识、智慧展示与能力发展、情意交融与人性养育的殿堂，成为师生生命价值、人生意义得到充分体现与提升的快乐场所。与生命课堂这一概念相对应的是知识课堂，是指在"知识中心"思想指导下所进行的课堂设计活动和形成的课堂生活形态。迥异于知识课堂，生命课堂通过重新设计理念和课堂教学模式，致力于把单调的、无儿童的、无生命气息的，以单纯传授知识、完成认识性任务为中心或以传授知识培养智能为唯一任务的课堂转变为丰富多彩的课堂。

知识结构是指一个人经过专门学习培训后所拥有的知识体系的构成情况与结合方式。合理的知识结构是担任现代社会职业岗位的必要条件，是人才成长的基础。现代社会的职业岗位，所需要的是知识结构合理、能根据当今社会发展和职业的具体要求，将自己所学到的各类知识科学地组合起来并适应社会要求的人才。我们认为，合理的知识结构，就是既有精深的专门知识，又有广博的知识面，具有事业发展实际需要的最合理、最优化的知识体系。建立起合理的知识结构，培养科学的思维方式，提高自己的实用技能，以适应将来在社会上从事职业岗位的要求。

课堂学习过程中的基本组织形式，是教师采用一定的方式，运用一定的协调机制等来组织而形成的课堂学习活动的过程模式。人类行为的重大改变并不是一夜之间即可发生的。没有任何单一的学习经验会对学习者产生一种很深远的影响。就某些方面而言，教育经验所产生的效果，就如同"滴水穿石"一般。在累积了无数教育经验之后，深邃的变化便会发生在学习者身上。为了使教育经验产生累积的效果，我们必须把它们善加组织，俾使它们彼此之间相互增强。[①] 因此，课程组织必须跳出当下的、面向认知掌握的、单一短视的课程组织目标，放眼于长远的、多元的、致力于学习者终身健全发展的课程组织目标。北京大学附属小学以"爱""专""博""趣""雅"为生命课堂实践的课程组织五个关键词，也是考量课堂

---

① 〔美〕泰勒. 课程与教学的基本原理[M]. 黄炳煌，译. 台北：桂冠图书股份有限公司，1981：94.

教学有效性的五项重要指标。

1. 爱的课程组织（家庭的知识）

处于生命课堂的知识结构中最基础层面的是爱的课程组织。爱是人类的永恒话题，是人类最基本的情感。世界因为有爱才变得美丽。教育中，爱更是教育的灵魂和生命。对学生进行爱的教育，是教育的关键，也是教育的基本要求。对学生进行"爱的教育"，要帮助学生理解"爱"；对学生进行"爱的教育"，要引导学生实践"爱"。爱的教育的目的就是要让学生学会爱，学会付出。我们通过各项活动为学生实践爱提供机会。要培养学生善于"爱"，提高学生爱的能力。爱本身是一种快乐，一种自身价值得以成功实现的满足，而不是一种痛苦和牺牲。生命课堂实践通过"爱"的课程组织，意在使学生通过认识"爱"、感受"爱"、实践"爱"，体验到爱的幸福和快乐，从而加深对"爱"的认识，提高"爱"的能力，真正树立起正确的情感态度价值观，具备较高的情意素养。

2. 专的课程组织（学校的知识）

从功能论的角度来说，基础教育的关键内涵是为儿童的未来学习和进一步发展奠定基础。这里说的基础是指核心的关键基础，而非泛泛的什么基础都要用"专"的价值导向为学生学习确定核心知识、发展核心素养、培养核心能力。学科核心素养是学生在一定学科范畴内所具备的核心专业素质，是通过长时间的专业训练所形成的专业思维，通过这种思维促成基础知识的积累，增加基本专业技能，形成专业基本经验，从而达到某门具体学科所要求掌握的目标。包括学科基础知识、基本技能、基本经验、基本品质、基本态度等。以人才储备为目的，专的课程组织是社会和国家对人才培养活动的基本要求，旨在培养学生具有良好的学科核心素养。在如今知识爆炸、信息来源广泛的时代背景下，基础教育需要以"专"为基础教育的重要价值取向，对儿童的学习内容和知识结构进行筛选和组织，注重培养学生的学科核心素养。生命课堂实践注重学科基础知识学习，不断促进课程、教材与教学改革，帮助学生形成完整的核心知识链。

3. 博的课程组织（社会的知识）

《礼记·中庸》有言，"博厚，所以载物也"，意指广博深厚的作用是承载万物。博，在各种字典和辞典中的基本解释为：多，广，大，阔，敞，容。从我国学界对基础教育的内涵界定来看，基础教育是对儿童和青少年实施的一定年限的一般教育或普通教育，是以提高国民素质为目标而进行的不定向和非专门的基础思想品德和基础文化知识的教育,普通性是其基本特征。[1] 从现代基础教育的来源来看,现代意义上的基础教育来源于古希腊的博雅教育。按照英国学者德里克·朗特里(Derek Rowntree)的界定,博雅教育是"旨在解放思想和精神,避免狭隘的专门化,不是为就业做准备的教育"[2],其理想是培养具有广博知识和优雅素质的人。摆脱庸俗,追求高雅,为知识而知识,塑造心智成为这种教育的不懈追求,广博的知识结构是其基本要求。因此,如何使学生掌握人文科学、社会科学和自然科学的普通知识,具有基本的文化修养和处理社会问题的能力,从而更好地为未来生活做好充分准备,是基础教育的根本目的和内在要求。专博并重,是生命课堂实践在知识结构和课堂组织方面的重要理念。北京大学附属小学将"博"理解为"兼容并包",强调广泛的吸收与接纳。在生命课堂实践过程中,以"博"为知识结构和课程组织的重要维度,立意于人文素养与科学理性素养全面培养的发展观,重视培养学生阅读习惯和广泛的兴趣爱好。通过设计类别多样、内容广博的课程实现学校的培养目标,构建的课程体系和教学活动也具有全面、多样、广博的特点。

4. 趣的课程组织(兴趣与情感的知识)

兴趣和情感体验是生命课堂实践中的重要知识组成部分。如何通过课程设计,激发学生的兴趣,丰富学习者的多元情感体验,塑造完满人格和个性发展是生命课堂中"趣"的课程组织的重要目标。北京大学附属小学从儿童多种多样的兴趣偏好出发,追求课程内容和形式的生动有趣延展性,在不改变现有教学体制与教学核心内容的情况下,着力增加课堂和教材的趣味性、启发性、真实性。通过丰富多样的趣味学习体验创造具有生命活力的课堂,师生通过积极体验、探索和创生共同的学习体验,不断丰富活动经历,充分调动学生学习的积极性和创造性,积极培养、探索并发展了个体兴趣。有别于传统课堂及其知识结构所秉持的单方面呈现或传输的教育理念和教学方式,生命课堂强调关注个体生命的情感发展需求,通过对话性交互作用创造具有生命温度的课堂,师生通过相互作用进行对话并发生转变。一定程度上弥补了传统课堂和教材森严乏味的局限性,激发学生学习的内在动力和热情,加强知识与实践的联系,丰富了学生的多元情感体验和感知能力,使学生感到学有所趣、学有所感、学有所得。

5. 雅的课程组织(审美与道德的知识)

"雅",即"厚积薄发",突出智慧的内化与呈现。《荀子·荣辱》中说:"君子安

① 柳斌.柳斌谈素质教育[M].北京:北京师范大学出版社,1998:110-111.
② 陈建华.论基础教育、素质教育与博雅教育的内在关系[J].南京社会科学,2013(9):113-119.

雅"。雅是人外塑和内涵兼修的一种结果,是人内在品质修养不断提升而外显的一种体现。在各种字典和辞典中的基本解释,雅都是以优美的、美好的、高尚的、正规的、标准的、体面的、纯正的、质朴的、大方的、精妙的等褒义词为冠,多用于描述世间有形的万物和流传已久的无形的艺术,以及人类的思想、言语、行为和情愫。从古至今,无数文人学士以"雅"为核心标准,创作、品评了流芳百世的文学艺术作品;无数的仁人志士以"雅"为品行操守,沉淀并推动着东方古国的文明进程。在当今信息全球化、经济全球化、教育全球化的新时代,大力传承推广中华民族"雅"文化的传统美德,培养公民高雅的品格情操和文明素质,对于培养具有中国特色和国际视野的优秀的雅质人才,具有十分重大的意义。北京大学附属小学通过学校博雅文化建设内外并举,共融共生于"生命课堂",处处彰显"学玩合一""人与自然"相得益彰的理念,展现了小学整体育人方式创新形态。

生命课堂知识结构的多层次复杂性,还体现在上述五方面知识之间的相互支撑、渗透和有机整合上。我们认为,唯有在"爱""专""博""趣""雅"等方面实现多元整合,生命课堂实践的知识结构才是完整的知识结构;只有表现在学习者的整体素养和学习者生命状态和发展质量上,生命课堂的课堂组织才是真正有效的课堂组织,才能充分显示出教育的真正意义和实践价值。从实践效果来看,生命课堂为北京大学附属小学的孩子们洞开了一个全新的兴趣窗口。截至目前,学校核心学科群体系总课程门类数 145 门,外聘教师 26 人(专设小提琴、小语种、英文戏剧等特色课程),类别和层次不断丰富。以数学思维训练课程为例,包含 6 个年级不同层次的水平,以及基础课、选修课、研究课 3 个门类。随着年级综合实践活动课程的开展,2016 年,全校 2000 多名学生全部享受到学校教师自主设计的主题化、系列化的活动,孩子们的自由成长获得了空前的机会和空间。

(二)生命课堂的群落分布

北大附小是一所具有北京大学文化气质的百年老校,在这里,百年古树掩映下的名人故居与现代化的教学大楼完美融合的校园环境铸就了附小独特的育人环境和文化氛围。而北京大学"思想自由、兼容并包"的学术理念造就了附小民主、自由、多元、开放的教育管理之风气。多年来,学校的课改一直走在市区课改的前面,如从 20 世纪 90 年代开始,北大附小率先作为课题实验校,参加了由全国著名课程专家、北京师范大学裴娣娜教授主持的"主体教育"研究实验。2010 年,学校又作为第一批实验校,参与了裴教授主持的"基础教育未来新特征"研究课题。2011 年,又作为北京市首批 14 所"遨游计划"实验校之一,进行了自主排课的课程改革。

在这个过程中,学校始终聚焦"生命发展"这一主题,注重顶层设计,不断整合各类课程,以"三层—五类"课程实施与创新为重点,覆盖国家、地方、学校三级课程架构,打造核心课程学科群,逐步形成了开放式、个性化的生命发展课程体系。综合来看,体系理念的基本特征可以概括为三个方面:从目标上来说,聚焦于人的整体成长,以及整体成长中的关键知识、关键能力和必备的品格;从内容上来说,试图超越学科,凸显更多开放的、个性化的课程创新活动;从方式上来说,力图打破传统,用核心素养统整学校整个育人工作和学科教学工作,推动人的全面成长。

通过调研发现,北大附小的生源绝大多数是北京大学教职工子女,他们思想活跃,见多识广,对常规课程设计提出了非常高的要求。现行课程体系内容中,有很多已明显不适应学生的发展实际。学生对学科学习的要求或"期待",明显高于现行课程标准。在这样的背景下,我们急需提供一种既前瞻又实用的知识,给孩子宽厚而广博的文化视野,让他们在多样化的选择中博览群书,有独立的思考,独立的人格,博学多识,通情达理,为未来一生的幸福成长奠定基础。基于这种理解,我们重新确立了育人目标,以整合、重构原有的课程内容为突破点,构建了生命发展课程体系。

1. 课程体系构建的"两条原则"

生命发展课程体系从关注生命的角度,以"人作为个体生命的完整性"强调课程的整体性建构。这一点不同于传统课程体系强调知识系统的整体性和学科结构的完整性。北大附小生命发展课程体系构建时,遵循两条主要的理论依据或原则:一是北大附小的"以人为本"的办学理念;二是北大附小的"幸福而高素养"的培养目标。

(1)"以人为本"原则。受北京大学源远流长的文化熏陶,北大附小几十年来一直重视全人教育,在办学思想中十分重视人的自由和谐、幸福完满,提出并确立了北大附小"以人为本,快乐和谐发展"的办学理念。"以人为本",指在学校发展的一切工作中,真正摒弃以"管束、利用、改造"为主的管理理念,树立以"尊重、关爱、欣赏、包容、发展"为主的理念,一切从师生的成长、生活需要出发,对人的生命予以尊重,对人的天性予以敬畏,树立全方位育人观,使学生在自由快乐的氛围里学会学习,享受学习,全面发展而富有个性。

（2）"幸福而高素养"原则。培养目标是进行学校课程整体设计的根本依据。我们的培养目标是："让每一个孩子都得到独具特色的发展，为其成为幸福的、高素养的中国公民和世界公民奠定根基。"我们认为，每一个生命都是独特的，每一个生命的需求都是多种多样的，每一个生命的发展形态都是多姿多彩的。孩子们其实从出生的那一刻起，就已经决定了他们是有差异的，是带着不同基因诞生到这个世界上的。他们就像一颗颗不同的种子，有可能将来成为一棵大树，也可能就是一棵小草，但无论是参天大树，还是无名小草，他们都应该同样获得尊重。教育的使命就是给予他们适宜的阳光、雨露和沃土，爱和自由的空间，让每一个生命都得到绽放。所谓"幸福"和"高素养"，是让孩子们养成快乐、进取、儒雅、大气的品质，给予他们终身快乐学习、幸福生活的信心和勇气！北大附小《校园三字经》中的"顺其性、驰其想、言儒雅、行端庄、体健康、心坦荡；专心学、痛快玩、行天下、观万象、少年郎、亦自强、卓不群、合相长"，就是对这一理念的生动诠释。

2."三层—五类"的课程模型

在国家课程、地方课程与校本课程整合的基础之上，依据办学理念和培养目标，我们精心设计了"三层—五类"的北大附小课程结构体系（见图 10-1）。

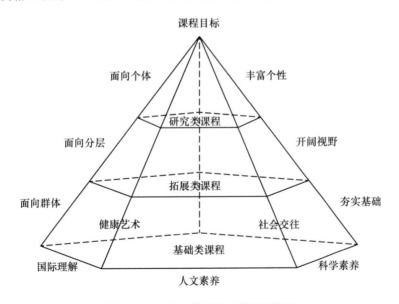

图 10-1　北京大学附属小学课程模型

"三层—五类"是针对课程的性质和类别来架构的。三个层次分别是：基础类课程、拓展类课程、研究类课程。五个类别分别是：人文素养、科学素养、社会交往、健康艺术、国际理解五大领域。三层分别是面向全体、面向分层、面向个体;五领域针对的是知识目标的五大类别。我们希望通过这样的多元、开放、立体、自主的课程,让每个孩子体味不同课程带来的不同滋养,给予他们更多的自主选择机会和自由成长空间。

从课程模式构建角度来看,按照国家核心素养的结构,人文素养、科学素养、社会交往素养、健康艺术素养、国际理解素养五大领域是我们确定的小学课程体系的核心。围绕这五大核心领域,安排和设置生命发展课程的总体内容和学科方向。图 10-2 展示了我们在课程内容构建方面的侧重和分布。

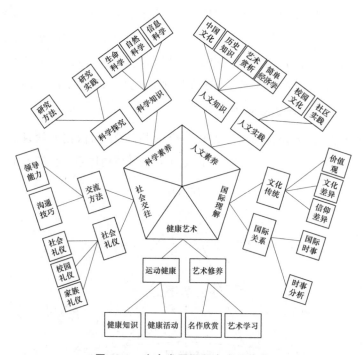

图 10-2 生命发展课程内容结构图

按照五类大领域,我们将研究设计 10 个小类领域 25 个具体方向的分类科目。这一体系可以涵盖目前学校开设的所有具体三级课程门类,其中当然也包括生命发展的各类特色校本课程(见表 10-1)。

表 10-1　生命发展课程的分类科目设置

课程领域	课程维度	课程模块	课程内容			课程目标定位
			基础类课程（夯实基础）	拓展类课程（开阔视野）	研究类课程（发展特长）	
人文素养	人文知识	中国文化	"语文""阅读""书法"	"国学赏析""中外简史""世界遗产""校园文化""走进社区""中国方言""共赴青铜盛宴""古代钱币""文字的起源与发展""金融知识""法律起源及重要性""维护合法权益""激发学习动力,传递正能量"	"演讲与口才""文化大观""鹿鸣吟诵""传统相声欣赏""中国神话与传统节日""中文戏剧""好玩的绘本"……	提高人文素养
		历史知识				
		艺术赏析				
		简单经济学				
	人文实践	校园文化				
		社区实践				
科学素养	科学知识	生命科学	"数学""科学""信息技术""生活与科技""智能机器人""单片机""创客"	"了解生命""安全知识""了解宇宙""身边的地理""动物世界""身边的植物""北京的气候""环境与健康""信息学""研究性学习""陀螺与力学原理""环境与保护""中国古代陶器""科技发展"	"单片机""智能机器人""无线电""电子制作""动手做模型""种植与养殖""趣味实验""天文""模型""信息学""DI"……	提高科学素养
		自然科学				
		信息科学				
	科学探究	科学研究方法				
		科学研究实践				
社会交往	社会礼仪	家庭礼仪	"品德与社会""品德与生活""社区服务与社会实践活动""劳动技术"	"走进社区""家庭礼仪""学校礼仪""社会礼仪""节日礼仪""如何交往""安全教育""责任感、青春期教育""法律为我保驾护航""如何解决冲突"	"演讲""领导力培养""家庭装饰"……	提高适应社会生活的综合素质
		校园礼仪				
		社会礼仪				
	交流方法	沟通技巧				
		领导能力				
健康艺术	运动健康	健康知识	"体育""音乐""美术""手工""健康""形体""心理学"	"戏剧表演""外国音乐作品赏析""外国美术作品赏析""外国戏剧作品赏析""健康知识""护牙爱牙""全员运动会""校园交谊舞"	"京剧""舞蹈""管乐""弦乐""定向越野""棒球""武术""跆拳道""击剑""健美操""足球""篮球""乒乓球"……	增强体质和艺术修养
		健康活动				
	艺术修养	名作欣赏				
		艺术学习				

续表

课程领域	课程维度	课程模块	课程内容			课程目标定位
			基础类课程（夯实基础）	拓展类课程（开阔视野）	研究类课程（发展特长）	
国际理解	文化传统	价值观	"综合实践"	"外国文学作品赏析""宗教文化与故事""国际礼仪文化""外国饮食文化""新闻与时事分析""徒步走天下""镜头里的世界""世界第一夫人""中国与周边国家的关系"	"环球大视野""超级演说家""德语""法语""西班牙语""日语""韩语""GAMESWORLD"……	培养世界公民意识
		文化差异				
		信仰差异				
	国际关系	国际时事				
		时事分析				

学生生命发展需要的落实过程中课程目标、课程内容、课程实施、教学模式、课程评价都不是孤立存在的，也不是线性发展的，这五个环节中的每一步都必须从封闭走向开放，从自主走向协同。

三、 学的"实验"——生命课堂的行动与样本

杂乱无序的"学科群"不可能发挥多大的功能，其内部必然很不协调，必然产生内耗。如果说生命发展课程更多关注的是课程设置层面的工作，那么这样的"课程设置"如何转化为"课程实施"，在学校教学中真正落地？为此，我们把学校整体课程方案放在学科课程的框架之中，投入了大量精力研究设计带有不同学科特质的核心课程学科群教学系统，如"开放的学习资源""教学进程结构""如何转变教与学的方式"等，构建独特的学科课程整体实施方案。

按照生命发展课程体系的基本理念，核心课程学科群建构围绕核心课程建构，整体实施方案由七个核心问题组成：即北大附小学科课程发展水平特色的估计；学科课程构建的主题与思路；学科课程内容的设计；学科课堂教学进程的设计；学科课堂教学的特质；学科课程教学的成效；学科教师团队建设等。

（一）润泽心灵的博雅语文

几年来，学科群建构及实施方面的探索取得了初步的成效。北大附小的"博雅"语文从"博吸收""雅呈现"两方面来构建博雅的语文学科群总体结构。这里的

"博",关注的是吸收、接纳,是兼容并包,是大气磅礴。"雅",则是内化后的展现,是弘扬传统,是人文和谐。考量到教材局限,博雅语文还特别设计了分层多样的博雅阅读,如一年级的"绘本之旅",二年级的"桥梁阅读",三年级的"成长之旅",四年级的"博览之旅",五年级的"人文之旅",通过阅读容量的加大,不断拓宽学生视域。

(二)生长的数学:研数思形,启智通慧

数学学科课程体系以"生长的数学"为主题进行学科群的创生和建构,其核心的内容和目标就是"研数思形,启智通慧"。北大附小以丰富的数学活动为依托,通过基础类课程、思维类课程和实践类课程这三类课程的设计,致力于培养具有理性思维、应用意识和创新能力的人。这三类课程既是立体分层的,在培养目标上又是各有侧重的,如基础类课程重点观照知识与技能,思维类课程重点观照方法与策略,实践类课程重点观照实践与应用(见图 10-3)。

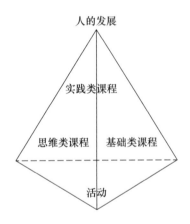

图 10-3 "生长的数学"学科群设计

在综合实践类课程中,以问题意识和活动体验为轴,所有课程贯穿一至六年级,并且循序上升且不断发展(见表 10-2)。

表 10-2　实践类课程的内容结构

		课题研究
	方案设计 数据处理	方案设计 数据处理
问题意识 活动体验	问题意识 活动体验	问题意识 活动体验
1—3 年级	4—5 年级	6 年级

（三）卓悦英语：“玩”出最好的课堂

英语学科提出了“1＋3”课堂教学架构。“1＋3”有两层含义：一是课堂时间分配，10 分钟和 30 分钟。二是进程模式，1 个模块和 3 个环节。“1”，就是用 1/4 的课堂学习时间（10 分钟）开展 1 个模块学习。在这 10 分钟里，教师可以根据教学内容需要、学生学习需求、教师教学风格和较长期教学目标，从提供的活动模块中自由选择 1—3 个教学活动。活动模块包括：Duty Report（值日报告）、Topic Speech（主题演讲）、Mimic Show（电影模仿秀）、Story Time（故事时间）、Music Time（音乐之声）。“3”，是 3/4 的课堂学习时间（30 分钟），也是 3 个学习环节。这 30 分钟是回归教材、回归文本的常态课堂学习。学习内容主要来自于基础课程教材，即新派英语和清华一条龙英语，以及拓展课程中的阅读文本。三个环节的基本功能是：激活激趣＋互动建构＋内化整合。

（四）选修课程：每个人一张课程表

选修课程是生命发展课程实施“落地”的关键环节。在完成生命发展课程体系顶层设计与学科群构建之后，我们不断强化学生个性化课程实践，着力推进学校课程体系实施的“落地”，特别是以开放式、个性化为方向，研究设计符合学生身心发展特点的选修课程架构。近年来，面对社会各界对教育的抨击，我们经常在反思我们的教育问题。与美国、芬兰、英国、德国、日本、新加坡等教育发达国家相关国际课程教学改革相比，我国近年来基础教育课程改革进展并非“一无是处”，客观上讲还是拥有很多优势。最近以来，西方很多同行甚至也在向我国学习课程教学改革的经验。但同时我们也很清楚当前改革存在的问题与短板，如一些家长对中国教育没有信心，越来越多的人选择国外的教育，留学群体越来越低龄化等；教育教学评价仍显单一化、标准化、机械化，教育个性化的大门还没有真正洞开，没有真正做到“顺其性、驰其想”。

    课程表是学校按照国家课程标准为师生提供的课程安排计划表。在课程表中,从微观层面具体反映学校整体课程改革理念与模式的最直接"领地"是选修课程安排。从 2015 年 9 月开始,我校在保持开足开齐国家课程的前提下,利用周二和周五两个半天时间,为全校孩子提供了 145 门选修课程(见表 10-3、表 10-4 和表 10-5)。另外,我们还为每个年级学生开放了一个半天/每周的开放课时,用来进行有主题有系列的综合实践活动。选修课程主要包括:环球文化系列讲座、朋朋哥哥讲宫城、碰碰植物、经济学、法语、西班牙语、狮子王戏剧、罗宾汉戏剧、打击乐、交谊舞、科普剧、名著阅读、戴学忱吟诵、郑渊洁童话、走进敬老院、方素珍绘本等。

表 10-3　一、二年级课程表

节次 星期	上午					下午		
	1(40分)	2(40分)	3(30分)	4(30分)	5(30分)	6(30分)	7(30分)	8(30分)
一							综合实践活动	
二							年级内选修	
三								
四								
五								

表 10-4　三、四年级课程表

节次 星期	上午					下午		
	1(40分)	2(40分)	3(30分)	4(30分)	5(30分)	6(30分)	7(30分)	8(30分)
一								
二							年级内选修	
三							综合实践活动	
四								
五							跨年级选修	

表 10-5　五、六年级课程表

节次 星期	上午					下午		
	1(40分)	2(40分)	3(30分)	4(30分)	5(30分)	6(30分)	7(30分)	8(30分)
一								
二							年级内选修	
三								
四							综合实践活动	
五							跨年级选修	

四、 整体育人的生命暗喻——小学杜威课堂实验的验证

以美国著名教育学家杜威的教育思想为引导,北京大学附属小学将"教育即生长""教育即生活""学校即社会"等重要思想不断领会、融合并转化到教与学的实验逻辑中去,以指导深化生命课堂实践。

(一)儿童对自我的表达 ——学与玩之间的辩证关系

生命性是新基础教育观的重要理念。对于儿童来说,他们正处在人生中的童年期和少年期,缺乏生活的诸方面经验,是最需要学习的人生阶段;另一方面,他们处在生命中充满活力和蕴藏着巨大潜在的多方面可能性的时期,是人生最重要的、发展变化最大的成长时期,然而对于他们来说又是并不清晰知道这一时期对于自己整个人生重要生命价值的时期。因此,这一人生时期,也是最需要被珍爱生命、被懂得生命的整体性和被开发生命潜力的时期。就学校和教师而言,对生命的热爱,就是对学生的关爱和引导,就是对学生潜在性、主动性的开发和对学生差异性的尊重,就是相信每个学生只要通过积极主动的活动,都能实现个体的发展。[①] 1991 年,我国现代著名作家冰心为北大附小亲笔题词,"专心地学习,痛快地游玩"。短短十个字,不仅蕴含了对儿童天性的深入理解,也蕴藏了对教育教学规律的深刻认知。北大附小将这一题词作为校训,从"深度地教""深度地学""深度地玩"三个维度出发。生命课堂的基础教育实践表明,在教育教学生活中,只要能让学生"感兴趣"、觉得"有意思"、做起来"很容易",就会使学习变成一件快乐的事情,就会真正实现"好学",实现"低入高出"。[②]为此,激发学生玩的兴趣、在玩中捕捉学的教育契机、合理把握玩的火候、在玩中体现教的用心,在学和玩的良好共促关系中重塑教育成为北京大学附属小学生命课堂实践的重要理念和实践模式。

以充分尊重儿童对自我的表达、正确处理好学与玩之间的关系为理念,北京大学附属小学通过课程创新引发了学校从内而外的整体变革。自主探究、自主运营的"碰碰植物俱乐部",集星座学习、天象观测、星空探索的"数字天象厅",融合阅读、教学、交流、研讨于一体的开放式"博雅书园",以及"游泳""京剧""合唱"等

---

① 叶澜.教育理论与学校实践[M].北京:高等教育出版社,2000:11.
② 刘文志."学"变成"玩"[J].人民教育,2015(4):52-53.

在"泡泡馆"中实践的特色课程,成为孩子们选课单里的最爱。课程改革既带动了学校的硬件建设,也提高了学校的"软实力"水平,"学玩合一"的整体育人理念也得到全面彰显。

(二)小学课程知识论的心理学基础——从日常生活经验开始

"教育即生活"是杜威的著名命题。1897 年,其在《我的教育信条》一文中明确提出"教育是生活的过程,而不是将来生活的准备",主要包括了两方面含义:一是要求学校与社会相结合,二是要求学校与儿童的生活相结合。关于"生活"的含义,杜威没有做出明确的界定,他有时认为生活是一种无所不包的活动,它既包括机体,也包括环境;有时认为生活包括习惯、制度、胜利和失败、休闲与工作。因此,我们可以体会到杜威"生活"的最基本含义指的是个体或团体直接生活于其中的现实而又具体的环境,即我们所说的"日常生活"。

杜威指出,日常生活与个体的生长密切相关,"青少年在连续性的和进步的社会生活中所必须具有的态度和倾向的发展,不能通过信念、情感和知识的直接传授发生,它要通过环境的中介发生",日常生活与教育及个体的关系决定了教育不能脱离生活 。为了打破当时学校教育与生活之间的藩篱 ,杜威要求"学校必须呈现现在的生活——即对儿童来说是真实而生气勃勃的生活。像他在家里、在邻里间、在运动场上所经历的生活那样"。杜威认为,一切真正的教育都是从经验中产生的,是在经验中、由于经验、为着经验的一种发展过程 。他的"经验课程范式"强调"学校科目相互联系的真正中心,不是科学,不是文学,不是历史,不是地理,而是儿童本身的社会活动"。为贯彻这一点,他为儿童设计的经验课程包括家务活动作业、为家庭服务的社会性活动作业、自然研究活动作业、历史研究活动作业和自我指导能力、时事研究等各种专门化活动研究,游戏、活动、操作、探究、交往是儿童基本的学习活动方式。

根据他的观点,日常生活经验对于基础教育和儿童成长具有非常重要的意义,基础教育只有通过带领儿童正确解读生活世界,理解课程与生活的关系,才能真正实现课程回归生活,从而促进儿童的长远发展。心理学家也认为,通过日常生活活动,孩子能逐渐认识到他的需求,在日常生活的锻炼中认识自我,并通过日常生活进行的方式,产生自我价值感。以"教育回归生活"这一教育思想精髓作为北京大学附属小学生命课堂实践的重要理念,北京大学附属小学在教与学的实验过程中注重将日常生活经验作为基础教育的起点,从而实现课程与生活的融合。

（三）生命取向的整体育人观——学校要提供真实的社会生活

"学校即社会"也是杜威教育思想的重要组成部分。关于什么是学校,杜威在《我的教育信条》中说道:学校是一种社会组织。教育既然是一种社会过程,学校便是社会生活的一种形式。在这种社会生活的形式里,凡是最有效的培养儿童分享人类所继承下来的财富以及为了社会目的而运用自己能力的一切手段,都被集中起来。杜威认为,任何一个群体都要使其成员能够社会化,社会化的质量和价值取决于群体的习惯和目的。学校应该是一种社会生活的形式,因此,学校不应该是远离生活的。学校作为一种制度,应该把现实的社会生活简化起来,缩小到一个雏形的形态。由此认为,学校本身应该是一种社会生活,具有社会生活的全部意义,不会导致和社会的脱节。学校的发展、学生的成长根植于社会、根植于生活,教育才是人性化的、多样的、鲜活的,这才是正常的教育生态。①北京大学附属小学在这一教育思想的领会基础上,积极践行生命课堂的整体育人观,注重创设在最大程度上促进儿童的学习、发展的学校环境,为教与学提供充分、完备、自然的教育教学环境。

---

① 王烽.学校要根植于社会和生活[N].中国教育报,2015-04-16.

第十一章

与杜威先生的跨时空交流： 开启实验学校的 2.0 时代①

查尔斯·阿贝尔曼

2017 年 7 月 1 日，我来到芝加哥大学实验学校，担任该校第 28 任校长。这所学校历史上有许多任校长，但并非每一位校长都会被学校公开纪念，因为这所学校关注的重点是学生和学生的学习。另外，在美国，有许多独立学校用肖像或牌匾来纪念校领导，但芝加哥实验学校之前并不这样，在该实验学校，虽然绝大多数人都知晓并会纪念学校首任校长约翰·杜威，但这所学校自始至终更注重教学而不是谁领导学校。1896 年 1 月，杜威在妻子艾丽丝（Alice）的支持下，开办了一所学校，后被称为杜威学校，这所学校是他理论的"试验田"。正如杜威在其一次早期的演讲中所述的那样，这所学校有两个主要目标，即成立这所学校是为了"呈现、验证及批判理论观点和原理"以及"在特定的时间为真理和原理的大厦添砖加瓦"。

自开办以来，芝加哥实验学校就和进步教育联系在一起，这也是它吸引我从华盛顿来到这里担任校长的原因之一。这所学校曾一度引起国内外空前热烈的讨论，我很高兴能有这个机会来领导它。吸引我担任这个职务的是这所学校的历史，它如今的声誉，还有它所在的城市。这所学校不仅是芝加哥大学的一部分，也是芝加哥这座城市的一部分，芝加哥有着丰富的资源以及严峻的社会挑战，也将给我们带来巨大的机遇。我想在深思熟虑后带领学校去探索实验学校 2.0 对于

① 本文的作者查尔斯·阿贝尔曼（Charles Abelmann）是芝加哥大学实验学校的校长。他于杜克大学取得文学学士学位，于哈佛大学研究生教育学院取得硕士和博士学位。他长期以来一直关注美国以及全球范围的教育改革。他曾参与过政策制定，出任过研究员，在公立学校和私立学校都担任过校长。他曾主管世界银行在中国的教育项目工作，也曾通过领导课题和给政府做咨询，在其他国家完成了大量的教育事业发展工作。他所关注的领域主要是学校体制层面的改革，尤其是在组织文化和责任归属方面。他还曾在世界银行主管有关领导力培养和组织效率的项目。

作者对他的同事凯尔·格雷、卡拉·杨和路易斯·科罗纳尔为这篇文章所做的贡献表示感谢。

我们的学生以及更广泛的教育界的意义。我曾在进步主义学校、高等教育和国际发展等领域的工作经历让我来到了实验学校，在这里，我期盼这所学校再一次变成欢迎来自各地的参观者的地方，同时支持它的教师们在校外积极活动，共享他们的实践经验并融入一个更大的世界性教师队伍。我四到八年级是在马萨诸塞州康科德市的一所进步主义学校上的。该校由罗杰·芬恩（Roger Fenn）先生创立，他曾于1900年在杜威学校学习过。罗杰·芬恩先生曾是我的科学课老师，主张通过实践来学习，我们通常会到毗邻校园的杰克森公园去收集叶子和树皮，能有这样的经历，我感到很幸运。直到我来到芝加哥，我才知道我的中学与芝加哥实验学校的联系，这让我感到我和实验学校的历史存在着温暖的情谊。我很荣幸通过进一步了解杜威先生以及他与中国的交集来指导我去领导实验学校。在本文中，我希望能够将这所学校的历史与现状完美融合，以此纪念杜威先生的理念。这篇文章的出发点，并非从一位研究杜威理论的学者的角度出发，而更多地是从一位致力于纪念杜威先生，同时思考杜威理念与如今时代的关联的校长的角度。

作为实验学校校长一职的候选人时，我曾分享过一个愿景，即让实验学校再次成为一个教育家汇集之地，他们可以在这里一起探讨当下存在于研究者、政策制定者以及教育从业者之间的问题。实验学校的老师们过去常常参与编写教科书、撰写文章和书评、出席会议以及每年接待上千名参观者。我们的一些老师如今仍然在做这些事，而在展望未来之际，我乐于见到我们的老师变成研究者，同时我也积极地鼓励分享与合作。我们要再次申明这一点，我们欢迎来访者，在做分享者的同时也做一名学习者。芝加哥实验学校的老师们不断进行游学，并分享老师与学生之间的合作成果。

作为芝加哥实验学校的一名新人，我重读了杜威的理论并研究了实验学校的历史。上任伊始，就像某一位前任校长那样，我寻找有关约翰·杜威先生的痕迹。我找到了另一位进步主义教育家弗朗西斯·帕克尔（Francis Parker）的雕像，但并未在墙上发现杜威的画像或与之相关的其他东西。2017年7月的早些时候，我走过每一间教室、储物间、地下室以及阁楼，偶然间看到了很多在我看来对于这所学校来说有着重要象征意义的东西，然而他们却被掩藏在高中英语教学部。我找到一座亚历山大·波特诺夫（Alexander Portnoff）1930年铸造的杜威铜像，作为芝加哥大学50周年校庆的一部分，杜威铜像得以重见天日，并被放在大学教学楼，纪念他对芝加哥大学所做的贡献。前些年，教育学和心理学教授菲利普·杰克逊（Phillip Jackson）出任校长时，他在阁楼发现了另一座杜威的塑像，他把塑像带回了自己的办公室。后来他再次参观学校时发现塑像被搬到了一个秘书的办公室里。直到我发现了波特诺夫铸造的塑像的很久之后，我才知晓这一段故事。尽管我没能找到杰克逊教授提到的那座由雅各布·爱波斯坦（Jacob Epstein）于 1929 年制作的塑像，我依然很乐意让波特诺夫的那座雕像重现于世。实际上，更早的塑像是为了纪念杜威 70 周年诞辰而塑。尽管有老师称杜威的塑像之所以留在办公室是因为校园中可能有杜威不喜欢的东西，但我仍致力于让校园的每个角落都能反映出杜威的某些想法和理念，因为这些想法和理念如今往往与进步主义教育有着密切联系。

进步主义教育学会于 1919 年成立，一年后，学会制订了 7 条准则，这 7 条准则包括：（1）随天性发展的自由；（2）兴趣是一切成果的驱动力；（3）教师应扮演指导者而非监管者；（4）对学生成长应科学研究；（5）更加关注影响儿童身体发育的因素；（6）家校合作以满足孩童的需求；（7）进步主义学校应在教育事业改革中起领导作用。

我不希望杜威的塑像一直被雪藏，于是我举办了一个竞赛活动来让师生们决定应该将杜威塑像放在哪儿。我想让它成为芝加哥实验学校与随后杜威被授予荣誉主席称号的进步主义教育学会之间的象征，这也是我们以史为鉴、展望未来过程中的一部分。我在礼堂作开幕致辞宣布这项活动时，把塑像一同带上了台，因为我想传达一个明确的信息，即我仍然将这所学校视为一所杜威学校，而且我将自己视为芝加哥实验学校和这座塑像的守护者。在比赛活动中胜出的提案建议把它安置在学校图书馆的高层，但学生们可以将塑像借出来放在教室里以供参观。因此上学期在我们全体学生的共同努力下，杜威的塑像不再尘封于办公室中而是转而在图书馆展示了。第一个想要借走它的人是一位幼儿园老师，他带的班不在老校区而是在几个街区外的新教学楼，于是杜威的塑像在刚刚过去的秋天顺利"造访"了他们的新教学楼。而且想要它"造访"自己课堂的老师越来越多，新教学楼的楼长在给员工的信中说道："杜威很快被孩子们所接纳，成为班级的一员，这或许是因为它和孩子们同时来到班上。孩子们每天清点人数时也将它算在内，显然，对孩子们来说，它已经与人别无二致，甚至可以将它算作班级的一员了。孩子们从正式的课程到他们享受玩乐与创造的时间，都会被它注视着，杜威管这个叫'教学、制造与创造的才能'。"杜威在这些课堂上如获新生，他会知道他的理念以及他和艾丽丝自 1896 年开创的事业如今仍被世人铭记。它辗转于不同的课堂之间，每个班级根据学生观察和提问的不同而以不同的方式与之互动。在其中一个班上,学生们把他称为"强尼",这让他严肃的黄铜色脑袋看上去不是那么官方而是颇受欢迎。而另一个班级的学生则用石灰来涂抹他的脸,这件艺术作品不再是仅仅用来欣赏,而是能够得以触摸和感知。校园里的象征物十分重要,将杜威塑像展示出来改变了我们思考和审视工作的方式和内容,包括我们重新加入了进步主义教育学会。此外,我们还在储物间发现了一幅杜威先生的画像,如今它被挂在校长办公室里。作为学校的领导者,我十分重视校园里的杜威元素对我们的激励作用,因为我们正努力让芝加哥实验学校更符合当下以及未来的需求。

要了解过去杜威工作与生活的一部分,拜读他在中国发表的演讲是必不可少的一步。找到那些演讲稿之后,我发现 2019 年 4 月 30 日是杜威先生到访中国的 100 周年纪念日,我们可以以此来表彰他为教育做出的杰出贡献,而且,我也把它视为我领导芝加哥实验学校和中国面对的新教育挑战在当今相联系的机会。杜威先生的话在他所处的年代有着深远的影响,我至今仍对其中的一些讲话深以为然。我早年曾在中国作为一名研究员协助教育政策研究所做相关工作,后来又在中国参与了世界银行的教育项目管理工作。此外,协助过教育部调查研究和能力建设工作。最近,我还协助了南京学前教育机构的建立与推广。之前我在美国巴里学校当校长时,迎接了第一批中国学生到我们高中学习,当我见到这些学生和他们的家人时,我发现中国学生对美式教育存在需求。我本身是一个对中国感兴趣的进步主义教育家,这使杜威先生的演讲内容与我的关系更加密切,同时我也很好奇这些演讲内容与学生、老师的关联有多大。我觉得这次百年纪念将是一个分享学习所得的好机会,同时我想举办一个学术研讨会或其他的一些活动来纪念杜威先生的讲学之旅。这些演讲似乎与我近年来在中国看到的挑战有关,也与我在应对传统高中教育项目带来的压力时所面临的挑战有关,我希望采取一种更进步的跨学科方法,更符合杜威教育和当今教育的要求。

因此,我们在芝加哥实验学校筹划的第一场大型集会就是为了纪念这所学校的创始人——杜威先生,缅怀学校历史以及他对教育界的贡献,同时反问自己还有什么是对现在仍然具有借鉴意义的。这次庆典引发了杜威学派的学者们和其他对今天的教育政策、实践感兴趣的人的共鸣。而本书也在一定程度上标志着对杜威学派的重新关注,我希望这篇文章能帮助读者更好地了解杜威思想理念的历史与研究现状。

杜威先生离开芝加哥实验学校后去了哥伦比亚大学,那里有许多毕业于其门下的中国学生。应这群学生的邀请,杜威先生于 1919 年 4 月 30 日来到中国。在接下来的 26 个月里,杜威先生走遍了中国 13 个省市,做了 200 多场演讲,演讲主题多样,反映出其对学术研究的兴趣之深以及他卓越的跨学科能力。而作为一个哲学家,他的作品里经常交织着心理学及各种自然科学知识,杜威先生还在文章中引用物理学中的力和能量的专业术语来论述其思想,他的演讲反映了其跨越传统学科界限和重视多学科的观点。他的学生胡适、郭秉文、陶行知、蒋梦麟都是各自领域的教育大家,在杜威先生的中国之旅中,他们在行程和思想方面都给了杜威先生很大的帮助,就像杜威先生当初教导他们一样。杜威先生在中国期间,他继续与众多中外学者进行交流,这对杜威先生自己理念的形成有着极大的影响。

在我们研讨会的准备过程中,我们为老师和学生们筹备了一次中国游学之旅。我有幸参与了学生旅行的筹备工作并随同前往。这次游学的内容是重走杜威先生当年中国之旅的部分路线。我想为学生提供一个"做中学"的机会。我想这次游学的学生组成最好不要都是实验学校的学生。正如多样化的体验能提升学习效果一样,多样化的团队构成也会对学习有影响,所以我想让这次的学生队伍也多样化。杜威先生在题为"共同生活的纪律"的演讲中说道:"学生可能来自不同的社会环境,不同的家庭背景,不同的宗教派别,但是在学校里他们可以一同学习,一同玩耍。"我们给学生们提供了一个可以共同学习和玩耍的机会,这样他们可以通过重视多样性来深化合作,教育能力在某种程度上不是由教材或教师来定义的,而是由学生在一个群体或班级中的构成来定义的。

我们学生小组由 3 个学校的 12 名学生组成,在这 12 名学生中有 4 名来自实验学校,4 名来自一所公立特许学校,该学校也由芝加哥大学运营,面向城市南部一些低收入家庭招生,其余 4 名学生来自北京一所重点高中。这些学生像杜威先生一样,先集体抵达上海,再去往南京、北京,并有机会待在农村进行参观。他们重新拜读了杜威先生的演讲稿,在杜威先生曾经演讲过的地方进行模拟演讲,还重现了杜威先生的 60 岁生日宴会,并模仿了当时蔡元培先生在北京一家饭店所做的演讲。学生们一边回顾 1919—1920 年的中国,一边和他们的父母、朋友们发信息、视频通话,告诉他们在 2018 年的中国的所见所闻。他们还拜访了几位中国学者,学者告诉这些学生在 20 世纪 80 年代实用主义如何,以及为何重新激发关于杜威学派的兴趣。学生们试图弄清今天的学校和杜威先生的理念之间的联系以及它们是怎样联系的,同时他们也分享了自己学校的一些不同之处以及在游历这些受种族、阶层和民族影响的新地方时所产生的观点。中国学生帮助美国学生理解其中的细微差别,美国学生又反过来帮助中国学生,在这一过程中产生了新的友谊和对彼此新的理解，他们还使用杜威所做的演讲开展了对话。杜威先生在 1919 年 6 月 1 日的家书中这样形容他在日本和中国的经历："我们承认在一生中从未像在过去的四个月里学到的东西多"，他说就像有很多食物等着你去消化，但你根本就消化不完，同样的，我们的学生也有这种感受。而这次经历也提出了一个新问题：我们如何让更多的学生离开学校去接触新环境中的人，或者让他们去寻找能够收获切身体验的方法，以此来进行学习。实验学校学生的海外游学开始于 1958 年，目的地是德国，我们第一次中国之旅是在 2013 年，而且早在 2006 年就已经开设了中文课。今天，我们需要探索如何进一步达成共识，并且聚焦于那些跨越边界的全球性问题。我们需要更早地开展外语教学，为将学生培养成全球公民做准备。

所有学生在旅行前都和电影制作人学习了电影制作的技巧，这使他们每个人都成了纪录片导演，我们也希望他们能从实践中学习。学生们从不同的方面记录了杜威先生的中国之旅以及背后的意义，杜威先生的话和他们的话交织在关于教育的对话和辩论中，在这一过程中学生们进行讨论、倾听并做记录，并且影片创作的主题也是关于密切关系和加深彼此的理解。这次游学项目印证了我所理解的杜威先生在促进共识方面的主张以及他关于领导权的理念，即有时候学生可以掌握领导权，其他时候则需要遵从。小组内学生们的作品和他们制作的影片都记录了学生学习的过程和该项目的进程，在拍摄的过程中他们更亲密了，也学会了观察细节和倾听。虽然在我写这篇文章的时候项目仍在进行当中，但是我知道这个包含跨国辩论和讨论的项目是成功的。当我得知北京这所学校将会派那四名参与此次活动的学生来实验学校参加 2019 年 5 月 2 日的电影首映时我很激动，我们还将在当天展示杜威先生的铜像以供大家参观。正因为杜威学派的学者们重视学生的经验，所以学生的声音将会是本次盛会的一个核心内容。

在本文中，读者将了解到实验学校和中国的交集，因为实验学校背后的芝加哥大学和中国有着千丝万缕的联系。该大学目前在中国香港和北京均设有研究中心，而且还有许多合作的科研项目。实验学校从 2004 年起开始教汉语并且在过去几年一直支持开展交换生项目。我们的学生致力于研究杜威先生是怎样影响中国的，同样，还有中国对杜威先生的影响。作为实验学校的校长，在《杜威教育思想在中国——纪念杜威来华讲学 100 周年》即将出版的重要时刻，我也应该同学生们一样尽力去做这件事。我希望实验学校 2.0 项目的部分内容将会成为中美学生、教师和学校领导之间交换意见和开展交流的桥梁，同时我们也希望加深双方在共同关切的事务上的理解。

杜威先生的演讲经常见报，并在之后汇编成册出版发行，当他在中国时，他的部分著作也被译成中文，广为流传。尽管不是唯一一个到访中国的美国学者，但与其他人相比，杜威先生走过的地方更多，在中国待的时间更长，在中国传播教授的东西也最多。他的理念被整理成书，有时候会被教育部公开推广。他的系列讲座即为人熟知的杜威北京演讲集亦出版成书并多次再版，他在国立北京大学和国立南京师范大学的演讲也为人津津乐道，《新教育》杂志也刊登了他的一些演讲。虽然在那时杜威和胡适很受欢迎，但在 20 世纪 50 年代初期的中国，杜威作为一个积极的学者和改革家的形象不再有，同许多其他作家一样，他的作品被打上了危害中国文化的烙印，成为禁书。尽管杜威先生起初受到广大读者欢迎，专著广为乐道，但作为一个有益辩论的倡导者，他后来也成为被非议的中心人物之一。然而杜威先生还是很受欢迎，他的观点被译成了我们现在所熟知的标语如"教育即生活""学校即社会""实践出真知"和"学生是学校的中心"。

这当中的许多概念都是在杜威先生主管杜威学校时探索出来的，并且在进步主义教育学会的早期原则中有所体现，在他发表演讲的时候出版。杜威先生在中国时中国也创办了一些新的实验学校，有些学校和大学有联系，它们之间的关系和我们实验学校与芝加哥大学的关系类似，而且各级学校也创立了学生自治组织。在杜威先生的演讲中，他倡导"一种基于天资和学生个人兴趣的教育方法，这样，学生的身心就可以得到全面发展"，这一理念是他在实验学校创立的，并且美国其他学校都在竞相实行。

我发现他的演讲中有许多与学校有关的论断，这些论断跨越时间界限，放诸四海皆准。杜威在《知识自由》这一演讲中认为"教育是推动社会进步的一种方式"，之后又提到"教育是民主的基础，因为根据定义，民主是建立在大多数人能受教育并且有能力学习的基础之上的。事实上，民主就意味着教育，它本身就是一个对所有人持续教育的过程。一个民主的社会会提供学校教育，也会号召有权利接受学校教育的人投身于公共事业之中，同时要求他们像在学校一样继续学习……如果我们的教育是行之有效的，那么世界上的每个人都会意识到自身的福祉是与大家的福祉密切相关的……"在《教育中的工作与娱乐》这篇演讲中，杜威认为："……学校是连接孩子与其所处社会的桥梁，教育的使命就是帮助孩子跨过这座桥梁，成为对社会有用、有贡献的人。"今天，我们的实验学校面临着这一挑战，即在这样一个繁华与贫穷并存的大都市帮助学生了解周遭的社会问题，同时帮助他们理解环境和人类对地球造成的威胁。

在"我们需要教育哲学"这一演讲中,杜威探讨了分清首要关注的与次要关注内容的重要性。他认为正是教育哲学使得我们能于相互矛盾斗争的趋势中做出选择,选出我们真正想发展培养的趋势,摒弃那些意图阻碍我们发展的趋势。这说明了在不同背景和任务下,12 名学生如何从他们拥有的长达几十小时的电影镜头中对最重要的和次要内容进行处理。他们在做选择时会互相倾听和争论。他们花时间做这件事并不是为了分数,而是为了激发自己的兴趣。在尊重差异的同时,他们也意识到彼此的想法和观点的相互影响。杜威在他的演讲《科学与认知》中说道:"实践出真知。只有实践才能使我们改变观念,使我们系统地构建知识,使我们发现新的知识⋯⋯"我发现,我们的学生在争论影片的焦点的时候,他们也萌发出了新的想法和观点。

今天,我想支持杜威先生关于高中课程的一篇演讲中的观点,他在这篇演讲中说道:"⋯⋯在回顾历史之前,我们不妨来鉴别一下当今社会的一些重要问题——政治问题、社会问题、经济问题、外交问题以及其他问题⋯⋯当学生专心研究某一特定的问题时,他们将会获得大量可运用于该问题的知识,他们批判思考和独立判断的能力也会得到提高。"显而易见,上面这段推论放到今天也同样成立。实验学校有许多教育工作者都赞同以实践课题为导向的学习方式,一些全国性的组织比如巴克教育研究所也积极推广杜威先生和实验学校的理念。推崇这种学习方式的人知道他们面临的挑战在于设计一个课题最为根本的起始阶段。好的课题对学生持续研究、课题的真实性、学生组织的建设以及对课题本身的反思都有持续不断的要求。巴克教育研究所认为一个可靠的课题必定会使学生从事与生活直接相关的作业,这些课题使得孩子们有发言权。我们能通过帮助学生宣传他们的主张,或者帮助学生改进他们的社区,使得孩子们成为民主社会中的积极分子。杜威曾强调过跨学科工作的重要性以及我们应如何使思维不受到学科划分的限制,强调要找寻学科间的相互关系,要接受学科间的相互影响。

我们沿袭了杜威学校过去的优良传统和它以实践为导向的工作方式,如今我们让每所学校都有了创客空间,由此,老师和学生们得以通过与设计思维相关的做中学活动经历去学习知识。随着教育实践的发展,我们的实验学校也像许多学校一样进行了变革,让学生们动手贯彻设计思维理念。我们的变革打破了传统的学科界限,不再以学科为导向,而是以问题为导向。

我们学校的目标是激发和培养出学生们一种富有好奇心、自信心、创造力的经久不衰的精神。为实现这个目标，我们给小学学生提供了众创空间，在这个学习空间里，学生可以提出问题、证实想法、找寻答案、解决问题。在这个空间里学生可以做手工、玩游戏、搞设计、弄创作，还可以使用各种各样的材料和高低端工具，学生们也给它取了一个恰如其分的名字——创意坊，相当于现代的手工坊。这些亲身思考、亲自动手的经历和机会是老师和学生一同激发、形成和创作而来的。在运用设计思维的过程中，学生会带着在一、二年级课程里遇到的问题和挑战去进行探索和实验。老师们面对的挑战则是在"怎样教学生、教学生什么，以及为什么要教"这些问题上提出不同的想法。动手创作帮助学生培养和融贯一些辩证性的、更深层次的学习技能，比如独立思考、自我反思、与人协作、坚持不懈，以及一种成长型的思维模式，并赋予学生终身学习的品质。虽然我们的创意坊是一个有形的空间，但我们的目标是培养出一种思维方式，这一过程会带来一种跨越物理空间藩篱的学习文化，会带来新的观点看法、新的解决方案以及新的做事方法，而不只是创造出新产品。我们也会给小学、初中、高中的学生提供更多复杂的空间和精密的工具。我们正以实践和试错的方式在探索实现这个目标的道路上。

在管理这所实验学校的时候，我选择发掘它的历史，纪念它的过往，同时也推行进步主义教育的一些理念。我推崇关注学生的个体，即关注学生的情感健康、身体健康、精神健康以及学术健康。我支持"从做中学"，也支持我们教学任务中的经验教育。我积极推动艺术融入我们的教学当中，并且探索怎样培养跨学科思维方式。我思索我们应怎样使学生参与决策，怎样使他们习得一个有用的公民应有的技能与习惯。我们在做这项工作的同时尊重多样性，希望能建设一个包容、平等的学校。这些思路是学校传统的一部分，也有助于培养有批判思维的学生，使他们能与他人通力合作解决问题。这些思路在杜威的演讲中也有所体现。

在这所学校的发展历程中，艾达·德彭希尔（Ida DePencier）曾把老师的职责描述为是给学生引入问题并帮助学生决定解决问题的方法。现今的以项目为导向的学习方法，联系了现实问题，与德彭希尔这段早期的论述有着异曲同工之妙。德彭希尔在回忆这所学校最初的样子和她任教时的样子时说过："给孩子和老师自由是实验学校成功的关键。"她曾阐释过："孩子们需要探索的自由，试验的自由，行动的自由，交流的自由，挑战的自由，这样的观点永不过时。"我们需要这样的自由，同时发现连接各个班级学习的共同点。

杜威已经很好地描述了我今天所做的工作，因此我希望这所实验学校能培育出杜威所说的优秀公民——"对社会有用的人"。学生需要了解社会的需求，并做好准备来满足这些需求。按杜威的说法,优秀的公民亦邻亦友,他们互帮互助,互惠互利。

我希望这场百年庆典可以让新时代的学生和教育家们会再次关注杜威的理念。杜威意识到了知识不应以学科来划分、以阶级来划分、以时间的推移来划分,这样的一个人,我们应学习借鉴,探讨他的想法和观点。学校教育应给学生注入对学习的热爱,奠定社会技能与习惯的基础,确使其过上完满的人生,创造一个更美好的世界。理解杜威先生那年那时的话语,理解杜威先生话语今时今日的意义,并分享这些理解,有助于作为教育工作者的我们共同帮助更多的学生接受优质的教育。

本文引用了以下五篇与杜威先生有关的资料:

托马斯·C.道尔顿,《成为约翰·杜威,哲学家与自然科学家的困境》,印第安纳大学出版社,2002.

艾达·S.德彭希尔,《芝加哥大学实验学校的历史:1896—1965》,四方书库,芝加哥,1967.

约翰·杜威,《在中国的演讲集:1919—1920》,克劳普顿·W.罗伯特、吴俊升译.夏威夷大学,东西方中心书库,1920.

约翰·杜威与奇普曼·艾丽丝·杜威,《来自中国和日本的书信》,E.P.达顿出版社,1920.

王清思.《约翰·杜威在中国:教与学》,纽约州立大学出版社,2007.

第十二章

杜威在华讲学图

绘图：李福顺　　　　文字整理：王　颖　涂诗万

讲学时间：1919 年 4 月 30 日—1921 年 8 月 2 日

讲学地点：上海、浙江（杭州）、江苏（南京、镇江、扬州、常州、苏州、无锡、南通、徐州）、北京、山西（太原）、山东（济南、曲阜、青岛、泰安）、天津、湖南（长沙）、湖北（武昌）、江西（九江、南昌）、安徽（安庆）、福建（厦门、福州）、广东（广州、汕头）（共 13 个省市）

讲学顺序：上海、浙江杭州、上海、江苏南京、北京、山西太原、北京、山东济南、天津、北京、江苏南京、江苏镇江、江苏扬州、江苏常州、上海、江苏南通、浙江杭州、江苏徐州、江苏无锡、江苏苏州、北京、湖南长沙、湖北武昌、江西九江、江西南昌、江西九江、安徽安庆、北京、福建厦门、福建福州、广东汕头、广东广州、北京、山东曲阜、山东泰安、山东济南、山东青岛

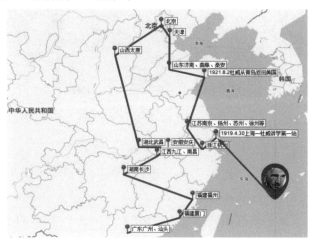

杜威在华讲学图①

---

① 制图：涂诗万，孙文平

上海码头迎接杜威夫妇到来（1919年4月30日）

1919年4月30日下午，杜威偕夫人艾丽丝和女儿罗苪由日本抵达上海，北京大学代表胡适、江苏省教育会代表蒋梦麟、南京高等师范学校代表陶行知在码头迎接，之后杜威入沧州别墅居住。胡适在4月29日晚7时在江苏省教育会讲演实验主义大旨，这是应江苏省教育会的邀请，先作杜威哲学通俗性的疏解，为杜威日后讲演做先导。胡适在题为"实验主义"的演说中介绍：杜威的"实验主义是19世纪科学发达的结果"；因为"一切真理都是人定的，人的真理不可徒说空话，该当实地考察的效果。生活是活动的，是变化的，是对付外界的，是适应环境的"；他还指出："我们人类当从事实上求真确的知识，训练自己去利用环境的事物，养成创造的能力，去做真理的主人。"5月3日，杜威演讲"平民主义之教育"，千余青年冒雨赶来，"座为之满，后来者咸环立两旁"。演讲前，组织者将《介绍杜威先生的教育学说》一文分发给与会者。文中说："杜威先生素来所主张的，是要拿平民主义做教育目的，试验主义做教学方法。这次来到东亚，必定与我们教育的基本改革上有密切关系。""他的著作中，和教育最有关系的，一是《平民主义的教育》，二是《将来的学校》，三是《思维术》，四是《试验的伦理学》，这四部书，是教育界人人都应当购备的。"首场演讲会由陶行知负责组织，沈恩孚主持会议，蒋梦麟翻译，杜威由此开始了他在中国的访问和讲学之旅，并为各地教育界、思想界、文化界留下了许多真知灼见。

杜威与孙中山共进晚餐（1919年5月12日）

　　1919 年 5 月 12 日，杜威在蒋梦麟的陪同下赴沧州别墅，与孙中山共进晚餐。席间二人探讨了"知难行易"的问题，会谈引发了双方对哲学的思考。后杜威在自己所著的《中国书简》中这样写道："昨晚，我与中国前任总统孙中山先生同桌晚餐时，我发现他竟是位哲学家。他目前已写好一本书，即将付印。内容是说明中国之积弱完全是由于将中国古代一位哲人的思想——'知易行难'——根植于心的缘故。结果必然的是，他们不喜欢做任何实际的工作，而只希望求得理论上的通盘了解。但同时的日本人，甚至在茫然不自知的情况下已扩充了自己的军备；而中国人却凡事都深怕自己的行动会导致什么错误的结果，所以他写了一本书来向他的国人证明'知难行易'的事实。"在随后的"伦理学"的讲演中再次提到了他的感受："识知识要经过实验的陶炼才能正确。中国大政治家孙逸仙先生说'知之非艰，行之惟艰'两句话，贻祸中国不浅，就是使人怕事偷懒，养成泄沓昏沉之风。这话实在很对。我们虽然不能逆料成败，却不能不冒险去行，多行一次，就多一番经验，就增一度智识。"孙中山在他的《孙文学说》一书中也提到了他和杜威的本次会面，"在本书第一版出版之前，杜威先生碰巧来到了上海。我和他交流了我的理论，他说'我们西方人只知道知是困难的，没有人会想做是困难的事情'"。由此可见，此次会谈对二人来说，均有十分重要的意义。

杜威偕妻女游览长城（1919年5月31日）

　　杜威于 1919 年 5 月 29 日到达北京，住在北京饭店。初次来到北京，杜威对北京宏伟大气的景色非常感兴趣，特别是对于中国的长城心生向往。5 月 31 日，杜威去西山游玩，随后两天游览了颐和园、紫禁城，此后开始学术讲演。在此之前，他在南京也进行了学术讨论，结合他在中国看到的情况，做"真正之爱国"讲演。杜威认为："现在新世界，应该有爱国心，它不是忠于君主一人的，而是共和国的爱国心。共和国之爱国心，有三个原则：第一是想象，想象全体共同幸福与其利害；第二是理想，深思熟虑，有一定之计划；第三是自动，自己思维，自下断语。这样才能够养成共和国之爱国精神。"杜威提出，真心爱国的人，一定是深思熟虑的，有一个坚定的理想和目标，坚韧不拔，为社会谋进步，求改良，不仅为自己一个人的幸福而努力，更是为了全体人民而努力。这些都是普通爱国心，而政治爱国心则有更高的要求："所发政令要以增进全国人民的幸福为目标；要知道政府是人民的公仆而不是主人，要时刻进行监督，保证为人民谋福利。"杜威强调爱国心对于国家和社会的重要性，希望全体人民能够互相帮助，团结一心，使国家更加富强。

杜威在北京美术学校演讲"现代教育的趋势"

（1919年6月17日、19日、21日）

1919 年 6 月 17 日、19 日、21 日，杜威应京师学务局邀请到北京美术学校对中小学教职员工演讲"现代教育的趋势"，主要分为教育天然的基础、对于知识的新态度、教育的社会化三个部分，由胡适翻译。杜威演讲中说："从前的教育只要做到把现有的教材传授给儿童，就算完事。现代的教育，不但要发展个人的才能，还要注意把个人才能的发行指引到有益于社会的一个方向上去。因此，教育家的问题不单是观察儿童的本能，还要研究此时此地的社会需要，挑出几种主要的社会生活，用来安排在学校里，使学生生活就是最精彩的社会生活。现代教育的趋势，就是注重个人本能的趋势，一国的教育，决不可胡乱模仿别国，西方文明也有过于崇拜物质文明，有人利用物质文明造下种种罪恶的缺点，东方文明也有抵抗物质文明和只想拥有物质文明而忽视人生问题的危险，中国教育家应研究本国本地的社会需要，参考西方教育学说，以造成一种中国现代的新教育。现代教育的趋向应该是将知识作为指导人生行为成功的工具，使教育变成社会的，而这种教育必须要有三种条件：（一）要发展儿童原始的本能。（二）引导本能，一定要拿有益的知识、活用的知识来训练他，养成他有益于社会的行为，有益于社会的品行。（三）这种教育一定要是恰合民治国家的教育。新教育注重独立的思想力、判断力，所以能够养成适宜民治社会的人才。"在此次演讲的最后，杜威提出一个问题供思考，怎样才能在教育中寻找方法，使我们可以利用西方的科学教育和物质文明来增加人民的幸福又能免去极端物质文明的弊端呢？

杜威在山西太原督军府受到阎锡山接见（1919 年 10 月 9 日）

　　1919 年 10 月 6 日，杜威夫妇偕女儿赴山西太原考察并参加第五届"全国教育联合会"，胡适和方元甫陪同。10 月 9 日于山西督军府受到阎锡山接见，后发表演说"世界大战与教育"，10 月 10 日上午参观阅兵式。下午在山西太原大学校礼堂讲演"品格之养成为教育之无上目的"。杜威演讲中说："品格问题即德育问题，德育不应以独立学科授之，而是虽教算学、博物、理化等科，皆有德育问题在内。良好的品格应以良好习惯养成之，必须将道德消纳于各科之中，间接教导之，无意教导之，必须于间接无意中给学生灌输一种无形的德育。"对于道德的养成，杜威提出了两种方法，一是"教员不应以学生的成绩定优劣，除了学生之间的正当竞争之外，教员应该使学生习于爱群尽公益有互助精神，其他切近于学生之事，无容过事干涉，一切收归教员自办，以减学生自动的需能"，另一种方法是提倡学生自治，"故真正之学生自治，必须遇事由学生自提议，自判断，自负责任，自己管束自己"。除了爱群互助的社会道德观念之外，杜威还提到了判断能力，"养成学生之判断能力，使彼于轻重缓急是非善恶之间，各人自有一种度量权衡"。杜威将教师教学生算式不让学生自己推演这类教育比作墙上砖灰之教育，"故墙上加以砖灰，终难永久。因此知墙上砖灰之教育，万不能养成学生之知识，知识为行为之重要标准，不能养成知识，即是不能养成道德。事重在行，知一点则须行一点，且与其多知而不能行，反不如少知一些，而能即知即行之为有益"。

北京大学与教育部、尚志学会、新学会在中央公园来今雨轩为
杜威庆祝 60 岁生日（1919 年 10 月 19 日）

　　1919 年 10 月 19 日，北京大学与教育部、尚志学会、新学会为庆祝杜威 60 岁生日于下午七时在中央公园来今雨轩开晚餐会。除了杜威，其他出场的主要嘉宾有孙中山（53 岁）、蔡元培（51 岁）、胡适（28 岁）等。巧合的是，当日不仅仅是正在中国访问和讲演的杜威的 60 岁生日，还是中国古代先贤、春秋时期著名的教育家 —— 孔子的诞辰之日。因此，蔡元培特地为杜威举行了 60 岁生日晚餐会。晚餐会上高朋满座，宾客嘉友相谈甚欢，宴会于十一时结束。宴席期间，时任北京大学校长蔡元培发表祝寿致辞，不由得将杜威与孔子联系起来并与之比较。蔡元培先生之所以把杜威博士与孔子相提并论，是因为他认为杜威博士的哲学为西洋新文明的代表，孔子的哲学为中国旧文明的代表。而且，东西文明的媒合，只有用西洋科学的精神来整理中国的旧学说，在旧的学说中寻出与现代科学精神不相冲突的东西，才能使之发生新义。

　　在蔡元培先生的致辞中说道："我觉得孔子的理想与杜威博士的学说，很有相同的点。这就是东西文明要媒合的证据了。但媒合的方法，必先要领得西洋科学的精神，然后用它来整理中国的旧学说，才能发生一种新义。如墨子的名学，不是曾经研究西洋名学的胡适君，不能看的十分透彻，就是证据。孔子的人生哲学与教育学，不是曾研究西洋人生哲学与教育学的，也决不能十分透彻，可以适用于今日的中国。所以我们觉得返忆旧文明兴会，不及欢迎新文明的浓至。因而对于杜威博士的生日，觉得比较那高友古人，尤为亲切。"蔡元培认为，博士与孔子的学说相同之点表现为以下几点：一是破除阶级的教育主义；二是因材施教的教育方法；三是经验与思想并重；四是对"知"和"行"的谨慎态度。

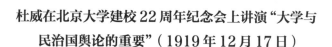

杜威在北京大学建校 22 周年纪念会上讲演"大学与民治国舆论的重要"（1919 年 12 月 17 日）

1919 年 12 月 17 日，北京大学隆重举行建校 22 周年纪念会，学者杜威应蔡元培邀请，作"大学与民治国舆论的重要"演说，胡适担任翻译。杜威来华期间，做了大大小小很多演讲，"大学与民治国舆论的重要"中涉及了杜威对大学教育的有关内容，尽管大学教育并不是他关注的重点，但其中仍有许多优秀的思想值得我们品读。"大学传播知识如灯放光的一般：不论哪边都得着亮。不论怎样高深的学理，如果教的时候都这样教，便都可以养成这样的心理、这样的信仰。信仰真理、信仰智力是造舆论和指导舆论的根底。不信仰真理、不让知识去传播，便是舆论的仇敌。这些仇敌都是占特殊阶级的，他们都知道高等知识的增加与他们的利益有害，总想法子来'愚民'，好尽他们的兴去横行。知识的传播明明是反对他们的私利，他们反假借一种好听的名词，说是'扰乱治安'。大学要信仰知识和真理，去打倒舆论的仇敌。"

在"大学与民治国舆论的重要"中，由于大学担负着造舆论和指导舆论的责任，所以杜威首先论述了有关大学在民治国家中的重要地位。其次，杜威强调了信仰智力和信仰真理是大学造成舆论和指导舆论的源泉所在。再次，论述了大学作为一个养成专门人才的地方，大学之所以重要不在它所教的东西，而在它怎样教和怎样学的精神。因为大学代表的是知识高深的学府，代表的是光明，代表的是真理的势力。在演讲的最后，杜威祝愿北京大学成为"养成服务公共事业精神的中心，永远为社会的灯"。

杜威在北京讲授"教育哲学"（1920 年 2 月）

自1919年9月21日起，杜威在北京西单手帕胡同做教育哲学系列演讲，前前后后共计16次，由胡适口译、伏庐笔记，演讲刊登在1919年9月22日至1920年3月3日《晨报》中。作为一位哲学家和教育家，教育哲学是杜威在中国演讲中的一个重要部分。

"杜威谈教育哲学"是第一讲，后被收入1920年8月晨报社出版的《杜威五大演讲》。在第一次演讲中，杜威谈到了教育以及教育哲学的重要性，强调了教育与生长的关系，指出了学校教育与人生日常生活隔离产生的各种流弊。在第二至七次演讲中，杜威讲到教育的三个方面：儿童（教育的根基）、社会（教育的目的）、学校和教材（教育的工具）。在第八至十一次演讲中，杜威讲到科学在教育上的影响以及科学的内容或教材在教育上的关系。科学的发展和科学方法的进步不仅在社会上、思想上、人生观上有极大的影响，而且在教育上、知识上、道德上也有极大影响。在第十二、十三次演讲中，杜威讲到了学制问题，其中包括初等教育、中等教育和高等教育。强调应该注意把以儿童本能为基础、以科学为方法、以社会生活为目的这三部分连贯起来，并应用于学制上。在第十四次演讲中，杜威讲到职业教育问题，最主要的观念是职业教育并不只是养成本行业的专业技能，而应该注重使学生懂得职业所应知的科学方法，使他们心思耳目都极灵敏和随时可以进步。在第十五、十六次演讲中，杜威讲到道德教育问题，道德教育是教育最高的、最后的目的。对于个人来说，就是养成心理上的习惯，其中最重要的是虚心、知识的诚实和责任心；对于社会来说，就是把道德的目的与社会的目的统一起来，使学校本身就是社会生活。

杜威在北京大学演讲"社会哲学与政治哲学"（1919—1920 年）

自 1919 年 9 月 20 日起，杜威每逢星期六在北大法科大礼堂演讲"社会哲学与政治哲学"，共计十六次，翌年 3 月 6 日结束，胡适翻译。杜威认为社会哲学和政治哲学产生的原因是社会和政治有病、纷乱不定，而社会、政治之所以纷扰不安的原因，起于偏重一种人群的利益、兴趣，把别种人群的利益、兴趣都压下去，结果一种人群独占优胜，那被压下的不平起来便与优胜的发生冲突。社会哲学与政治哲学对实际的社会与政治的影响，有两种极端的学说：极端的理想派和极端的唯物派，都犯了过而不及的毛病，因此他提出第三种哲学，即人类的责任，是在某种时间、某种环境，去寻找某种解决方法来，就是随时随地去找出具体的方法来应付具体的问题。并对社会哲学与政治哲学的性质、范围和用处，提出批判的标准，并就三大类问题（政治、法律的问题，知识、思想界的问题，社会生计和经济的问题）进行了具体的分析。最后总结了民治与教育的关系，民治的根本观念，便是对于教育有很大的信仰，这个信仰，便是认为大多数人都是可教的，不知者可以使他们知，不能者可使他们能，这是民治的根本观念。民治便是教育，便是继续不断的教育，出了学校，在民治社会中服务，处处都得著训练，与在学校里一样个人的见解逐渐推到全社会、全世界，教育收功之日即全世界共同利害的见解成立之日，岂但一国一社会的幸福而已。期间杜威兼讲演"思想之派别""现代的三个哲学家"等。

杜威在南京高等师范学校演讲(1920年4月9日)

1920 年 4 月起，杜威在南京高等师范学校讲演，专设讲席一个半月，主讲"教育哲学""哲学史""实验伦理学"等内容。在"教育哲学"中，杜威主要讲了两部分的内容，一是教育的性质，二是学校教育。在教育的性质中，杜威讨论了教育为什么是必要的，为什么是可能的，教育的效果是什么，如何去判断教育的效果。杜威对教育本质的分析和对教育价值的探讨，使教育工作者对教育的认识更加深刻明了。在学校教育这一部分中，杜威首先讲述了学校的三要素，后重点讲述了他所强调的经验，论述了经验的要素和性质；同时对职业教育和道德教育也表达了他的见解。杜威还讲授了"哲学史"，在这一部分中，杜威从希腊最初的哲学讲起，分析了最初的哲学中所研究的自然、知识、人的问题，深度剖析了苏格拉底、柏拉图、亚里士多德的思想，同时做出了自己的点评，分析了哲学家们的多种哲学思想和他们的思想对社会的影响。最后在"实验伦理学"部分中，杜威首先就伦理学表达了自己的观点："伦理学是研究思想的。而这种思想是求正确知识不可少的工具，也是避去荒诞谬误知识不可少的工具。"伦理的重要，就是要锻炼自己的思想，发挥自己的智慧，想出适合的方法，最终走向正确的道路，不会产生恶劣的后果，这样才能创造人生的幸福，为社会谋进步。杜威讲授了思想、归纳、演绎、证实、判断、结论等的发展历程和要点等，将实验伦理学整理成为一个完整的体系并讲授给大家。

杜威偕妻女游览扬州瘦西湖（1920 年 5 月 19 日）

　　1920 年 5 月 19 日，杜威在扬州游览瘦西湖风景。5 月 20 日，在扬州大舞台讲演，上午讲演"教育与社会进化之关系"，下午讲演"自动之真义"。在"教育与社会进化之关系"讲演中，杜威认为只有明白社会进化的几个方面，才能明白学校的责任有哪些，他从三个方面讨论了社会进化这一主题，同时提出了学校到底应该重视哪些方面。第一是社会的健康如何？杜威认为："社会的健康如何，必须拿一般人民的健康做标准，只有人人身心健康，个个精神活泼，然后社会才有进化的希望，所以在教育当中，应该重视学校的体育一科，促进社会全体的健康。"第二是经济的状况如何？杜威认为："经济状况也要拿全体人民做标准，中国现在的情况应该多使用机器，提高生产，学校教育也要使学生不断用自己的脑力，对社会所亟待解决的问题进行思考和研究。"第三是自治的程度如何？杜威认为："共和的政体，就是自治的政体，自治的人格不仅对自己、对国家也是非常重要的，要提高人们的知识和判断力，才能使人民自治。"要提高自治的程度，学校教育应该注重提高人的知识，增强判断力，今日学校中的学生，就是他日社会上重要的人才；要获得社会上完满的人才，全在于今日学校的培养。下午讲演的"自动之真义"中，杜威提出："自动，不是任性去做。真正的自动，是和社会的进化互相连带的，是和社会的利益互相牵制的。"要注意自动有三要素：发展精神、临机应变和集中力，本着这三个要素培养儿童，以儿童为中心，才能够将儿童培养成为有生气的儿童，才能使个人提高，社会进步。

杜威和黄炎培、沈恩孚、刘伯明、杨贤江等人在上海沧州旅馆内讨论
（1920 年 5 月 27 日）

1920 年 5 月 27 日，杜威乘车抵达上海，同行者有其夫人、女儿及刘伯明、杨贤江，当杜威等人到上海时，黄炎培、沈恩孚等人到车站迎接，后一起在上海沧州旅馆内讨论。杨贤江和黄炎培等是著名的教育家，他们和杜威的思想都有着相通的地方。如在体育方面，杜威认为："想要使中国的社会健康，就要提高全体人民的健康。"杨贤江重视体育对中国的现状的影响，强调"现代人"必须具备强健的体魄，充实的精神，强烈的责任意识和超群的才能，将强健的体魄放在了首位。在职业教育方面，杜威提出："职业教育的声浪一天高过一天，因为人人都要有谋生的机会，人人都要有职业的企求，所以职业教育是最切实要的了。"他不仅认为职业教育为基本需求，同时强调了职业教育有其必要性，"人在世上，俱当有职业，俾可从事为人类谋幸福，及对于社会有所贡献，总求所做的事，必能适于社会的需要才好。人若无相当的职业，便可说，是世界上的一个寄生虫，在社会中吸收社会的精髓"。黄炎培对于职业教育有着与杜威相似的见解，他强调个人谋生，也重视服务社会，既强调职业技能训练，也重视职业道德教育，既强调一技之长，也重视全面发展，并且对职业教育规律进行探讨，对当时中国最急需解决的生计问题开展研究。

杜威在上海同济学校讲演（1920年5月31日）

1920 年 5 月 31 日，杜威在上海同济学校讲演"专门教育之社会观"，由刘伯明翻译。在这次讲演中，杜威主要讲述了专门教育与社会的关系。杜威首先提出专门教育是职业教育的一部分，而职业教育的要旨就是要用科学的方法，提高一国的经济状况和国民生活。杜威认为人生活在世上，都要有职业，而从前重视文雅教育，轻视专门教育的现象，造成出现了许多社会的寄生虫，所以杜威反对文雅教育和专门教育不能并立的观点，指出要重视专门教育。杜威认为："中国的教育前途，也当根据近今的趋势而定方法，最要紧的一层，无论什么，总须适合于社会的需要，更要放出巨大的眼光、广远的理想来，根据着平民主义的趋势，创造新社会，阶级制使不宜效法的；务使各个人能发挥其固有技能，成为社会有用的分子，定好了这种目标，教育方法也就由此可得。根据现在的情形看来，为增高国内经济的状况，与社会的程度，专门教育实在算最需要不过了。"同时杜威强调了专门教育与社会的关系："专门教育的后头，时时须有个社会的背景放着，社会方面的关系，是最不能忽视的。"杜威认为，世界上对社会有益的工作有很多，不仅有医学，还有很多能够提高经济状况，改良生活的学科和职业，这些都对社会有着重大的贡献，所以专门教育并不是狭义的，中国应重视专门教育的发展。在演讲中，杜威就当时中国的情形提出："我们知道救国事业，非一时所能做到，非一时激烈举动所能成功的。我们试验我们的能力，便得求专门学问创造社会上做功夫。"

杜威夫人艾丽丝在上海女子学校演讲"女子教育的真义"（1920 年 6 月 3 日）

1920 年 6 月 3 日，杜威夫人艾丽丝在江苏勤业女师做了题为"女子教育的真义"的演讲，陆秀贞担任翻译。艾丽丝·奇普曼·杜威作为约翰·杜威的妻子，是美国第一代接受高等教育的女性，她在促使青年杜威的理智兴趣从古典哲学扩大到现代社会领域，特别是教育问题的过程中，发挥了关键性影响。她参与创办和管理芝加哥实验学校，协助杜威将他提出的理论原则应用于学校生活，并不断加以修正与调整。艾丽丝为美国女性争取平等的教育和政治权利而努力，在与杜威的远东之行中也为中国的男女合校运动做出了贡献，研究杜威的教育理论和社会行动不能忽视艾丽丝的存在与影响。艾丽丝不仅拥有"杜威夫人"这个人尽皆知的头衔，她还是进步主义教育运动阵营的一员，在推动美国学校从僵化的形式主义教学到注重儿童心理发展和需要的转变中，发挥了重要影响；艾丽丝也是一位社会活动家，她终生为美国女性争取教育权利和政治权利而努力，也为中国女性争取平等受教育权做出了贡献。

民国初年的中国，也在经历女性争取教育权利运动的风潮。1913 年颁布的《壬子癸丑学制》规定，在普通中学、中等实业学校、师范学校和高等师范学校实行男女分校制度，设立专门女校，而大学本科则不向女性开放。新文化和"五四"运动的兴起，使教育界争取废除男女分校，允许女性进入大学的呼吁日益高涨。在中国的两年间，杜威夫妇也参与到这场运动之中。杜威在中国各地发表演说，艾丽丝也是各地女性团体中受邀的常客。在中国期间，艾丽丝也利用媒体向美国公众介绍中国女性教育的状况。1920 年，北京大学决定招收九名女生，中国女性第一次走入大学的大门。艾丽丝以《中国女性摆脱束缚》（*The Chinese Woman Throw off her Bond*）的文章投书《纽约论坛报》（*New York Tribune*），向美国读者介绍第一批进入北大的女学生在当时的华北旱灾中的社会志愿服务。

艾丽丝为中国女性争取平等教育权利的努力，得到了中国教育界人士的尊敬。杜威夫妇在南京举行暑期讲习班时，金陵女子学院授予艾丽丝名誉校长称号。在回到纽约之后，中国留学生代表授予她一枚勋章，以感谢和表彰她的贡献。

北京大学授予杜威荣誉哲学博士学位（1920 年 10 月 17 日）

　　1920 年 10 月 17 日，北京大学隆重举行第二次荣誉博士授予典礼，决定授予杜威荣誉哲学博士学位。在授予典礼上，蔡元培直接称杜威为"西方的孔子"，在场嘉宾纷纷鼓掌赞同。因杜威 60 岁生日宴上蔡元培指出，杜威生日也是中国古代先贤、春秋时期著名的教育家——孔子的诞辰之日，并且蔡元培对杜威及其学说十分推崇，不仅授予其北大"哲学博士名誉学位"，更称他是"西洋新文明的代表"，故本次蔡元培直接称杜威为"西方的孔子"。杜威也对蔡元培高度评价："将世界各国大学校长进行比较，如牛津、剑桥、巴黎、柏林、哈佛、哥伦比亚等等，他们当中，在某些学科上有卓越贡献的，固不乏其人；但是，能领导一所大学对民族和时代起到转折作用的，除蔡元培，恐怕找不出第二个。"这两位世界文化大师，"五四"时期在中国聚首并结下不解之缘，为中国近现代教育史和中美文化交流史写下浓墨重彩的一笔，增进了中美两国人民的了解和友谊。

杜威偕妻女拜访湖南省长谭延闿（1920年10月25日）

　　1920 年 10 月 25 日，杜威夫妇抵达长沙，并于 26 日在遵道会讲演了"教育哲学"。刘树梅翻译，省长谭延闿亲临会场，并任会议主席，会场座为之满。"教育哲学"是杜威在华五大演讲之一，首先，杜威提到了教育和教育哲学的重要性，杜威认为：教育之所以必要，是因为儿童出生后很弱，通过教育才能达到成人的水平。其次，杜威论述了教育的三个方面：儿童即教育的根基、社会即教育的目的、学校和教材即实现教育的途径。再次，杜威讲到科学在教育上的影响以及科学的内容或教材在教育上的关系，这在教材上表现在减少偏重文科的学科，增加了注意实证的学科，在教法上表现为以直接的观察和实验代替了传统的记诵方法。此外，杜威还论述了职业教育和道德教育的问题。关于职业教育，杜威认为，教育和实业应当联系在一起，这有利于解决劳动问题，使劳动家接受一定的教育，能够对目前从事的工作有新的认识，从而得到精神上的慰藉，要想达到此目的，就要加强学校与工界的相互联络。在论述道德教育时，杜威提出，我们平时是孤立着看道德的，把它和智育分离开来，甚至认为，各安其分就是道德。真正的道德需要积极的发展，需要极其丰满的思想来指导自己的行为。一切道德都含有社会性，在学校里应当培养学生的社会性道德，这并不是单独拿出来训练的，而是要与学生在校期间的一切生活和精神活动联系起来。"教育哲学"内容丰富，为当时和后来的人们留下了宝贵的财富。

杜威在厦门大学演讲（1921年4月）

1921 年 4 月 6 日，杜威应厦门大学校长邓芝园之邀来到厦门大学，并做了"大学的旨趣"讲演。杜威认为：大学是最高学府，中国旧大学是为政治服务的，而现在科学进步，大学应该培养领袖人才，事事向前努力，不能退后。领袖好比开路先锋一样，他走的路不错，别人自然会跟着他走。现在中国大学应该培养以下两种领袖：一是工商业领袖。中国拥有很多的发明，但是不研究实业，这已经不适用了，要把旧式文明变做新式科学才行。各国实业发达是由于智识奋斗的结果，中国要和世界各国竞争实业，定要从这方面着手，而研究工商业的方法，就是从大学里做起。二是要培养政治和社会的领袖。中国自革命后大家都抱着一种悲观的态度，究其原因是缺乏领袖人才。大学越多的国家，产出的领袖也多，中国在这方面有所欠缺。所以，要通过大学来培养新的领袖人才，他们能够把脚跟站稳，让旧官僚无容身之地。大家都知道，道德比智识还要紧，道德方面发达之后，物质文明就会有所进步。还有一层，就是关于通力合作。中国内部的界限分的太清楚了，导致小团体盛行，要想国家富强，必须要打破这种界限。"通力合作"的意义，于大学中可以看出两种：一是用功，二是不用功。在这里用功是为人，不是为己。不用功大家都知道是坏的，但若用功太甚，也是不对。假如太钻研于功课，不免就会把世界潮流隔开了。另外，有智识而不用，是无用的。对大学生来说，校内活动非常重要，譬如运动和游艺会，不但可以强身健体，还能有共同研究的好处。大学培养的领袖人才，光有智识不够，还需会用。中国想要推翻旧人物，运动场中的生活万万不可少，在运动场中，含有道德和社会的意义。假如能养成团体合作的好精神，无论办什么，都可以本着互助的精神来发挥。大学学生的公共团体还有利于培养学生的团体观念，这不需要教师传授，这告诉学生不能事事受人指挥，要敢于有自己的想法。在演讲最后，杜威发出了呼吁：我希望贵校诸君，不但对于功课方面要研究清清楚楚，就是对课外自治方面，也要格外努力啊！

杜威偕妻女抵达广州亚洲酒店（1921年4月28日）

1921 年 4 月 29 日，杜威在国立广东高等师范学校礼堂进行了"自动道德之重要原因"的讲演。杜威提到，中国以静的及被动的道德著称于世。他解释道：静的及被动的道德，就是忍耐的、坚强的性质，亦即是服从尊长及尽忠尊长的特性。动的道德就是创造的、冒险的、建设的能力，亦即是公民自行负责的，不肯让长者去负责的。在专制社会，第一种道德尤显而易见，但在民主主义社会，必须要养成公民自己负责任，维持社会治安，积极建设，训练有创造性的心力。对于发展国民好的心性，杜威讨论了两点。第一，要有正当的教育。要培养刚健的、有创造力的国民，从而帮助国家做新事业。养成强健的身体，则要通过游戏和运动，通过此还能培养儿童的观察力，但不是等事情发生了再来观察，而是要使事发生来观察。第二，教师要留心学生的心性。旧教育只知提供知识教材，并不会理会学生的心力，犹如唱片机，皆为同一种声音。教育要将与外界的隔绝打破，注重儿童个性的志趣及自动的能力，让儿童为自己设想，有条理、有目的、有继续地统系，做事务求至于成功。中国国民本性富有创造力，能发明种种事物，但教育如何能保留这份创造力并将其发扬光大？学校有此项能力。注重旧的，则造出做旧事业的人；注重新的，则造出做新事业的人，人人均要有领袖之心，不要随波逐流，这对于发展国民心性有深刻意义，愿诸君共勉。

北京大学、男女两高师、尚志学会、新学会五团体在中央公园来今雨轩为
杜威夫妇及女儿饯行（1921 年 6 月 30 日）

1921 年 6 月 30 日，北京大学、男女两高师、尚志学会、新学会五团体于午间在中央公园来今雨轩为杜威夫妇及女儿饯行，席间，五团体各代表范源濂、梁启超、胡适等人均致辞，胡适将杜威的方法概括为两种：历史的方法和试验的方法，历史的方法就是对一桩事要查它的来龙去脉，用在消极的批评上，试验的方法是注重具体的个别的事实，一切学理都只是假设的，给我们做参考用的，并非天经地义，都要经过试验。鼓励国人以此为底，造出一派新的哲学。杜威夫妇及女儿也分别讲话，杜威首先表示对邀请的致谢，希望中国年轻人与年长的人，既要有渴望容纳新思想的精神，对学理虚心公开地研究，有着毫无守旧的态度，又要有活动能力、实行的精神。如果没有这层，有了前面的精神也是无用的。这是新时代的精神、科学的精神，绝不仅仅是西方的精神。理想方面，常常有不能解决的问题，例如先造好政治让它发现好教育还是先造好教育再让它产生好政治呢？这是个循环的问题，永远解决不了的。要想解决，只有下手去实行。杜威一直主张东西方文化的汇合，中国就是东西方文化的交点。杜威认为中国是一个教育的国家，外面来的人能在知识上引起好奇心，感情上引起好理想，并且也能引起同情心。后杜威夫人对女子教育发表了个人见解和中国之行的收获。从言谈中，可见杜威夫妇对中国此行的收获和诸多感想，同时也留下了许多可爱的纪念。

杜威夫妇和女儿抵达山东孔子故里——曲阜（1921年7月13日）

1921 年 7 月 18 日至 23 日之间，杜威在济南进行了 6 次演讲，在演讲结束后，杜威也结束了他的访华讲学。在这 6 次演讲中，杜威分别探讨了教育者的工作、学校与社会和儿童心理与教育。

在"教育者的工作"演讲中，他提到教育者要注重社会对教育的影响，就其本身来说，首先要成为一个学者，有研究的嗜好，其次还应该研究儿童心理，以此为基础去教授学生。最后，教师应该是指导者，引导学生学习。"教育之社会要素"中杜威提到了当前世界上的两大潮流：工业革命和普通人民要参与国家政权，并提出应当重视小学教育。"学校科目与社会之关系"中杜威讲了学科转变与社会间的关系，并提出在对儿童进行教育时要结合儿童生活，教的知识应该是实用的知识。"学校的行政和组织与社会之关系"中杜威强调了小学教育的重要性及意义，他认为教育应该因时因地制宜，不应机械统一。"教育之心理的要素"中杜威提出学校教学应当适应人的天性和心理，使其个性得到发展。小学阶段教育要与手工相结合利用儿童天性，而中学教育要和爱国心相结合，让学生发现学习与自身的关系，从而产生兴趣。"学校与社会的关系"中杜威提出学校就是小型的社会，儿童在校生活就是社会生活的缩影。在教授知识时要注意和事实相联，在学校中培养起学生的社会责任心，发展学生的创造力、组织力、互助力，知道社会生存的规则，到年长时，便可参与学校管理，即自治，然后到大社会上才能适应。

杜威总结了六次演讲：学校的教育要与社会生活相联系，学校教育的目标是培养良好的社会分子，教育对象的特殊性决定学校能更好地塑造其理想和习惯，教师就是要进行引导，培养学生的信仰、观念、习惯，从而造就更好的人才去服务社会。

杜威在华讲演目录[①]

时间	题目	地点	翻译
	1919 年		
1919 年 5 月 3—4 日	平民主义之教育（2 讲）	江苏教育会	蒋梦麟
1919 年 5 月 7 日	平民教育之真谛	浙江教育会	郑晓沧
1919 年 5 月 18—26 日	真正之爱国	南京	陶行知
	共和国之精神	南京	陶行知
1919 年 6 月 8 日，10 日，12 日	美国民治的发展（3 讲）	北京教育部会场	胡适
1919 年 6 月 17 日，19 日，21 日	现代教育的趋势（3 讲）	北京美术学校	胡适
1919 年 7 月 19 日	与贵州教育实业参观团谈话	北京大学哲学教研室	胡适
1919 年 8 月 10 日	学问的新问题	北京尚志学校	胡适
1919 年 9 月 20 日—1920 年 3 月 6 日	社会哲学与政治哲学（16 讲）	北京大学法科礼堂	胡适
1919 年 9 月 21 日—1920 年 2 月 2 日	教育哲学（16 讲）	北京教育部会场	胡适
1919 年 10 月 9 日	世界大战与教育	山西督军署军政大礼堂	胡适
1919 年 10 月 10 日	品格之养成为教育之无上目的	山西大学校礼堂	胡适
1919 年 10 月 11 日	教育上的自动	体育会大讲堂	胡适
1919 年 10 月 12 日	学校与乡里	步十团自省堂	胡适
	教育上试验的精神	全国教育联合会	胡适
1919 年 10 月 13 日	高等教育的职务	山西大学校礼堂	胡适
1919 年 10 月 15 日—	伦理讲演（15 讲）	北京	胡适

---

① 参见：袁刚，孙家祥，任丙强.民治主义与现代社会：杜威在华讲演集［M］.北京：北京大学出版社，2004.

黎洁华.杜威在华活动年表（上、中、下）［J］.华东师范大学学报：教育科学版，1985(1-3).

元青.杜威与中国［M］.北京：人民出版社，2001.

杨旭.杜威来中国原因及相关问题考略［J］.当代教育科学，2017(11).

江丽萍.1920 年名人学术讲演会述论［D］.湘潭大学硕士学位论文，2010.

续表

时间	题目	地点	翻译
1919 年 10 月 19 日	在祝贺六十岁寿宴上的答词	中央公园来今雨轩	胡适
1919 年 11 月 14 日— 1920 年 1 月 30 日	思想之派别（8 讲）	北京大学法科礼堂	胡适
1919 年 11 月 22 日	自治演说	北京	胡适
1919 年 12 月 17 日	大学与民治国舆论的重要	北京大学	胡适
1919 年 12 月 25 日	教育原理	山东济南省议会	胡适
1919 年 12 月 29 日	新人生观	济南	胡适
1920 年			
1920 年 1 月 2 日	真的与假的个人主义	天津	胡适
1920 年 1 月 20 日	西方思想中之权利观念	中国大学	胡适
1920 年 1 月	思维术	北京高等师范学校	
1920 年 3 月 5 日至月底	现代的三个哲学家（3 讲）	北京大学法科礼堂	胡适
1920 年 4 月 9 日— 5 月 16 日	教育哲学（10 讲）	南京高等师范学校	刘伯明
	哲学史（10 讲）		
	试验伦理学（10 讲）		
1920 年 4 月 22 日	科学与德谟克拉西	中国科学社	
1920 年 5 月 7—8 日	社会进步之标准	南京	刘伯明
	近代教育之趋势		
	普通教育		
	教育者之天职		
1920 年 5 月 16 日	平民主义之精义	南京	郭秉文、 刘伯明
1920 年 5 月 18 日	学生自动之真义	镇江	刘伯明
	教育者之天职		
1920 年 5 月 20 日	教育与社会进化之关系	扬州	刘伯明
	自动之真义		
1920 年 5 月 25 日	学校与环境	常州教会恺乐堂	刘伯明
1920 年 5 月 26 日	学生自治之真义	常州	刘伯明
	新人生观		
1920 年 5 月 27 日	青年道德之修养	常州青年社	刘伯明
	智慧度量法的大纲		
1920 年 5 月 29 日	教育者之天职	上海第二师范	刘伯明
	职业教育之精义	中华职业教育社	
1920 年 5 月 30 日	职业教育与劳动问题	中华职业教育社	刘伯明
1920 年 5 月 31 日	专门教育之社会观	上海同济学校	刘伯明
	科学与人生	上海圣约翰大学	

续表

时间	题目	地点	翻译
1920 年 6 月 1 日	新人生观	中华职业教育社	刘伯明
	工艺与文化之关系	南洋公学	
1920 年 6 月 2 日	国家与学生	上海沪江大学	刘伯明
	社会进化	上海青年会	
1920 年 6 月 3 日	公民教育	上海浦东中学	刘伯明
	德谟克拉西之意义	中华职业学校	
1920 年 6 月 4 日	普通教育与职业教育之关系	上海沪江大学	刘伯明
1920 年 6 月 6 日	教育者之责任	南通更俗剧场	刘伯明
1920 年 6 月 7—9 日	教育与社会的关系	江苏	徐守五等
	社会进化问题		
	工业与教育的关系		
1920 年 6 月 10 日	小学教育之新趋势	杭州运动场讲演厅	郑晓沧
1920 年 6 月 11 日	社会哲学与政治哲学	杭州公立法政专门学校	
	社会主义与社会进步		
1920 年 6 月 12 日	德谟克拉西的真义	杭州青年会	郑晓沧
1920 年 6 月 13 日	德谟克拉西的社会分子应有的性质	浙江省立第一师范学校	郑晓沧
1920 年 6 月 14 日	科学与人生之关系	西湖凤舞台	郑晓沧
1920 年 6 月 16 日	造就发动的性质的教育	浙江省立第一师范学校	
1920 年 6 月 17—19 日	教育的新趋势	徐州	刘伯明
	教材的组织		
1920 年 6 月 22—25 日	试验主义	无锡	
	学生自治		
	学校与社会		
	近今世界与教育思潮		
1920 年 6 月 28 日	教育者的责任	苏州	郑晓沧
1920 年 6 月 29 日	教育与实业	苏州	郑晓沧
1920 年 6 月 30 日	学校与社会	苏州	郑晓沧
1920 年 7 月 9 日	教育行政之目的	常州	郑晓沧
1920 年 9 月 16 日	学生自治的组织	北京	
1920 年 9 月— 1921 年 6 月	教育哲学	北京高等师范学校教研科	
1920 年 10 月 26 日	教育哲学	长沙遵道会	刘树梅
1920 年 10 月 27 日	学生自治	湖南省立第一师范	刘树梅
1920 年 10 月 28 日	教育哲学	长沙遵道会	曾约农
1920 年 10 月 29 日	教育哲学	长沙遵道会	曾约农
1920 年 10 月 30 日	教员是领袖或指导者	湖南省立第一师范	曾约农
	科学与近世文化之关系	长沙遵道会	

续表

时间	题目	地点	翻译
1920 年 11 月 1 日	教育哲学	长沙遵道会	曾约农
	讨论学生毁偶像事	长沙雅礼大学	
1920 年 11 月 4 日	教育与社会进步	武昌高等师范学校	林卓然
1920 年 11 月 8 日		江西九江	周泰瀛
1920 年 11 月 9—11 日	国民教育	江西南昌顺直会馆	
	教育与实业之关系		
	教育之发展		
1921 年			
1921 年 3 月 6 日	论中国美术	北京高师美术讲演会	
1921 年 4 月 6 日	大学的旨趣	厦门大学	
1921 年 4 月 11 日	现代教育的趋势	厦门集美学校	
1921 年 4 月 13 日	教育者为社会领袖	福州省立第一师范	王淦和
1921 年 4 月 14 日	自动的研究	福州青年会	王淦和
1921 年 4 月 15 日	民治的意义	福州尚友堂	王淦和
1921 年 4 月 18 日	习惯与思想	福州青年会	
1921 年 4 月 20 日	国民教育与国家之关系	福州青年会	
	省立蚕业学校的讲演	福建省立蚕业学校	
1921 年 4 月 20—22 日	自动与自治（3 讲）	福建第一中学	
1921 年 4 月 21 日	美国教育会之组织及其影响于社会	福建省教育会	
	民本政治之基本	福建私立法政学校	
	教育与实业	福州青年会	
	习惯与思想		
	天然环境、社会环境与人生关系	福州青年会	
1921 年 4 月 29 日	自动道德之重要原因	国立广东高等师范学校	韦珏
1921 年 4 月 30 日	学校与社会	广州教育会礼堂	
1921 年 5 月 2 日	西洋人对于东洋人之贡献	广州教育会礼堂	
1921 年 5 月 10—11 日	教授青年的教育原理	北京女子高等师范学校	
1921 年 6 月 12 日	科学的教授	中国科学社	胡适
1921 年 6 月 22 日	教师职业的现在机会	北京高等师范学校礼堂	
	南游心影		
1921 年 7 月 18 日	教育者的工作	济南	
1921 年 7 月 19 日	教育之社会要素	济南	
1921 年 7 月 20 日	学校科目与社会之关系	济南	
1921 年 7 月 21 日	学校的行政和组织与社会之关系	济南	
1921 年 7 月 22 日	教育之心理的要素	济南	
1921 年 7 月 23 日	学校与社会的关系	济南	

杜威著作及中译本（1949 年前）目录[①]

著作名	原著出版时间	中文出版时间	译者	出版社	备注
《心理学》 （Psychology）	1886 年	——	——	——	——
《莱布尼兹关于人类理解的新论》 （Leibniz's New Essay's Concerning the Human Understanding）	1888 年	——	——	——	——
《民主伦理学》 （The Ethics of Democracy）	1888 年	——	——	——	——
《数的心理学及其在算术教学法上的应用》（The Psychology of Number and Its Applications to Methods of Teaching Arithmetic）	1895 年	——	——	——	——
《与意志有关的兴趣》（Interest in Relation to Training of Will）	1896 年	——	——	——	——
《我的教育信条》 （My Pedagogic Greed）	1897 年	——	——	——	——
《教育中的伦理原则》（Ethical Principles Underlying Education）	1897 年	——	——	——	——
《学校与社会》 （The School and Society）	1899 年	1935 年	刘衡如	上海中华书局	——
《儿童与课程》 （The Child and The Curriculum）	1902 年	1931 年	郑宗海	上海中华书局	译名《儿童与教材》

---

① 根据以下书目整理：

北京图书馆,人民教育出版社图书馆.民国时期总书目(1911—1944)[M].北京：书目文献出版社,1995.

中央教育科学研究所图书资料室.解放前出版的教育图书目录(1949).1982.

北京师范大学图书馆.解放前中文教育书目.1989.

续表

著作名	原著出版时间	中文出版时间	译者	出版社	备注
《教育的情境》（The Educational Situation）	1902 年	——	——	——	——
《逻辑理论研究》（Studies in Logical Theory）	1903 年	——	——	——	——
《伦理学》（Ethics）	1908 年	1935 年	余家菊	上海中华书局	译名《道德学》
《德育原理》（Moral Principles in Education）	1909 年	1921 年	元尚仁	上海中华书局	两个译本
		1930 年	张铭鼎	上海商务印书馆	
《我们怎样思维》（How We Think）	1910 年	1925 年	刘伯明	上海中华书局	《思维术》
		1935 年	邱瑾璋	上海世界书局	《思想方法论》
		1936 年	孟宪承等	上海商务印书馆	《思维与教学》
《达尔文对哲学的影响》（The Influence of Darwin on Philosophy）	1910 年	——	——	——	——
《教育中的兴趣与努力》（Interest and Effort in Education）	1913 年	1923 年	张裕卿 杨伟文	上海商务印书馆	译名:《教育上兴味与努力》
《德国哲学与政治》（German Philosophy and Politics）	1915 年	——	——	——	——
《明日之学校》（Schools of Tomorrow）	1915 年	1923 年	朱经农 潘梓年	上海商务印书馆	
《民主主义与教育》（Democracy and Education）	1916 年	1928 年	邹恩润	上海商务印书馆	译名:《民本主义与教育》
《实验逻辑书集》（Essays in Experimental Logic）	1916 年	——	——	——	——
《哲学之改造》（Reconstruction in Philosophy）	1920 年	1933 年	许崇清	上海商务印书馆	两个译本
		1934 年	胡适等	上海商务印书馆	
《人性与行为》（Human Nature and Conduct）	1922 年	——	——	——	——
《经验与自然》（Experience and Nature）	1925 年	——	——	——	——

续表

著作名	原著出版时间	中文出版时间	译者	出版社	备注
《公众及其问题》 (Public and Its Problems)	1927 年	——	——	——	——
《进步教育与教育科学》(Progressive Education and the Science of Education)	1928 年	——	——	——	——
《确定性的寻求》 (The Quest for Certainty)	1929 年	——	——	——	——
《教育科学之源泉》 (The Sources of a Science of Education)	1929 年	1932 年	张岱年 傅继良	北京人文书店	两个译本，邱瑾璋译本的书名为《教育科学之资源》
		1935 年	邱瑾璋	上海商务印书馆	
《旧个人主义与新个人主义》 (Individualism Old and New)	1930 年	——	——	——	——
《哲学与文明》 (Philosophy and Civilization)	1931 年	——	——	——	——
《从教育混乱中寻求出路》(The Way Out of Educational Confusion)	1931 年	1940 年	欧阳湘	——	——
《艺术即经验》 (Art as Experience)	1934 年	——	——	——	——
《一种普通的信仰》 (A Common Faith)	1934 年	——	——	——	——
《自由主义与行动社会》 (Freedom and Social Action)	1934 年	——	——	——	——
《经验与教育》 (Experience and Education)	1938 年	1940 年	曾昭森	长沙商务印书馆	三个译本
		1941 年	李相勖 阮春芳	贵阳文通书局	
		1942 年	李培囿	正中书局	
《逻辑：探究的理论》 (Logic：The Theory of Inquiry)	1938 年	——	——	——	——
《无罪》 (Not Guilty)	1938 年	——	——	——	——
《自由与文化》 (Freedom and Culture)	1939 年	——	——	——	——

续表

著作名	原著出版时间	中文出版时间	译者	出版社	备注
《罗素案件》 （The Bertrand Russell Case）	1941 年	——	——	——	——
《人的问题》 （Problems of Men）	1942 年	——	——	——	——

附注："——"说明该著作无中译本。

参考文献

一、中文部分

（一）著作或著作集

1. 〔美〕杜威.民主主义与教育[M].王承绪,译.北京:人民教育出版社,2003.

2. 〔美〕杜威.学校与社会·明日之学校[M].赵祥麟,等译.北京:人民教育出版社,1994.

3. 〔美〕杜威.杜威教育论著选[M].赵祥麟,王承绪,编译.上海:华东师范大学出版社,1981.

4. 袁刚,等.民治主义与现代社会——杜威在华讲演集[M].北京:北京大学出版社,2004.

5. 〔美〕杜威.杜威五大讲演[M].胡适,译.合肥:安徽教育出版社,1999.

6. 〔美〕杜威.哲学的改造[M].许崇清,译.北京:商务印书馆,2002.

7. 胡适.胡适全集(第1—5,7,8,10,20,24,28,31卷)[M].季羡林,主编.合肥:安徽教育出版社,2003.

8. 胡适.胡适学术文集·哲学与文化[M].姜义华,主编.北京:中华书局,2001.

9. 曹伯言,季维龙.胡适年谱[M].合肥:安徽教育出版社,1986.

10. 胡适.胡适日记全编[M].曹伯言,编.合肥:安徽教育出版社,2001.

11. 胡适.胡适口述自传[M].唐德刚,译.台北:台北传记文学出版社,1981.

12. 白吉庵,刘燕云.胡适教育论著选[M].北京:人民教育出版社,1992.

13. 葛懋春,李兴芝.胡适哲学思想资料选[M].上海:华东师范大学出版社,1990.

14. 华中师范学院教育科学研究所.陶行知全集(第一卷)[M].长沙:湖南教

育出版社,1984.

15. 华中师范学院教育科学研究所.陶行知全集(第二卷)[M].长沙:湖南教育出版社,1985.

16. 华中师范学院教育科学研究所.陶行知全集(第三卷)[M].长沙:湖南教育出版社,1985.

17. 华中师范学院教育科学研究所.陶行知全集(第四卷)[M].长沙:湖南教育出版社,1985.

18. 华中师范学院教育科学研究所.陶行知全集(第五卷)[M].长沙:湖南教育出版社,1985.

19. 江苏省陶行知教育思想研究会.陶行知文集[M].南京:江苏人民出版社,1981.

20. 陶行知.陶行知教育论著选[M].董宝良,主编.北京:人民教育出版社,2015.

21. 中央教育科学研究所.陶行知教育文选[M].北京:教育科学出版社,1981.

22. 陶行知,等.生活教育文选[M].成都:四川教育出版社,1988.

23. 陈鹤琴.陈鹤琴全集(第一至六卷)[M].北京市教育科学研究所,编.南京:江苏教育出版社,1991.

24. 蒋梦麟.蒋梦麟教育论著选[M].曲士培,主编.北京:人民教育出版社,1995.

25. 蒋梦麟.西潮·新潮[M].长沙:岳麓书社,2000.

26. 王承绪,赵端瑛.郑晓沧教育论著选[M].北京:人民教育出版社,1993.

27. 崔国良.张伯苓教育论著选[M].北京:人民教育出版社,1997.

28. 许椿生,等.李建勋教育论著选[M].北京:人民教育出版社,1993.

29. 戚谢美,绍祖德.陈独秀教育论著选[M].北京:人民教育出版社,1995.

(二)研究著作

1. 单中惠.现代教育的探索——杜威与实用主义教育思想[M].北京:人民教育出版社,2002.

2. 〔美〕郝大维,安乐哲.先贤的民主——杜威、孔子与中国民主之希望[M].何刚强,译.南京:江苏人民出版社,2004.

3. 顾红亮.实用主义的误读——杜威哲学对中国现代哲学的影响[M].上海:华东师范大学出版社,2000.

4. 邹铁军.实用主义大师杜威[M].长春:吉林教育出版社,1990.

5. 沈益洪.杜威谈中国[M].杭州:浙江文艺出版社,2001.

6. 王玉樑.追寻价值——重读杜威[M].成都:四川人民出版社,1997.

7. 高广孚.杜威教育思想[M].台北:台北水牛出版社,1976.

8. 〔美〕凯瑟琳·坎普·梅休,等.杜威学校[M].王承绪,等译.上海:华东师范大学出版社,1991.

9. 瞿葆奎,等.教育学文集·教学(上册)[M].北京:人民教育出版社,1988.

10. 耿云志.胡适研究论稿[M].成都:四川人民出版社,1985.

11. 〔美〕贾祖麟.胡适之评传[M].张振玉,译.海口:南海出版公司,1992.

12. 〔美〕格里德.胡适与中国的文艺复兴[M].鲁奇,译.南京:江苏人民出版社,1996.

13. 欧阳哲生.自由主义之累——胡适思想的现代阐释[M].上海:上海人民出版社,1993.

14. Lee Tjiek Oei.杜威工具主义对胡适人类哲学的影响[M].徐秋珍,译.台北:台北成文出版社有限公司,1977.

15. 余英时.重寻胡适历程[M].桂林:广西师范大学出版社,2004.

16. 安徽大学胡适研究中心.胡适研究(第一辑)[M].北京:东方出版社,1996.

17. 马勇.蒋梦麟教育思想研究[M].沈阳:辽宁教育出版社,1997.

18. 梁吉生.张伯苓教育思想研究[M].沈阳:辽宁教育出版社,1994.

19. 王伦信.陈鹤琴教育思想研究[M].沈阳:辽宁教育出版社,1995.

20. 童富勇,胡国枢.陶行知传[M].北京:人民教育出版社,1991.

21. 周洪宇.陶行知研究在海外[M].北京:人民教育出版社,1991.

22. 周洪宇,余子侠,等.陶行知与中外文化教育[M].北京:人民教育出版社,1999.

23. 中国陶行知研究会.陶行知教育思想研究文集[M].北京:人民教育出版社,1985.

24. 朱一雄.东南大学校史研究[M].南京:东南大学出版社,1989.

25. 孙铭勋,戴自俺.晓庄批判[M].上海:上海儿童书店,1934.

26. 方兴俨.生活教育简述[M].北京:新北平印刷厂,1949.

（三）相关著述

1. 教育大辞典编纂委员会.教育大辞典[M].上海：上海教育出版社,1990.

2. 黄宗羲.黄宗羲全集（第七、八册）[M].杭州：浙江古籍出版社,1986.

3. 艾思奇.艾思奇文集（第1卷）[M].北京：人民出版社,1981.

4. 瞿秋白.瞿秋白文集（政治理论编）（第2卷）[M].北京：人民出版社,1988.

5. 毛泽东.毛泽东选集[M].中共中央毛泽东选集出版委员会,编.北京：人民出版社,1967.

6. 任钟印.杨贤江全集（第3卷）[M].郑州：河南教育出版社,1995.

7. 中央教育科学研究所,厦门大学.杨贤江教育文集[M].北京：教育科学出版社,1982.

8. 中国蔡元培研究会.蔡元培全集[M].杭州：浙江教育出版社,1997.

9. 高平叔.蔡元培哲学论著[M].石家庄：河北人民出版社,1985.

10. 高平叔.蔡元培教育论著选[M].北京：人民教育出版社,1991.

11. 中国文化书院学术委员会.梁漱溟全集[M].济南：山东人民出版社,1990.

12. 宋恩荣.梁漱溟教育文集[M].南京：江苏教育出版社,1987.

13. 中国社会科学院近代史研究所.纪念五四运动六十周年学术讨论会论文选[M].北京：中国社会科学出版社,1980.

14. 〔美〕周策纵.五四运动：现代中国的思想革命[M].南京：江苏人民出版社,1992.

15. 袁伟时.中国现代哲学史稿（上卷）[M].广州：中山大学出版社,1987.

16. 瞿葆奎,等.曹孚教育论稿[M].上海：华东师范大学出版社,1989.

17. 李喜所,刘集林,等.近代中国的留美教育[M].天津：天津古籍出版社,2000.

18. 汤一介.北大校长与中国文化[M].北京：北京大学出版社,1998.

19. 吴俊升.教育与文化论文选集[M].台北：台湾商务印书馆,1972.

20. 季羡林,张光.东西文化议论集[M].北京：经济日报出版社,1997.

21. 〔美〕约翰·司徒雷登.在华五十年——司徒雷登回忆录[M].程宗家,译.北京：北京出版社,1982.

22. 〔美〕克雷明.学校的变革[M].单中惠,马晓斌,译.上海:上海教育出版社,1994.

23. 张斌贤.社会转型与教育变革[M].长沙:湖南教育出版社,1998.

24. 瞿葆奎.教育学文集·美国教育改革[M].北京:人民教育出版社,1990.

25. 〔美〕吉尔伯特·罗兹曼.中国的现代化[M].国家社会科学基金会课题组,译.南京:江苏人民出版社,2003.

26. 〔美〕约翰·S.布鲁柏克.教育问题史[M].吴元训,译.合肥:安徽教育出版社,1991.

27. 王天一,夏之莲,等.外国教育史(下册)[M].北京:北京师范大学出版社,1985.

28. 吴式颖.外国教育史教程[M].北京:人民教育出版社,1999.

29. 李泽厚.中国近代思想史[M].合肥:安徽文艺出版社,1994.

30. 冯天瑜,等.中华文化史[M].上海:上海人民出版社,1990.

31. 〔澳〕康内尔.二十世纪教育史[M].张法琨,等译.北京:人民教育出版社,1990.

32. 高瑞泉.中国近代社会思潮[M].上海:华东师范大学出版社,1996.

33. 彭明,程啸.近代中国的思想历程:1840—1949[M].北京:中国人民大学出版社,1999.

34. 吴洪成.中国近代教育思潮研究[M].重庆:西南师范大学出版社,1993.

35. 董宝良,等.中国近现代教育思潮与流派[M].北京:人民教育出版社,1997.

36. 周谷平.近代西方教育理论在中国的传播[M].广州:广东教育出版社,1996.

37. 许纪霖.二十世纪中国思想史论(上卷)[M].北京:东方出版社,2000.

38. 陈青之.中国教育史(下)[M].上海:商务印书馆,1936.

39. 舒新城.近代中国教育史料[M].北京:中华书局,1928.

40. 陈翊林.最近三十年中国教育史[M].太平洋书店,1930.

41. 庄俞,等.最近三十五年之中国教育[M].上海:商务印书馆,1931.

42. 陈学恂.中国近代教育史教学参考资料[M].北京:人民教育出版社,1986.

43. 陈学恂.中国近代教育大事记[M].上海:上海教育出版社,1981.

44. 李桂林,等. 中国现代教育史教学参考资料[M]. 北京:人民教育出版社,1987.

45. 毛礼锐,沈灌群. 中国教育通史(第一卷)[M]. 济南:山东教育出版社,1985.

46. 陈景磐. 中国近代教育史[M]. 北京:人民教育出版社,1983.

47. 李国钧,王炳照. 中国教育制度通史[M]. 济南:山东教育出版社,2000.

48. 王炳照,阎国华. 中国教育思想通史[M]. 长沙:湖南教育出版社,1994.

49. 孙培青,李国钧. 中国教育思想史[M]. 上海:华东师范大学出版社,1995.

50. 申晓云. 动荡转型中的民国教育[M]. 郑州:河南人民出版社,1994.

51. 李华兴. 民国教育史[M]. 上海:上海教育出版社,1997.

52. 璩鑫圭,唐良炎. 中国近代教育史资料汇编(学制演变)[M]. 上海:上海教育出版社,1991.

53. 朱有瓛. 中国近代学制史料(第三辑)[M]. 上海:华东师范大学出版社,1990.

54. 舒新城. 中国近代教育史资料[M]. 北京:人民教育出版社,1985.

55. 〔日〕多贺秋五郎. 近代中国教育史资料(清末编、民国编)[M]. 台北:文海出版社,1976,1975.

56. 北京图书馆,人民教育出版社图书馆. 民国时期总书目(1911—1944)[M]. 北京:书目文献出版社,1995.

57. 中华书局. 中华书局图书总目[M]. 北京:中华书局,1987.

58. 叶富贵:中国近代知识阶层与近代教育:1840—1922[D]. 北京:北京师范大学博士学位论文,2000.

(四) 近代报刊

1. 教育杂志,第 5—27 卷(1913—1935)

2. 中华教育界,第 7—23 卷(1919—1935)

3. 新教育,第 1—10 卷(1919—1925)

4. 生活教育,第 1 卷(24 期)、2 卷(24 期)、3 卷(12 期),1934—1935

5. 晨报,(1919—1921)

（五）当代相关研究期刊

1. 王奇生.留学生与中国教育的近代化[J].东南文化,1989(1).

2. 章清.实用主义哲学与近代中国启蒙运动[J].复旦学报,1988(5).

3. 黄书光.实用主义教育思想在中国的传播与再创造[J].高等师范教育研究,2000(9).

4. 田正平.论民国初年的早期实用主义教育思潮[J].教育研究,1993(4).

5. 顾红亮.实用主义真理观与张东荪[J].长沙电力学院学报:社会科学版,1998(3).

6. 欧阳英.毛泽东实践观与实用主义实践观的相似之处与本质区别[J].人文杂志,1999(6).

7. 陈锐.论杜威教育哲学的社会历史与文化基础[J].杭州师范学院学报,1998(5).

8. 马骥雄.试论杜威的育人观[J].华东师范大学学报,1989(2).

9. 杨汉麟.杜威教育目的论新析[J].教育研究与实验,1990(2).

10. 黎洁华.杜威在华活动年表[J].华东师范大学学报:教育科学版,1985(1—3).

11. 〔美〕J.E.史密斯.杜威在中国讲学中的基本观点[J].哲学译丛,1990(6).

12. 李定仁,曾天山.试论杜威教育思想在旧中国的影响[J].天津教育学院学报:社会科学版,1991(2).

13. 王剑.杜威、孟禄的中国之行与东南大学[J].东南大学学报:哲学社会科学版,2002(5).

14. 史云波.杜威中国之行对"五四"思想界的影响[J].江苏大学学报:社会科学版,2003(2).

15. 顾红亮.近20年来杜威哲学研究综述[J].哲学动态,1997(10).

16. 陈汉才.浅析陶行知与杜威思想的本质区别[J].华南师范学院学报:哲学社会科学版,1981(4).

17. 柳之榘.陶行知教育思想不同于杜威三论[J].安徽师大学报:哲学社会科学版,1981(4).

18. 李文奎."教学做合一"并非"从做中学"的变种[J].齐鲁学刊,1981(6).

19. 董宝良.试论陶行知与杜威在教育思想上的联系和区别[J].华中师院学报:哲学社会科学版,1982(6).

20. 季炳均.论陶行知提倡"新武训精神"的积极意义[J].民国档案,1986(2).

21. 邵祖德.从实用主义走向新民主主义[J].杭州大学学报,1982(1).

22. 陈璇.简论陶行知的教育思想非杜威教育思想的翻版[J].西北师院学报,1983(1).

23. 黄贵祥.陶行知不同于杜威[J].教育研究,1981(9).

24. 孙传华.对陶行知教育理论的几点认识[J].教育研究,1981(1).

25. 胡继渊.杜威和陶行知行动研究思想及实践的浅析[J].外国中小学教育,2004(1).

26. 谭德礼.从杜威的"教育即生活"到陶行知的"生活即教育"[J].河南师范大学学报:哲学社会科学版,2003(3).

27. 毛礼锐,等.中国教育史研究十年的回顾与展望[J].教育研究,1988(12).

28. 夏健华.略论陈鹤琴教育思想渊源[J].安徽师大学报:哲学社会科学版,1990(2).

29. 梁吉生,杨珣.爱国的教育家张伯苓[J].南开学报,1981(1).

30. 白吉庵.胡适早期的教育思想[J].徽州社会科学,1990(1).

31. 孙晓飞."五四"前后胡适实用主义影响评议[J].江淮论坛,2001(3).

32. 吴二持.胡适与中国新教育[J].汕头大学学报:人文社会科学版,2002(6).

33. 王运来.略论郭秉文"四个平衡"的办学思想[J].扬州大学学报:高教研究版,2000(12).

34. 许士荣.郭秉文的高等教育办学思想及其启示[J].机械工业高教研究,2002(4).

35. 董德福.蒋梦麟与五四新文化运动[J].求是学刊,2002(3).

36. 吴洪成,谈龙宝.郑晓沧与中国教育的近代化[J].浙江师范大学学报:社会科学版,1998(4).

37. 刘剑虹.试论郑晓沧的大学教育思想[J].高等师范教育研究,1998(4).

38. 雷戈.论历史学的学派[J].河南大学学报:社会科学版,1997(11).

39. 焦润明.论学派与史学的繁荣[J].社会科学辑刊,2002(4).

二、 英文部分

1. Barry Keenan. The Dewey Experiment in China: Educational Reformer and Political Power in the Early Republic[M]. Massachusetts: Harvard University Press, 1977.

2. David L. Hall ,Roger T. Ames. The Democracy of the Dead: Dewey, Confucius, and the Hope for Democracy in China[M]. Open Court Chicago and Lasalle,Illinios,1999.

3. Kenneth A. Sirotnik,Roger Soder. The Beat of A Different Drummer: Essays on Educational Renewal in Honor of John I. Goodlad[M]. N. Y. , Peter-Lang Publishing,Inc. ,1999.

4. John Blewett, S. J. John Dewey, His Thought and Influence[M]. New York:Fordham University Press,1960.

5. Douglas C. Smith. The Second Confucius, An Impact Analysis of John Dewey and His China Experience ,A Study in Essay Form[J]. Asian Culture Quarterly, 1993,21(3).

6. ZhiXin Su. A Critical Evaluation of John Dewey's Influence on Chinese Education[J]. American Journal of Education, 1995(5).

7. Douglas C. Smith. Moment at Tunghai, John Dewey's Influence on Chinese Pedagogical Philosophy-An Impact-Analysis[J]. The Journal of the West Virginia Historical Associational,1988(12).

8. ZhiXin Su. Teaching, Learning, and Reflective Acting: A Dewey Experiment in Chinese Teacher Education[J]. Teachers College Record, 1996, 98(1).

9. Zeng Zida. A Chinese View of the Educational Ideas of John Dewey[J]. Interchange, 1988,19(3-4).

10. Kuo-Shih Yang. John Dewey's Progressivism and Chinese Education, Sino-American Relations[J]. An International Quarterly, 1989(4).

11. Stuart D. Hoffman. School texts, The Written Word, and Political Indoctrination: a Review of Moral Education Curricula in Modern Japan

(1886—1997) [J]. Journal of the History of Education Society, 1999, 28(1).

12. Naoko Saito. Education for Global Understanding: Learning From Dewey's Visit to Japan[J]. Teachers College Record,2003,105(9).

| 编后记 |

时间回到三年前,那时我还是教育界的门外汉,对杜威来过中国,杜威有什么教育思想不甚了解。在我的认识中,杜威是一位哲学家,是实用主义的代表人物,他的实用主义在中国有一个广为人知的倡导者,那就是胡适先生。胡适先生担任过中国最为自由开放的北京大学的校长。

时间如果回到四十年前,那时我还刚进入部队服役。少年时期正当学习知识的年纪浪费在了"文化大革命"这个特殊的年代,没有机会享受到高等学校的教育。但也正是因为认识到这点,之后我凭借自己的勤奋与好学,考入了中国政法大学,从此改变了我的人生历程。我的人生经验让我相信,好的教育可以改造人类和社会,好的教育要从好的学校做起。

2015 年,我开始在海南省创建北大附中海口学校、北大附小海口学校,创校过程筚路蓝缕。在创校的过程中,我有幸认识了北大附中王铮校长,了解王铮校长的教育履历后,我对北大附中的教育理念有了更深入的体验和回味,王铮校长借此机会向我介绍了其教育思想的渊源之一——杜威先生。这好似向我开启了一扇新世界的窗户,我开始阅读杜威先生的教育学著作和百年前在中国演讲的文集,那段时间是我最为愉快和充实的时段,来自杜威的"教育即生活""学校即社会"等观点冲淡了我在创校过程中的艰辛和苦恼,使我对于创建两所学校的未来充满了信心和期待。仅仅是阅读还不过瘾,我觉得还应该亲自沿着杜威先生在中国的足迹,重新踏临当年其演讲的地方,于是这三年中我走访了北京大学、南京师范大学、镇江金山寺、扬州、太原、常州教会恺乐堂、同济大学、杭州马坡巷、长沙东牌楼街、厦门大学等地。虽然多数地方已无陈迹可循,百年沧桑旧貌换了新颜,但抚今追昔,透过历史这扇虚掩的大门,前人声犹在耳、影也绰绰,每至一处我止不住内心对杜威先生的仰慕和追寻之情。遥想当年他在中华大地上行走时,正当"五四"运动蓬勃发展,社会思潮求新求变,杜威每到一处都听者踊跃,讲演一场接一场,座无虚席,这是一个民族千百年来对于西方教育文明的热切响应。因一次偶然的闲谈,我得知在美国有一所杜威先生亲自创办的学校,名字叫芝加哥大学实验学校,我心中一下子兴奋起来,我想我一定要到这所学校去看一看,这所学校是杜威先生的作品,是其教育思想在社会中真正实践的遗存。2018年8月,我和王铮校长到达美国芝加哥,参观了芝加哥大学实验学校,终于实现了和杜威先生的零距离接触。学校的校长查尔斯先生接待了我们,有幸这位校长曾因工作的关系多次到过中国,对中国很熟悉,我们和他也由此多了一份缘分。交谈后我们得知查尔斯校长正在发起一个"纪念杜威来华100周年——重走杜威路"的活动,其第一站已经去了中国南京。我们对查尔斯校长的想法感到很惊喜,深觉其意义重大,这不仅仅是对杜威到中国这段历史的回溯和观照,更有在全球一体化的背景下中美双方文化教育全面交流和相互促进的现实意义。杜威先生一百年前越过大洋来到东方中国传播他的思想,一百年来虽经历史更迭但薪火不灭、代有人传。我和王铮校长商量要为查尔斯校长做点事情,遂有了这个想法,我们要全面回顾杜威先生的教育思想在中国百年的传播实践史,梳理和发现其在中国当代教育界的实践成果,于是有了本书《杜威教育思想在中国——纪念杜威来华讲学100周年》。

我忝为本书的总策划人,在编撰这本书的过程中,我也不禁思考:一百年过去了,为什么我们中国还这样需要杜威先生和他的教育思想?联想起杜威的主要教育观点,比如学生要自治,要自己管理自己,成一个健全的国民;学校即社会,学校以适应社会的需要为目的;等等。我深觉我们的社会发育还不完善,我们的教育事业还任重道远。这也是我创建北大附中海口学校、北大附小海口学校的初衷,我寄希望于这两所学校能有更大的自由和空间去承接百年前杜威先生传下的薪火,如同芝加哥大学实验学校一样,辉耀百年!

另在此,我对我的太太,在创校过程中给予我帮助并做出巨大贡献的楚军红女士表示深深的感谢!

2019年3月20日于海南蓬瀛阁

李福顺